HOMÉLIES SUR L'ECCLÉSIASTE

SOURCES CHRÉTIENNES

Nº 416

GRÉGOIRE DE NYSSE

HOMÉLIES SUR L'ECCLÉSIASTE

TEXTE GREC DE L'ÉDITION P. ALEXANDER.
INTRODUCTION, TRADUCTION, NOTES ET INDEX

par

Françoise VINEL

Ouvrage publié avec le concours du
Centre National du Livre
et de l'Œuvre d'Orient

LES ÉDITIONS DU CERF, 29 Bd de LATOUR-MAUBOURG, PARIS
1996

La publication de cet ouvrage a été préparée avec le concours de l'Institut des « Sources Chrétiennes » (U.P.R.E.S.A. 5035 du Centre National de la Recherche Scientifique)

ISBN : 2-204-05355-4
ISSN : 0750-1978

INTRODUCTION

L'*Ecclésiaste*, ou *Qohélet*, selon son titre hébraïque, est un texte biblique difficile. Écrit en hébreu à une date tardive, dans une langue que les exégètes s'accordent à reconnaître comme très marquée par l'araméen [1], ce livre, qui se présente actuellement sous la forme de douze chapitres, pose de nombreux problèmes d'interprétation.

I. — LE LIVRE DE L'ECCLÉSIASTE ET SES COMMENTAIRES

En présentant la traduction du *Targum* de Qohélet, Ch. Mopsik [2] rend compte des débats suscités dans la tradition juive par les propos d'allure hétérodoxe prêtés à Salomon ; son pessimisme radical, ses questions sur l'homme et le monde ne sont-ils pas provocants ? Qu'il s'agisse de sa portée philosophique ou de son utilisation dans le cadre liturgique, partisans et adversaires de l'œuvre s'affrontent, durcissent ou au contraire rectifient les positions de Qohélet. Ch. Mopsik conclut ainsi ses réflexions : « Il est difficile de nier que l'interprétation rabbinique a assuré la transmission de ce livre malgré les réticences qu'il n'a pas

1. Voir Barton, *Commentary on Ecclesiastes*, p. 7-8.
2. *L'Ecclésiaste et son double araméen.*

manqué de susciter. Est-elle alors occultation ou sauvetage ? Les deux à la fois sans doute [1] ».

Le texte grec de l'*Ecclésiaste* ne présente pas moins de difficulté que l'original hébreu. Les critiques contemporains en attribuent la traduction à Aquila, au Iᵉ siècle de notre ère [2]. Le caractère tardif du passage dans la langue grecque et les discussions sur la canonicité qui ont pu lui être liées expliquent sans doute l'absence presque totale de références à l'*Ecclésiaste* dans les deux premiers siècles chrétiens [3]. Les *Homélies sur l'Ecclésiaste* de Grégoire de Nysse, telles qu'elles nous sont parvenues, en acquièrent d'autant plus d'importance.

Avant de présenter les fragments de commentaires antérieurs à celui de Grégoire de Nysse, on peut encore noter ce qui, de fait, assure une place à l'*Ecclésiaste* dans la tradition à partir d'Origène. Clément d'Alexandrie avait cherché à adapter à la foi chrétienne les degrés du savoir définis par la philosophie grecque et à fixer ainsi les parties de la philosophie chrétienne [4]. Au début de son *Commentaire sur le Cantique des Cantiques*, Origène établit une correspondance entre les parties traditionnelles de la philosophie, qu'il nomme éthique, physique et époptique, et les trois livres attribués à Salomon, *Proverbes*, *Ecclésiaste*, *Cantique des Cantiques* [5]. Il faut peut-être voir là, comme le souligne M. Harl [6], la marque du rôle attribué par l'interprétation juive au personnage de Salomon. Mais I. Hadot a aussi montré que les questions abordées par Origène, lorsqu'il présente le *Cantique* dans le prologue de

1. *Ibid.*, p. 22.
2. Voir BARTHÉLEMY, *Les devanciers d'Aquila*, p. 21-30 (« La Septante de l'Ecclésiaste »).
3. Voir *Biblia Patristica. Index des citations et allusions bibliques dans la littérature patristique*, vol. 1 et 2, Paris 1975 et 1977.
4. Voir A. MÉHAT, *Étude sur les « Stromates » de Clément d'Alexandrie*, Paris 1966, p. 77-89.
5. Prol. 3, 5-16 (*SC* 375, éd. Borret-Brésard-Crouzel).
6. Voir M. HARL, « Les trois livres de Salomon », p. 249-250.

son *Commentaire*, doivent beaucoup aux schémas exégétiques des commentaires néoplatoniciens [1].

Dans la trilogie salomonienne, l'*Ecclésiaste* est désormais défini comme le livre de la physique [2] : proclamer la « vanité » du monde sensible constitue une propédeutique à la lecture mystique du *Cantique*. Cette interprétation est largement reprise après Origène [3]. Jérôme lui fait bonne place dans son *Commentaire* [4], et S. Holm-Nielsen a montré combien l'œuvre de Jérôme, riche en remarques sur le texte biblique et ses variantes hexaplaires, nourrit largement les commentaires latins jusqu'au Moyen Âge.

Les commentaires grecs de l'Ecclésiaste

Des éditions nouvelles, et en particulier les travaux de S. Leanza et de son équipe sur les chaînes de l'*Ecclésiaste*, ont amélioré notre connaissance des interprétations patristiques de ce texte, alors même que bien des œuvres nous sont parvenues dans un état très fragmentaire.

— *Avant Grégoire de Nysse*

Origène La lettre 33 de Jérôme mentionne dans la liste des œuvres d'Origène huit homélies sur l'*Ecclésiaste*, auxquelles il faut ajouter les scholies des chaînes. S. Leanza a regroupé ces différents fragments ainsi que les références à l'*Ecclésiaste* présentes dans le reste de l'œuvre d'Origène [5]. À défaut de donner véritablement une idée d'ensemble de son Commentaire, ces fragments laissent penser qu'Origène restait fidèle à sa méthode

1. Voir I. Hadot, « Les introductions aux commentaires exégétiques ».
2. Voir ci-dessous, chap. V.
3. Voir S. Holm-Nielsen, « On the interpretation of Qohelet in early Christianity ».
4. Voir le Prologue.
5. S. Leanza, *L'esegesi di Origene al libro dell'Ecclesiaste.*

exégétique. En outre, lorsque la confrontation avec les homélies de Grégoire de Nysse est possible, elle permet de préciser les liens entre les deux auteurs, et peut-être aussi leur manière différente de définir le rapport entre l'Ancien et le Nouveau Testament. La comparaison des commentaires sur le *Cantique* dus à ces deux écrivains autorise les mêmes remarques et éclaire la définition du rôle donné à l'*Ecclésiaste* [1]. Enfin, on ne peut pas négliger complètement la place faite à l'*Ecclésiaste* dans les *Hexaples* [2] : l'étude comparée des différentes versions, en faisant apparaître les difficultés syntaxiques et sémantiques du texte, permet de mieux comprendre certains commentaires de Grégoire de Nysse [3].

Grégoire le Thaumaturge

De Grégoire le Thaumaturge, disciple enthousiaste d'Origène, comme en témoigne le *Remerciement à Origène* [4], nous est parvenue la *Metaphrasis in Ecclesiasten* (*PG* 10, 987-1018) [5]. Comme on a pu le montrer [6], la *metaphrasis* n'est ni une traduction ni un commentaire suivi du texte biblique, mais elle relève probablement de la tradition des exercices d'école transmis par les rhéteurs grecs. Le texte biblique n'y est jamais cité, mais cette glose suivie, à peine plus longue que le texte biblique lui-même, révèle une compréhension surtout moralisante du texte. Bien que Grégoire de Nysse ait écrit une *Vie de Grégoire le*

1. Voir en particulier les prologues du *Commentaire sur le Cantique* d'ORIGÈNE (*SC* 375) et de GRÉGOIRE DE NYSSE (*GNO* VI).

2. F. FIELD, *Origenis Hexaplorum quae supersunt fragmenta ; sive veterum interpretum graecorum in totum vetus testamentum fragmenta*, 2 vol., réimpr. Hildesheim 1964.

3. Par exemple son interprétation de l'expression répétée προαίρεσις πνεύματος.

4. *SC* 148 (1969), éd. H. Crouzel.

5. Voir J. JARICK, *Gregory Thaumaturgos' Paraphrase in Ecclesiastes*, *Septuagint and Cognate Studies* 29, Atlanta Georgia 1990.

6. Voir F. VINEL, « La *Metaphrasis in Ecclesiasten* de Grégoire le Thaumaturge ».

Thaumaturge (*PG* 46, 893-957), il n'y mentionne pas ses œuvres et rien ne permet d'affirmer qu'il ait eu connaissance de cet écrit.

Denys d'Alexandrie

Les fragments d'un commentaire de Denys d'Alexandrie édités par Migne (*PG* 10, 1577-1588) sont des scholies de la chaîne éditée par Galland en 1796 [1]. Les attributions n'en sont pas toujours sûres. Jérôme et Eusèbe attestent cependant l'existence d'un commentaire de Denys sur l'*Ecclésiaste*. La découverte de plusieurs fragments, ainsi que la présence de scholies dionysiennes dans plusieurs chaînes, comme on va le voir, en font espérer une édition [2]. L'interprétation de Denys, peut-être à considérer comme un disciple d'Origène, est surtout allégorique, et conforme aux règles de l'exégèse alexandrine.

— *Après Grégoire de Nysse*

Didyme l'Aveugle

Le commentaire de Didyme l'Aveugle sur l'*Ecclésiaste* est difficile à dater de façon précise, mais il appartient probablement au dernier quart du IVe siècle et serait donc à peu près contemporain des Homélies de Grégoire de Nysse [3]. L'édition qu'en ont faite G. Binder, L. Liesenborghs et d'autres dans la collection *Papyrologische Texte und Abhandlungen* à partir des papyrus de Toura présente un texte assez bien conservé pour le commentaire des huit premiers versets ; la suite reste très fragmentaire [4]. On

1. Voir S. LEANZA, « Il commentario sull'Ecclesiaste di Dionigi Alessandrino », dans *Scritti in onore de Salvatore Pugliatti* », vol. V, Milan 1978, p. 397-429.

2. S. LEANZA, « Pour une réédition des *Scolies à l'Ecclésiaste* de Denys d'Alexandrie », dans *Alexandrina. Mélanges offerts à C. Mondésert*, Paris 1987, p. 239-246.

3. Voir ci-dessous, chap. II.

4. *Didymos der Blind. Kommentar zum Ecclesiastes (Tura Papyrus)*, 6 vol. (*PTA* 25, 22, 13, 16, 24, 9), Bonn 1969-1979.

peut penser que Didyme est tributaire d'Origène pour sa lecture de l'*Ecclésiaste* comme il l'est pour son commentaire sur la *Genèse* [1].

Évagre

Les *Scholies à l'Ecclésiaste* d'Évagre le Pontique, publiées par P. Géhin (*SC* 397) à la suite des *Scholies aux Proverbes*, nous fournissent un exemple de ce genre littéraire. Commentaire bref et discontinu du livre biblique (la dernière scholie porte sur *Eccl.* 11, 10), ces scholies portent la marque d'Origène, mais elles sont aussi en parfaite cohérence avec les autres œuvres d'Évagre, et P. Géhin souligne notamment les nombreux parallèles avec les *Scholies aux Proverbes*.

Pseudo-Chrysostome

Un commentaire pseudo-chrysostomien sur l'*Ecclésiaste* a été édité par S. Leanza à la suite de la *Chaîne de Procope* (voir ci-dessous), d'après le codex *Patmiacus 161* (f. 63r-76r) dont l'étude avait été commencée par M. Richard [2]. Il paraît établi que ce texte ne peut pas être de Chrysostome lui-même, mais la méthode exégétique mise en œuvre dans le commentaire atteste qu'il a été produit dans les milieux antiochiens contemporains de ce dernier.

Autres commentaires

Nil d'Ancyre a-t-il commenté l'*Ecclésiaste* ? La chaîne de Procope en témoigne, mais après un premier examen critique de ces fragments par S. Lucà, P. Géhin a restitué ces différents textes à Évagre [3].

D'une époque bien postérieure (VIe s.), le *Commentaire de l'Ecclésiaste* d'Olympiodore, publié dans la *Patrologie*

1. *SC* 233 et 244 (1976 et 1978), éd. P. Nautin et L. Doutreleau.

2. *Pseudochrysostomi Commentarius in Ecclesiasten*, *CCSG* 4 (1978), éd. S. Leanza.

3. S. LUCÀ, « L'esegesi di Nilo di Ancira sull'Ecclesiaste », *Biblica* 60, 2 (1979), p. 237-246 ; P. GÉHIN, Introd. à *Évagre. Scholies à l'Ecclésiaste*, *SC* 397 (1993) ; voir M.-G. GUÉRARD, Introd. à *Nil d'Ancyre. Comm. sur le Cantique*, *SC* 403 (1994), p. 27 et n. 1-2.

grecque (*PG* 93, 477-628), n'est, selon S. Leanza [1], qu'une compilation assimilable à une chaîne sur l'*Ecclésiaste*.

Mentionnons enfin le Commentaire de Grégoire d'Agrigente, vers la fin du VIIe siècle (*PG* 98, 741-1132) : exégèse suivie des douze chapitres du texte biblique, l'interprétation moralisante y est dominante.

Les Chaînes sur l'Ecclésiaste

Comme le suggère G. Dorival, l'histoire de ce genre littéraire est complexe et encore mal connue [2]. Procope de Gaza, au VIe siècle, paraît bien en être l'inventeur. Parmi les chaînes sur l'*Ecclésiaste* [3], quatre (dont le « commentaire » d'Olympiodore présenté plus haut) utilisent nos Homélies en précisant le nom de l'auteur. La possibilité d'erreur d'attribution ou, dans d'autres cas, l'absence de mention d'auteur pour les fragments composant la chaîne exigent cependant de la prudence [4].

Épitomé de Procope

Éditée par S. Leanza d'après le codex *Marcianus graecus 22* et complétée par l'édition du codex *Vindobonensis graecus 147* [5], cette compilation est faite d'emprunts à Denys

1. Voir S. LEANZA, « La catene esegetiche sull'Ecclesiaste », *Augustinianum* 1977, p. 542-552. Selon P. GÉHIN cependant, l'œuvre d'Olympiodore pourrait constituer un authentique commentaire à exégèses multiples (« Un nouvel inédit d'Évagre le Pontique : son commentaire de l'Ecclésiaste », *Byzantion* 49, 1979, p. 188-198, en particulier, p. 194-195).

2. G. DORIVAL, « La postérité littéraire des chaînes exégétiques grecques », *REB* 43 (1985), p. 209-226.

3. Voir *CPG* IV, c. 101-105, et R. DEVREESSE, art. «Chaînes exégétiques grecques » (Chaînes sur l'Ecclésiaste), *Dict. de la Bible*, Suppl., t. I, col. 1163-1164.

4. C'est une des difficultés présentées par la *Catena Hauniensis in Ecclesiasten*, éditée par A. Labate (*CCSG* 24) et dont les mss ne portent pas de noms d'auteurs. Les emprunts à Grégoire de Nysse qu'y décèle Labate ne correspondent jamais à une citation explicite du texte de Grégoire édité par Alexander.

5. *Procopii Gazaei Catena in Ecclesiasten, CCSG* 4 et 4 *Suppl.*, 1978, éd. S. Leanza.

d'Alexandrie, Origène, Grégoire de Nysse, Évagre, Didyme et Nil. G. Dorival distingue entre l'*Épitomé* fait d'extraits distincts et la chaîne organisée comme un texte suivi, et il montre que ces regroupements d'extraits n'excluent pas un travail de réécriture et d'abrègement des originaux [1].

La Chaîne de Polychronius

A. Labate a consacré plusieurs articles [2] à l'analyse de cette chaîne transmise par de nombreux manuscrits, et montré, en proposant une série de rapprochements avec l'édition d'Alexander, qu'elle utilisait abondamment le texte nysséen. Le débat reste ouvert entre A. Labate et P. Géhin quant à l'origine évagrienne de plusieurs passages [3].

La Chaîne dite des Trois Pères

Les auteurs utilisés ne sont pas nommés, mais son éditeur, S. Lucà, a identifié des extraits de Grégoire de Nysse, de Grégoire le Thaumaturge et de Maxime le Confesseur [4].

Dans la perspective de ce volume consacré à Grégoire de Nysse, l'intérêt de ces chaînes est double. Elles constituent d'abord des témoins supplémentaires pour notre connaissance du texte ; nous y ajouterons, en présentant la tradition manuscrite des Homélies (voir ci-dessous, chap. VIII), l'existence d'une version arménienne, précieuse

1. G. Dorival, *Les chaînes exégétiques grecques sur les Psaumes. Contribution à l'étude d'une forme littéraire*, t. I, Louvain 1986, p. 99-112 (La naissance des chaînes en Palestine).

2. A. Labate, « Nuovi codici della catena sull'Ecclesiaste di Policronio », *Augustinianum* 18 (1978), p. 551-553 ; « Nuove catene esegetiche sull'Ecclesiaste », dans *ANTIDORON. Hommage à M. Geerard*, Wetteren 1984, p. 241-263 ; « Sulla catena all'Ecclesiaste di Policronio », *Studia Patristica* XVIII, 2, Louvain 1989, p. 21-35.

3. Sur les points discutés, voir A. Labate, *art. cit.*, p. 27-29, et P. Géhin, Introd. à *Évagre. Scholies à l'Ecclésiaste, SC* 397 (1993), p. 33-34.

4. *Anonymus in Ecclesiasten. Commentarius qui dicitur Catena trium Patrum, CCSG* 11, 1983.

pour confirmer, ou infirmer, certains choix d'Alexander et preuve de la diffusion de cette œuvre dans la sphère arménienne. Mais les chaînes nous découvrent aussi une des manières dont a été assurée la postérité de l'œuvre de Grégoire ; et sur ce point, il faut bien constater le caractère souvent réducteur des découpages opérés dans l'œuvre. Il est clair en effet que les développements philosophiques qui enrichissent l'exégèse du Cappadocien n'ont pas été retenus, pas plus que l'interprétation des chapitres 1 et 2 de l'*Ecclésiaste* comme « confession » dc Salomon (voir ci-dessous, chap. VII).

II. — LES HOMÉLIES SUR L'ECCLÉSIASTE : DATE ET PLACE DANS L'ŒUVRE DE GRÉGOIRE DE NYSSE

Grégoire évoque à deux reprises la « lecture » [1] des versets de l'*Ecclésiaste* qu'il commente. Dans l'homélie III, nous trouvons en effet : « C'est là ce que l'Église nous enseigne par la *lecture*, aujourd'hui, du texte de l'*Ecclésiaste* » ; et il rappelle de même dans l'homélie V « tout ce que nous avons appris par la *lecture* d'aujourd'hui ». Il est difficile de savoir à quel contexte, liturgique, monastique ou autre, fait écho cette mention de la lecture du texte. La date même de l'œuvre n'est pas sûre.

Date des Homélies

J. Daniélou comme G. May ont proposé l'année 381 comme date possible, selon la cohérence de la chronologie qu'ils établissent pour l'ensemble de l'œuvre [2]. Le concile de Constantinople de 381 sert ici de *terminus ad quem*, ce que pourraient confirmer deux arguments.

1. Ἀνάγνωσις : *hom.* III, 3, 1 et *hom.* V, 8, 55.

2. Voir J. Daniélou, « La chronologie des œuvres de Grégoire de Nysse », *Studia Patristica* VII, *TU* 92 (1966), p. 159-169 ; G. May, « Die Chronologie des Lebens und der Werke dem Gregor von Nyssa », dans *Écriture et culture philosophique*, p. 56-57.

W. Jaeger tire parti d'une notation de l'homélie VI, « le manque de foi qui s'empare aujourd'hui de certains » pour dire que l'œuvre ne peut qu'être antérieure à l'apaisement apporté par le concile [1].

Le second argument relève de la critique interne. En essayant de fixer les étapes de la théologie nysséenne de la connaissance de Dieu, M. Canévet voit dans le *Contre Eunome* le moment-clef de son évolution [2]. Or, on sait par Jérôme que les deux premières parties du *Contre Eunome* ont été lues au concile de 381 [3]. Si, à partir du *Contre Eunome*, Grégoire semble nier la possibilité d'une connaissance analogique de Dieu, un passage de la première homélie *sur l'Ecclésiaste* et un texte parallèle de la septième *oratio De beatitudinibus* notent seulement la difficulté à parler de Dieu en langage humain [4] ; cela « paraît confirmer, écrit M. Canévet, que la date de composition de ces deux traités est antérieure à la polémique contre Eunome ».

Les différentes phases du débat contre Eunome et les enjeux du concile de 381 permettent de préciser les dates respectives des traités trinitaires de Grégoire de Nysse, de 379 à 383. En ce qui concerne les *Homélies sur l'Ecclésiaste*, c'est la situation concrète des Églises, plus que le débat doctrinal lui-même, qui peut nous apporter un éclairage important. En s'appuyant sur le lien étymologique entre « ecclésiaste » et « église » (ἐκκλησία), Grégoire définit en effet ce texte de l'Ancien Testament comme un livre pour « la seule vie de l'Église [5] » ; de même, plusieurs passages des homélies paraissent être des allusions aux troubles que connaît alors l'Église — et l'on sait la part

1. *Hom.* VI, 6, 19-20. P. Alexander indique dans une note *ad loc.* (*GNO* V, p. 382) : « Arianos respicere et haec ergo ante concilium Constantinopolitanum (a. 381) scripsisse Gregorium animadvertit Jaeger. »

2. Voir *Herméneutique*, p. 50-51.

3. *Vir. ill.* 128.

4. *In Eccl.* I, 12 et *De beat.* VII (*GNO* VII, 2, p. 150-151).

5. *Hom.* I, 2, 19-20.

que prit Grégoire aux querelles épiscopales qui divisaient alors toute la région du Pont et de la Cappadoce. C'est cet arrière-plan historique qui nous paraît fournir le meilleur cadre aux *Homélies sur l'Ecclésiaste*. Deux dates peuvent alors délimiter une période pour leur rédaction ou leur prédication, celle de la mort de son frère Basile que nous préciserons un peu plus loin et celle, quelques années plus tard, de la mort de Mélèce d'Antioche, au début du concile de Constantinople de 381. Ces deux personnages symbolisent, et particulièrement aux yeux de Grégoire qui prononce leur éloge [1], le rôle des évêques pris dans la tourmente de l'Église. Plusieurs lettres adressées par Basile à Athanase, donc antérieures à 373, marquent l'ampleur de la crise. Ainsi, l'interrogation inquiète de la lettre 66, que R. Pouchet propose de dater du printemps 371 ; Basile y appelle à l'union les Églises d'Orient et d'Occident et confie à son destinataire : « Je crois que personne ne s'afflige autant que ton Mérite de l'état actuel des Églises, ou plutôt de la confusion qui y règne [2]. » Il s'arrête en particulier à la situation d'Antioche [3], où le parti arien triomphe depuis 361 ; Mélèce a été déposé puis exilé dès son élection, et deux évêques ariens se succèdent à sa place. « Que pourrait-il y avoir pour les Églises de toute la terre, continue Basile, de plus vital qu'Antioche ? S'il lui arrivait de revenir à la concorde, rien ne l'empêcherait, comme une tête qui a repris sa force, de communiquer sa santé à tout le corps [4]. »

1. *Oratio funebris in Basilium fratrem* et *in Meletium episcopum*.

2. *Ep.* 66, 1 (trad. Courtonne, *CUF*). — Sur la chronologie des lettres à Athanase et sur la prise de position en faveur de Mélèce, voir J.-R. POUCHET, *Basile le Grand et son univers d'amis d'après sa correspondance : une stratégie de communion*, Rome 1992, chap. XII.

3. Sur Antioche et les difficultés ecclésiastiques pendant cette période, voir R. DEVREESSE, *Le patriarcat d'Antioche depuis la paix de l'Église jusqu'à la conquête arabe*, Paris 1945 ; J.H. NEWMAN, *Les Ariens du IVe siècle*, trad. fr. Paris 1988, p. 272.

4. BASILE, *Ep.* 66, 2 ; voir B. GAIN, *L'Église de Cappadoce au IVe siècle*, chap. X, p. 359-384 (« Hérésies et dissensions »).

Dès 375, Grégoire, lui, a été exilé par l'empereur Valens « à cause de la foi », et, selon ses propres paroles dans la *Vie de Macrine*, « la confusion qui régnait dans les Églises (l)'entraîna dans des controverses et des luttes [1] ». Une lettre de Basile à Amphiloque, évêque d'Iconium, atteste d'ailleurs la part que prenait Grégoire, de son exil même, aux malheurs de l'Église [2]. Après son retour d'exil, lors de la mort de Valens en 378, c'est aussi la mort de Basile qui donne à Grégoire le rôle prépondérant dans ces affaires épiscopales. Dans un article paru en 1988, P. Maraval a remis en question la date admise jusqu'alors pour la mort de Basile [3], le 1er janvier 379 ; revenant en effet sur la chronologie qu'il avait proposée dans son édition de la *Vie de Macrine* [4], il propose de faire remonter à septembre 377 la mort de Basile, et ce décalage se reporte sur les événements habituellement datés en fonction de la mort de l'évêque de Césarée, en particulier le concile d'Antioche, désormais situé en mai 378 (au lieu de l'automne 379), et la mort de Macrine qui aurait eu lieu en juillet 378 (au lieu de décembre 379). Cette modification de date a l'avantage, comme le souligne P. Maraval, de laisser plus de temps à Grégoire pour les nombreux déplacements qu'il effectue pendant cette période, en particulier dans le Pont, dans les villes épiscopales d'Ibora et de Sébastée, à la fin de 379 [5]. À Nysse même où il est rentré après la mort de Macrine pendant l'été 378, Grégoire doit aussi régler des troubles, dus en particulier à la présence de communautés galates [6].

1. *V. Macr.* 21.

2. Basile, *Ep.* 232 ; la lettre est datée de 376 par Y. Courtonne (*CUF*, t. III). — Sur la chronologie des lettres de Basile à Amphiloque, voir R. Pouchet, *op. cit.*, chap. XVIII, tableau p. 410.

3. P. Maraval, « La date de la mort de Basile de Césarée », *REAug.* 34 (1988), p. 25-38.

4. Voir Introd. à *V. Macr.* p. 57-66.

5. P. Maraval, *art. cit.*, p. 37.

6. La lettre 19 mentionne les difficultés de Grégoire à son retour d'Antioche, au moment où il apprend la maladie de Macrine : « ... Ensuite, avant que j'aie digéré ce malheur, les Galates qui habitent auprès

Ces dix-huit mois de séjour à Nysse, en 378-379, pendant la première année du règne de Théodose, pourraient être le moment de la rédaction des *Homélies sur l'Ecclésiaste*, et faire de ce livre « un enseignement pour l'Église » relèverait en quelque sorte d'une lecture actualisante de l'Écriture.

Place des Homélies dans l'œuvre de Grégoire

La physique C'est moins ici la chronologie des œuvres que leur matière même qui peut nous amener à définir la place des *Homélies sur l'Ecclésiaste* dans l'ensemble de l'œuvre. Elles sont évidemment liées aux deux textes qui associent étroitement Grégoire à Basile, l'*In Hexaemeron* et le *De hominis opificio*. La nature (φύσις) est alors au cœur de la réflexion, et cela engage différents ordres de questions :

— ce que P. Duhem a appelé un « système du monde », c'est-à-dire l'élaboration d'une représentation du cosmos créé ; la base scripturaire en est bien sûr le récit de la création, mais philosophiquement, Grégoire s'inscrit à la suite de la pensée stoïcienne des éléments. Le commentaire d'*Eccl.* 1, 4-7, centré sur la notion de mesure, est sur ce point très proche de plusieurs passages de l'*In Hexaemeron* [1].

— quant à la nature humaine, le *De hominis opificio* fait fond sur la notion stoïcienne de l'homme microcosme, image du macrocosme [2]. Les *Homélies sur l'Ecclésiaste*

de mon Église, ayant répandu secrètement en plusieurs lieux de mon Église la maladie qui leur est habituelle, celle des hérésies, provoquèrent un conflit qui n'était pas mince, au point que c'est seulement avec peine, Dieu aidant, que j'eus la force de me sortir de cette situation » (*Ep.* 19, 11, trad. Maraval).

1. Voir *hom.* I, 9.

2. Sur la place faite au concept de microcosme dans le *De hom. op.*, voir E. Corsini : « L'harmonie du monde et l'homme microcosme dans le *De hominis opificio* », dans *Épektasis*, p. 455-462. Le traité *In inscr. Ps.*

utilisent l'analogie (voir *hom.* I, 8, 1-7), mais Grégoire se confronte à la position des stoïciens sur la question de la définition de la nature humaine et l'affirmation de la liberté propre à l'homme. Liant comme eux étroitement la physique et l'éthique, il restreint l'analogie microcosme/macrocosme, et la liberté inscrite dans la nature humaine a sa justification ultime dans l'affirmation de *Gen.* 1, 26, verset plusieurs fois rappelé dans les Homélies [1].

— la réflexion sur la *phusis* se caractérise enfin par une conception du temps. Sur ce point aussi, le passage est net, dans les homélies, du temps physique, à l'image du cycle périodique des éléments (voir *hom.* I, 7), au temps éthique, temps du discernement du bien et du mal. Ce temps est signifié par la récurrence du mot καιρός en *Eccl.* 3, 1-8, versets commentés dans les homélies VI à VIII. Le vocabulaire stoïcien est réutilisé, réorienté, si l'on peut dire, au service de l'anthropologie.

L'ecclésiologie

Ainsi, les *Homélies sur l'Ecclésiaste* assignent surtout ses limites à la physique et marquent sans doute aussi de ce fait une étape dans la manière dont Grégoire prend ses distances à l'égard de la pensée de Basile. Plusieurs passages des homélies, en particulier la dernière partie de l'homélie VII, laissent percevoir un au-delà de la physique et de l'anthropologie. L'interprétation de l'*Ecclésiaste* comme livre pour l'Église [2] prend ici tout son sens, et si l'argument de critique interne, évoqué précédemment [3], vaut pour tenter de dater l'œuvre, les *Homélies sur l'Ecclésiaste* ouvrent la voie au débat de Grégoire avec les hérétiques. En faisant état des

présente la même conception (voir en particulier I, 3, *GNO* V, p. 29 s.) et se rattacherait par là au groupe des œuvres écrites par Grégoire dans la première partie de sa vie.

1. Voir ci-dessous, chap. III, sur la permanence de la référence à *Gen.* 1, 26 dans l'œuvre de Grégoire.

2. Voir ci-dessous, chap. VI.

3. Voir ci-dessus, p. 17 et n. 2.

divisions de l'Église (*hom.* VII, 7, 52 s.) et en affirmant la fonction de rassemblement et d'unité du Christ « ecclésiaste » (début des *hom.* II et III), Grégoire n'entre pas dans le détail de questions proprement théologiques, mais il en démontre l'urgence et la nécessité. Les élaborations conceptuelles des petits traités trinitaires et des livres *Contre Eunome* prendront là le relais de l'œuvre exégétique. « Grégoire, à la disparition de Basile, écrit Th. Ziegler, se sent investi d'une responsabilité : défendre la doctrine orthodoxe de la Trinité contre ses détracteurs de tous bords. Aussi dans nos traités, la réflexion théologique a-t-elle toujours son point de départ concret dans l'Écriture et dans la foi confessée par l'Église [1]. » On peut considérer que les *Homélies sur l'Ecclésiaste* constituent le point de départ de l'ecclésiologie nysséenne.

L'herméneutique Commentaire d'un texte biblique, ces Homélies sont enfin un jalon important dans la constitution de l'herméneutique de notre auteur. L'existence d'un *skopos*, d'un but global du livre biblique, est affirmée dès le début de la première homélie et constitue une des constantes de l'œuvre de Grégoire [2]. Si l'on considère d'autre part le Prologue des *Homélies sur le Cantique* [3] comme la formulation achevée de sa théorie exégétique, les *Homélies sur le Cantique* elles-mêmes et la *Vie de Moïse* en constituant la mise en œuvre, nos homélies se situent encore nettement en deçà. Elles font encore largement place à l'exégèse moralisante ; ainsi l'évocation des richesses accumulées par Salomon (*hom.* III et IV) donne lieu à une prédication souvent proche des sermons sur l'amour des pauvres et contre les usuriers [4]. À deux reprises cependant, la difficulté du texte

1. *Les petits traités trinitaires*, p. 353.
2. Sur la notion de *skopos*, voir ci-dessous, le début du chap. III.
3. *GNO* VI, p. 3-13.
4. *De pauperibus amandis* I et II, *GNO* IX ; *Contra usurarios oratio*, *GNO* IX.

biblique (*Eccl.* 1, 8 et *Eccl.* 3, 5) amène Grégoire à prendre position contre l'interprétation littérale et à recourir au sens spirituel de l'Écriture. Le verset paulinien, « La lettre tue, mais l'esprit vivifie » (*II Cor.* 3, 6), notons-le, n'apparaît pas dans nos Homélies alors qu'ils constitue une des affirmations centrales du Prologue des *Homélies sur le Cantique* [1]. Mais la réflexion de Grégoire sur les sens de l'Écriture y est bien à l'œuvre, comme l'atteste particulièrement un passage de l'homélie VII [2].

Si les *Homélies sur l'Ecclésiaste* datent de la première partie de l'œuvre de Grégoire, elles font place, par leur ampleur, à toute la diversité des thèmes philosophiques, théologiques et exégétiques qui trouvent leur pleine expression dans les *Homélies sur le Cantique*, datées généralement de la fin de la vie de Grégoire.

1. *II Cor.* 3, 6 est cité à deux reprises dans le Prologue (*GNO* VI, p. 7, 1-2 et 12-14). Si ce verset, central pour la théorie exégétique, est absent du Prologue du *Commentaire sur le Cantique* d'ORIGÈNE, ce dernier le commente en bonne place dans le *Traité des principes* (I, 1, 2) en l'associant à l'image du voile de Moïse (*II Cor.* 3, 15) pour souligner le rôle de l'Esprit Saint dans la compréhension de l'Écriture.

2. Voir *hom.* VII, 1, 13 s. (et la note) ; voir aussi *hom.* I, 12.

III. — LA COMPOSITION DES HOMÉLIES ET L'UTILISATION DU TEXTE BIBLIQUE

Les Homélies sur l'Ecclésiaste, une œuvre achevée

Grégoire de Nysse arrête son commentaire de l'*Ecclésiaste* au verset 13 du chapitre 3. Des huit homélies d'Origène, il ne nous est parvenu que des fragments s'arrêtant aussi au chapitre 3. Et l'éditeur de notre texte, P. Alexander, suggère que Grégoire a pu suivre sur ce point l'exemple de Denys d'Alexandrie [1]. Cette convergence dans le découpage du texte enlève bien du poids à la question de savoir si les huit homélies constituent ou non une œuvre achevée ; car elle pourrait bien être le signe d'une des divisions anciennes du livre biblique, antérieure à la division en chapitres. Le *Midrash Rabbah* sur Qoléhet utilise cette même division ; on a peu d'éléments pour fixer la date et le lieu de composition de cet écrit, mais, dans son introduction à l'édition anglaise, H. Freedman le situe aux alentours du VIIe siècle. Il rappelle que *Qohélet* était anciennement divisé en quatre sections, dont la première comprenait ce qui équivaut dans la présentation moderne à 1, 1 – 3, 13 [2].

On sait peu de choses sur l'utilisation liturgique ancienne, en milieu juif et chrétien, du livre de Qohélet ; faisant partie des Cinq Rouleaux, il était lu, vers le début

1. Préface aux *Homélies sur l'Ecclésiaste, GNO* V, p. 197.
2. Voir *Kohelet Rabbah*, Introduction, p. VII-VIII.

de notre ère, pour Sukkot, la fête des Tabernacles [1]. Cependant, si ces divisions du texte se sont transmises dans le milieu juif jusqu'à une époque si avancée, est-il impossible qu'elles aient été aussi connues et utilisées dans l'Église ancienne ?

Mais il semble que des éléments de critique interne puissent aussi appuyer l'idée que nous aurions affaire à un ouvrage achevé. L'utilisation du texte biblique et en particulier des récurrences de celui-ci donnent en effet aux homélies une composition fermement structurée.

Les récurrences du texte biblique

Une lecture continue des trois premiers chapitres de l'*Ecclésiaste* met bien en évidence la manière dont le texte biblique est structuré :

— par la répétition, dans les chapitres 1 et 2, de la formule ματαιότης ματαιοτήτων, « vanité des vanités », plus ou moins développée. Cette expression rythme le texte et impose un sens à l'ensemble, comme si elle suffisait à résumer l'expérience de celui qui parle. Grégoire consacre une partie de sa première homélie à l'expliquer (I, 3 et 4) ;

— par le parallélisme syntaxique des versets 2 à 8 du chapitre 3 : καιρὸς τοῦ suivi de l'infinitif, répété deux fois dans chaque stique. Le commentaire d'*Eccl.* 3, 1, verset qui utilise une formule plus générale, « Il y a un temps pour tout », constitue l'introduction de la sixième homélie.

1. Sur les Cinq Rouleaux, c'est-à-dire le *Cantique des Cantiques*, *Ruth*, *Les Lamentations*, *Qohélet* et *Esther*, utilisés pour différentes fêtes, voir la traduction française et l'introduction de H. MESCHONNIC. LYS, *L'Ecclésiaste*, p. 72, mentionne l'emploi tardif de *Qohélet* pour la fête des Tabernacles. Selon l'étude de Ch. PERROT (*La lecture de la Bible. Les anciennes lectures palestiniennes du Shabbat et des fêtes*, Hildesheim 1973, chap. XIV, p. 271-277), *Qohélet* n'entre effectivement pas dans le cycle synagogal des lectures de la fête des Tabernacles.

Les trois dernières homélies se trouvent ainsi scandées par ces versets de structure identique. Enfin, on retrouve dans les dernières versets commentés, *Eccl.* 3, 11-13, des affirmations semblables à celles de la fin du chapitre 2 ; le verset d'*Eccl.* 3, 10, quant à lui, est la reprise d'*Eccl.* 1, 3. Ainsi, la clôture du discours de Salomon à la fin du chapitre 2 trouve un écho à la fin de l'homélie VIII. De telles récurrences permettent de comprendre le découpage du texte antérieur à la présentation en chapitres.

Elles donnent aussi à Grégoire la possibilité de retrouver les mêmes affirmations à différents moments d'un commentaire suivi du texte, même s'il en tire des développements de nature très différente. De la même façon que M. Harl l'a montré pour le *De infantibus* [1], il paraît adopter « un mode de composition concentrique », qui n'exclut pas, cependant, la progression d'une homélie à l'autre. Les marques de cette progression nous font entrer dans le système rhétorique du texte [2] ; elles consistent le plus souvent dans le recours au comparatif. Mais cette conviction affirmée par Grégoire d'une progression dans les affirmations du texte dépasse largement le seul livre de l'*Ecclésiaste*. Comme cela nous est signalé au début de l'homélie I, l'*Ecclésiaste* propose déjà un enseignement supérieur à celui des *Proverbes*, avant l'initiation au *Cantique des Cantiques* [3].

Deux groupes d'homélies

Il est assez net que les trois dernières homélies forment une unité séparée, une nouvelle phase du commentaire. Le début de l'homélie VI se présente en effet comme un

1. M. Harl, « La croissance de l'âme selon le *De infantibus* de Grégoire de Nysse », *VC* 34 (1980), p. 237-259.
2. Voir ci-dessous, chap. IV.
3. *Hom.* I, 1 : l'image développée de la palestre et des concours sportifs illustre la difficulté croissante des livres, des *Proverbes* à l'*Ecclésiaste*.

nouveau commencement : « C'est le commencement des paroles proposées à notre étude » (VI, 1, 2-3). Sans que soit reprise la métaphore des gymnastes qui peinent à la palestre, longuement développée au début de l'homélie I (1, 13 s.), l'opposition πόνος / κέρδος rappelle la difficulté et la valeur de l'exégèse. Bien plus, Grégoire prend soin de rappeler le but (σκοπός) des cinq homélies précédentes : reconnaître la vanité de toutes choses (VI, 1, 8-10) ; et il définit « ce qu'il reste à savoir : comment mener une vie vertueuse » (VI, 1, 13). Ce nouveau prologue n'aura pas d'équivalent dans les deux dernières homélies qui commentent verset par verset le chapitre 3.

Homélies I-V Le thème de la vanité du monde fait l'unité des cinq premières homélies. L'affirmation de l'*Ecclésiaste* « tout est vanité » est l'objet d'une véritable démonstration. Grégoire s'appuie d'abord sur la définition du terme, et lorsque Salomon achève l'examen de sa vie en reprenant cette expression, Grégoire peut conclure : « Il ajoute à ce qui vient d'être dit : 'Et vraiment cela est vanité' [1]. » Les versets commentés dans l'homélie V (*Eccl.* 2, 12-26) apportent des objections à cette affirmation en mettant en cause la vie du sage : N'est-elle pas elle-même vanité, puisque le sage meurt comme les plus insensés ? Ainsi Grégoire doit-il préciser la portée du « tout est vanité » en distinguant le bien et le mal. La fin de l'homélie V exhorte à la fois à « échapper à ce qui a été condamné » et à « se diriger vers le bien » (V, 8, 56-57). Au caractère négatif du jugement de Salomon correspond alors la définition d'un mode de vie.

Grégoire est sensible au passage du récit au discours lorsque commence, après le prologue expliqué dans l'homélie I (*Eccl.* 1, 1-11), un discours à la première personne : « Moi, l'ecclésiaste » (*Eccl.* 1, 12) ; après une brève lecture christologique de ce verset, il commente le texte comme le

1. *Hom.* V, 7, 69-70.

récit de la vie de Salomon par lui-même (II, 5, 5 s.). L'homélie III introduit le thème de la confession (ἐξομολόγησις) de Salomon ; chacune de ses actions (*Eccl.* 2, 4-10) est alors reconnue comme une faute, ce qui confirme définitivement la constatation initiale (*hom.* III et IV). Pour interpréter les interrogations sur le sens de la vie qui marquent la fin du chapitre 2, Grégoire transforme le monologue de Salomon en un dialogue fictif dans lequel le roi répond à des objections. Ainsi, il joue différemment de la succession des versets bibliques, même si les homélies respectent le cadre des deux grands ensembles composant *Eccl.* 1-2, prologue et discours de Salomon.

Homélies VI-VIII L'essentiel des trois dernières homélies est consacré à l'interprétation d'*Eccl.* 3, 1-8, et la longueur du développement consacré à ces huit versets crée un effet de disproportion. En outre, le caractère abstrait de ces versets et la diversité des affirmations qui y sont faites permettent à Grégoire les réflexions les plus variées : par exemple, le verset 1 le conduit à une définition du temps, le v. 5 introduit une réflexion sur le sabbat (VII, 1-2) et le v. 8 des considérations sur le combat spirituel (VIII, 5). *Eccl.* 2 fournissait à l'exégète le fil conducteur du discours, de la confession de Salomon. Dans la première partie d'*Eccl.* 3, l'unité vient de l'antithèse répétée qui oppose les actions deux à deux. De même que Salomon a exercé sa liberté pour chaque acte de sa vie, de même *Eccl.* 3, sous forme de maximes générales, propose un choix à tout homme — et c'est toujours le même choix —, entre le bien et le mal, ou l'amour du bien et la haine des passions.

Mais de son côté, la diversité des niveaux d'interprétation de chaque affirmation évite à l'exégèse d'être trop uniformément moralisante. Lorsqu'il s'agit de « parler » et « se taire » (*Eccl.* 3, 7), Grégoire se fait bien sûr le complice de saint Paul pour y voir une exhortation adressée aux femmes : « qu'elles se taisent dans les assemblées [1] ! » ; mais son interprétation du verset est ensuite d'un tout autre ordre : il oppose en effet la connaissance de l'univers créé, qui légitime le discours humain, au silence qui s'impose à celui qui est pris de vertige lorsqu'il s'approche des réalités divines (VII, 8, 37 s.). Dans la liberté de son commentaire, Grégoire de Nysse n'oublie pas le *skopos*, la visée du livre biblique définie dans l'homélie I. En effet, *Eccl.* 3, 12 (« J'ai appris qu'il n'y a pas de bien en eux, sinon de se réjouir et de faire le bien dans sa vie ») « récapitule » (ἀνακεφαλαιοῦται), nous dit Grégoire (*hom.* VIII, 9, 3), tout ce qui précède. À la découverte de la vanité du monde répondent le souci de conversion et le désir de faire le bien.

Les citations du texte de l'Ecclésiaste

On ne retrouve pas au fil des Homélies la totalité du texte biblique commenté, en particulier pour certains versets du premier chapitre (*Eccl.* 1, 3-7 ; voir *hom.* I, 7-10) ; en revanche chaque stique d'*Eccl.* 3, 1-8 est longuement commenté, généralement après avoir été cité. L'intérêt porté à la lettre du texte est donc variable. Les versets tels que les cite Grégoire diffèrent très rarement des leçons hexaplaires ou de certaines variantes des grands manuscrits signalés dans l'apparat critique de l'édition de Rahlfs [2]. Mais cela ne suffit pas à nous indiquer de façon sûre le texte biblique dont Grégoire disposait.

Si la partie du texte commenté était lue avant l'homélie,

1. *I Cor.* 14, 34 ; voir *hom.* VII, 8, 14-15.

2. *Septuaginta*, Stuttgart 1965⁸ ; l'*Ecclésiaste* occupe, dans le vol. II, les p. 238 à 260. — Le texte de l'*Ecclésiaste* n'est pas encore publié dans l'édition de Göttingen (*Septuaginta. Vetus Testamentum Graecum*). — Exemple de différence textuelle en *Eccl.* 3, 3 : LXX τοῦ ἑλκύσαι *εἰς* οἶνον τὴν σάρκα μου ; *hom.* II, 8, 1-2 *ὡς* οἶνον (voir note *ad loc.*).

comme le suggèrent les allusions à la « lecture » du texte [1], le prédicateur savait aussi signaler ensuite à ses auditeurs qu'il citait l'Écriture. La proposition précédente peut l'annoncer au moyen du verbe « dire », mais le plus souvent, c'est φησί qui est placé en incise dans le verset. Lorsque le sujet de ce verbe n'est pas précisé, le verbe souligne seulement la référence à l'Écriture, comme c'est l'habitude chez les Pères et déjà chez Philon, et nous avons pris le parti de traduire « dit le texte » chaque fois qu'il s'agissait d'un verset de l'*Ecclésiaste*. Il arrive cependant que, dans le cours de son interprétation, Grégoire cite de façon très diffuse ou très partielle le texte de l'Écriture, et qu'il l'intègre totalement à son propre discours. Cela concerne un petit nombre de passages seulement, mais pose la question de l'attitude de notre auteur à l'égard de la lettre du texte (ἡ λέξις). Elle est subordonnée à la signification d'ensemble d'un passage, et il n'y fait référence que pour donner une explication plus détaillée. Ainsi dans l'homélie V, après avoir rapidement analysé *Eccl.* 2, 14-20 (V, 5-6), il en annonce une reprise plus littérale : « Tel est donc le sens de ces paroles qui se suivent et nous venons de présenter brièvement une première étude de leur enchaînement. Mais ce serait le moment de reprendre la lettre du texte et d'ajuster avec précision les pensées et les mots [2]. » Et même la parfaite symétrie d'*Eccl.* 3, 2-8 n'empêche pas Grégoire de varier sa manière de faire place au texte biblique. Il commence le plus souvent par citer la proposition à commenter, mais par exemple l'affirmation « moment pour déchirer et moment pour coudre » (*Eccl.* 3, 7), qui donne lieu à d'importantes réflexions sur l'unité de l'Église, n'apparaît qu'après une longue introduction (VII, 7, 1 s.). C'est encore une manière de donner priorité à

1. Voir ci-dessus, chap. II, p. 16.
2. *Hom.* V, 6, 1-5.

l'enchaînement des versets, à l'unité du texte, sur l'explication de telle ou telle phrase prise isolément.

Le principe d'ἀκολουθία dans les Homélies

J. Daniélou a souligné depuis longtemps l'importance de ce concept d'*akolouthia* et montré l'extension qu'avait prise cette notion d'origine philosophique dans une « théologie préoccupée surtout de marquer les liaisons dans tous les domaines de la réalité [1] ». Au plan de l'exégèse, des termes plus discrets suffisent souvent à marquer la continuité ou la progression du discours : des adverbes comme ἐφεξῆς ou καθεξῆς, des verbes comme ἐπάγειν, προάγειν, διεξέρχεσθαι. Il ne s'agit pas là d'une simple coordination et, pour notre auteur, « enchaînement » ne va jamais sans progression. Au moment d'aborder une nouvelle phase du commentaire, l'emploi fréquent du comparatif ὑψηλότερον vient infléchir dans ce sens l'idée d'enchaînement. Au début de l'homélie VI par exemple, c'est cette notion d'*akolouthia* qui fait l'unité avec les homélies précédentes (VI, 4, 1). La dernière étape de la progression est marquée dans l'homélie VII au moment d'introduire le commentaire d'*Eccl.* 3, 7 (VII, 7). Et les comparatifs prennent par eux-mêmes une réelle importance lorsqu'ils servent à indiquer la gravité grandissante des aveux de Salomon (IV, 1, 4-5 ; 2, 1-2 ; emploi de προστίθημι en IV, 4, 9). Une lecture des *Homélies sur le Cantique* permettrait de retrouver la mise en œuvre du même principe. L'analyse qu'a faite de cette œuvre M. Canévet montre comment l'*akolouthia* assure en quelque sorte l'économie de l'interprétation ; en s'y tenant, Grégoire « choisit les traditions ou invente simplement sa propre explication [2] ». On voit bien

1. J. Daniélou, « *Akolouthia* chez Grégoire de Nysse », *RevSR* 27 (1953), p. 249 (art. repris dans *L'être et le temps*, chap. II, p. 18-50).
2. M. Canévet, « Exégèse et théologie », p. 165.

alors l'ambiguïté que peut représenter ce souci de marquer les articulations du texte : n'est-ce pas forcer le sens de l'Écriture, la soumettre à sa propre pensée ? Lorsqu'elle étudie la théorie de l'exégèse dans le *De hominis opificio* et l'*In Hexaemeron*, M. Alexandre répond à cette question en ces termes : « Principe de l'exégèse, l'ἀκολουθία n'est pas extérieure au texte biblique lui-même en sa finalité. Le but de Grégoire correspond au but de l'auteur sacré [1]. » L'*akolouthia* est ainsi intimement liée au *skopos* du texte ; le travail exégétique compris de cette manière est tout le contraire d'une démarche inductive et les liaisons établies à l'intérieur du texte commenté renvoient en fait à des liaisons qui structurent l'ensemble de l'Écriture.

Les autres références à l'Écriture

L'Écriture est le seul « critère de vérité [2] ». Il faut « scruter les Écritures », affirme Grégoire à l'aide de l'expression johannique lorsqu'il présente son projet de commentaire de l'*Ecclésiaste* (I, 1, 28). Cette formule est souvent reprise par Grégoire et elle nous renvoie aux principes herméneutiques définis par Origène au livre IV du *Traité des principes*. L'Écriture s'explique par l'Écriture. Ainsi, le thème de « l'habitude scripturaire » (συνήθεια γραφική) fournit l'occasion de plusieurs rapprochements utilisés pour expliquer le texte. L'expression « vanité des vanités » appelle en parallèle « saint des saints » et « œuvre des œuvres » (I, 4, 9 et 16) ; et lorsque Grégoire est amené à réaffirmer, à propos d'*Eccl.* 1, 13, que Dieu n'est pas la cause du mal, il juxtapose en quelques lignes six citations bibliques (II, 3, 33 s.).

1. Voir M. Alexandre, « La théorie de l'exégèse », p. 97.

2. Telle est bien la justification fondamentale du recours constant aux citations scripturaires. Voir M. Canévet, *Herméneutique*, p. 65-81 (« L'usage de l'Écriture »).

Deux références-clefs : a) *Gen.* 1, 26

Le verset de la *Genèse* est utilisé quatre fois dans les Homélies. Après les études de R. Leys et de H. Merki en particulier [1], on sait la place que tient ce verset dans toute l'œuvre de Grégoire. Et si le *De hominis opificio*, qui lui donne une place centrale, est de la même période que *les Homélies sur l'Ecclésiaste*, sa présence dans ce dernier texte n'en prend que plus de relief. Le verset est d'ailleurs cité à quatre moments importants du commentaire. À la fin de l'homélie I (13, 22) la référence au verset se présente comme l'ultime réponse à la question : qu'est-ce que l'homme ?, seule réponse capable d'exprimer ce qui échappe à la vanité. Argument théologique donc. Puis dans l'homélie IV, Grégoire examine l'un des aveux de Salomon : « J'ai acquis des esclaves et des servantes » (*Eccl.* 2, 7). Cette faute est d'autant plus grave qu'elle offense l'œuvre même de Dieu, l'homme créé « à l'image de Dieu » (IV, 1, 47). Réduit à une brève allusion, le verset sert dans l'homélie V à opposer l'homme spirituel à l'homme qui vit selon la chair (V, 8, 21) ; voici donc le verset biblique érigé en principe de vie spirituelle. Le dernier exemple rappelle dans l'homélie VI la perfection de l'homme avant la chute (VI, 9, 25). Ces deux dernières allusions à *Gen.* 1, 26 montrent peut-être que Grégoire a conscience de l'avoir cité ; mais plus sûrement encore, cette manière d'intégrer complètement le texte scripturaire à son propre discours laisse supposer que ces mots sont continûment présents à son esprit. Cela rend encore plus évident le lien avec le *De hominis opificio*. Mais de même qu'à propos d'Athanase, Ch. Kannengiesser pense pouvoir affirmer que « l'analyse des seules références jérémiennes permet de retracer les principales étapes de la

1. R. Leys, *L'image de Dieu chez saint Grégoire de Nysse*, Paris 1951 ; H. Merki, Ὁμοίωσις θεῷ, Fribourg 1952. Soulignons cependant que l'intention de ces deux ouvrages est plus théologique qu'exégétique.

carrière théologique du défenseur de Nicée [1] », de même le verset de la *Genèse* pourrait rendre compte des éléments les plus fondamentaux de la pensée de Grégoire et en faire l'unité.

b) *Sag.* 13, 5 La référence à *Sag.* 13, 5 paraît elle aussi avoir une réelle importance dans nos homélies [2]. Par sa place d'abord, au début de l'homélie I puis dans les toutes dernières pages de l'homélie VIII, dans un effet remarquable d'inclusion. Et plus encore par son contenu, puisque l'enseignement de ce verset va, à première vue, à l'encontre du pessimisme de l'*Ecclésiaste* [3]. Alors que le leitmotiv « vanité des vanités » apparaît d'abord comme une condamnation de la création, voire du Créateur, Grégoire répond à l'objection à l'aide de *Sag.* 13, 5 (I, 6, 15-16), qui rectifie en quelque sorte les excès d'une telle affirmation. Mais dans la dernière homélie, le verset sert au contraire de confirmation à *Eccl.* 3, 11-13 (*hom.* VIII, 8, 53-54). *Sag.* 13, 5 donne donc, pourrait-on dire, le mode d'emploi du livre de l'*Ecclésiaste*. Traditionnellement présenté comme le livre du mépris du monde, il devient aussi une exhortation à lire dans le monde un chemin vers Dieu. Mais cet éloge de la connaissance analogique, facilité par le recours à ce verset, fixe aussi la

1. « Le recours au *livre de Jérémie* chez Athanase d'Alexandrie », dans *Épektasis*, p. 317-325. La manière dont Ch. Kannengiesser tente d'interpréter les références à *Jérémie* dans l'œuvre d'Athanase nous paraît constituer un modèle pertinent pour l'analyse des citations scripturaires chez un auteur ; sur Grégoire de Nysse, voir du même : « Logique et idées motrices dans le recours biblique selon Grégoire de Nysse », dans *Gregor von Nyssa und die Philosophie*, p. 85-103.

2. « D'après la grandeur et la beauté des choses créées, on voit analogiquement l'auteur de toutes choses. »

3. Le recours au livre de la *Sagesse* pour commenter l'*Ecclésiaste* est d'autant plus intéressant que les affirmations de la *Sagesse* sont interprétées par les exégètes comme des rectifications apportées aux apories et aux interrogations de l'*Ecclésiaste* ; sur ce point voir Barton, *Commentary on Ecclesiastes*, p. 57-58 (« The attitude of the book of Wisdom to Ecclesiastes »).

place des *Homélies sur l'Ecclésiaste* dans l'ensemble de l'œuvre de Grégoire. Avant les livres contre Eunome qui marquent, on l'a vu [1], la défiance de Grégoire quant à la possibilité de connaître Dieu par un savoir humain, elles appartiendraient donc au premier versant de l'œuvre, encore largement occupé par une réflexion sur la *phusis*.

1. Voir ci-dessus, chap. II, p. 17.

IV. — INTERPRÉTATION DE L'ÉCRITURE ET RHÉTORIQUE

Le *skopos* du texte

M. Harl a étudié les significations du terme *skopos* dans l'usage chrétien des premiers siècles [1] et montré comment, à côté d'un sens éthique et spirituel, le terme désignait chez Origène un concept-clef de l'exégèse. De même chez notre auteur la définition du but d'ensemble du texte à commenter fixe les impératifs de sa méthode exégétique : rester fidèle au texte biblique en s'attachant par priorité au sens global du texte. À propos du traité *Sur les titres des Psaumes*, M.-J. Rondeau a marqué comment cette volonté de déterminer un *skopos* unique, fût-ce pour un ensemble de 150 psaumes distincts les uns des autres, caractérisait déjà certaines pratiques scolaires néoplatoniciennes [2]. Et c'est ce que confirme I. Hadot en dressant la liste des

1. M. Harl, « Le guetteur et la cible : les deux sens de *skopos* dans la langue religieuse des chrétiens », *REG* 74 (1961), p. 450-468 (art. repris dans *La langue de Japhet. Quinze études sur la Septante et le grec des chrétiens*, Paris 1992, p. 215-233).

2. M.-J. Rondeau, « D'où vient la technique exégétique utilisée par Grégoire de Nysse dans son traité *Sur les titres des Psaumes* ? », dans *Mélanges H.-Ch. Puech*, Paris 1974, p. 263-287. Voir aussi A. Le Boulluec, « L'unité du texte : la visée du psautier selon Grégoire de Nysse », dans *Le texte et ses représentations. Études de littérature ancienne*, t. 3, Paris 1987, p. 159-166.

questions définies par les commentateurs de l'*Isagogè* de Porphyre ou des *Catégories* d'Aristote : l'examen du but de l'ouvrage y a bonne place [1].

Le *skopos* de l'*Ecclésiaste*, tel que Grégoire le définit au début de sa première homélie, répond à ce souci de privilégier l'interprétation de l'ensemble du texte : « Le but de ce qui y est dit est d'établir l'esprit au-dessus de la sensation et de le convaincre d'abandonner tout ce qui dans les êtres paraît grand et brillant, pour se hausser avec l'âme vers ce que la perception sensible ne peut atteindre, et désirer ces réalités que n'atteint pas la sensation [2]. »

Le but assigné au texte biblique est unique, mais on voit bien dans ces lignes qu'il revêt deux formes distinctes : il s'agit d'abord de formuler à partir du texte commenté, une théorie de la connaissance qui repose essentiellement sur la distinction du sensible et de l'intelligible. Mais le verbe « établir (au-dessus de) » (ὑπερθεῖναι), employé dans le passage, présuppose et affirme un jugement de valeur qui met l'esprit au-dessus de la sensation ; alors intervient la persuasion (πεῖσαι) et nous sommes passés d'une théorie de la connaissance à un projet d'ordre éthique : apprendre à l'âme à désirer l'invisible. Une telle analyse du *skopos* montre que la nécessité d'une argumentation est double : 1) elle permet en un premier temps de « lire » dans le texte biblique cette théorie de la connaissance, c'est-à-dire de transposer au plan philosophique les paroles de Salomon ; 2) mais dans un deuxième temps, le prédicateur se doit d'opérer le passage de l'affirmation doctrinale à l'exhortation morale et spirituelle, puisqu'il s'agit d'inviter l'auditoire à la conversion.

Cette double démarche pourrait justifier la manière dont T. Todorov qualifie l'exégèse patristique d'« interprétation

1. I. Hadot, « Les introductions aux commentaires exégétiques », p. 101-105.
2. *Hom.* I, 2, 21-27.

finaliste [1] » ; prenant pour exemple le *De doctrina christiana* de saint Augustin, il analyse ce qu'il nomme les « stratégies de l'interprétation », c'est-à-dire l'ensemble des moyens rhétoriques mis en œuvre pour rendre compte de manière convaincante du mystère chrétien. Les « équivalences sémantiques » jouent dans ce système un rôle déterminant — et nous retrouvons là les deux temps de l'exégèse définis précédemment pour l'*Ecclésiaste*. Leur mécanisme est simple : « Il n'y a pas, écrit Todorov, des moyens innombrables pour établir une équivalence sémantique : on le fait en suivant les voies du symbolisme lexical (abolissant donc le sens de l'assertion initiale dans laquelle se trouve intégré le segment à interpréter) ou du symbolisme propositionnel (en ajoutant à la première assertion une seconde). Le choix est si limité que chaque pratique interprétative aura nécessairement recours aux deux possibilités [2]. » En ce sens, tout devient rhétorique dans le commentaire d'un texte biblique.

De l'exégèse à la doctrine : l'économie du discours

S'intéresser à la rhétorique de notre texte permet de mettre en évidence une économie du discours caractéristique du genre homilétique. Une expression, τουτέστιν (« c'est-à-dire »), revient fréquemment et participe très exactement de ce que Todorov appelle la « recherche d'équivalences sémantiques ». Il faut d'ailleurs y ajouter des expressions similaires, plus développées ὅπερ ἴσον ἐστὶ τῷ λέγειν ὅτι (« ce qui équivaut à dire que »), ὡς ἂν ἔλεγεν ὅτι (« comme s'il disait que »), οὐδὲν ἄλλο ἐστί ou σημαίνει ὅτι (« ce qui n'est » ou « ne signifie rien d'autre que »).

1. T. Todorov, *Symbolisme et interprétation*, Paris 1978, deuxième partie, p. 91-124 (« Les stratégies de l'interprétation finaliste : l'exégèse patristique »).

2. *Ibid.*, p. 99.

De même, un verbe comme λέγω au sens de « vouloir dire » est souvent employé en incise pour rappeler à l'auditeur, au milieu d'un développement, le niveau réel d'interprétation de ce qui est dit. Un seul exemple peut suffire à montrer comment Grégoire parvient par ce biais à une réelle économie du discours. Dans l'homélie III, il commente *Eccl.* 2, 6 : « J'ai fait pour moi des bassins d'eau et j'arrose grâce à eux les arbres qui font germer une forêt », avec ces mots : « Mais si j'avais en moi la source du Jardin, *c'est-à-dire* l'enseignement des vertus ... [1] » La précision introduite par τουτέστιν décide du niveau de lecture du texte, sans qu'il soit besoin d'aucune démonstration.

Nous avons là un véritable processus de substitution ; il apparaît le plus souvent au moment même où Grégoire cite un des versets de l'*Ecclésiaste.* Ainsi le verset : « J'ai planté pour moi des vignes » (*Eccl.* 2, 4) donne lieu à deux lectures successives : « ' J'ai planté pour moi des vignes ', *ce qui équivaut à dire* : J'ai préparé pour le feu des matériaux avec lesquels j'ai augmenté la flamme des plaisirs, ou : J'ai enseveli mon esprit profondément, en déposant l'ivresse sur la pensée comme de la terre pour une sépulture [2]. » En jouant du champ sémantique propre au terme ἀμπελών, Grégoire obtient d'abord la liaison : vigne → bois → feu. Mais il ajoute ensuite un glissement de terme décisif pour son propos : au « feu » est immédiatement associée la « flamme des plaisirs », ce qui effectue le passage du sens matériel au sens moral. Dans la seconde lecture du texte, il s'appuie sur le lien vigne/ivresse, mais continue aussi à tirer parti de l'association avec la « flamme des plaisirs » ; celle-ci en effet rappelait implicitement au lecteur la distinction entre l'âme et le corps, et Grégoire peut donc aussitôt mentionner l'envers de ce plaisir, l'obscurcissement de l'esprit. Il n'est pas étonnant que nous retrouvions

1. *Hom.* III, 9, 16-19.
2. *Hom.* III, 6,11 s.

ici les différents sens de l'Écriture, tels que les conçoit la tradition issue d'Origène. Mais l'important dans l'homélie est que seule la formule d'équivalence utilisée à la suite du verset biblique marque le changement de niveau d'interprétation. C'est tout un arrière-plan philosophique et moral qui est ainsi réintroduit au gré de simples associations de termes.

Cela se double parfois dans le texte du rappel rapide de définitions et de concepts. La distinction de l'âme et du corps est centrale dans les *Homélies sur l'Ecclésiaste*, et la formule τουτέστιν est le plus souvent le moyen de la réintroduire. Un autre exemple nous est fourni par la première homélie, où Grégoire commente le verset d'*Eccl.* 1, 3 : « 'Quel avantage pour l'homme à la peine qu'il prend sous le soleil ?', dit le texte... 'Quel avantage pour l'homme ?', dit-il. *C'est-à-dire* de quoi bénéficie l'âme de ceux qui... [1] ». Au terme ἄνθρωπος employé dans le verset biblique Grégoire substitue la distinction entre ψυχή et βιωτικὸς μόχθος, cette dernière expression se référant au corps. Sans aucun détour par le raisonnement, la formule τουτέστιν donne à la proposition la valeur d'une affirmation forte ; elle relève déjà du domaine de la persuasion et assure en même temps le passage de l'exégèse à l'enseignement théologique, au *dogma*. Pour comprendre l'importance d'un tel mode de pensée, rappelons ce que M. Canévet disait lors du Colloque de Chevetogne en 1969, à propos des *Homélies sur le Cantique* : « Il y a chez Grégoire le besoin d'affirmer sous une forme rationnelle l'enseignement de l'Écriture. Le but de l'exégèse est seulement de dégager et d'affirmer en termes logiques ce δόγμα. À la différence des traités théologiques, il n'est cependant jamais discuté, ni prouvé [2]. » Les formules d'équivalence constituent cette armature logique. Il s'agit d'une logique bien particulière,

1. *Hom.* I, 7, 1 s.
2. M. Canévet, « Exégèse et théologie », p. 165.

puisqu'elle ne propose pas un mode de raisonnement, mais seulement un mode d'affirmation. Ce qui tient lieu de raisonnement, c'est l'affirmation de ressemblances et d'identités. L'utilisation de la comparaison s'inscrit dans la ligne de la recherche des « équivalences sémantiques ».

Les comparaisons : de la dualité au symbolisme

Aristote recommande dans la *Rhétorique*[1] l'utilisation d'exemples pour faciliter la compréhension de l'auditeur et le convaincre. Il arrive aussi à Grégoire d'introduire ses comparaisons en soulignant ce souci de clarté de l'exposé. Ainsi dans le *Traité de la virginité* : « Cet exposé deviendrait pour nous plus facile à comprendre par un exemple. De même qu'un fleuve...[2] ». Mais à côté de cette valeur d'illustration, les comparaisons ont une fonction beaucoup plus centrale ; elles font partie intégrante des schémas conceptuels utilisés par Grégoire — schémas à deux termes —, et elles ouvrent en même temps la voie à un univers symbolique où toute réalité corporelle et psychique devient le signe d'une réalité spirituelle. C'est dans le commentaire du *Cantique des Cantiques* que cette lecture symbolique trouve son plein développement. Dans la tradition de l'interprétation spirituelle des trois livres de Salomon[3], l'*Ecclésiaste* précède le *Cantique* ; les *Homélies sur l'Ecclésiaste* constituent sans doute une étape-clef dans l'œuvre exégétique de Grégoire, entre les commentaires des premiers chapitres de la *Genèse* dans le *De hominis opificio* et l'*In Hexaemeron*, et, à la fin de son œuvre, la *Vie de Moïse* et les *Homélies sur le Cantique*.

Le plus grand nombre des comparaisons sert à cerner la distinction de l'âme et du corps, des activités tournées vers le monde matériel et des réalités intérieures. Ainsi l'acti-

1. Aristote, *Rhétorique* II, 20.
2. *De virg.* IV, 6.
3. Voir ci-dessous, chap. V.

vité de l'ecclésiaste invitant chacun à vérifier la rectitude de sa vie est comparée à celle de l'artisan qui aligne une construction à l'aide d'un cordeau et d'une règle [1]. Sans doute la comparaison reprend-elle toujours la forme traditionnelle de la comparaison homérique, une des marques, comme le souligne L. Méridier [2], de l'influence de la seconde sophistique sur Grégoire ; mais surtout cette structure syntaxique réduit le premier terme au statut d'image et privilégie le second. Selon la même ruse, pourrait-on dire, que les formules d'équivalence étudiées dans les pages précédentes, la comparaison nous fait passer systématiquement et sans démonstration du sensible à l'intelligible, ce qui est conforme au *skopos* déterminé au début du commentaire. Elle prend donc l'importance d'une affirmation philosophique, affirmation d'une certaine ressemblance entre réalités sensibles et réalités spirituelles ; elle est analogie.

Comparaison et analogie

Le terme ἀναλογία est plusieurs fois employé et a un double sens : celui de ressemblance, et dans ce cas il est à rapprocher du terme ὁμοιότης ; et celui de proportion, c'est-à-dire un sens mathématique, largement utilisé dans les textes platoniciens (I, 4, 12 : emploi de λόγος dans le même sens). Dans une étude sur la notion d'analogie chez Clément d'Alexandrie, R. Mortley conclut en notant « la signification verticale de l'analogie ». « Une certaine similitude, écrit-il, tient entre le plan visible et le plan céleste et c'est cela qui permet une ascension rationnelle de l'un à l'autre [3]. » Cette formulation explicite l'effet recherché par

1. L'image est introduite par Grégoire lorsqu'il commente *Eccl.* 1, 15, où l'opposition entre διεστραμμένον et ἐπικοσμηθῆναι appelle l'image du travail de l'architecte ; voir *hom.* II, 4, 1 s.

2. L. Méridier, *L'influence de la seconde sophistique*, chap. VIII (« La comparaison »).

3. R. Mortley, « Ἀναλογία chez Clément d'Alexandrie », *REG* 84 (1971), p. 80-93.

le recours aux comparaisons. Il convient en outre de considérer comme leur fondement scripturaire le verset de *Sag.* 13, 5 : « D'après la grandeur et la beauté des réalités créées, on voit *analogiquement* l'auteur de toutes choses .» L'utilisation de cette référence scripturaire dans les homélies I et VIII [1] montre surtout que le nœud de la question est de savoir s'il y a rupture entre le sensible et l'intelligible ou s'il y a passage de l'un à l'autre. La forme syntaxique de la comparaison acquiert ici la force de ce que Todorov nomme le symbolisme propositionnel : il y a rupture entre les deux univers et la conversion, le passage du visible à l'invisible, ne peut être qu'œuvre de salut, c'est-à-dire passage du mal au bien. Telle est l'économie du discours réalisée par la structure comparative : ce qui est comparé, mis face à face en quelque sorte, c'est indissociablement le sensible ou le mal et l'intelligible ou le bien. Le passage de l'un à l'autre exige une guérison, et c'est la raison pour laquelle les comparaisons médicales acquièrent dans notre texte une pertinence particulière.

Comparaisons médicales

À travers ces comparaisons s'élabore une description parallèle du corps et de l'âme, lieu commun de la rhétorique classique ; mais la référence médicale fait intervenir un troisième terme : le médecin, ce qui n'est, pour Grégoire comme pour la tradition patristique, qu'un des noms du Christ.

La fréquence des exemples empruntés par Grégoire à la médecine suscite toujours une interrogation sur la nature de sa formation médicale. M. Aubineau émet en réponse l'hypothèse d'une initiation pratique à la médecine [2]. Pour

1. Voir ci-dessus, chap. III, p. 34.

2. Les connaissances médicales de Grégoire ont souvent été soulignées (voir J. Janini Cuesta, *La antropologia y la medicina pastoral de San Gregorio de Nisa*, Madrid 1946). M. Aubineau s'avance davantage en évoquant une « initiation pratique à la médecine » (Introd. à *De virg.*, *SC* 119, p. 47). Les *Homélies sur l'Ecclésiaste*, elles aussi, portent la marque de ce savoir médical (par ex. *hom.* VI, 7 : « les médecins disent que... »).

intéressante qu'elle soit, une justification biographique de cet aspect de l'œuvre reste difficile et peut-être secondaire. Au contraire, des études récentes sur la médecine antique permettent d'aborder sous un autre angle cette question de l'intérêt manifeste de Grégoire pour la médecine. D. Gourévitch, en étudiant le cas d'Aelius Aristide [1], et davantage encore J. Pigeaud, dans sa thèse sur la maladie de l'âme, ont mis en lumière comment, dans la conscience même des malades, des médecins et des philosophes, le savoir médical et le savoir philosophique et religieux ont partie liée. « Ce qui nous intéresse, écrit J. Pigeaud en présentant son travail, c'est l'utilisation de l'analogie médicale par les philosophes pour approfondir le rapport de l'âme et du corps et pour définir, de manière diverse, la maladie ou les maladies de l'âme [2]. » En utilisant certaines des connaissances médicales de son temps, Grégoire prend position sur deux questions centrales autour desquelles se rencontrent philosophes et médecins d'alors : la relation de l'âme et du corps, c'est-à-dire un des modes d'expression de la dualité humaine, et les « passions » (πάθη) marquées par les humeurs fondamentales et qui ont donc des répercussions et des manifestations physiques. L'étude que propose J. Pigeaud de la notion d'euthymie [3] dans la

1. D. Gourévitch, *Le triangle hippocratique dans le monde gréco-romain. Le malade, sa maladie et son médecin*, Rome 1984 : le premier chapitre, p. 17-71 (« La maladie comme preuve d'existence : l'aventure d'Aelius Aristide et ses interprétations »), est consacré à l'examen du cas d'Aelius Aristide, sophiste du IIe s. ap. J.C. Ses *Discours sacrés* témoignent de la complexité de sa maladie, une forme de mélancolie mystique, et des différentes thérapeutiques auxquelles il se soumet sur les conseils du dieu Asclépios. — Voir Aelius Aristide, *Discours sacrés. Rêve, religion, médecine au IIe s. ap. J.C.*, introd. et trad. par A.J. Festugière, notes par H.D. Saffrey, Paris 1986.

2. Voir J. Pigeaud, *La maladie de l'âme*, p. 15.

3. Sur la notion d'euthymie, voir J. Pigeaud, *op. cit.*, chap. V, p. 441-521 (« L'euthymie : connaissance et guérison de la maladie de l'âme »). « La réflexion sur l'euthymie, écrit l'auteur (p. 443), est la pointe la plus avancée de la philosophie vers la médecine. » Concept stoïcien à l'origine, l'euthymie devient une notion commune dans cette période de

tradition médico-philosophique issue de Démocrite marque l'élaboration de ce que nous appellerions une médecine psychosomatique, mais aussi d'une philosophie du corps.

Dualité et passions : la réflexion de Grégoire est constamment marquée par ces deux notions, qui appartiennent d'ailleurs, remarquons-le, à toutes les écoles philosophiques souvent largement entremêlées au début de l'ère chrétienne. Dans les *Homélies sur l'Ecclésiaste*, elles apparaissent comme l'enjeu de l'anthropologie de Grégoire et ne peuvent être réduites à un thème obligé d'une prédication moralisante. Les comparaisons médicales leur donnent une forme concrète et réaffirment constamment le but du texte biblique. Les homélies font ainsi place à la description de maladies et de troubles physiques [1], mais cela s'accompagne d'une connotation morale : il s'agit de troubles liés à la gloutonnerie, au rire sans raison, ou encore de manifestations physiologiques dues à un sentiment de honte ou de pudeur, sans oublier la mention des effets de l'ivresse ! Le terme *pathos* appliqué indifféremment à l'âme et au corps signale l'analogie des maladies du corps et de celles de l'âme. Les comparaisons retrouvent ici leur fonction, et Grégoire dit explicitement dans la sixième homélie : « Parcilles souffrances du corps sont analogues aux faiblesses de l'âme [2] ». Les descriptions de l'activité médicale signifient donc toujours de façon figurée les soins à apporter à l'âme.

Mais cette réflexion trouve dans notre texte un éclairage théologique avec la mention du Christ médecin au début de la deuxième homélie, dans une liste des noms du Christ. Un passage des homélies *Sur la prière du Seigneur* éclaire

« vulgarisation pseudo-scientifique » du Ier s. av. au Ier s. ap. J.C. ; les *Lettres d'Hippocrate*, sorte de roman philosophique datant peut-être du Ier s. av. J.C., constituent un témoignage essentiel de la diffusion de cette notion-clef pour la conception de la relation de l'âme et du corps.

1. Par ex., *hom.* V, 6, 49-58 ; *hom.* VI, 7, 15-28.
2. *Hom.* VI, 7, 19-20.

le lien entre cette dénomination et la réflexion sur les passions en parlant du Christ comme du « véritable médecin des maladies de l'âme [1] ». À deux reprises dans le commentaire de l'*Ecclésiaste*, la guérison des passions est présentée comme l'œuvre du Christ. Dans l'homélie VI, l'énumération des maux dont souffre l'homme s'achève sur la mention des « égarements dus aux démons », sans transition avec la série des maux physiques [2] ; et dans l'homélie VII, une allusion à la guérison de l'aveugle et du lépreux dans les récits évangéliques fait dépendre la santé — et le processus de conversion — des miracles du Christ [3]. La présence de cette troisième instance, le Christ, traduit deux niveaux de réflexion chez Grégoire : il pose un regard critique sur le savoir scientifique de son temps ; cela apparaissait déjà clairement dans certaines discussions du *De hominis opificio* [4], mais l'enjeu de cet examen critique est beaucoup plus visible dans une des premières questions abordées dans le traité *Sur l'âme et la résurrection*, où le développement de la médecine est pour ainsi dire subordonné par Grégoire à la lutte de l'homme contre la peur de la mort : « Le souci pour la vie provient tout simplement de la peur de la mort. Et qu'en est-il de la médecine ? Pourquoi les hommes l'estiment-ils ? N'est-ce pas parce qu'elle semble utiliser son art pour combattre en quelque sorte contre la mort [5] ? » Ce regard critique amène en outre Grégoire à établir la hiérarchie des différents domaines : médecine, philosophie, foi évangélique. Ainsi les comparaisons médicales offrent une double réponse : concernant la nature humaine, elles démontrent sans peine le rôle néfaste des passions de l'âme et du corps ; concernant la

1. *De or. dom.* IV (*GNO* VII, 2, p. 45, 24-25).
2. *Hom.* VI, 9, 40-43.
3. *Hom.* VII, 5, 61 s.
4. *De hom. op.* 8 et 12.
5. *De an. et res.*, *PG* 46, 13 B (trad. Terrieux, § 2).

théorie de la connaissance, elles affirment la nécessité du passage d'un savoir humain, le savoir médical, à l'image du Christ médecin.

De la comparaison au symbole

Quelques-unes des comparaisons présentes dans les *Homélies sur l'Ecclésiaste* excèdent la fonction démonstrative qui vient d'être définie. Elles renvoient, nous semble-t-il, à une dimension plus symbolique de la pensée de Grégoire. Le statut particulier de ces comparaisons est souligné par la manière dont elles sont longuement développées ; la comparaison se double d'un autre procédé rhétorique, l'*ekphrasis* [1], longue description elle aussi orientée vers la persuasion de l'auditeur ou du lecteur. De ce fait, ces images prennent une certaine autonomie et ne sont plus toujours enfermées dans la contrainte d'un système syntaxique. Cinq grandes images jalonnent ainsi les homélies, et l'on perçoit vite leur lien avec des images bibliques fondamentales : la demeure, le jardin et la vigne dans l'homélie III, puis l'image de l'ascension vertigineuse d'une montagne dans l'homélie VI et enfin, dans la dernière homélie, l'image du banquet de la vie.

Les trois premières images, par lesquelles Grégoire exploite largement l'opposition des réalités matérielles et des réalités spirituelles, n'ont rien d'original et on pourrait les compter au nombre de ces *topoi* (lieux communs) utilisés par les Pères dans leurs sermons. Mais notons qu'elles ont aussi leur place dans les *Homélies sur le Cantique*, pour préciser les étapes de la vie mystique [2]. En ce sens, ce qu'affirme avec force Grégoire de la demeure et de la vigne spirituelles dans l'homélie III est une anticipation des réalités manifestées dans le *Cantique*.

1. Sur l'*ekphrasis* voir L. MÉRIDIER, *L'influence de la seconde sophistique*, chap. IX.
2. Sur cette place du symbolisme dans les *Homélies sur le Cantique*, voir M. CANÉVET, *Herméneutique*, quatrième partie, p. 291-361 (« Symbolisme et exégèse »).

Les deux images de l'ascension et du banquet relèvent aussi du symbolisme spirituel, mais leur originalité est qu'elles assignent ses limites à la rhétorique, à l'art du discours. L'image de l'ascension d'un sommet, que l'on retrouve ailleurs chez Grégoire, donne le dernier niveau d'interprétation du verset : « Moment pour parler et moment pour se taire » (*Eccl.* 3, 7). Le signifié, c'est ici l'indicible : « Lorsque le discours va vers ce qui est au-delà du discours, conclut Grégoire, c'est 'le moment de se taire' et de garder dans le secret de la conscience, sans pouvoir l'interpréter, l'émerveillement devant cette puissance indicible [1]. » Dans l'homélie I, le verset énigmatique : « Tous les discours sont fatigants, et aucun homme ne pourra parler » (*Eccl.* 1, 8), avait déjà conduit Grégoire à montrer la faiblesse du discours humain [2]. Au contraire, l'image de l'ascension d'Abraham, développée plus tard dans le *Contre Eunome* [3], exprime un nouveau mode d'appréhension de l'indicible, et M. Canévet a pu montrer combien un tel texte marquait l'accès du théologien à une intelligence symbolique du mystère.

L'image finale du banquet de la vie pourrait être assimilée à une parabole, à la suite des paraboles évangéliques utilisant aussi l'image du festin. L'image devient alors récit et par ce caractère dynamique, elle réussit à signifier le sens de l'existence humaine entière et fait accéder le discours rationnel au stade de la confession de foi. Le décalage est sensible lorsque, après le développement de l'image, le second terme de la comparaison fait place à la citation d'*Eccl.* 3, 11 : « De même, dit le texte, je sais, moi aussi, que chaque chose vient de Dieu toujours pour le mieux... [4] ».

1. *Hom.* VII, 8, 106-110.
2. *Hom.* I, 11.
3. *C. Eun.* II, 89 — texte traduit et commenté par M. Canévet, *Herméneutique*, p. 51.
4. *Hom.* VIII, 8, 34-36.

L'accès à l'expression symbolique oblige en quelque sorte la rhétorique à ruser avec elle-même : qu'il garde ou non la rigueur des structures syntaxiques, le discours change insensiblement de nature en faisant une plus large part aux images et fixe ainsi lui-même ses propres limites.

V. — L'ECCLÉSIASTE, LIVRE DE LA PHYSIQUE

Les trois livres de Salomon

Grégoire n'ignore pas la place faite avant lui à l'*Ecclésiaste* dans la trilogie attribuée à Salomon [1]. Les premières lignes de notre texte lient explicitement les *Proverbes* et l'*Ecclésiaste*, et dans les *Homélies sur le Cantique*, le rôle respectif des trois livres est rappelé dès le début de la première *oratio* [2]. Mais c'est Origène qui développe le plus longuement dans le Prologue de son *Commentaire sur le Cantique* [3] le parallèle entre les trois livres de Salomon et les trois parties de la philosophie, « éthique, physique et époptique ». Philon et Clément d'Alexandrie avaient déjà fait place dans leur œuvre à une réflexion sur les parties de la philosophie [4].

1. Voir P. Hadot, « La division des parties de la philosophie dans l'Antiquité », *Museum Helveticum* 36 (1979), p. 218 s. ; et M. Harl, « Les trois livres de Salomon ».

2. *GNO* VI, p. 17-18.

3. Origène, *Commentaire sur le Cantique*, Prol., 3, 5 (*SC* 375) : « Donc, Salomon, voulant séparer les unes des autres ces trois disciplines que nous venons de dire générales : morale, naturelle, inspective, en fit le sujet de trois petits livres disposés successivement chacun dans son ordre. »

4. Voir V. Nikiprowetzky, *Le commentaire de l'Écriture chez Philon d'Alexandrie*, Leyde 1977, chap. IV, en particulier p. 98 et 109. L'auteur étudie les emplois du mot φυσιολογία chez Philon pour désigner la physique. — Sur les parties de la philosophie chez Clément, voir A. Méhat, *Étude sur les « Stromates » de Clément d'Alexandrie*, Paris 1966, p. 77-89.

Défini comme le livre de la physique, l'*Ecclésiaste* se trouve donc d'emblée situé dans une tradition philosophique et chrétienne, qui rend moins étonnante, par exemple, la proximité avec certains passages des *Pensées* de Marc-Aurèle [1]. Que conclut-il en effet de son observation des hommes ? « De cette façon, tu verras constamment que les choses humaines, ce n'est que fumée et néant, surtout si tu te rappelles en même temps que ce qui s'est une fois transformé ne reparaîtra jamais plus dans l'infini du temps. Pourquoi donc te tracasser ? ... Qu'est-ce en effet que tout cela, sinon des sujets d'exercices pour une raison qui voit d'une vue exacte, conforme à la science de la nature, ce qui se passe dans la vie [2] ? » En montrant comment la physique devient exercice spirituel dans la pensée stoïcienne, P. Hadot ne peut que souligner la proximité de telles réflexions avec l'affirmation de l'*Ecclésiaste* : « Vanité des vanités, tout est vanité. »

Mais notre auteur donne-t-il du sens de l'*Ecclésiaste* la même interprétation qu'Origène ? Rappelons en quels termes ce dernier précise le rôle de l'*Ecclésiaste* : « (Salomon), traitant de nombreux sujets concernant les choses de la nature, distinguant ce qui est inutile et vain de ce qui est utile et nécessaire, exhorte à laisser la vanité et à rechercher ce qui est utile et honnête [3]. » À première vue, la manière dont Grégoire fixe le rôle de l'*Ecclésiaste* au début de la première *oratio* sur le *Cantique* est très proche du passage que nous venons de citer : « Dans ce livre de l'*Ecclésiaste*, (la Sagesse) dénonce l'attachement des hommes aux choses visibles et proclame vain tout ce qui s'agite et passe, lorsqu'elle dit : 'tout ce qui arrive est vanité.' Elle met alors au-dessus de tout ce qui est saisi par la sensation, le mouvement qui porte notre âme à désirer la beauté

1. Voir P. Hadot, « La physique comme exercice spirituel ou pessimisme et optimisme chez Marc-Aurèle », *Rev. de Théol. et de Philos.* 1972, p. 225-239, art. repris dans *Exercices spirituels*, p. 119-133.

2. Marc-Aurèle, *Pensées*, X, 31 (trad. Trannoy, *CUF*).

3. Origène, *Commentaire sur le Cantique*, Prol., 3, 6 (*SC* 375).

invisible [1]. » Mais il est notable que Grégoire ne mentionne pas les trois parties de la philosophie correspondant aux livres salomoniens. Est-ce seulement dû à son « goût esthétique, au refus de tout pédantisme [2] » ? Il semble qu'on peut y voir aussi la volonté de ne pas relier aussi étroitement et de manière si rationnelle les livres bibliques. À l'écart qui sépare dans le temps la composition des *Homélies sur l'Ecclésiaste* et celle des *Homélies sur le Cantique* s'ajouterait une nette différence d'accent. Grégoire est immédiatement sensible à la signification mystique du *Cantique* [3], qui va se développer dans le dialogue de l'Époux et de l'Épouse ; de leur côté au contraire, les *Proverbes* et l'*Ecclésiaste* fixent l'étape de ce qu'on nommerait volontiers dans le langage contemporain le rapport au monde. Sur le plan de l'ecclésiologie, le souci d'une situation concrète, historique, y trouve légitimement sa place, comme nous l'avons vu [4], de même qu'une réflexion sur les éléments et la place de l'homme dans le monde — et en cela notre texte rejoint bien ce que la philosophie grecque entend par « physique ».

1. *GNO* VI, p. 22, 9-15. — L'expression πᾶν τὸ ἐρχόμενον ματαιότης est une citation d'*Eccl.* 11, 8, chapitre non commenté dans les *Homélies sur l'Ecclésiaste*, mais qui témoigne à l'évidence de la structure répétitive du texte biblique.

2. C'est ce que suggère M. Harl (« Les trois livres de Salomon », p. 257). Mais il s'agit ici encore de déterminer dans quelle mesure Grégoire prend ses distances à l'égard d'Origène et de Basile. Ce dernier, dans son *Homélie sur le début des Proverbes* rappelle en commençant les trois étapes de la connaissance et définit ainsi le rôle propre de l'*Ecclésiaste* : « L'*Ecclésiaste* s'attache à l'étude de la nature (φυσιολογία) et il nous dévoile la vanité des réalités de ce monde, de sorte que nous ne pensions pas que les réalités passagères méritent que l'on s'en préoccupe, et que les pensées de l'âme ne recherchent pas ce qui est vain » (*PG* 31, 388 A). Si le terme φυσιολογία rappelle Philon (voir *supra*, p. 50, n. 4), Grégoire ne l'emploie pas et souligne donc moins fortement que ses prédécesseurs le parallèle entre la physique comme savoir et le sens « physique » de l'Écriture.

3. Voir *GNO* VI, p. 15, 12.

4. Voir ci-dessus, chap. II.

La réflexion sur l'être et ses limites

Dans une étude intitulée *Ontology and Terminology in Gregory of Nyssa* [1], Ch. Stead souligne combien certaines expressions utilisées par Grégoire font, en fait, référence à ce qu'une désignation plus tardive nomme ontologie ; il en donne pour exemple deux expressions synonymes : ἡ θεωρία τῶν ὄντων dans le *Contre Eunome*, ἡ περὶ τῶν ὄντων φιλοσοφία au début de la septième homélie sur l'*Ecclésiaste* [2]. Pour préciser ce qu'il entend par « êtres », Grégoire procède à une série de distinctions fondamentales pour sa physique, sous la forme de ce que M. Canévet nomme des « rappels théologiques » ; le début de l'*oratio* VI sur le *Cantique* fait ainsi place à un développement sur l'échelle des êtres [3]. « Ces intermèdes théologiques, écrit M. Canévet, servent à situer l'explication d'une série de versets dans l'enchaînement de l'économie du salut. » Il est notable que dans notre texte, ces rappels jouent le même rôle, brièvement formulés dans une phrase dont l'idée principale suit le fil du commentaire biblique. Dans l'homélie VIII, le lien entre le verset biblique et le concept philosophique est particulièrement étroit : « Puisque dans les êtres une partie est vraie, une autre est vaine, il convient de connaître ce qui est vain afin que, par confrontation, nous connaissions la nature des êtres véritables [4]. »

Si l'opposition vrai/vanité nous renvoie aux catégories du texte biblique, Grégoire fait aussi appel pour parler de

1. G. Ch. Stead, « Ontology and Terminology in Gregory of Nyssa », dans *Gregor von Nyssa und die Philosophie*, p. 107-127, art. repris dans Stead, *Substance and illusion*. — À propos des mêmes expressions, J. Daniélou souligne que Grégoire est bien proche du concept d'« ontologie » (*L'Être et le temps*, p. 7).

2. *C. Eun.* II, 572 ; *In Eccl., hom.* VII, 7, 1-2.

3. M. Canévet, *Herméneutique*, p. 285-287. L'*oratio* VI sur le *Cantique* (*GNO* VI, p. 173-174) fournit l'exemple le plus développé de rappels concernant les différents degrés d'être.

4. *Hom.* VIII, 2, 151-153.

l'être aux distinctions héritées de la pensée grecque ; ainsi, par exemple, ce rappel de l'homélie VI : « Parmi les êtres, il y a ce qui est matériel et sensible, et ce qui est intelligible et immatériel [1]. » Une ontologie est en jeu, dont les concepts sont tous marqués d'une longue histoire philosophique.

Il ne s'agit pas ici d'ouvrir une fois de plus le dossier des sources philosophiques de Grégoire [2]. Il est cependant illégitime d'accuser Grégoire, comme le fait Ch. Stead, d'incohérence dans sa terminologie [3] ; les notions qu'il utilise, même lorsqu'on peut en quelque sorte les étiqueter, sont en effet à replacer dans le contexte d'une période d'éclectisme, sinon de vulgarisation de la pensée philosophique. Par exemple, les coïncidences lexicales ne suffisent pas toujours à fonder un rapprochement ; l'image de l'observatoire élevé (σκοπία), qu'utilise souvent Grégoire [4], lieu d'accès à Dieu et à une connaissance globale du monde créé, relève sans doute de ce que M. Aubineau appelle « une sorte de κοινή platonicienne [5] ». Pourtant, une comparaison plus précise entre la signification de cette image dans l'homélie VIII et un passage de la quatrième *Ennéade* de Plotin, où apparaît la même image [6], permet

1. *Hom.* VI, 1, 23-25. Voir CANÉVET, *Herméneutique*, p. 249-251.

2. Depuis la thèse de M. SPANNEUT sur *Le stoïcisme des Pères de l'Église de Clément de Rome à Clément d'Alexandrie*, Paris 1957, de nombreux articles ont été consacrés à la diversité des sources philosophiques des Pères. Pour Grégoire, signalons : P. COURCELLE, « Grégoire de Nysse lecteur de Porphyre », *REG* 80 (1967), p. 402-412 ; J. DANIÉLOU, « Grégoire de Nysse et le néoplatonisme de l'École d'Athènes », *REG* 80 (1967), p. 395-401 ; ainsi que les différentes contributions réunies par H. Dörrie dans *Gregor von Nyssa und die Philosophie*.

3. G. Ch. STEAD, *art. cit.*, p. 108.

4. Voir *hom.* VIII, 2, 121, et la note *ad loc.*

5. M. AUBINEAU, Introd. à *De virg.*, *SC* 119, p. 99.

6. PLOTIN, *Ennéades* IV, 4, 5 : « Nous sommes comme des gens montés sur un observatoire élevé dont le regard peut embrasser des choses invisibles à ceux qui ne sont pas montés avec eux » (trad. Bréhier,

de préciser la problématique centrale de cette ontologie : comment penser et nommer le rapport entre les différents degrés d'être et, dans une perspective plus théologique, entre Dieu inaccessible et la pensée humaine ?

Dans un article [1], P. Aubenque a souligné le bouleversement qu'introduit Plotin dans la pensée grecque lorsqu'il affirme dans la sixième *Ennéade* : « D'une manière générale donc, l'Un est le terme premier ; l'Intelligence, les idées et l'être ne sont pas des termes premiers [2]. » Au terme d'un raisonnement sur la notion d'être appliquée à l'ensemble des êtres et à chaque être en particulier, Plotin place donc l'Un au-dessus de l'être, car c'est pour lui la seule manière de préserver l'identité insaisissable de l'Un. Par là, il met une limite à la notion d'être : elle ne permet pas de rendre compte d'une réalité unique et incréée. Son disciple Porphyre se heurtera à la même insuffisance de la notion d'être et choisira de distinguer entre « l'être » et « l'étant » [3].

Grégoire de Nysse nous semble appréhender la même difficulté dans les *Homélies sur l'Ecclésiaste*, et sa manière d'employer distinctement le singulier (τὸ ὄν) et le pluriel (τὰ ὄντα) en est le signe. Mais cela ne suffit pas à marquer le caractère radical de la transcendance, et Grégoire a recours alors, par l'emploi d'adverbes, à une surdétermination de l'être ; ainsi trouve-t-on des expressions comme τὰ ὄντως ὄντα, τὰ ἀληθῶς ὄντα. Mais l'insuffisance d'un tel vocabulaire devient manifeste lorsqu'il s'agit de situer

CUF). L'image est appliquée à l'âme qui contemple les réalités intelligibles, mais qui va aussi dépasser cette sphère pour accéder à l'Un, dont elle garde le souvenir.

1. P. Aubenque, « Plotin et le dépassement de l'ontologie grecque classique », dans *Le néo-platonisme. Actes du Coll. de Royaumont ((9-13 juin 1969)*, Paris 1971, p. 101-108.

2. Plotin, *Ennéades* VI, 9, 2 (trad. Bréhier, *CUF*).

3. À propos de ces distinctions chez Porphyre, voir P. Hadot, *Porphyre et Victorinus*, Paris 1968, t. I, chap. II (sur Porphyre source des morceaux néoplatoniciens dans l'œuvre de Victorinus).

parmi les êtres ce qui n'est qu'apparence et « non-être » : le mal. Les concepts de la pensée grecque ne trouvent-ils pas ici leur limite [1] ? L'affirmation à laquelle arrive Grégoire dans la deuxième homélie reste bien paradoxale : « Le mal est ce qui est sans fondement, parce qu'il tient sa subsistence de ce qui n'est pas ; mais ce qui tient son être de ce qui n'est pas n'existe pas du tout non plus selon sa propre nature [2]. » Telle est l'impasse de l'ontologie pour la physique de Grégoire, et l'étude des différentes classifications des êtres présentées au fil de son œuvre, rigoureusement faite par D. Balàs [3], confirme cette impression. C'est en substituant une réflexion sur l'homme, et plus précisément sur la liberté humaine, à ces interrogations sur la nature de l'être que Grégoire se dégage de ces apories philosophiques.

Une physique anthropocentrique

Quoi qu'il en soit de la chronologie relative de l'*In Hexaemeron*, du *De hominis opificio* et de notre texte, la comparaison des deux premières œuvres et de la première homélie sur l'*Ecclésiaste* permet de préciser la perspective propre de la réflexion sur la *phusis* dans notre texte.

L'*In Hexaemeron* de Grégoire, comme celui de Basile, examine les différents actes de la création selon l'ordre des versets du premier chapitre de la *Genèse* ; il s'agit d'un éloge de la création, tout est placé sous le signe de la beauté de l'acte créateur. De la même façon, les chapitres 1 à 5 du *De hominis opificio* affirment avec insistance la place de choix faite à l'homme dans la création : « Les merveilles de l'univers trouveront dans l'homme leur

1. Voir Daniélou, *L'être et le temps*, p. 135-137.
2. *Hom.* II, 2, 29-31.
3. D. Balàs, *Metousia Theou. Man's participation in God's perfections according to S. Gregory of Nyssa*, Rome 1966, chap. I, p. 23-53, (« The hierarchy of beings »).

contemplateur et leur maître ; ainsi, jouissant de ces merveilles, il aura l'intelligence de son bienfaiteur ... [1] ». Dans les *Homélies sur l'Ecclésiaste*, sans doute la référence au verset de la *Sagesse* : « D'après la grandeur et la beauté des réalités créées on voit analogiquement l'auteur de toutes choses [2] », va-t-elle aussi dans le sens de cette célébration de la création de Dieu ; mais toute la réflexion sur les éléments de la nature, au fil du commentaire d'*Eccl.* 1, 3-12, est orientée et transformée par l'affirmation initiale : « Vanité des vanités ». L'évocation du cosmos et de ses rythmes est rapportée à l'homme et sert à éclairer la question de sa responsabilité dans la loi du péché et du mal ; physique pour l'homme, donc, comme l'affirme cette exhortation : « Hommes, vous qui regardez l'univers, concevez votre propre nature [3]. » La structure même du texte biblique met sur la voie de cet anthropocentrisme : les versets consacrés aux éléments, la terre, le soleil, le vent et les eaux, sont en effet inclus dans des versets qui se soucient principalement de l'homme (*Eccl.* 1, 3 et 8). Sans réellement tenir compte de l'ordre des versets 4 à 7, sans même tous les citer avec exactitude, Grégoire s'attache à trois motifs fondamentaux pour son anthropologie : le mouvement, la répétition et la stabilité.

L'ensemble du commentaire s'appuie sur cette analogie de l'homme et du monde, ce qui ne nous éloigne pas de la physique stoïcienne [4]. Il faut noter d'ailleurs que dans sa *Metaphrasis in Ecclesiasten*, Grégoire le Thaumaturge interprétait déjà le texte biblique dans le sens de cette analogie ; ainsi à propos d'*Eccl.* 1, 7 : « Et (la vie des hommes) ressemble à l'avancée des flots qui tombent dans

1. *De hom. op.* 2 (133 a).
2. *Hom.* I, 6, 15-16 ; voir ci-dessus, chap. III, p. 34-35.
3. *Hom.* I, 8, 1-3.
4. On a vu (ci-dessus, chap. II) l'évolution de la pensée de Grégoire par rapport à la thèse stoïcienne de l'homme microcosme.

l'abîme sans mesure de la mer avec grand tumulte [1]. » Tenu peut-être par la brièveté du genre littéraire qu'il a choisi, Grégoire le Thaumaturge en reste à cette expression imagée, là où Grégoire de Nysse associe étroitement images et catégories philosophiques.

Mouvement, stabilité et répétition sont indissociables et comme indéfiniment combinés dans le monde créé : « Ce qui est stable ne se meut pas, et ce qui est en mouvement n'a pas de stabilité, mais toutes choses se montrent, dans tout l'intervalle du temps, sous la même apparence, et ne sont nullement transformées par une mutation en quelque chose de plus nouveau [2]. » L'image de la mer, réceptacle toujours identique d'un mouvement toujours répété, donne la juste combinaison de ces qualités, et sans l'échange paradoxal qui s'établit entre l'incessant mouvement vers la mort, la succession des générations et la fermeté de l'enracinement dans le bien, le lecteur perçoit ce qui deviendra une affirmation fondamentale de Grégoire : le changement comme possibilité de la perfection. Telle est en effet la conviction énoncée à la fin du *De perfectione* : « Le plus beau fruit du changement est la croissance vers le bien... Que celui qui voit dans la nature un penchant au changement ne s'attriste donc pas [3]. » Cette pensée trouve son aboutissement dans la *Vie de Moïse*, avec la définition de l'épectase : « C'est là la plus paradoxale de toutes les choses que stabilité et mobilité soient la même chose...

1. *PG* 10, 989 A (trad. Vinel, dans *Metaphrasis in Ecclesiasten*, p. 204).

2. *Hom.* I, 7, 12-15.

3. *De perf.*, *GNO* VIII, 1, p. 213, 17 s. A. Spira souligne les antécédents de cette conception chez Aristote et aux origines même de la pensée et de la poésie grecques (« Le temps d'un homme selon Aristote et Grégoire de Nysse : stabilité et instabilité dans la pensée grecque », dans *Le temps chrétien*, p. 283-294).

Qu'est-ce que cela veut dire ? Que plus quelqu'un demeure fixé et inébranlable dans le bien, plus il avance dans la voie de la vertu [1]. »

Les *Homélies sur l'Ecclésiaste* semblent bien le lieu où se noue pour Grégoire ce passage d'une physique d'inspiration encore stoïcienne dans laquelle le mouvement, le changement ne sont que le signe de la dégradation et de la mort, à une théologie spirituelle du mouvement toujours possible vers le bien. La réflexion sur le temps est au cœur de cette relation entre physique, éthique et mystique (époptique).

L'élaboration d'une conception du temps

Les trois premiers chapitres de l'*Ecclésiaste*, et particulièrement le début du troisième, offrent à Grégoire de Nysse la possibilité de cette réflexion sur le temps. Les études de J. Daniélou rassemblées dans *L'être et le temps* [2] ou les remarques de Urs von Balthasar sur le devenir réel et le devenir idéal dans l'œuvre de notre auteur [3] signalent bien des textes où Grégoire aborde la question du temps. L'intérêt et la spécificité des *Homélies sur l'Ecclésiaste* sur ce point tiennent sans doute à la façon dont sont envisagés successivement et progressivement — il faudrait dire selon l'*akolouthia* propre du texte — les différents aspects du temps. D'abord notion proprement « physique », cosmique, le temps est ensuite perçu surtout comme une notion éthique et eschatologique. Nous retrouvons ici le rôle-charnière de l'*Ecclésiaste*, livre de la séparation du monde matériel et de la conversion au bien.

L'homélie I présente comme en raccourci les différentes dimensions du temps. Le mouvement du soleil, mais aussi

1. *V. Moys.* II, 243 (*SC* 1 ter).
2. Voir en particulier les chapitres sur le problème du changement (p. 95-115), l'apocatastase (p. 205-226) et la mortalité (p. 154-185).
3. BALTHASAR, *Présense et pensée*, p. 29-41.

la succession des générations [1] nous renvoient l'image d'un temps cyclique ; s'inscrivant dans une perspective stoïcienne, Grégoire suggère que le temps cosmique, le temps du macrocosme, a son image dans les rythmes de l'existence humaine [2]. Mais la distinction des âges de la vie, l'analyse de la succession des moments du temps — passé, présent et futur — font de la linéarité et de l'irréversibilité les caractéristiques du temps humain. Le texte nous fait alors entrer dans la perception d'un temps vécu, d'un temps existentiel. Les homélies II à V, centrées sur le bilan de vie attribué à Salomon, précisent ensuite la nature et les critères de jugement de ce temps vécu : la perspective éthique s'intègre alors à la perspective physique. Mais la fin de l'homélie I, en faisant référence au thème de l'apocatastase [3], avait comme par avance fait place à la dimension eschatologique du temps. M. Alexandre a bien montré comment, chez Grégoire, l'eschatologie inclut le temps cyclique, dont la perception amène l'ecclésiaste à affirmer : « Rien de nouveau sous le soleil ». L'objet des trois dernières homélies, au fil du commentaire d'*Eccl.* 3, 1-13, est d'articuler temps éthique (selon lequel c'est toujours le moment de choisir le bien) et temps eschatologique.

Le vocabulaire du temps est celui de l'étendue comme l'atteste l'emploi des verbes παρατείνω, συμπαρατείνω (par ex. *hom.* II, 8, 25 et V, 6, 35) et surtout celui du substantif διάστημα (voir *hom.* I, 7, 14 ; II, 8, 50 ; V, 8, 44 ; VI, 3, 16 ; VII, 2, 20, avec la note *ad loc.* ; 8, 72-76, avec la note *ad loc.* ; 8, 81-98 ; VIII, 8, 49). T. Verghese, en étudiant les différents emplois de διάστημα dans l'œuvre de notre

1. *Hom.* I, 7.
2. *Hom.* I, 8.
3. *Hom.* I, 13, 45. — Voir M. ALEXANDRE, « Protologie et eschatologie ». L'auteur parle à propos de la compréhension nysséenne de ce verset d'« une sorte de principe de logique et de physique chrétienne » (p. 125).

auteur [1], a montré comment il prenait position contre les définitions du temps de la philosophie grecque ; c'est que le διάστημα est pour lui inhérent à la création. Un tel concept suppose donc l'abandon de la thèse de l'éternité du monde. Il revient alors aux Cappadociens, comme le suggère B. Otis, d'avoir fait du temps une catégorie positive [2]. Le διάστημα devient chez Grégoire une qualité essentielle des créatures, puisqu'il permet le changement, la conversion.

Temps idéal et temps réel

La vie de Moïse, celle de Macrine, mais aussi celles de Basile et Grégoire le Thaumaturge dont il fait l'éloge se déroulent selon un schéma idéal et ces personnages constituent les « modèles d'un temps idéal [3] ». Qu'en est-il de la vie de Salomon ?

On définira plus loin le statut exégétique de ce personnage, figure historique, mais aussi figure du Christ dans son humanité [4]. Il importe seulement ici de noter que la première personne employée dans le texte biblique (*Eccl.* 1, 12-18 et 2) est interprétée par Grégoire comme la marque du discours du roi Salomon. Celui-ci confesse ses fautes, le mauvais usage qu'il a fait du temps de sa vie. Cette lecture du texte suffit à distinguer les *Homélies sur l'Ecclésiaste* des récits de vies exemplaires où se dessine d'emblée le modèle d'un temps idéal, et dont l'archétype, en quelque sorte, est la vie de Moïse : elle se déroule en trois périodes de quarante ans, chacune correspondant à la perfection d'un état de vie et peut ainsi constituer un

1. T.P. Verghese, « Διάστημα and διάστασις in Gregory of Nyssa. Introduction to a Concept and the Posing of a Problem », dans *Gregor von Nyssa und die Philosophie*, p. 243-260.

2. B. Otis, « Gregory of Nyssa and the Cappadocian Conception of Time », *Studia Patristica, TU* 117 (1976), p. 327-357.

3. M. Harl, « Les modèles d'un temps idéal dans quelques récits de vie des Pères Cappadociens », dans *Le temps chrétien*, p. 220-241.

4. Voir ci-dessous, chap. VII.

programme de vie proposé aux chrétiens. C'est pourquoi, lorsqu'il s'agit de ses contemporains et parents, de Macrine ou Basile, Grégoire montre comment leur vie s'est déroulée « de gloire en gloire », de perfection en perfection à l'imitation de celle du patriarche. L'idéalisation hagiographique mise en œuvre dans la structure de ces récits de vie affirme comme un postulat l'existence d'un temps spirituel qui échappe très tôt [1] au poids d'un temps mesuré par les rythmes naturels et les étapes de la vie : Macrine ne nous est-elle pas immédiatement présentée comme « au-dessus de la nature [2] » ? Sans doute pourrait-on lire comme les pôles opposés de cette perfection les poèmes autobiographiques de Grégoire de Nazianze [3]. En effet, si ceux-ci ou les *Confessions* de saint Augustin sont sous-tendus par un schéma spirituel, ce schéma se fonde sur la conviction de la chute et donc d'une incapacité radicale de l'homme ; l'existence est alors vécue comme soumise au gré des événements, ballottée et parcourue d'interrogations inquiètes [4].

1. En étudiant quelques biographies spirituelles des IVe et Ve siècles, A. LE BOULLUEC a montré comment « ces récits édifiants informent et déforment le temps vécu » (« Les schémas biographiques dans quelques vies spirituelles des IVe et Ve siècles : les itinéraires de l'ascèse », dans *Le temps chrétien*, p. 243-262).

2. *V. Macr.* 1, 16-17 (*SC* 178) ; le rêve fait par la mère de Macrine au moment de l'accouchement annonce déjà le caractère exceptionnel de celle qui va naître (*ibid.* 2, 22-30).

3. GRÉGOIRE DE NAZIANZE, *Poem. de seipso* I et XI (*PG* 37, 969 s. et 1029 s.). La marque de la chute informe tout le récit autobiographique et l'expérience du temps vécu fait dès lors une très large part à l'angoisse. Voir les analyses d'I. RABUT, *Perception et expression du temps dans les poèmes autobiographiques de Grégoire de Nazianze*, Thèse dactylographiée, Université de Paris-Sorbonne 1980.

4. I. RABUT, *ibid.*, chap. II (« La vie de Grégoire : une réitération du drame de la chute »). Cette inquiétude caractéristique de l'âme de Grégoire de Nazianze inspire bien des images poétiques au fil de l'œuvre. Ainsi par ex. : « Tels des oiseaux ou des vaisseaux de mer, le temps et moi venons à la rencontre l'un de l'autre, sans jamais nous fixer ; mais les péchés que j'ai commis, eux, ne passeront pas : ils demeurent. Voilà le plus grand malheur de la vie » (*Poem. moralia* XIII, 1-4, *PG* 37, 753, trad. I. Rabut).

La vie de Salomon, marquée par le péché, nous éloigne elle aussi de l'hagiographie.

L'expérience du temps

Le discours de Salomon amène Grégoire à situer sa réflexion sur le temps humain à un niveau moins idéalisé, et Salomon pourrait être défini comme le modèle d'une humanité qui choisit la conversion au bien. La confession du personnage, dans les homélies II à V, propose donc le récit d'un temps vécu, marqué par une succession d'actes volontaires. Seule la distinction du bien et du mal permet de qualifier ces actes : la réflexion sur le temps doit donc entrer dans la sphère de l'éthique. Et il est notable d'ailleurs que le même vocabulaire, les mêmes images, spatiales en particulier, sont utilisées pour parler du temps et pour parler de la vertu, de la vie vertueuse [1].

Mais il faut ajouter que la nature de la vertu, elle, ne dépend pas du temps, comme l'indique Grégoire dans l'*Oraison funèbre de Basile*, où il remarque : « La nature du temps est la même dans le passé et dans le présent par rapport à la question de la vertu et du vice — car le temps n'est ni l'une ni l'autre ; le bien est dans la liberté et non dans le temps [2]. » Le temps vécu s'expérimente dans la succession des actes avoués par Salomon ; ordonnés à la recherche du plaisir — comme l'atteste la récurrence du mot ἀπόλαυσις —, ces actes ne procurent que l'expérience d'un temps limité, coextensif à la durée du sentiment de plaisir. Le temps n'y a aucune continuité, ainsi que le conclut Grégoire à la fin de l'homélie IV : « Dès que l'activité a cessé, la jouissance elle aussi s'évanouit, et rien n'a été mis en réserve pour la suite [3]. » Le bilan de vie de Salomon fait donc surgir la double question du bon usage du temps et de ce qui va donner accès à l'expérience de la durée sans fin (αἰών).

1. Voir en particulier les emplois de τείνω et de ses composés.
2. *In Basil.*, *GNO* X, 1, p. 111, 1-4.
3. *Hom.* IV, 5, 94-95.

Temps éthique et temps de Dieu (hom. VI à VIII)

« Il y a un temps pour tout et un moment pour toute chose sous le ciel (*Eccl.* 3, 1) » : ce verset met en évidence l'opposition entre χρόνος et καιρός [1]. Le bon usage du temps, ce qui est εὔκαιρος, c'est le choix du bien, affirme Grégoire. Les versets à termes antithétiques du début du chapitre 3 (*Eccl.* 3, 1-9) sont les uns après les autres compris comme les deux phases d'un même acte : choisir le bien et refuser le mal. Mais, envisagée pour des actions particulières, cette action est étendue à la vie humaine tout entière : « Veux-tu apprendre aussi le moment opportun pour chercher le Seigneur ? Je le dis en peu de mots : la vie entière [2]. »

La réflexion sur le sabbat, au début de l'homélie VII [3], conduit Grégoire à fonder le bon usage du temps sur le respect de la loi de Dieu. L'éthique est subordonnée à « la loi qui vient de Dieu [4] ». Le respect du sabbat n'est pas le respect d'une mesure particulière du temps que serait le jour du sabbat ; ce jour, pourrait-on dire, ne fait pas nombre avec les autres jours de la semaine, mais il figure le temps de faire le bien. Il concerne donc l'existence entière et il n'est pas étonnant que l'homélie VIII s'achève par l'introduction du concept d'αἰών, défini comme « un concept d'étendue » (διαστηματικόν τι νόημα) [5]. Le temps vécu, les âges successifs de la vie sont récapitulés dans ce seul terme αἰών auquel Grégoire oppose l'oubli (λήθη) [6], c'est-à-dire la perte des réalités matérielles au moment de la mort. La démonstration de Grégoire touche ici à son

1. *Hom.* VI, 1-3.
2. *Hom.* VII, 5, 15-17.
3. *Hom.* VII, 2.
4. Θεόθεν ὁ νόμος (*hom.* VII, 2, 74).
5. *Hom.* VIII, 8, 49.
6. Voir *hom.* VIII, 7, 17-18. L'opposition oubli/souvenir est inscrite dans le texte biblique (*Eccl.* 2, 16) et situe la réflexion au plan eschatologique du jugement dernier, bien plus qu'au plan psychologique.

terme : le seul acte coextensif à un temps continu, à l'αἰών, c'est de « fixer les yeux sur Dieu [1] ».

Cependant, il faut encore souligner que le commentaire que Grégoire fait dans l'homélie VII du verset « moment pour parler et moment pour se taire » (*Eccl.* 3,7) suggère de façon imagée qu'une autre étape reste à franchir, qui modifiera encore radicalement la perception du temps et de l'espace. La métaphore, chère à notre auteur, de l'ascension d'un sommet et du vertige qui saisit celui qui s'aventure ainsi anticipe la sortie de l'espace et du temps qui caractérise l'expérience mystique — mais Grégoire s'en tient dans notre texte à des termes négatifs [2]. L'image de cette rupture de l'ordre spatio-temporel n'est plus présente dans les *Homélies sur le Cantique* où se lisent au contraire, selon un schéma qui n'est plus biographique, les étapes d'un progrès indéfini dans la connaissance de Dieu. La réflexion sur le temps, dans nos homélies, montre que la physique nysséenne a des degrés, qui sont des degrés de conversion : de l'observation du cosmos et de ses cycles répétitifs on passe à l'appréciation, à la mesure du temps vécu par chacun, et la recherche des critères conduit à prendre en compte la totalité du temps vécu. Les derniers versets commentés par Grégoire [3] définissent l'existence humaine comme un don de Dieu, dont il s'agit de faire bon usage. Avec cette notion de don, la mystique peut succéder à la physique, et Salomon, après l'aveu de ses fautes, entonner le *Cantique des Cantiques*.

1. Ἐνατενίζειν θεῷ (*hom.* VIII, 9, 16) ; voir note *ad loc.* — Sur la question du sens de αἰών, voir l'étude de A.-J. FESTUGIÈRE, « Le sens philosophique du mot αἰών », article de 1949 repris dans *Études de philosophie grecque*, Paris 1971, p. 254-272.

2. Dans cette ascension, l'âme perd tous ses repères et n'a « rien à empoigner, ni lieu, ni temps, ni mesure... » (*hom.* VII, 8, 100-101).

3. *Eccl.*, 3, 12-13 : voir *hom.* VIII, 8-9.

VI. — L'ECCLÉSIASTE, UN LIVRE POUR L'ÉGLISE

Si Grégoire fait place à la tradition interprétative de l'*Ecclésiaste* comme livre de la physique, le titre même du livre l'amène à définir un autre *skopos*. L'étymologie du nom choisi par la Septante pour traduire « Qohélet [1] » en fait un livre pour l'Église ; aussi Grégoire, après avoir distingué ce texte de « tous les autres écrits, historiques et prophétiques », affirme-t-il : « L'enseignement de ce livre-ci concerne la seule vie de l'Église [2]. » Une telle définition fait davantage regretter encore notre ignorance concernant l'utilisation liturgique ou du moins communautaire [3] de l'*Ecclésiaste*. Elle légitime en tout cas la réflexion sur l'Église qui s'organise progressivement dans les Homélies, et dont les aspects doctrinaux ne font pas oublier à Grégoire la crise affectant alors l'Église. Aussi est-ce avant tout l'unité de l'Église qui préoccupe notre auteur, dans la lignée même de sa lecture christologique de l'*Ecclésiaste*.

Le Christ ecclésiaste et l'unité de l'Église

Le début de l'homélie I met d'abord en évidence la signification typologique de l'*Ecclésiaste*. Le rapproche-

1. L'étymologie du terme hébreu est diversement interprétée, que l'on voie dans « Qohélet » un « rassembleur » ou un « prédicateur » (Jérôme utilise le terme *concionator*). — Voir Barton, *Commentary on Ecclesiastes*, p. 67-68 ; Lys, *L'Ecclésiaste*, p. 53-56. Sur l'interprétation du titre par Grégoire, voir *hom.* I, 2.
2. *Hom.* I, 2, 18-20.
3. Voir ci-dessus, chap. III, p. 24 s.

ment avec des versets évangéliques et la mention des titres « roi d'Israël » et « fils de David [1] » enracinent le personnage dans l'histoire, puis l'œuvre du Christ peut se résumer en une affirmation : il a « fondé l'Église » (τὴν ἐκκλησίαν πηξάμενος). Véritable ecclésiaste, le Christ est défini comme « guide de l'Église » (καθηγεμὼν ἐκκλησίας). L'expression apparaît trois fois (I, 2, 27 ; II, 1, 23 et V, 1, 1-2) ; une autre désignation, empruntée au vocabulaire des fonctions militaires, est utilisée dans l'homélie VII : le Christ, « commandant (ταξιάρχης) de la puissance ecclésiastique » (VII, 1, 3-4). Le rôle qui lui est attribué apparaît clairement, et de façon répétée, au début des trois premières homélies : il est la source et le garant de l'unité. Au nom d'agent ἐκκλησιαστής, « celui qui rassemble », Grégoire accole alors le verbe correspondant et des synonymes (συναθροίζω, συνάγειν). L'affirmation de l'unité accomplie par le Christ tire sa force de l'antithèse établie entre cette unité et la foule de ceux qui se sont égarés et perdus. Aux termes exprimant cette perdition (τὰ ἀπολωλότα, τὰ πεπλανημένα) s'oppose tout le lexique du rassemblement et de l'unité : « plénitude unique » et « Église unique » (*hom.* I, 2, 29-30) ; « une église unique et un troupeau unique » (*hom.* II, 1, 3-5) ; « celui qui assemble toute la création » (*hom.* III, 1, 3-4).

Le rapprochement des trois termes πλήρωμα, ἐκκλησία et κτίσις indique les dimensions indissociablement protologiques et eschatologiques [2] de l'ecclésiologie nysséenne. Le terme πλήρωμα, dont on a souligné l'importance dans toute l'œuvre de Grégoire [3], se rapporte toujours à l'Église

1. *Hom.* I, 2, 32.42.

2. Voir les analyses de M. ALEXANDRE sur ce thème central de l'apocatastase comme restauration de l'unité, de la plénitude, dans « Protologie et eschatologie », p. 128-139 et 152-159.

3. Sur les différents sens du mot plérôme, voir E. CORSINI, « Plérôme humain et plérôme cosmique chez Grégoire de Nysse », dans *Écriture et culture philosophique*, p. 111-126. Sur l'acception ecclésiologique de la

dans nos homélies, à l'exception d'un emploi pour désigner la mer dans sa plénitude [1] ; et il associe en lui l'unité originelle de la création et l'unité qui est l'œuvre de salut accomplie par le Christ.

Modèles de l'unité

À l'image du Christ ecclésiaste, les disciples, les anciens et les saints ont une fonction de rassemblement de l'Église. La présence de ces éléments dans notre texte tend à confirmer l'appréciation que portait J. Daniélou sur la doctrine apostolique du Cappadocien : « Elle est hiérarchique, à la différence d'Origène, opposant le spirituel à la hiérarchie » ; et il précisait ensuite : « Conception à entendre d'ailleurs largement, car la hiérarchie ecclésiastique, telle qu'il nous la décrit, comprend, à côté des évêques et des docteurs, les moines, les vierges consacrées, bref tous ceux qui sont dans l'Église objet de vocation spéciale et réservés au service de Dieu [2]. »

Les anciens

Dans la première homélie, Grégoire rappelle le rôle d'enseignement des anciens (πρεσβύτεροι), et le commentaire qu'il fait du verset de l'*Épître à Timothée* les concernant (*I Tim.* 5, 17) souligne les exigences morales, pratiques, de leur fonction (*hom.* I, 11, 17 s.) [3]. Même si une coïncidence lexicale avec un

notion en lien avec l'interprétation de la parabole de la brebis perdue, voir M. Alexandre, « L'interprétation de *Luc* 16, 19-31 chez Grégoire de Nysse », *Épektasis*, p. 425-441.

1. *Hom.* I, 9, 29.
2. Daniélou, *Platonisme*, p. 312.
3. La référence à ce verset de *I Tim.* invite à nuancer le jugement que M. Canévet porte sur la manière dont Grégoire puise essentiellement dans cette épître des « conseils de morale » en laissant de côté ce qui relève des problèmes de gouvernement ecclésiastique (*Herméneutique*, p. 219).

verset de l'*Ecclésiaste* autorise le rapprochement [1], il est remarquable que Grégoire fasse en priorité référence à la vie de l'Église pour commenter un verset qui se présente comme une affirmation impersonnelle et de portée très générale : « Tous les discours sont fatigants, et aucun homme ne pourra parler » (*Eccl.* 1, 8). Quant au terme πρεσδύτερος et à son utilisation dans la hiérarchie ecclésiastique, on peut rappeler comment Origène l'inclut dans une liste des fonctions ecclésiastiques entre l'évêque et le diacre [2]. La lecture des *Constitutions apostoliques* [3] et les travaux de B. Gain sur l'Église de Cappadoce au IVe siècle [4] confirment aussi cette compréhension du terme « presbytre » comme équivalent de prêtre. Les *Constitutions apostoliques* insistent en particulier sur la mission d'enseignement [5] des « presbytres » ; de la même façon Grégoire commentant *Eccl.* 1, 8 utilise de façon récurrente les mots de la famille de διδάσκω.

1. Sur le rapprochement ἔγκοπος / κοπιῶντες, voir *hom.* I, 11, note *ad loc.*

2. ORIGÈNE, *Hom. sur Jérémie* XIV, 4, 4-12 (*SC* 238) : « Celui qui 'rend à chacun ce qu'il lui doit'..., qui a honoré, par exemple, les évêques comme des évêques, les prêtres comme des prêtres (πρεσδυτέρους ὡς πρεσδυτέρους), les diacres commes des diacres..., celui-là... 'n'a pas été en dette' » (trad. Nautin-Husson). — Sur l'institution des presbytres, voir A. FAIVRE, *Naissance d'une hiérarchie*, Paris 1979.

3. M. METZGER (Introd. aux *Constitutions apostoliques, SC* 320, 1985, p. 60) propose 360 comme date de rédaction des *Constitutions*, ce qui en ferait une œuvre presque contemporaine des *Homélies sur l'Ecclésiaste.*

4. La thèse de B. Gain reprend et complète l'enquête menée antérieurement par Y. COURTONNE (*Un témoin du IVe siècle oriental : saint Basile et son temps d'après sa correspondance*, Paris 1973). Voir B. GAIN, *L'Église de Cappadoce au IVe siècle d'après la correspondance de Basile de Césarée (330-379)*, Rome 1985, chap. III, p. 100-108 (« L'organisation du peuple de Dieu : le clergé »). « Dans les lettres de Basile, écrit l'auteur, les prêtres sont désignés le plus souvent par le terme πρεσδύτερος..., moins fréquemment par celui de ἱερεύς. »

5. *Constitutions apostoliques* II, 26, 3 et 7.

Les saints Le rôle des saints est évoqué dans la dernière homélie (VIII, 2, 154 s.). Ils sont à l'image du « grand ecclésiaste », « criant de loin à ceux qui ont quitté le droit chemin ... : Fuis le chemin sur lequel tu marches ! » — le verbe ἐμβοῶ appliqué ici aux saints se rapporte au Christ quelques lignes plus loin. Ils collaborent ainsi à l'unité de l'Église.

Grégoire s'en tient dans ce passage à l'expression générale « les saints », mais il est notable que le même vocabulaire, les mêmes images se retrouvent, comme le signale M. Alexandre [1], dans le portrait de Basile, et donc pour définir le rôle de l'évêque.

Les disciples Dans cette réflexion sur l'unité de l'Église, il faut faire une place au groupe des disciples. Il a en effet une fonction paradigmatique dans l'édification du plérôme de l'Église. À propos de l'énigmatique verset d'*Eccl.* 1, 15 : « Un manque ne pourra être compté », Grégoire s'intéresse au nombre des disciples. Après la défection de Judas, leur groupe a perdu sa plénitude propre (τὸ ἴδιον πλήρωμα, II, 4, 26), et les Onze figurent l'imperfection du troupeau de ceux qui attendent le bon berger. Deux images viennent donc se substituer à l'abstraction du verset sapientiel et, dans une attention aux nombres dégagée de tout gnosticisme, Grégoire associe les onze disciples et les quatre-vingt-dix-neuf brebis. Après G. Hübner, M. Alexandre a souligné l'importance de la parabole évangélique dans l'eschatologie de Grégoire ; on peut rappeler les lignes directrices de l'interprétation traditionnelle reprise par notre auteur : « Le Christ berger descend par l'Incarnation et remonte sur ses épaules la nature humaine, la restaurant dans la centaine sacrée des

1. Voir M. ALEXANDRE, « Les nouveaux martyrs ».

brebis spirituelles, à la joie du chœur des anges [1]. » La restauration finale (emploi du verbe ἀποκαταστῆσαι, II, 4, 43) du « nombre de la création de Dieu » (ὁ τῆς κτίσεως τοῦ θεοῦ ἀριθμός, II, 4, 45) définit la promesse de salut.

La tunique de l'Église

Cependant, s'il ne cesse d'affirmer l'unité de l'Église du Christ, Grégoire n'oublie pas la réalité des divisions et des déchirements : les thèmes eschatologiques qui viennent d'être évoqués ne se séparent pas de plusieurs allusions à l'histoire de l'Église contemporaine de Grégoire. L'image scripturaire de la tunique sans couture du Christ ou celle du manteau de l'Église, allusion à *Jude* 23, lui permettent de réunir ces deux aspects : « la tunique de l'Église est sans déchirure » (VII, 7, 60-61), affirme-t-il. Ce passage de l'homélie VII pourrait être ajouté au dossier des textes patristiques rassemblés par M. Aubineau pour illustrer ce « symbole de l'unité de l'Église » [2] ; dans son article l'auteur souligne combien l'image a été particulièrement utilisée dans tout le contexte des luttes contre les hérésies.

Une des formules d'*Eccl.* 3, « Moment pour coudre et moment pour déchirer » (v. 7), facilite l'introduction de l'image en même temps qu'elle fournit l'occasion de rappeler les troubles agitant alors l'Église. En quelques lignes (VII, 7, 55-57) nous est proposée pour ainsi dire une relecture de l'histoire des premiers siècles de l'Église ; l'actualité immédiate n'en est sans doute pas absente, d'autant que, dans l'homélie VI, Grégoire a rappelé le triomphe de l'hérésie (VI, 6, 19-20). Parti de l'affirmation

1. R. M. Hübner, *Die Einheit des Leibes Christi bei Gregor von Nyssa*, Leyde 1974 ; M. Alexandre résume ainsi la ligne majoritaire de l'interprétation de *Luc* 16, 19-31 dans son article « Protologie et eschatologie », p. 155.

2. M. Aubineau, « Dossier patristique sur Jean XIX, 23-24 : la tunique sans couture du Christ ».

doctrinale de l'unité accomplie par le Christ, Grégoire procède clairement ici à ce que nous avons défini comme une lecture actualisante de l'*Ecclésiaste*.

Vie spirituelle et sacrements

Une comparaison avec le *Discours catéchétique* permet d'apprécier la particularité de la réflexion sur les sacrements dans les *Homélies sur l'Ecclésiaste*. L'intention propre du *Discours catéchétique*, en effet, rend légitime un enseignement dogmatique concernant le baptême et l'eucharistie (chap. 33-35 et 37). Au contraire, au fil du commentaire d'un texte vétéro-testamentaire, c'est le jeu des citations bibliques qui autorise des allusions aux sacrements. C'est dans la logique du rôle assigné au livre de l'*Ecclésiaste*, mais cela traduit peut-être aussi l'interrogation insistante de notre auteur sur la manière de lire l'Ancien Testament dans l'Église ; la recherche de rapprochements entre versets de l'Ancien Testament et versets du Nouveau ne se présente pas ici de façon systématique, à l'inverse, par exemple, de la structure typologique de la *Vie de Moïse*.

Le récit que Salomon fait de sa vie est un enseignement pour l'Église. Le vocabulaire utilisé pour introduire le discours de Salomon relève de l'examen de conscience, de l'aveu des fautes, et il est clair que l'auteur ne se place pas ici dans la perspective d'une quelconque discipline ecclésiastique, même si le choix du mot *exomologèsis* nous met en quelque sorte au croisement du point de vue psychologique et spirituel et du point de vue sacramentel [1]. Par contraste, il faut lire la lettre canonique *Ad Letoium*, dont

1. Voir les textes rassemblés par H. Karp : *La pénitence. Textes et commentaires des origines de l'ordre pénitentiel de l'Église ancienne*, coll. *Traditio Christiana*, Neuchâtel 1970. Le mot ἐξομολόγησις, qui apparaît trois fois dans notre texte, deviendra, selon H. Karp, « le terme spécifique pour désigner la pénitence » (Introd., p. XVIII).

l'objectif, défini dès la première phrase, est de « connaître la disposition légale et canonique concernant les pécheurs [1] ». Mais le caractère public (souligné par l'emploi du verbe στηλιτεύω) des aveux de Salomon a valeur d'enseignement pour l'Église, valeur thérapeutique même, et on retrouve ici la notion de modèle : « Voyons donc ce que dit avoir éprouvé celui qui guérit notre vie par la sienne » (III, 4, 1-2), fait dire Grégoire au personnage avant d'aborder la liste de ses fautes. L'attitude de Salomon n'est donc pour ainsi dire qu'une préparation et la mise en œuvre d'un discernement ; il recherche ce que le texte nomme à plusieurs reprises des « critères » du bien et du mal. C'est une manière de définir l'attitude du pénitent. Les dernières homélies introduisent alors des allusions au baptême et à l'eucharistie.

C'est une des formules d'*Eccl.* 3, « Moment pour garder et moment pour rejeter » (v. 4), qui amène Grégoire à parler du baptême : « Il y a une chose plus grande que trouver : c'est garder la grâce qui a été trouvée. Par exemple, celui qui est venu à la foi a trouvé la pureté grâce au bain du baptême, mais il aura plus de peine à garder ce qu'il a reçu qu'il n'en a eu à trouver ce qu'il n'avait pas » (VII, 6, 25-28). C'est exprimer en termes abstraits, conformément à l'antithèse proposée par le verset biblique, ce que dit l'Épouse du *Cantique* : « J'ai ôté ma tunique, comment la remettrai-je ? j'ai lavé mes pieds, comment les salirai-je ? » (*Cant.* 5, 2-3) ; en commentant ces versets, Grégoire développe l'image des tuniques de peau et des sandales que l'on ôte au moment de recevoir l'eau du baptême [2]. La difficulté à « garder ce que l'on a reçu » correspond tout à fait à la question maintes fois abordée dans l'Église, jusqu'à l'établissement de la pénitence comme sacrement distinct, du baptême reçu une seule fois. Ainsi, Grégoire envisage dans la lettre canonique le cas de

1. *Ad Letoium*, *PG* 45, 221 B.
2. *In Cant.* XI (*GNO* VI, p. 327-332).

ceux qui ont renié la foi au Christ, et, comme la tradition le voulait, il leur assigne le statut de pénitent jusqu'au moment de la mort [1]. On peut alors considérer que la façon dont Grégoire introduit une allusion au baptême dans le contexte de la confession de Salomon reflète la situation réelle de l'Église de Cappadoce à la fin du IVe siècle.

Ce serait forcer le sens de notre texte que de vouloir y déceler une théologie de l'eucharistie. Pourtant, les versets faisant allusion à la nourriture et à la boisson nécessaires à l'homme (*Eccl.* 2, 24-25 et 3, 13) invitent Grégoire lui-même à faire un rapprochement avec l'eucharistie. À l'issue de sa confession, et encore tout occupé par la distinction du charnel et du spirituel, Salomon rappelle : « 'L'homme ne vivra pas seulement de pain', telle est la parole du Verbe véritable » (*hom.* V, 8, 26-27). Placée à la fin de l'homélie V, cette allusion ne donne encore lieu qu'à un développement moral sur les vertus comme seule nourriture bonne. Mais deux passages de la dernière homélie amènent la réflexion du plan psychologique et moral au plan spirituel, par le biais, encore une fois, de citations néo-testamentaires. À la fin du commentaire de la parole « Moment pour aimer et moment pour haïr » (*Eccl.* 3, 8), l'image des bonnes et des mauvaises odeurs qui se transmettent à celui qui les respire et le transforment suscite une référence à l'expression paulinienne « bonne odeur du Christ » (*II Cor.* 2, 15, en *hom.* VIII, 2, 132). L'image de la nourriture eucharistique s'impose alors : « Si celui qui est toujours s'offre à nous en nourriture, c'est pour que, l'ayant reçu en nous-mêmes, nous devenions ce qu'il est » (*ibid.*, l. 138 s.) ; et la citation de *Jn* 6, 55 sert de garant à l'affirmation. Enfin, le dernier verset de l'*Ecclésiaste* commenté (*Eccl.* 3, 13) suggère à Grégoire une analogie entre les nourritures qui fortifient le corps et le bien propre de l'âme : « regarder vers le bien », « fixer les yeux sur Dieu » (*hom.* VIII, 9, 15-16). Après l'odorat et le

1. *Ad Letoium*, *PG* 45, 225 C.

goût, c'est donc la vision qui, au terme du commentaire, exprime à la fois le but et les fruits de la conversion. Le chapitre 37 du *Discours catéchétique*, consacré à l'eucharistie, reprend longuement l'image de la nourriture et de sa digestion. Ici, la nouvelle mention de la nourriture et de la boisson en *Eccl.* 3, 13 nous renvoie au commentaire d'*Eccl.* 2, 24-25, et donc à l'interprétation sacramentelle. Mais la place faite aux sens spirituels, et en particulier à la vue, montre que, dans le contexte du discours salomonien, Grégoire privilégie la référence à l'expérience spirituelle plutôt que la définition du sacrement lui-même. À leur tour, certains versets du *Cantique* appellent cette double exégèse spirituelle et sacramentelle [1].

Le genre littéraire du commentaire exige donc une autre lecture qu'un traité catéchétique ; cependant Grégoire, partant de l'exégèse du titre biblique, élabore les traits essentiels d'une ecclésiologie. Par là il s'éloigne sans doute de l'interprétation traditionnelle qui faisait avant tout de l'*Ecclésiaste* « le livre de la physique » et il préfère y distinguer les étapes de l'examen de conscience et de la conversion spirituelle.

1. Voir en particulier l'exégèse de *Cant.* 5, 1 en *In Cant.* X (*GNO* VI, p. 305-308). — La dette de Grégoire à l'égard d'Origène pour sa doctrine des sens spirituels a été soulignée par H. RAHNER (« Le début d'une doctrine des cinq sens spirituels chez Origène », *RAM* 13 [1932], p. 113-145), et par J. DANIÉLOU (*Platonisme*, p. 225-252) ; il ne semble pas y avoir chez Grégoire de hiérarchie dans le rôle attribué aux différents sens (voir M. CANÉVET, « Sens spirituel », col. 602-603).

VII. — LE RÉCIT DE LA VIE DE SALOMON

L'expérience du temps vécu et la définition du *kairos*, on l'a vu [1], prennent d'autant plus de relief qu'elles sont le fait d'un personnage qui s'exprime à la première personne, Salomon. Grégoire tire parti du jeu linguistique des pronoms et de la place tenue par le discours, de même qu'il examine avec précision la répartition des rôles dans le *Cantique des Cantiques* [2]. « Moi, l'ecclésiaste », dit Salomon (*Eccl.* 1, 12) ; et ces premiers mots du verset servent d'introduction à la deuxième homélie. À travers ce personnage, la méditation sur la nature humaine prend un tour plus personnel : histoire d'un homme. « La vie des grands hommes est proposée à leurs descendants comme un modèle de vertu », affirme Grégoire dans la *Vie de Moïse* [3] ; Salomon, cependant, n'est pas un modèle au même titre que Moïse, et d'abord son histoire (ἱστορία), qui nous donnerait la dimension historique de son existence, est quasiment absente. S'il nous est donné comme exemple, c'est précisément en tant qu'il fait lui-même le récit, le bilan de sa vie.

1. Voir ci-dessus, chap. V, p. 63-65.

2. Origène soulevait déjà (*Philoc.* 7) la difficulté de la distinction des personnages : voir l'introd. de M. Harl au chap. 7 de la *Philocalie* et son analyse, *SC* 302 (1983), p. 323-334 : « La confusion des personnages qui parlent dans les Écritures ». Sur la définition de la méthode prosopologique, voir M.-J. Rondeau, *Les commentaires patristiques du Psautier*, Rome 1985, vol. 1, chap. II, p. 35 s.

3. *V. Moys.* II, 48 (*SC* 1 ter).

Qui est Salomon ?

L'exégèse proposée par Grégoire est avant tout anthropologique et spirituelle ; même la place faite à l'interprétation christologique, qui retient assez peu Grégoire dans les deux premières homélies, insiste autant sur le rôle de discernement conféré au Christ que sur l'œuvre de salut achevée avec l'Incarnation. Quant à Salomon « selon la chair », il est un modèle d'humanité, par sa connaissance, sa sagesse et sa liberté. L'accent mis par Grégoire sur ces thèmes anthropologiques marque nettement la rupture qu'opère un tel commentaire par rapport à la théologie antérieure, et particulièrement celle d'Origène. M. Canévet a montré comment l'exégèse nysséenne traduisait un « effacement de l'opposition Ancien - Nouveau Testament [1] » au profit d'une anthropologie et d'une théologie spirituelles. Ainsi, par exemple, Origène voit dans le verset « un âge va, un âge vient » (*Eccl.* 1, 4) une justification de l'histoire de l'Église : à une Église née dans le judaïsme a succédé l'Église des Gentils [2] ; on a vu que Grégoire, poursuivant sa réflexion sur l'être, y voit l'affirmation de la répétition cyclique des mouvements propres aux réalités physiques. La place faite au récit de la vie de Salomon confirme cette différence.

L'interprétation christologique

Fils de David, Salomon avait déjà été présenté comme la figure du Christ dans la première homélie (I, 2, 28 s.). Il est aussi le Christ comme roi d'Israël ; c'est le sens des deux versets du *Psaume* 2 cités au début de l'homélie II (1, 27-30) : « Dieu a établi un roi sur la montagne sainte de

1. Canévet, *Herméneutique*, p. 235-239.
2. Origène, *Comm. sur Matthieu, Ser. in Matth.* 54, (*GCS, Orig. Werke* XI, p. 122, 4-7).

Sion » (v. 6), et : « Tu es mon Fils, aujourd'hui je t'ai engendré » (v. 7). Les versets de l'*Ecclésiaste* auxquels Grégoire donne ensuite une portée christologique lui permettent un bref rappel dogmatique de l'économie du salut. *Eccl.* 1, 13 énonce « le grand mystère du salut » (II, 2, 1 s.) : « J'ai adonné mon cœur à chercher et à observer dans la sagesse tout ce qui existe sous le ciel. » Sous le nom d'ecclésiaste, un des noms de la « philanthropie » divine, le Christ accomplit son œuvre de salut en deux étapes : il définit et montre aux hommes la véritable cause du mal, la liberté déchue ; il achève ensuite l'œuvre du salut en rassemblant les brebis perdues, en restaurant l'humanité dans sa plénitude (voir ci-dessus, p. 66 s.). La christologie rejoint ici l'ecclésiologie.

L'œuvre de discernement accomplie par le Christ

« L'observation de tout ce qui existe sous le ciel », tel est le motif de l'Incarnation ; c'est ce que confirme l'expression traditionnelle ἐπιδημῆσαι διὰ σαρκός, qui suit la citation d'*Eccl.* 1, 13. La substitution du verbe ἐπισκέψασθαι (II, 2, 8) au verbe κατασκέψασθαι employé dans le texte biblique rappelle également le cantique de Zacharie célébrant la naissance du Christ [1]. L'interprétation d'*Eccl.* 1, 13 permet à notre auteur de passer de la signification ontologique à la signification théologique de la « vanité ». Ce n'est plus seulement l'apparence, c'est le mal, la faute de la liberté humaine. L'image du serpent qui rampe sur la terre, empruntée au récit de la *Genèse*, rend elle aussi raison de la descente du Christ « sous le ciel » (II, 2, 8-9). Dans une série d'oppositions entre les régions supra-célestes et « ce qui est sous le ciel », deux versets de psaumes se répondent : « Ta majesté s'est élevée au-dessus des cieux » (*Ps.* 8, 2) et : « Ils ont été abaissés à cause de leurs péchés » (*Ps.* 106, 17). Cet abaissement est aussi le mouvement de l'Incarnation. Et le

1. Voir *Lc* 1, 68 et 78.

rôle d'« observation » du Christ consiste donc essentiellement à chercher la source du mal.

L'œuvre de salut

Le deuxième aspect de l'interprétation christologique est introduit par une image : l'artisan met tout en œuvre pour rectifier les défauts de sa construction et rétablir une parfaite harmonie (II, 4, 1 s.). Le vocabulaire appliqué ensuite à l'ecclésiaste s'organise autour de trois notions : la déviation (διαστροφή), la rectification (ἀνόρθωσις) et l'ordre (κόσμησις, διακόσμησις). Ces images sont rapportées à la création entière et expriment la dimension cosmique de la Rédemption. La parabole de la brebis perdue, dont on a rappelé la portée ecclésiologique [1], complète cet enseignement sur l'œuvre de salut et clôt l'interprétation christologique. Par le rappel d'un verset de l'*Épître aux Hébreux*, Grégoire revient alors au personnage historique de Salomon, « qui a fait l'expérience de tout d'une manière semblable (à nous), à l'exception du péché » (*hom.* II, 5, 3-4) [2]. De ce verset qui affirme la réalité de l'Incarnation, Grégoire de Nysse retient essentiellement l'idée d'épreuve-expérience (jeu sur πεῖρα, πειρᾶσθαι). Salomon est le modèle de cette expérience universelle, mais son expérience ne s'est pas faite en dehors du péché ; le récit de sa vie prend donc la forme d'une confession.

Salomon, personnage historique ou fiction littéraire ?

Il serait illusoire de chercher dans l'homélie II un portrait de Salomon. Une phrase suffit à le situer dans le

1. Voir ci-dessus, chap. VI, p. 70 s.
2. La référence à *Hébr.* 4, 15 est l'occasion d'un jeu sur deux sens de πεῖρα, « expérience » et « épreuve ». Sur la manière dont les Pères font place à l'expérience, voir Harl, « Le langage de l'expérience religieuse chez les Pères grecs ».

temps : « Salomon était le troisième des rois d'Israël après l'illustre Saül et après David, qui fut choisi par le Seigneur » (II, 5, 24-26). La première *oratio* sur le *Cantique*, à la suite du *Commentaire* d'Origène, est plus précise dans ses rappels de détails empruntés à *III Rois* [1]. Ici, Grégoire se contente de rappeler les conditions paisibles du règne de Salomon, et introduit surtout l'idée qu'il a joui d'une liberté totale, sans entrave : « Comme il n'avait plus à dissiper à la guerre et au combat les biens dont il disposait, mais qu'il pouvait vivre dans la paix en toute liberté (κατὰ πᾶσαν ἐξουσίαν), il s'occupait (...) à jouir de ce qu'il avait en abondance » (II, 5, 28-32). Cette liberté fait de lui une sorte de cas idéal. De même, par sa position, Salomon a la pleine jouissance de toutes choses. Le mot ἀπόλαυσις revient très fréquemment dans les *Homélies sur l'Ecclésiaste* et il ne faudrait pas en restreindre le sens. Dans son étude sur la société byzantine du IVe au VIIe s., É. Patlagean a souligné l'extension de ce terme utilisé pour désigner un des aspects de l'évergétisme : « Le cercle habituel des générosités évergétiques est défini par l'*apolausis*, la jouissance en réalité culturelle plus que sensuelle par laquelle les membres de la cité peuvent éprouver pleinement leur condition [2]. » De façon analogue, Salomon a eu accès à toutes les richesses de l'existence, et c'est ce qui l'érige en exemple pour une réflexion sur la nature humaine. Peu importe alors à Grégoire que ce récit relève de la réalité ou de la fiction. Deux points seulement comptent : Salomon peut se définir comme le modèle de toute humanité par sa connaissance, sa sagesse et sa liberté ; l'ordre dans lequel il énumère les principales

1. Voir *In Cant.* I (*GNO* VI, p. 16, 15-17, 1). Grégoire y mentionne la sagesse de Salomon κατὰ τὴν θείαν μαρτυρίαν, référence implicite à *III Rois* 4, 29-32. Ces versets sont cités par ORIGÈNE dans son *Comm. sur le Cantique*, Prol., 4, 32 (*SC* 375), qui est sans doute ici encore la source de Grégoire ; ce prologue d'Origène fait d'ailleurs abondamment appel aux livres de Samuel et des Rois, en contraste avec le silence de Grégoire.

2. É. PATLAGEAN, *Pauvreté économique et pauvreté sociale*, p. 428.

actions de sa vie n'est pas chronologique, mais correspond à la gravité croissante de ses fautes.

Un modèle d'humanité : connaissance, sagesse et liberté

En insistant sur les termes « sagesse et connaissance », plusieurs fois liés dans l'*Ecclésiaste* [1], Grégoire de Nysse respecte la ligne de la littérature de sagesse à laquelle appartient ce livre. G. von Rad présente en effet l'essentiel de ce « testament royal » comme « l'expérience personnelle de la vie que fit un sage », et il ajoute plus loin : « Ce qui retient son intérêt, c'est moins la fixation et la discussion d'expériences isolées que l'ensemble de la vie et un jugement concluant à ce sujet [2] ». La récurrence du vocabulaire de la sagesse suffit à justifier le portrait philosophique que Grégoire trace de Salomon. Par là il aborde une nouvelle fois les interrogations qu'il formulait à la fin de la préface du *De hominis opificio* : « À première vue, il y a en l'homme des contradictions : les caractères présents de sa nature et ceux qu'il eut à l'origine n'ont apparemment entre eux aucun lien nécessaire. Les oppositions, il faudra les résoudre, grâce au récit de l'Écriture et par ce que nos raisonnements nous feront découvrir. »

Connaissance Le terme γνῶσις est directement lié dans la pensée de Grégoire à la temporalité propre à l'homme. Dans le *De hominis opificio* la « connaissance » est distinguée du « discernement » (διάκρισις)

1. Σοφία et γνῶσις : aux occurrences des deux termes en *Eccl.* 1, 16. 17.18 et 2,21.26 on peut ajouter *Eccl.* 7,13 et 9, 10. Dans le texte hébreu, D. Lys (*L'Ecclésiaste*, p. 153-154) note le grand nombre de mots se rattachant à la racine signifiant « sagesse » (dans le texte grec, emplois de σοφία, σοφός, σοφίζω) et rappelle que *Qohélet* est le lieu d'un débat sur cette notion, réaction peut-être à la « nouvelle sagesse qui vient de Grèce ». Voir de même : G. von Rad, *Israël et la sagesse*, p. 117-132, « Les limites de la sagesse ».

2. G. von Rad, *ibid.*, p. 264-265.

pour expliquer l'expression « connaissance du bien et du mal » : « Le mot 'connaissance' ne paraît pas désigner partout la science et le pur savoir, mais plutôt une disposition intérieure à l'égard de ce qui nous est agréable [1]. » À cause du péché, le désir de connaître qui caractérise l'homme le met donc nécessairement au contact du mal : « La connaissance (γνῶσις), c'est-à-dire la prise de contact avec lui (le mal) dans une expérience (ἡ διὰ τῆς πείρας ἀνάληψις), est le commencement et le fondement de la mort et de la corruption [2]. » Ces deux passages du *De hominis opificio* sont essentiels pour notre texte : la connaissance de Salomon se fait par une πεῖρα et celle-ci ne peut éviter le passage par les passions. Cette expérience est une épreuve ; aussi la vie du roi est-elle comparée à « une épreuve très difficile à remporter [3] ». Et d'ailleurs un verset du texte biblique établit, sous forme de sentence universelle, une relation de cause à effet entre connaissance et souffrance : « Qui accroît la connaissance accroîtra la souffrance » (*Eccl.* 1, 18). Cette connaissance-souffrance est indissociable de la nature humaine. Ce paradoxe d'une connaissance qui passe obligatoirement par le mal marque les limites de la γνῶσις et la nécessité de la relier à une sagesse. Plusieurs passages des homélies mettent l'accent sur le caractère contraignant de cette connaissance soumise au sensible et donc aux passions : « Il est tout à fait nécessaire que celui qui est venu une seule fois à l'intérieur de 'l'abîme de la matière' promène son œil en tout lieu d'où pourrait naître le plaisir [4] » ; ces affirmations ont leur parallèle dans d'autres textes de notre auteur [5]. Balthasar

1. *De hom. op.* 20 (197 d).
2. *De hom. op.* 20 (200 c).
3. *Hom.* V, 7, 24 ; voir aussi *hom.* I, 1, 13 s.
4. *Hom.* III, 4, 9-11 ; de même, *hom.* V, 7, 23-24 : « (Salomon) a accepté par force (βεδιασμένως) de prendre part au plaisir... »
5. Par exemple : *De beat.* II (*GNO* VII, 2, p. 95-96) ; *De mort.* (*GNO* IX, p. 53-54). — Sur l'ambiguïté du mot πάθος, voir DANIÉLOU, *Platonisme*, p. 71-73.

définit l'aporie qu'elles font surgir : « Il s'agit de s'avoir si, par le devenir réel, la priorité temporelle de la vie sensible ne crée pas pour l'homme concret un obstacle si grand qu'il équivaut à une contrainte au péché [1]. » La comparaison de Salomon à un pêcheur en eau profonde symbolise ce risque de la connaissance : « ... si Salomon a vécu dans ces plaisirs absolument comme un pêcheur de murex au fond de la mer, il s'est immergé lui-même dans la volupté, non pour être englouti dans l'onde amère — et par cette amertume, je veux dire le plaisir —, mais pour chercher quelque chose qui soit utile à la pensée dans un tel abîme » (III, 3, 26 s.). Salomon descend dans le monde sensible comme le Christ est descendu dans la chair ; dans les *Homélies sur l'Ecclésiaste*, c'est bien en effet l'image de la descente dans le sensible qui est dominante, descente qui prélude à la montée du *Cantique des Cantiques*. Le risque couru est la confusion toujours possible des biens apparents et des biens réels. Aussi Salomon cherche-t-il le « critère du bien », et sa découverte de la vanité de toutes choses l'amène-t-elle à conclure que « la sensation n'est pas le critère sûr du bien » (V, 1, 26-27). L'affirmation est plus catégorique encore dans la dernière homélie : « La connaissance du bien véritable devient pour nous pénible et difficile à obtenir, parce que, ayant été d'abord déterminés par les critères sensibles, nous définissons le bien par ce qui nous réjouit et nous est agréable » (VIII, 2, 64-68). Seule la sagesse peut remédier à ces insuffisances de la connaissance humaine.

La sagesse de Salomon

De même qu'on ne peut pas limiter la γνῶσις au domaine intellectuel, la sagesse nous fait accéder au plan où le but de la recherche se nomme aussi bien « beau » que « bien » et « être », selon les termes de la tradition philosophique grecque auxquels Grégoire reste fidèle. Source de la connaissance et des vertus, la sagesse est elle-même issue

1. BALTHASAR, *Présence et pensée*, p. 46.

de la sagesse divine, c'est-à-dire l'expression de cette « assimilation » à Dieu que la première homélie mentionnait déjà comme la caractéristique fondamentale de la nature humaine [1]. La sagesse est en quelque sorte innée, donnée à Salomon (σοφὸς ὢν, *hom.* II, 5, 36) ; c'est un des premiers traits du personnage. Une fois donnée, la sagesse ne comporte pas de degrés et devient le guide sûr de la connaissance. Cette infaillibilité est la marque de son origine divine. Dans l'homélie V, le développement sur la sagesse s'accompagne de deux références scripturaires rapportant cette sagesse au Créateur : « Tu as tout fait dans la sagesse » (*Ps.* 103, 24), puis au Christ, « puissance de Dieu et sagesse de Dieu » (*I Cor.* 1, 24). La traduction éthique de cette sagesse est l'acquisition des vertus qui font avancer dans la connaissance du bien et du mal. À ce qui est appelé dans la *Vie de Moïse* l'enchaînement des péchés [2] s'oppose la progression dans le bien.

S'agissant de la vertu, Grégoire utilise tantôt le terme générique ἀρετή, tantôt la liste plus ou moins complète des vertus. On trouverait dans le *De virtutibus* de Philon [3] la même affirmation de l'origine divine de la sagesse et des vertus. Mais il faut bien voir aussi que cette généalogie de la morale, ces listes de vertus nous renvoient à une double tradition : celle des épîtres pauliniennes [4] et celle de la pensée grecque, où cependant la vertu est étroitement liée à la connaissance. Mais quelle que soit la variation du nombre et du nom des vertus, leur énumération traduit toujours la même certitude : l'*akolouthia* des vertus et leur origine commune, le Christ étant lui-même nommé « plénitude de la vertu » (*hom.* V, 3, 38-39). Les dernières lignes de l'homélie II semblent assimiler sagesse et foi (*hom.* II, 8, 62 s.). On voit bien alors comment l'usage de la liberté

1. *Hom.* I, 6, 10 ; voir note *ad loc.*
2. *V. Moys.* II, 278.
3. Philon, *De virtutibus* 8.51.181 (*OPA* 26).
4. Voir *Gal.* 5, 22-23 ; *II Tim.* 2, 22 ; *Tite* 1, 8-9.

devient la caractéristique la plus personnelle de Salomon : confronté à cette double logique des passions et de la sagesse, il va exercer sa liberté.

La liberté de Salomon

« La richesse, c'est le choix libre » (*hom.* III, 5, 60). La formule est utilisée par Grégoire lorsque Salomon découvre le caractère illusoire des richesses matérielles. Puisque nous venons de souligner le lien entre vertu et liberté, rappelons l'expression que Grégoire utilise dans le *Contre Apollinaire* [1] pour définir la vertu : « Qui ne sait que la vertu est la rectitude d'un choix libre ? » Dans les *Homélies sur l'Ecclésiaste*, le terme προαίρεσις a une place privilégiée parce qu'il est employé à plusieurs reprises dans le texte même de l'*Ecclésiaste*, en particulier dans l'expression récurrente des deux premiers chapitres : τὰ πάντα ματαιότης καὶ προαίρεσις πνεύματος ; notre auteur explicite ainsi cette affirmation : « Après avoir dit : 'Et voici, tout est vanité', il en a ajouté la cause : ce n'est pas Dieu qui en est cause, mais le 'choix' de l'élan humain qu'il a nommé 'esprit' » (II, 3, 50-53). Il opte donc pour une interprétation psychologique de l'expression [2], bénéficiant de la rencontre du vocabulaire biblique et d'un concept-clef de son anthropologie. Προαίρεσις désigne donc le libre arbitre qui a choisi le mal. J.M. Rist [3] a étudié l'histoire du mot προαίρεσις depuis les premiers emplois dans l'*Éthique à Nicomaque* jusqu'à notre auteur et montré que ce dernier en précise le sens. S'appuyant sur un passage du *De virginitate* (XII, 2), il conclut : « Grégoire est tout à fait prêt à admettre que la προαίρεσις peut pécher et a péché. » Les *Homélies sur l'Ecclésiaste* confirment ce point de vue.

1. *Adv. Apol.*, *GNO* III, 1, p. 198, 1.

2. Contrairement à GRÉGOIRE LE THAUMATURGE qui évoque de façon beaucoup plus générale « un souffle étrange et corrupteur » (*Metaphrasis in Eccl.* 1, *PG* 10, 989 C).

3. Voir J.M. RIST, « Prohairesis : Proclus, Plotinus et alii », dans *Entretiens sur l'Antiquité classique*, XXI (*De Jamblique à Proclus*), Vandœuvres-Genève 1975, p. 103-117.

Le texte du *De virginitate* met en lumière le champ lexical du concept de liberté : « (L'homme) était, comme on vient de dire, image et similitude de la puissance qui règne sur tous les êtres et pour cette raison possédait aussi, dans sa souveraine liberté de choix (ἐν τῷ αὐτεξουσίῳ τῆς προαιρέσεως), la ressemblance avec le maître universel, n'étant assujetti à aucune nécessité du dehors, mais se gouvernant à son gré selon ce qui lui semblait bon, avec pouvoir de choisir (καθ' ἐξουσίαν αἱρούμενος) ce qui lui plaisait » (*De virg.* XII, 2, 10-17).

Dans une étude sur la liberté chez Grégoire, J. Gaïth analyse et classe les différents termes désignant la liberté humaine [1] : ἀδούλωτος, ἀδέσποτος, αὐτοκρατής, αὐτεξούσιος et ἐλευθέρος. S'il voit, principalement à cause d'un passage du *De anima et resurrectione* [2], dans l'ἐλευθερία le sommet de la liberté, l'αὐτεξούσιον n'est selon lui qu'une « liberté de nécessité ». Le vocabulaire de la liberté dans nos Homélies et la répartition des différents termes contredisent plutôt cette affirmation. Αὐτεξούσιος [3] y apparaît en effet comme un synonyme de ἐλεύθερος, « la nature libre et autonome » de l'homme, dit le début de l'homélie IV (ἐλευθέρα ἡ φύσις καὶ αὐτεξούσιος, IV, 1, 23-24). Cette autonomie se trouvait déjà définie dans l'homélie II dans des termes qui en font la marque de la ressemblance de l'homme avec Dieu : « Le bon présent fait par Dieu, c'est-à-dire le mouvement du libre arbitre, est devenu instrument pour le péché à cause de l'utilisation pécheresse que les hommes en ont fait... ; ce libre élan de la pensée, qui s'est détaché sans guide pour choisir le mal, est devenu

1. J. Gaïth, *La conception de la liberté chez Grégoire de Nysse*, Paris 1953, p. 72-81.

2. *De an. et res.*, *PG* 46, 101 C (cf. trad. Terrieux, § 85) : « La liberté (ἐλευθερία) est l'assimilation à ce qui est sans maître et souverain, elle nous a été donnée en présent par Dieu au commencement. »

3. La manière dont le terme αὐτεξούσιον, emprunté au vocabulaire stoïcien, a été adopté par la langue de la catéchèse ecclésiastique dès 120-130 a été soulignée par M. Harl (« Αὐτεξούσιον »).

agitation de l'âme » (*hom.* II, 3, 20-27). Ces lignes consonnent tout à fait avec la formule sans équivoque donnée comme un rappel dans le *De mortuis* : ἰσόθεον γάρ ἐστιν τὸ αὐτεξούσιον (*GNO* IX, p. 54, 10).

À travers la confession de Salomon, Grégoire présente surtout une analyse de l'acte libre, affirmant la pleine responsabilité de Salomon, donc son entière liberté. Son expérience, ou son épreuve (πεῖρα, II, 5, 3 s.) consiste précisément dans la succession de ses choix jusqu'à ce qu'il en reconnaisse la présomption et revienne au bien. Par là Salomon est bien modèle d'humanité, il exerce pleinement sa liberté, signe de la nature royale de l'homme créé à l'image de Dieu (voir *De hom. op.* 4 [136 b-d]). Mais son discours rend compte de manière plus concrète que le *De hominis opificio* de la complexité de ces choix [1]. L'image du cheval qu'on maîtrise, marquée au coin du platonisme [2], insiste cependant sur le fait que Salomon maîtrise et en quelque sorte choisit ses passions. De ce point de vue, l'histoire de Salomon est très éloignée de l'analyse de la liberté faite par Némésius d'Émèse, contemporain de Grégoire, dans son traité *Sur la nature de l'homme*. Némésius aborde la question de la liberté en distinguant actes volontaires et actes involontaires, fortuits ou dus à l'ignorance ; la liberté est une liberté de choix faisant place à la délibération, au jugement et au désir [3]. Dans la lignée stoïcienne, Némésius établit ainsi une sorte de dialectique entre liberté et Providence. Grégoire au contraire, tout en reprenant le même vocabulaire, se démarque radicalement de tout fatalisme [4]. Sagesse, connaissance et liberté, pous-

1. Voir *De hom. op.* 18 (rôle des passions).

2. Voir *hom.* V, 7, 4-5 et *hom.* VIII, 4, 68 s. ; J. DANIÉLOU, *Platonisme*, p. 61-71.

3. NÉMÉSIUS D'ÉMÈSE, *De natura hominis* 29-31 et 32.

4. Grégoire aborde directement la question dans son traité *Contra fatum* (*GNO* III, 2) et, par le biais d'une critique de la divination, dans la lettre *De Pythonissa* (éd. E. KLOSTERMANN, *Origenes, Eustathius von Antiochen, und Gregor von Nyssa über die Hexe von Endor*, Bonn 1913,

sées ainsi à leur plénitude, donnent également toute sa portée à la confession du roi.

Confession et bilan de vie

En préférant au terme μετάνοια les mots ἐξομολόγησις, ἐξαγόρευσις et στηλιτεύω, Grégoire insiste avant tout sur l'aspect public de cette confession, c'est-à-dire sur son caractère exemplaire. Il interprète, on l'a vu [1], la succession des paroles du roi comme l'aveu de fautes de gravité croissante. Chaque accusation donne lieu à un discours antithétique : à la critique morale répond l'exhortation spirituelle. Au luxe des maisons il faut substituer l'édification de la demeure spirituelle, à la plantation des vignes il faut préférer la plantation de la vigne véritable (*hom.* III et IV). Si chacun de ces développements retrouve volontiers des lieux communs de la prédication chrétienne, l'originalité des *Homélies sur l'Ecclésiaste* réside dans cette remontée jusqu'à la source de toutes les fautes [2], la structure rhétorique du texte soulignant l'enchaînement des passions. La fin de l'homélie IV est occupée par une comparaison avec le serpent, par référence au récit de la *Genèse* [3], qui confère à cette généalogie des passions une forme allégorique.

Une fois décelée la racine des maux, la confession peut se muer en bilan de vie. Lorsqu'il se heurte à la question de la mort (voir *Eccl.* 2, 15-16), Salomon doit remettre en cause le bien-fondé de ses choix initiaux. Bilan de vie,

p. 63-69 ; trad. française de P. MARAVAL, « Le *De Pythonissa* de Grégoire de Nysse. Traduction commentée », dans *Lectures anciennes de la Bible, Cahiers de Biblia Patristica* I, Strasbourg 1987, p. 283-294).

1. Voir ci-dessus, chap. III.

2. C'est l'affirmation de Paul en *I Tim.* 6, 10 (« La racine de tous les maux, en effet, c'est l'amour de l'argent ») qui constitue le terme des aveux de Salomon (*hom.* IV, 2, 2-3).

3. *Gen.* 3, 15 ; voir *hom.* IV, 5, 21 s.

l'homélie V nous présente « la mystagogie qui initie aux connaissances les plus élevées » (*hom.* V, 1, 2-3), à la recherche d'une règle de vie. Salomon a acquis une conviction : « Le commencement de la vie vertueuse, c'est de se tenir en dehors du mal » (*hom.* V, 1, 9-10). Le rapprochement établi aussitôt avec le *Ps.* 1 (*hom.* V, 1, 15) met en avant l'idée de « béatitude » et souligne encore une fois le lien entre éthique et mystique. Aux sources de cette sagesse, le Christ, introduit par le commentaire d'*Eccl.* 2, 14 : « Les yeux du sage sont dans sa tête », qui impose la référence à la symbolique paulinienne du Christ-Tête. Mais, malgré ces professions de foi, les questions demeurent, formulées en *Eccl.* 2, 14-26 : le sage et l'insensé deviennent les personnages principaux de ce que Grégoire interprète comme un dialogue [1].

Ultime affirmation de ce bilan de vie, la distinction entre la nourriture pour le corps et la seule nourriture véritable, « sagesse et connaissance » (*hom.* V, 8), annonce déjà la conclusion de la dernière homélie (*hom.* VIII, 9).

Qui est donc Salomon ? Un homme qui prend conscience de la durée de sa vie et de la nécessité de choisir le bien. En voyant dans le discours de Salomon le récit de cette expérience et du jugement porté sur elle, Grégoire de Nysse donne une portée exemplaire à ce bilan de vie. Portrait philosophique, pourrait-on dire, mais portrait inscrit dans la succession des actes d'une existence. En cela, on est tenté d'opposer les Homélies à la *Vie de Macrine*. Macrine, comme le souligne P. Maraval, incarne l'idéal de la philosophie : elle qui s'est élevée « jusqu'au plus haut sommet de la vertu humaine [2] » a choisi pour ainsi dire immédiatement « la vie immatérielle et dépouillée [3] ». Avec Salomon, Grégoire affirme la validité du

1. *Hom.* V, 5, 14 s.
2. *V. Macr.* 1, 28 ; voir MARAVAL, Introd. (*SC*), chap. IV (« L'idéal de la philosophie »).
3. *V. Macr.* 5, 49.

détour par le monde, c'est-à-dire la valeur positive du temps de l'existence. Le verset énigmatique d'*Eccl.* 3, 11 (« Vraiment, il a donné du même coup dans leur cœur la durée, de façon que l'homme ne puisse pas connaître l'ouvrage que Dieu a fait »), commenté à la fin de la dernière homélie (*hom.* VIII, 8, 47 s.) rappelle que ce don de Dieu reste incompréhensible à l'homme. Ainsi la vie de Salomon, c'est le temps vécu, la forme humaine du διάστημα, du temps propre de la réalité créée. L'objet de cette épreuve est le discernement du bien et du mal. Comme le Christ, Salomon « descend » dans le monde et s'y convainc progressivement de la vanité des apparences. Le chemin ainsi parcouru donne de façon privilégiée aux Homélies les caractéristiques que Balthasar reconnaît à l'ensemble de l'œuvre de Grégoire : œuvre conceptuelle et dramatique, essentielle et existentielle [1].

1. BALTHASAR, *Présence et pensée*, p. XVI.

VIII. — MANUSCRITS, ÉDITIONS, TRADUCTIONS

Le texte

Publié dans ce volume sans apparat critique, le texte grec des *Homélies sur l'Ecclésiaste* se conforme, à quelques différences près [1], à l'édition critique proposée en 1962 par P. Alexander, *In Ecclesiasten Homiliae*, dans la série des *Gregorii Nysseni Opera*, vol. V, p. 277-442. Dans une longue préface (*ibid.*, p. 197-276), P. Alexander présente les vingt-huit manuscrits collationnés pour son édition, et les comptes rendus faits de ce travail ont salué la grande amélioration apportée à l'édition de la *Patrologie grecque* (*PG* 44, 615-754), qui reproduisait l'édition de 1638, due à E. Morel, et était accompagnée d'une traduction latine de G. Hervet [2].

A. *Manuscrits du texte grec*

Alexander, qui a mené à bien le travail d'abord entrepris par W. Jaeger, a retenu huit manuscrits principaux pour

1. Voir la liste des corrections ci-dessous, p. 97. On se reportera aux notes de la traduction pour la discussion de quelques variantes. Dans le texte grec, nous avons conservé les crochets brisés introduits par P. Alexander pour signaler ses additions.

2. Voir A. GUILLAUMONT, Compte rendu du volume V des Œuvres de Grégoire de Nysse, *Revue d'Histoire des Religions* 166 (1964), p. 231-232 ; J. DANIÉLOU, Compte rendu du même ouvrage, *Gnomon* 36 (1964), p. 40-43.

son apparat critique ; ils se répartissent en deux classes principales, les trois derniers manuscrits utilisés paraissant être déjà le résultat de la recension de manuscrits appartenant à ces deux classes [1].

Première classe de manuscrits

W : codex *Vaticanus 448*, f° 1-83, daté du IXe-Xe siècle. On y trouve la marque de corrections plus récentes (signalées par W1, W2, W3 et W4 dans l'apparat critique d'Alexander).

S : codex *Vaticanus graecus 1907*, du XIIe-XIIIe s. Un manuscrit de la même famille, le codex *Vaticanus 1433* (noté **Z**) permet de remédier à certaines lacunes de S.

Deuxième classe de manuscrits

E : *Coislin 58*, du Xe s. Ce manuscrit ne contient que des œuvres de Grégoire de Nysse et les *Homélies sur l'Ecclésiaste* y occupent les folios 129v-194. Les corrections lisibles dans le manuscrit sont notées E1 et E2.

Λ : codex *Londinensis Old Royal 16D.I.*, du XIIe s. Il ne donne qu'une version incomplète des Homélies (voir *GNO* V, *hom.* II, p. 314, 3 : début de la recension du ms. Λ). Le codex *Vaticanus 1802*, **Y**, dérive très certainement de Λ.

Les autres manuscrits

Les trois derniers manuscrits appartiennent à la même famille et empruntent aux deux classes de manuscrits examinées précédemment. La caractéristique commune de ces manuscrits à double recension est de présenter le texte biblique commenté en tête de chaque homélie.

1. P. ALEXANDER propose un stemma des manuscrits principaux (*GNO* V, p. 223).

G : codex *Venetus Marcianus App. 73*, daté du XIIe s. par Alexander. Il offre parfois un texte plus complet que W et S, ce qui suggère à Alexander de le lier étroitement à la source commune qu'il suppose à ces deux manuscrits.

Θ : codex *Atheniensis Bibl. Nat. 448*, dépendant étroitement de G.

P : codex *Parisinus graecus 1002*, qui dépend à son tour de Θ, mais s'en distingue cependant par quelques leçons du texte biblique.

B. *Les chaînes sur l'Ecclésiaste*

L'édition critique de P. Alexander retient dans son apparat critique [1] trois manuscrits de chaînes sur l'Ecclésiaste :

— **Catena Procopii**, codex *Marcianus graecus 22*
— **Catena Polychronii**, codex *Marcianus graecus 21*
— **Catena Trium Patrum**, codex *Parisinus graecus 152*

Si le texte des chaînes confirme parfois la leçon de tel ou tel manuscrit, Alexander souligne cependant la difficulté qu'il y a à utiliser ces témoins pour une édition de l'œuvre de Grégoire de Nysse, les auteurs de chaînes ne citant que rarement leurs sources de façon littérale.

Comme on l'a vu au début de cette introduction (voir chap. I), la publication de plusieurs de ces chaînes, postérieure à l'édition de P. Alexander, nous a surtout été précieuse pour l'étude et la compréhension des versets bibliques.

1. P. Alexander, Introduction, *GNO* V, p. 262-267 et p. 276.

C. *La version arménienne des Homélies*

Une version arménienne est déjà connue pour plusieurs œuvres de Grégoire [1], et l'on sait l'intérêt de ces versions dans la mesure où elles remontent souvent à une traduction très ancienne. R.W. Thomson a établi la liste des textes patristiques les plus souvent traduits dès les débuts de la littérature arménienne, c'est-à-dire aux ve et vi^e siècles [2] ; Grégoire de Nysse y a une large place, principalement par des traductions du *De hominis opificio*. M. Aubineau mentionne également quelques fragments d'une version arménienne du *De virginitate* [3], d'après le répertoire établi par J. Muyldermans à partir du catalogue arménien de Venise.

Trois manuscrits attestent l'existence d'une version arménienne des *Homélies sur l'Ecclésiaste* :

— ms. *217* de Vienne [4] : copie tardive (le colophon date la copie de 1849). Le texte des Homélies y est complet (f° 283a-313a ; une pagination propre aux Homélies est aussi indiquée : f° 3-63) et une étude du texte et des caractéristiques de la traduction montre cependant que celle-ci se conforme aux principes des plus anciennes traductions, respectant scrupuleusement l'ordre des mots, le lexique et la syntaxe de l'original grec [5].

1. Voir *CPG* II, n° 3135, 3154, 3165 et 3180.

2. R.W. Thomson, « The Fathers in Early Armenian Literature », *Studia Patristica* XII, *TU* 115 (1975), p. 457-470.

3. Introd. à *De virg.*, *SC* 119, p. 225, n. 1. — J. Muyldermans, « Répertoire de pièces patristiques d'après le catalogue arménien de Venise », *Le Muséon* XLVII (1934), p. 279.

4. Ms. *217*, f° 283-313, répertorié dans J. Dashian, *Catalog der Armenischen Handschriften*, Vienne 1895, 2 vol.

5. Voir F. Vinel, « La version arménienne des Homélies sur l'Ecclésiaste de Grégoire de Nysse », *Revue des Études Arméniennes* 21 (1988-1989), p. 127-143. La traduction du colophon du ms. est donnée à la p. 128.

— ms. *1500* d'Erevan [1] : florilège du XIIIe s. Le texte des Homélies est donné dans les f° 635v-655r. Cinq autres manuscrits du Maténadaran (mss d'Erevan n[os] *311* ; *621* ; *1013* ; *1480* et *2851*), signalés par J.-P. Mahé, comportent aussi les Homélies, mais il faudra attendre la publication du nouveau catalogue du Matenadaran pour en avoir une description plus complète.

— ms. *Galata 54* [2] : important florilège de textes patristiques, daté du XIV[e]s. mais sans doute composé, selon Ch. Renoux, à partir de florilèges déjà existants. On y trouve des extraits de la deuxième et de la quatrième homélies (f° 236 et 237). Le *Galata 87*, non daté, donne des extraits des huit homélies (f° 578-581) et le *Galata 92*, postérieur, en donne le texte complet (f° 139-206) [3].

La présente édition

Le texte grec publié dans cette édition indique dans la marge de gauche la pagination de la *Patrologie grecque* et celle de l'édition d'Alexander. Il garde la division en paragraphes de l'édition d'Alexander, qui reproduit ceux de la *Patrologie*. Mais la longueur de certains passages nous a fait opter pour l'introduction de nouveaux paragraphes afin de faciliter la lecture. Ces paragraphes ne coïncident pas nécessairement avec la succession des versets bibliques commentés, Grégoire ne se livrant pas à

1. Répertorié dans H. KARENEANC', *Catalogue des manuscrits du Saint Siège d'Ejmiacin*, Tiflis 1913. Quelques indications sur ce manuscrit sont données par J.-P. MAHÉ dans *Hermès en Haute-Égypte*, 2 vol., 1978-1982 (t. II, p. 320).

2. Ce ms. est conservé à la bibliothèque du Patriarcat arménien d'Istanbul et répertorié dans le *Catalogue des manuscrits de la Bibliothèque Nationale Arménienne de Galata*. Voir description par Ch. RENOUX, *Nouveaux fragments arméniens de l'Adversus Haereses et de l'Epideixis*, *PO* 39 (1978), Introd., p. 13-18.

3. Ces manuscrits m'ont été signalés par Ch. RENOUX. Qu'il en soit remercié.

une exégèse systématique de tous les versets [1]. En tête de chaque homélie, un sommaire présente les grandes divisions de son texte.

Les références au texte biblique de l'*Ecclésiaste* donnent le chapitre, le verset et, si nécessaire, l'indication du stique, la manière dont Grégoire cite le texte ne correspondant d'ailleurs pas à la présentation versifiée de l'*Ecclésiaste* éditée par Rahlfs.

Les traductions en langues modernes

Cette première traduction française des *Homélies sur l'Ecclésiaste* fait suite à une traduction italienne et à une traduction anglaise, toutes deux faites d'après l'édition de P. Alexander :

— *Gregorio di Nissa : Omelie sull' Ecclesiaste.* Traduzione, introduzione e note a cura di S. Leanza, *Testi patristici* 86, Rome 1990 ;

— *Gregory of Nyssa. Homilies on Ecclesiastes.* An English Version with Supporting Studies. Proceedings of the Seventh International Colloquium on Gregory of Nyssa, ed. S.G.H. Hall, Berlin - New York 1993.

*
* *

L'achèvement de ce travail doit beaucoup aux encouragements et aux conseils de tous ceux que je voudrais remercier : Madame M. Harl, qui m'a d'abord proposé avec confiance la traduction de ces Homélies, ainsi que ses collaborateurs ; Madame M. Alexandre, qui m'a suggéré beaucoup d'améliorations après avoir lu le manuscrit ; le Centre d'Analyse et de Documentation Patristiques de Strasbourg enfin, où un accueil chaleureux a beaucoup

1. Voir ci-dessus, chap. III.

facilité la mise au point définitive. L'Institut des Sources Chrétiennes a assuré le dernier relais avant l'impression, et je lui dis aussi ma reconnaissance.

* * *

Pour finir nous indiquons ici les quelques modifications apportés par la présente édition au texte de P. Alexander :

		S.C.	*G.N.O.*
Homélie I			
	9, 31	ἰδίοις μέτροις	<τοῖς> ἰδίοις μέτροις
	9, 31	προσόντων	προσιόντων
	10, 18	λέγωμεν	λέγων
	13, 11	μένει	μενεῖ
Homélie IV			
	1, 72	κτίσις	κτῆσις
	3, 47	ἵν'	[ἵν']
Homélie V			
	2, 3	περιφορὰν	παραφορὰν
Homélie VI			
	3, 14	μέτρου	μετρου<μένου>
Homélie VIII			
	4, 76	ὑψικάρηνοι τοῖς	ὑψικάρηνοι <***> τοῖς

BIBLIOGRAPHIE

I. — SIGLES ET ABRÉVIATIONS

Les sigles et abréviations utilisés dans cet ouvrage sont ceux de la collection *Sources Chrétiennes*. Il faut y ajouter :

CPG	*Clavis Patrum Graecorum*, I-V, M. Geerard, *CC*, Turnhout
CUF	*Collection des Universités de France*, Paris
GNO	*Gregorii Nysseni Opera*, Leyde
LSJ	*A Greek English Lexicon*, Liddell, Scott, Jones, Oxford 1968^{9}
OPA	*Œuvres de Philon d'Alexandrie*, Paris
PGL	*A Patristic Greek Lexicon*, G.W.H. Lampe, Oxford 1976^{4}
Rhalfs	*Septuaginta*, éd. A. Rahlfs, Stuttgart 1935 (1965^{8})
RAM	*Revue d'Ascétique et de Mystique*, Toulouse
REAug.	*Revue des Études Augustiniennes*, Paris
SVF	*Stoicorum Veterum Fragmenta*, I-III, éd. H. von Arnim, Leipzig 1903-1905
TLG	*Thesaurus Linguae Graecae*, CD ROM # D (Univ. de Californie), Irvine 1992
TOB	*Traduction œcuménique de la Bible*, Paris
VC	*Vigiliae Christianae*, Amsterdam
VT	*Vetus Testamentum*, Leyde

II. — ŒUVRES DE GRÉGOIRE DE NYSSE
(abréviations et éditions de référence)

Ad Ablabium, quod non sint tres dei, GNO III, 1 F. Müller
Ad Graecos, ex communibus notionibus, GNO III, 1, F. Müller
Ad Letoium : Epistula canonica ad Letoium Melitinensem, PG 45
Ad Simpl. : Ad Simplicium de fide, GNO III, 1, F. Müller
Adv. Apol. : Adversus Apolinarium, GNO III, 1, F. Müller
C. Eun. : Contra Eunomium, GNO I et II, W. Jaeger
Contra fatum, GNO III, 2, J.A. MacDonough
C. usur. : Contra usurarios oratio, GNO IX, E. Gebhardt
De an. et res. (De anima et resurrectione, PG 46) : *Sur l'âme et la résurrection*, Paris 1995, trad. J. Terrieux
De beat. : De beatitudinibus, GNO VII, 2, J.F. Callahan
De benef. : De beneficentia (= *De pauperibus amandis* I), *GNO* IX, A. van Heck
De hom. op. (De hominis opificio, PG 44) : *La création de l'homme, SC* 6 (1944), trad. J. Laplace
De inf. : De infantibus praemature abreptis, GNO III, 2, H. Hörner
De inst. christ. : De instituto christiano, GNO VIII, 1, W. Jaeger
De mort. : De mortuis non esse dolendum, GNO IX, G. Heil
De or. dom. : De oratione dominica, GNO VII, 2, J.F. Callahan
De perf. : De perfectione, GNO VIII, 1, W. Jaeger
De virg. (De virginitate) : Traité de la virginité, SC 119 (1966), éd., trad. et notes M. Aubineau
Ep. (Epistulae) : Lettres, SC 363 (1990), éd., trad. et notes P. Maraval
In Basil. : Oratio funebris in Basilium fratrem, GNO X, 1, 0. Lendle
In Cant. : In Canticum Canticorum, GNO VI, H. Langerbeck ; trad. d'extraits M. Canévet, *La colombe et la ténèbre*, Paris 1967 (rééd. 1991)
In diem nat. : In diem natalem, PG 46
In Flacillam : Oratio funebris in Flacillam imperatricem, GNO IX, A. Spira

In Hexaem : *In Hexaemeron*, *PG* 44

In inscr. Ps. : *In inscriptiones Psalmorum*, *GNO* V, J.A. MacDonough

In Melet. : *Oratio funebris in Meletium episcopum*, *GNO* IX, A. Spira

In sext. Ps. : *In sextum Psalmum*, *GNO* V, J.A. MacDonough

In suam ord. : *In suam ordinationem oratio* (= *De deitate adversus Evagrium*), *GNO* IX, E. Gebhardt

Or. cat. (*Oratio catechetica magna*) : *Discours catéchétique*, éd. et trad. L. Méridier, Paris 1908

V. Macr. (*Vita Macrinae*) : *Vie de sainte Macrine*, *SC* 178 (1971), éd., trad. et notes P. Maraval

V. Moys. (*Vita Moysis*) : *Vie de Moïse*, *SC* 1 ter (1968), éd. et trad. J. Daniélou

III. — LIVRES ET ARTICLES

Cette liste comprend essentiellement les titres de livres et articles qui sont cités plusieurs fois et d'une manière abrégée.

Il faut signaler dans l'énumération qui suit trois instruments de travail particulièrement utiles : ALTENBURGER et MANN, pour une bibliographie d'ensemble jusqu'en 1988 ; FABRICIUS et RIDINGS (sur micro-fiches) ; *Biblia Patristica* 5.

ALEXANDRE (M.), « La théorie de l'exégèse dans l'*In Hexaemeron* et le *De hominis opificio* », dans *Écriture et culture philosophique*, p. 87-110.

— « Protologie et eschatologie chez Grégoire de Nysse », dans *Arché e Telos. L'antropologia di Origene e di Gregorio di Nissa. Analisi storico-religiosa. Atti del Colloquio Milano, maggio 1979*, éd. U. Bianchi, Milan 1981, p. 122-159.

— « Les nouveaux martyrs. Motifs martyrologiques dans la vie des saints et thèmes hagiographiques dans l'éloge des martyrs chez Grégoire de Nysse », dans *The biographical works of Gregory of Nyssa. Proceedings of the Fifth international Colloquium on Gregory of Nyssa (Mainz, sept. 1982)*, éd. A. Spira, Cambridge (Mass.) 1984, p. 44-70.

ALTENBURGER (M.) et MANN (F.), *Bibliographie zu Gregor von Nyssa. Editionen, Übersetzungen, Literatur*, Leyde 1988.

AUBINEAU (M.), « Dossier patristique sur Jean XIX, 23-24 : la tunique sans couture du Christ », dans *La Bible et les Pères. Colloque de Strasbourg (oct. 1969)*, Paris 1971, p. 9-50.

BALTHASAR (H. von), *Présence et pensée. Essai sur la philosophie religieuse de Grégoire de Nysse*, Paris 1942 (rééd. 1988).

BARATIN (M.) et DESBORDES (F.), *L'analyse linguistique dans l'Antiquité classique*, I. *Les théories*, Paris 1981.

BARTHÉLEMY (D.), *Les devanciers d'Aquila*, Leyde 1963.

BARTON (G.A.), *A critical and exegetical Commentary on the book of Ecclesiastes, International critical Commentary*, Édimbourg 1908 (2e éd. 1959).

Biblia Patristica. Index des citations et allusions bibliques dans la littérature patristique. Vol. 5 : *Basile de Césarée, Grégoire de Nazianze, Grégoire de Nysse, Amphiloque d'Iconium*, Paris 1991.

CALLAHAN (J.F.), « The serpent and ἡ ῥαχία in Gregory of Nyssa », *Traditio* (New York) 24 (1968), p. 17-41.

CANÉVET (M.), « Exégèse et théologie dans les traités spirituels de Grégoire de Nysse », dans *Écriture et culture philosophique*, p. 144-168.

— *Grégoire de Nysse et l'herméneutique biblique. Étude des rapports entre le langage et la connaissance de Dieu*, Paris 1983.

— « Sens spirituel », *DSp*. 15 (1989), col. 598-617.

COURCELLE (P.), *Connais-toi toi-même de Socrate à saint Bernard*, I, Paris 1974.

DANIÉLOU (J.), *Platonisme et théologie mystique. Doctrine spirituelle de Grégoire de Nysse*, Paris 1944.

— *L'Être et le temps chez Grégoire de Nysse*, Leyde 1970.

— « Le symbole de la caverne chez Grégoire de Nysse », dans *Festschrift Th. Klauser*, Münster 1964, p. 43-51.

DODDS (E.R.), *Pagan and Christian in an age of anxiety*, Londres 1965 ; trad. fr. de H.-D. Saffrey, Grenoble 1979 (*Païens et chrétiens dans un âge d'angoisse)*.

Écriture et culture philosophique dans la pensée de Grégoire de Nysse. Actes du Colloque de Chevetogne (sept. 1969), éd. M. Harl, Leyde 1971.

Épektasis. Mélanges patristiques offerts au Cardinal J. Daniélou, éd. J. Fontaine et C. Kannengiesser, Paris 1972.

FABRICIUS (C.) et RIDINGS (D.), *A concordance to Gregory of Nyssa*, Göteborg 1989 (microfiches).

GAIN (B.), *L'Église de Cappadoce au IVᵉ siècle d'après la correspondance de Basile de Césarée (330-379)*, Rome 1985.

GAÏTH (J.), *La conception de la liberté chez Grégoire de Nysse*, Paris 1953.

GOLDSCHMIDT (V.), *Le système stoïcien et l'idée de temps*, Paris 1953, 2ᵉ éd. revue 1969.

Gregor von Nyssa und die Philosophie. Zweites Internationales Kolloquium über Gregor von Nyssa (Münster, Sept. 1972), éd. H. Dörrie, M. Altenburger, U. Schramm, Leyde 1976.

HADOT (I.), « Les introductions aux commentaires exégétiques chez les auteurs néoplatoniciens et les auteurs chrétiens », dans *Les règles de l'interprétation*, éd. M. Tardieu, Paris 1987, p. 99-122.

HADOT (P.), *Exercices spirituels et philosophie antique*, Paris 1981, 2ᵉ éd. revue et augmentée 1987.

HARL (M.), « Problèmes posés par l'histoire du mot αὐτεξούσιον : liberté stoïcienne et liberté chrétienne », *REG* 73 (1960), p. XXVII-XXVIII.

— « Le langage de l'expérience religieuse chez les Pères grecs », *Riv. di Storia e Letterat. religiosa* 13 (1977), p. 5-34 ; art. repris dans M. HARL, *Le déchiffrement du sens. Études sur l'herméneutique chrétienne d'Origène à Grégoire de Nysse*, Paris 1993.

— « Les trois livres de *Salomon* et les trois parties de la philosophie dans les Prologues des Commentaires sur le *Cantique des Cantiques* (d'Origène aux Chaînes exégétiques grecques) », *TU* 133 (1987), p. 249-269.

HOLM-NIELSEN (S.), « On the interpretation of Qohelet in early Christianity », *VT* 44 (1974), p. 168-177.

Kohelet Rabbah, dans *Midrash Rabbah*, vol. VIII, trad. anglaise H. Freedman et M. Simon, Londres 1961 (3ᵉ éd.).

LEANZA (S.) *L'esegesi di Origene al Libro dell'Ecclesiaste*, Reggio de Calabre 1975.

LYS (D.), *L'Ecclésiaste ou Que vaut la vie ?* Traduction, Introduction générale et Commentaire de 1,1 à 4, 3, Paris 1977.

MARAVAL (P.), « La date de la mort de Basile de Césarée », *REAug.* 34 (1988), p. 25-38.

MÉRIDIER (L.), *L'influence de la seconde sophistique sur Grégoire de Nysse*, Rennes 1906.

MESCHONNIC (H.), *Les Cinq Rouleaux. Le Chant des chants. Ruth. Comme ou les Lamentations. Paroles du Sage. Esther*, trad. de l'hébreu, Paris 1970.

MOPSIK (Ch.), *L'Ecclésiaste et son double araméen. Qohélet et son Targum*, Lagrasse 1990.

PATLAGEAN (É.), *Pauvreté économique et pauvreté sociale à Byzance, IVe-VIIe siècles*, Paris – La Haye 1977.

PIGEAUD (J.), *La maladie de l'âme. Étude sur la relation de l'âme et du corps dans la tradition médico-philosophique antique*, Paris 1981.

RAD (G. von), *Israël et la sagesse*, Genève 1971.

STEAD (G. Ch.), *Substance and illusion in the Christian Fathers, Variorum Reprints*, Londres 1985.

Le temps chrétien de la fin de l'Antiquité au Moyen Âge (IIIe-XIIIe siècles). Actes du colloque intern. du C.N.R.S., Paris mars 1981, Paris 1984.

VINEL (F.), « La *Metaphrasis in Ecclesiasten* de Grégoire le Thaumaturge : entre traduction et interprétation, une explication de texte », dans *Cahiers de Biblia Patristica* I, Strasbourg 1987, p. 191-216.

— « La version arménienne des Homélies sur l'Ecclésiaste de Grégoire de Nysse », *Revue des Études Arméniennes* 21 (1988-1989), p. 127-143.

ZIEGLER (Th.), *Les petits traités trinitaires de Grégoire de Nysse (379-383), témoins d'un itinéraire théologique*, Strasbourg 1987 (thèse dactylographiée).

HOMÉLIE I

(*Eccl.* 1, 1-11)

(1-2) Venant après le livre des *Proverbes*, l'*Ecclésiaste* est d'une plus grande difficulté que ce dernier, mais le nom « ecclésiaste » nous fait comprendre que c'est un livre pour l'Église. (3-6) Le mot « vanité » a plusieurs sens, mais l'affirmation par l'ecclésiaste que « tout est vanité » n'est pas une condamnation de la création ni de son créateur. (7-10) Mouvement et stabilité caractérisent la nature et ses éléments, mais aussi l'homme, invité à se connaître lui-même. (11-12) Les limites de la connaissance et de la parole humaines sont vite atteintes. (13-14) À la vanité et à la répétition de toutes choses s'opposent l'état primitif de la création de Dieu, qui sera restauré à la fin des temps.

Alexander
GNO V, p. 277

ΓΡΗΓΟΡΙΟΥ ΕΠΙΣΚΟΠΟΥ ΝΥΣΣΗΣ
ΕΙΣ ΤΟΝ ΕΚΚΛΗΣΙΑΣΤΗΝ

ΟΜΙΛΙΑ Α΄

Migne
PG 44, c. 617

1. Πρόκειται ἡμῖν ὁ Ἐκκλησιαστὴς εἰς ἐξήγησιν ἴσον ἔχων τῷ μεγέθει τῆς ὠφελείας τὸν πόνον τῆς θεωρίας. Τῶν γὰρ παροιμιακῶν νοημάτων ἤδη προγυμνασάντων τὸν νοῦν, ὧν οἱ σκοτεινοὶ λόγοι καὶ αἱ σοφαὶ ῥήσεις καὶ
5 τὰ αἰνίγματα [a] καὶ αἱ ποικίλαι τῶν λόγων στροφαί [b], καθὼς περιέχει τὸ τοῦ βιβλίου ἐκείνου προοίμιον, *** τότε τοῖς πρὸς τὰ τελειότερα τῶν μαθημάτων αὐξηθεῖσιν
278 A. ἐπὶ ταύτην τὴν γραφὴν τὴν ὑψηλὴν | ὄντως καὶ θεόπνευστον ἡ ἄνοδος γίνεται. Εἰ οὖν ἡ παροιμιακὴ μελέτη ἡ πρὸς

1. a. cf. Prov. 1, 6 b. cf. Prov. 1, 3

1. Nous gardons en français la simple transcription du mot, la majuscule restant réservée au titre du livre biblique. Alors que les exégètes hésitent sur l'interprétation à donner au nom Qohélet (voir Lys, *L'Ecclésiaste*, p. 53-56), le terme grec est bien attesté dans le lexique politique de la langue classique.

2. Ce verset de *Prov.* 1, 6 est important pour l'herméneutique origénienne (voir *Traité des principes* IV, 2, 3, et *Philocalie* 2 ; et commentaire de M. Harl, « Origène et les interprétations patristiques grecques de 'l'obscurité' biblique », *VC* 36 [1982], p. 334-371). Grégoire reprend le verset dans le Prologue de l'*In Cant.* (*GNO* VI, p. 5, 5-6) consacré à sa théorie de l'exégèse ; les différentes occurrences du terme αἴνιγμα dans les *Hom. sur l'Ecclésiaste* servent à souligner la difficulté de l'enseignement de Salomon (II, 6, 39 ; III, 6, 47 ; VI, 6, 24).

DE GRÉGOIRE, ÉVÊQUE DE NYSSE, SUR L'ECCLÉSIASTE

HOMÉLIE I

Difficulté de commenter l'Ecclésiaste

1. Voici l'*Ecclésiaste* [1] proposé à notre explication ; l'effort que demande notre étude n'a d'égale que la grandeur de son utilité. Une fois que les pensées des *Proverbes* ont exercé notre esprit, avec leurs paroles obscures, leurs dires sages, leurs énigmes [a2] et leurs tours variés de langage[b], selon les termes du prologue de ce livre, + ... + [3], alors, pour ceux qui ont progressé vers les connaissances plus parfaites commence la montée jusqu'au présent écrit, véritablement élevé [4] et inspiré par Dieu. Si donc la pratique des *Proverbes* qui nous prépare

3. P. Alexander suppose une lacune, par comparaison avec *In Cant.* I (*GNO* VI, p. 22, 8 s.), et s'abstient d'utiliser le texte donné par la *Chaîne des Trois Pères* (*CCSG* 11, *ad loc.*), faute de parallèle dans les mss.

4. Les deux termes ἄνοδος et ὑψηλός expriment l'image de la montée ; elle définit un mode de lecture du texte conçu comme une progression par étapes (voir ci-dessus, Introd., chap. II). Le vocabulaire de l'exégèse qui souligne le caractère « élevé », « sublime », du texte (voir les emplois de ὑψηλός relevés dans l'*In Hexaem.* et le *De hom. op.* par M. Alexandre dans « La théorie de l'exégèse », p. 92) est ici le même que celui de la vie spirituelle ; l'image des montées est alors liée au texte des Psaumes (voir *In inscr. Ps.* I, 7 ; 9 ; etc., *GNO* V, p. 43, 14 ; p. 102, 25) et à la figure de Moïse, modèle de ceux qui entreprennent de « monter ».

10 ταῦτα ἡμᾶς ἑτοιμάζουσα τὰ μαθήματα οὕτως ἐπίπονός τίς ἐστι καὶ δυσθεώρητος, πόσον χρὴ πόνον αὐτοῖς ἐνορᾶν τοῖς ὑψηλοῖς τούτοις νοήμασι τοῖς νῦν προκειμένοις εἰς θεωρίαν ἡμῖν; Ὥσπερ γὰρ οἱ ἐν παιδοτρίβου τὴν παλαιστρικὴν ἐκπονήσαντες πρὸς μείζονας ἱδρῶτας καὶ
15 πόνους ἐν τοῖς ἀγῶσι τοῖς γυμνικοῖς ἀποδύονται, οὕτω μοι δοκεῖ μελέτη τις εἶναι ἡ παροιμιώδης διδασκαλία, πρὸς τοὺς ἐκκλησιαστικοὺς ἀγῶνας παιδοτριβοῦσα τὰς ψυχὰς ἡμῶν καὶ προμαλάσσουσα. Εἰ οὖν ἡ μελέτη μετὰ τοσούτων ἱδρώτων κατορθοῦται καὶ πόνων, τί χρὴ περὶ
20 αὐτῶν τῶν ἀγώνων λογίσασθαι; Ἦ που πᾶσάν τις ὑπερβολὴν ἐννοήσας οὐκ ἂν παραστήσειε κατ' ἀξίαν τῷ λόγῳ, πόσους ὑποδείκνυσι πόνους τὸ τῆς γραφῆς ταύτης στάδιον τοῖς ἀγωνιζομένοις πρὸς τὴν τῶν νοημάτων ἀσφάλειαν διὰ τῆς ἀθλητικῆς ἐμπειρίας, ὡς μὴ ἐν
25 πτώματι δεῖξαι τὸν λόγον, ἀλλ' ἐν πάσῃ νοήματος συμπλοκῇ ὄρθιον διασῶσαι διὰ τῆς ἀληθείας τὸν νοῦν. Πλὴν ἀλλ' ἐπειδὴ καὶ τοῦτο τῶν δεσποτικῶν παραγγελμάτων ἐστὶ τὸ δεῖν « ἐρευνᾶν τὰς γραφάς [c] », ἀνάγκη πᾶσα, κἂν κατόπιν τῆς ἀληθείας ὁ ἡμέτερος εὑρεθῇ νοῦς
30 τοῦ μεγέθους τῶν νοημάτων οὐκ ἐφικνούμενος, ὅμως τὸ μὴ δοκεῖν παρορᾶν τὴν ἐντολὴν τοῦ κυρίου διὰ τῆς κατὰ δύναμιν περὶ τὸν λόγον σπουδῆς κατορθῶσαι. Οὐκοῦν
279 A. ἐρευνήσωμεν τὴν προκειμένην | γραφὴν ὡς δυνάμεθα.

c. Jn 5, 39

---

1. L'image de la palestre, déjà *topos* rhétorique dans l'Antiquité classique, est des plus fréquentes, encouragée en quelque sorte par l'utilisation paulinienne ; voir par ex. BASILE, *Hom. in principium Prov.* 2 (*PG* 31, 388 D) ; Grégoire, *In inscr. Ps.* I, 2 (*GNO* V, p. 72-73) ; *In suam ord.* (*GNO* IX, p. 331-332).

à ces connaissances est déjà si pénible et d'une compréhension si malaisée, quelle peine nous faut-il pour voir ces pensées élevées qui se présentent maintenant à notre étude ? De même que ceux qui se sont fatigués à la palestre [1] se dévêtent pour suer et peiner encore davantage dans les joutes gymniques, de même l'enseignement des *Proverbes*, me semble-t-il, est une pratique qui exerce nos âmes et les assouplit pour les préparer aux joutes de l'*Ecclésiaste*. Si donc la pratique ne réussit qu'au prix de tant de sueurs et d'efforts, à quoi faut-il s'attendre lorsqu'il s'agit des joutes elles-mêmes ? Et assurément, même si l'on imaginait toute sorte d'hyperboles, on ne pourrait pas dignement présenter par la parole le nombre des peines auxquelles le parcours de cet écrit soumet ceux qui luttent avec leur compétence d'athlète pour atteindre des pensées sûres et ne pas montrer le discours en échec, mais au milieu de toute la complexité de la pensée, sauvegarder la rectitude du sens grâce à la vérité. Toutefois, puisque le devoir de « scruter les Écritures [c] » [2] est aussi l'un des préceptes du Seigneur, il faut absolument, même si notre intelligence se trouve en-deçà de la vérité et n'atteint pas à la grandeur de ces pensées, réussir au moins à ne pas paraître négliger le commandement du Seigneur en mettant autant d'ardeur que possible à étudier le texte. Aussi, scrutons l'écrit qui nous est proposé autant que nous en sommes capables. Car il est certain que celui qui nous a

2. Le verset johannique est central pour l'herméneutique biblique des Pères. Pour ORIGÈNE (*Traité des principes* IV, 3, 5) il confirme la pluralité des sens de l'Écriture et autorise l'élimination du sens littéral lorsque celui-ci est jugé inacceptable. En citant ce verset dans le Prologue d'*In Cant.* (*GNO* VI, p. 9-10), Grégoire en tire les mêmes conclusions : « (cela) nous incite... à rechercher de toute manière s'il ne se trouverait pas une façon de comprendre les paroles de l'Écriture plus élevée que celle qui se présente d'elle-même ».

Πάντως γὰρ ὁ τοῦ ἐρευνᾶν τὴν ἐντολὴν δεδωκὼς καὶ τὴν
35 πρὸς αὐτὸ τοῦτο δύναμιν δώσει, καθὼς γέγραπται ὅτι « Κύριος δώσει ῥῆμα τοῖς εὐαγγελιζομένοις δυνάμει πολλῇ [d] ».

2. Καὶ πρῶτόν γε ἡμῖν ἡ ἐπιγραφὴ τοῦ βιβλίου προτεθήτω εἰς θεωρίαν. Κατὰ πᾶσαν ἐκκλησίαν Μωϋσῆς καὶ ὁ νόμος ἀναγινώσκεται, οἱ προφῆται, ἡ ψαλμῳδία, ἡ ἱστορία πᾶσα καὶ εἴ τι τῆς ἀρχαίας τε καὶ τῆς καινῆς
5 διαθήκης ἐστί, πάντα ἐπὶ τῶν ἐκκλησιῶν καταγγέλλεται. Πῶς οὖν τοῦτο μόνον κατ' ἐξαίρετον τῇ ἐπιγραφῇ τοῦ
620 M. Ἐκκλησιαστοῦ καλλωπίζεται ; Τί οὖν ἐστιν ὃ περὶ τούτων ἡμεῖς ὑπειλήφαμεν ; ὅτι ταῖς μὲν ἄλλαις πάσαις γραφαῖς, ἱστορίαις τε καὶ προφητείαις, καὶ πρὸς ἄλλα
10 τινὰ τῶν μὴ πάνυ τῇ ἐκκλησίᾳ χρησίμων ὁ σκοπὸς βλέπει. Τί γὰρ μέλει τῇ ἐκκλησίᾳ τὰς τῶν πολέμων συμφορὰς δι' ἀκριβείας μαθεῖν ἢ τίνες ἐθνῶν ἄρχοντες καὶ πόλεων γεγόνασιν οἰκισταὶ καὶ τίνες τίνων ἄποικοι ἢ ποῖαι βασιλεῖαι κατὰ τὸν ἐφεξῆς χρόνον διαφανήσονται
15 καὶ ὅσοι γάμοι καὶ παιδοποιΐαι δι' ἐπιμελείας ἐμνημονεύθησαν καὶ πάντα τὰ τοιαῦτα ὅσα δι' ἑκάστης ἔστι διδαχθῆναι γραφῆς· τί ἂν τοσοῦτον πρὸς τὸν σκοπὸν τῆς εὐσεβείας τῇ ἐκκλησίᾳ συναγωνίσαιτο ; Ἡ δὲ τοῦ βιβλίου τούτου διδασκαλία πρὸς μόνην βλέπει τὴν ἐκκλη-
280 A. 20 σιαστικὴν πολιτείαν, | δι' ὧν ἄν τις τὸν ἐν ἀρετῇ κατορθώσειε βίον, ταῦτα ὑφηγουμένη. Ὁ γὰρ σκοπὸς

d. Ps. 67, 12

---

1. L'interrogation sur le sens du titre d'un ouvrage fait partie de la série des questions définies par les commentateurs néoplatoniciens des œuvres philosophiques ; voir I. HADOT, « Les introductions aux commentaires exégétiques ». Dans l'œuvre de Grégoire de Nysse, voir *In inscr. Ps.* (*GNO* V), *In Cant.* I (*GNO* VI, p. 27).

donné l'ordre de « scruter » donnera aussi la capacité de le faire, ainsi qu'il est écrit : « Le Seigneur donnera la parole à ceux qui annoncent la bonne nouvelle avec grande force [d]. »

Explication du titre

2. Et d'abord, proposons à notre étude le titre du livre [1]. Dans toute assemblée, on lit Moïse et la Loi, les prophètes, le Psautier, l'histoire tout entière, et tout ce qui appartient à l'Ancien et au Nouveau Testament, tout cela est annoncé dans les assemblées. Comment donc ce livre est-il le seul à avoir le privilège d'être orné du titre d'*Ecclésiaste* ? Que pensons-nous donc au sujet de ces écrits ? que le but de tous les autres écrits, historiques et prophétiques, concerne pour chacun d'eux des faits qui ne sont pas absolument utiles à l'Église. Qu'importe en effet à l'Église de connaître précisément les malheurs de la guerre, les chefs des nations, les fondateurs de cités, que lui importe de savoir qui est le colon de qui, quels royaumes seront illustres dans l'avenir, combien de mariages et de naissances ont été soigneusement gardés en mémoire, et tous les événements de ce genre que l'on peut apprendre dans chacun de ces écrits [2] ! Qu'y gagnerait-on pour l'Église dans la joute qui a pour but la piété ? Mais l'enseignement de ce livre-ci concerne la seule vie de l'Église [3], en montrant comment mener une existence vertueuse. Car le but [4] de ce qui y est

2. Exemple d'adaptation au *skopos* propre à chaque livre. S'il ne s'arrête pas ici aux livres historiques, Grégoire en explique ailleurs la portée spirituelle (*V. Moys.*, Préf., 11-15). Sur le rôle des différents groupes de livres de l'A.T., voir *De hom. op.* 25, 213d-216c ; *In inscr. Ps.* II, 2 (*GNO* V, p. 72, 6-11) ; *In Cant.*, Prol., (*GNO* VI, p. 7, 4 s.).

3. Voir ci-dessus, Introd., chap. VI.

4. Grégoire définit un double *skopos* : l'*Ecclésiaste* est livre de la physique, mais aussi livre pour l'Église (voir ci-dessus, Introd., chap. III).

τῶν ἐνταῦθα λεγομένων ἐστι τὸ ὑπερθεῖναι τὸν νοῦν τῆς αἰσθήσεως καὶ πεῖσαι καταλιπόντα πᾶν ὅτιπέρ ἐστι μέγα τε καὶ λαμπρὸν ἐν τοῖς οὖσι φαινόμενον πρὸς τὰ ἀνέφικτα
25 τῇ αἰσθητικῇ καταλήψει διὰ τῆς ψυχῆς ὑπερκύψαι κἀκείνων τὴν ἐπιθυμίαν λαβεῖν ὧν οὐκ ἐφικνεῖται ἡ αἴσθησις. Τάχα δὲ καὶ πρὸς τὸν καθηγεμόνα τῆς ἐκκλησίας ἡ ἐπιγραφὴ βλέπει. Ὁ γὰρ ἀληθινὸς ἐκκλησιαστὴς ὁ τὰ ἐσκορπισμένα συνάγων εἰς ἓν πλήρωμα καὶ τοὺς
30 πολλαχῇ κατὰ τὰς ποικίλας ἀπάτας πεπλανημένους εἰς ἕνα σύλλογον ἐκκλησιάζων τίς ἂν ἄλλος εἴη εἰ μὴ ὁ ἀληθινὸς βασιλεὺς τοῦ Ἰσραήλ, ὁ υἱὸς τοῦ θεοῦ, πρὸς ὃν εἶπεν ὁ Ναθαναὴλ ὅτι « Σὺ εἶ ὁ υἱὸς τοῦ θεοῦ, σὺ εἶ ὁ βασιλεὺς τοῦ Ἰσραήλ[a] ; » Εἰ οὖν τὰ ῥήματα ταῦτα τοῦ
35 βασιλέως ἐστὶ τοῦ Ἰσραήλ, ὁ δὲ αὐτὸς οὗτος καὶ θεοῦ υἱός ἐστι, καθὼς λέγει τὸ εὐαγγέλιον, ἄρα ὁ αὐτὸς καὶ ἐκκλησιαστὴς ὀνομάζεται. Τάχα δὲ οὐκ ἔξω τοῦ εἰκότος εἰς ταύτην τὴν διάνοιαν τὴν τῆς ἐπιγραφῆς ἀναφέρομεν σημασίαν, ἵνα διὰ τούτου μάθωμεν ὅτι εἰς αὐτὸν τὸν διὰ
40 τοῦ εὐαγγελίου τὴν ἐκκλησίαν πηξάμενον ἡ τῶν ῥημάτων τούτων ἀναφέρεται δύναμις. « Ῥήματα γάρ, φησίν, ἐκκλησιαστοῦ υἱοῦ Δαβίδ[b]. » Οὕτω δὲ αὐτὸν καὶ |
281 A. Ματθαῖος ἐν ἀρχαῖς τοῦ εὐαγγελίου κατονομάζει, « υἱὸν Δαβίδ[c] » λέγων τὸν κύριον.

3. « Ματαιότης ματαιοτήτων, εἶπεν ὁ ἐκκλησιαστής, τὰ πάντα ματαιότης[a]. » Μάταιον νοεῖται τὸ ἀνυπόστατον, ὃ ἐν μόνῃ τῇ τοῦ ῥήματος προφορᾷ τὸ εἶναι ἔχει· πρᾶγμα δὲ ὑφεστὸς τῇ τοῦ ὀνόματος σημασίᾳ οὐ

2. a. Jn 1, 49 b. Eccl. 1, 1a c. Matth. 1, 1
3. a. Eccl. 1, 2

dit est d'établir l'esprit au-dessus de la sensation et de le convaincre d'abandonner tout ce qui dans les êtres paraît grand et brillant, pour se hausser avec l'âme vers ce que la perception sensible ne peut atteindre et désirer ces réalités que n'atteint pas la sensation. Mais peut-être le titre vise-t-il aussi le guide de l'Église. En effet le véritable « ecclésiaste », celui qui ramène ce qui est dispersé en une plénitude unique et qui rassemble en une Église unique les hommes souvent égarés au gré des tromperies variées, qui pourrait-il être sinon le roi véritable d'Israël, le Fils de Dieu, à qui Nathanaël dit : « Est-ce toi, le Fils de Dieu, est-ce toi, le roi d'Israël [a] ? » Si donc ces paroles sont celles du roi d'Israël, et si ce même homme est aussi Fils de Dieu, comme dit l'Évangile, alors c'est le même qui se nomme aussi « ecclésiaste » [1]. Et peut-être n'y-a-t-il pas d'invraisemblance à rapporter la signification du titre à cette idée, afin que nous apprenions par là que le sens de ces paroles se rapporte à celui-là même qui a fondé l'Église par l'Évangile. « Paroles de l'ecclésiaste, fils de David [b] », dit le texte. C'est bien ainsi que Matthieu aussi le nomme au début de l'Évangile, lorsqu'il appelle le Seigneur, « fils de David [c] ».

Qu'entendre par « vanité » ?

3. « Vanité des vanités, dit l'ecclésiaste, tout est vanité [a]. » « Vain » signifie ce qui est sans fondement, ce qui n'a d'être que dans la seule énonciation du mot. La réalité concrète n'apparaît pas avec la signification du nom, mais

1. Interprétation christologique de l'ecclésiaste : voir ci-dessus, Introd., chap. VII. La *Chaîne de Procope* (*CCSG* 4, p. 6) garde les références évangéliques du commentaire nysséen. L'expression de Matthieu, « fils de David », se trouve également dans la phrase attribuée à Denys d'Alexandrie (p. 7, l. 18) ; Didyme au contraire présente Salomon-Ecclésiaste comme le « serviteur de Dieu » et cite à l'appui *Jn* 3, 34 (p. 6, l. 3).

5 συνεμφαίνεται, ἀλλ' ἔστι τις ψόφος ἀργὸς καὶ διάκενος, ἐν σχήματι λέξεώς τινος διὰ συλλαβῶν προφερόμενος, εἰκῇ προσπίπτων τῇ ἀκοῇ χωρὶς σημασίας, οἷα δὴ παίζοντές τινες ὀνοματοποιοῦσιν, ὧν τὸ σημαινόμενόν ἐστιν οὐδέν. Ἓν μὲν οὖν τοῦτο εἶδος τῆς ματαιότητος.
10 Ἄλλη δὲ ματαιότης λέγεται τῶν κατά τινα σπουδὴν πρὸς οὐδένα σκοπὸν γινομένων ἡ ἀχρηστία, ὡς τὰ ἐν ψάμμῳ τῶν παίδων οἰκοδομήματα καὶ ἡ κατὰ τῶν ἄστρων τοξεία καὶ ἡ τῶν ἀνέμων θήρα καὶ ἡ πρὸς τὴν ἰδίαν σκιὰν τοῦ δρομέως ἅμιλλα, ὅταν φιλονεικῇ τῆς τοῦ σκιάσματος
15 κορυφῆς ἐπιβῆναι, καὶ εἴ τι τοιοῦτον ἕτερον ἐν τοῖς εἰκῇ γινομένοις εὑρίσκομεν, ἅπερ πάντα τῷ τῆς ματαιότητος ὑπάγεται ῥήματι. Ἔστι δὲ πολλάκις κἀκεῖνο μάταιον ἐν τῇ συνηθείᾳ λεγόμενον, ὅταν πρός τινα σκοπόν τις ὁρῶν
621 M. καὶ ὥς τι λυσιτελὲς τῷ προκειμένῳ κατὰ σπουδὴν μετιὼν
20 ἕκαστα πράττῃ, εἶτά τινος ἐναντίου γεγενημένου εἰς ἀνόνητον περιέλθῃ ὁ πόνος, καὶ τότε τὸ ἐπὶ μηδενὶ
282 A. κατορθώματι τὴν σπουδὴν | προχωρῆσαι τῷ ῥήματι τοῦ ματαίου διασημαίνεται. Λέγει γὰρ ἐπὶ τῶν τοιούτων ἡ συνήθεια τό· Μάτην ἐκοπίασα, καί· Μάτην ἐπήλπισα,
25 καί· Ἐπὶ ματαίῳ τοὺς πολλοὺς ὑπέστην καμάτους. Καὶ ἵνα μὴ τὰ καθ' ἕκαστον διεξίωμεν ἐφ' οἷς τὸ ὄνομα τῆς ματαιότητος κυρίως λέγεται, ἐν ὀλίγῳ τὴν ἔννοιαν τῆς φωνῆς ταύτης περιληψόμεθα. Ματαιότης ἐστὶν ἢ ῥῆμα ἀδιανόητον ἢ πρᾶγμα ἀνόνητον ἢ βουλὴ ἀνυπόστατος ἢ
30 σπουδὴ πέρας οὐκ ἔχουσα ἢ καθόλου τὸ ἐπὶ παντὶ λυσιτελοῦντι ἀνύπαρκτον.

1. Le verbe ὀνοματοποιεῖν (absent de *PGL*) a ici un sens péjoratif contrairement à son acception classique (voir *LSJ, s.v.*) ; avec le substantif de la même famille (*PGL, s.v.*) il est employé pour critiquer la manière dont les gnostiques désignent les éons successifs. Le choix du mot s'inscrit dans le débat sur l'origine du langage et sur le rapport entre le

il y a un bruit stérile et creux, proféré en forme de mot à l'aide de syllabes ; ce bruit tombe au hasard dans l'ouïe des gens sans se rattacher à un sens, tels les noms sans signification que certains forgent [1] pour s'amuser. Voilà donc une forme de « vanité ». Mais il y a une autre vanité : c'est l'inutilité d'actes accomplis avec empressement sans aucun but, comme les constructions des enfants dans le sable, l'envoi de flèches vers les astres, la poursuite des vents, la compétition de celui qui fait la course avec sa propre ombre lorsqu'il lutte pour dépasser l'extrémité de l'ombre, et tout autre fait semblable que nous pouvons observer dans ce qui peut arriver. Voilà tout ce qui est compris dans le mot « vanité ». Mais souvent, on a l'habitude d'employer aussi ce mot « vain » pour celui qui agit en vue d'un but qu'il poursuit avec empressement comme quelque chose d'utile et qui, ensuite, parce qu'un obstacle est survenu, voit son effort n'aboutir à aucun succès : on emploie alors le mot « vain » pour dire que l'empressement n'a conduit à aucune réussite. En effet, l'habitude est de dire dans ce cas : « En vain je me suis fatigué », « En vain j'ai espéré », « En vain j'ai supporté de nombreuses épreuves ». Et, afin de ne pas énumérer une à une les circonstances dans lesquelles le mot « vanité » est employé au sens propre, nous résumerons la notion comprise dans ce terme : la « vanité », c'est un mot qui n'a pas de sens, ou une action sans succès, ou un vouloir sans fondement, ou un empressement sans limite, ou en général ce qui est sans existence pour une quelconque utilité.

mot, le sens et la chose ; voir les textes de l'Antiquité classique présentés et analysés par BARATIN-DESBORDES, *L'analyse linguistique*. Dans ce débat, Grégoire prend position pour l'arbitraire du signe (cf. ici l'emploi de εἰκῇ et de l'image qui conclut la phrase), et M. CANÉVET (*Herméneutique*, chap. I, p. 31-64) a montré l'importance de cette position dans la lutte contre Eunome.

4. Εἰ οὖν ἤδη νενόηται ἡμῖν τοῦ ματαίου ἡ ἔννοια, ἐξεταστέον ἂν εἴη τί βούλεται ἡ « ματαιότης τῶν ματαιοτήτων[a] ». Τάχα δ' ἂν ἡμῖν γνωριμώτερον τὸ ζητούμενον νόημα γένοιτο, εἰ τὴν γραφικὴν συνήθειαν ἐπὶ 5 τῶν πρὸς τὸ κρεῖττον νοουμένων συνεξετάσαιμεν. Ἡ τῶν ἀναγκαίων τε καὶ συμφερόντων πρᾶξις ἔργον παρὰ τῆς γραφῆς ὀνομάζεται, ἀλλὰ τὰ ὑπερβαίνοντα τῶν σπουδαζομένων, ὅσα εἰς αὐτὴν ὁρᾷ τὴν τοῦ θεοῦ λατρείαν, « ἔργον ἔργων[b] » λέγεται, καθὼς ἡ ἱστορία δηλοῖ, 10 δεικνύντος, οἶμαι, τοῦ λόγου διά τινος ἀναλογίας ἡμῖν ἐκ τοῦ ἔργου τῶν ἔργων τί τὸ ἐν τοῖς σπουδαζομένοις ἐστὶ προτιμότερον. Ὃν γὰρ ἐπέχει λόγον πρὸς τὴν καθόλου ἀργίαν ἡ περὶ τὰ ἔργα σπουδή, τὸν αὐτὸν ἔχει λόγον πρὸς τὰ λοιπὰ ἔργα ἡ πρὸς τὰ ὑψηλότερα καὶ προτιμότερα τῶν 15 σπουδαζομένων ἐνέργεια. Οὕτως καὶ ἅγιόν τι παρὰ τῆς *283 A.* γραφῆς λέγεται· καὶ πάλιν | « ἁγίων ἅγιον[c] », ὡς ἴσῳ τῷ μέτρῳ τοῦ τε ἐξαγίστου τὸ ἅγιον ὑπερέχειν ἐν ἁγιότητι καὶ τούτου πάλιν τὸ τῶν ἁγίων ἅγιον, τὸ καθ' ὑπέρθεσιν ἐν ἁγιασμῷ θεωρούμενον. Ἅπερ οὖν ἐπὶ τοῦ κρείττονος 20 ἐδιδάχθημεν λόγου τῆς γραφικῆς συνηθείας τῷ τοιούτῳ εἴδει τὴν ἐπίτασιν τοῦ ὑποκειμένου νοήματος σημαινούσης, τοῦτο καὶ ἐπὶ τῆς τῶν ματαιοτήτων ματαιότητος

4. a. Eccl. 1, 2 b. Nombr. 4, 47 c. Ex. 26, 33

1. Sur l'explication de ces expressions redoublées à valeur intensive, voir ORIGÈNE, *Hom. sur les Nombres* V, 2 ; *Hom. sur le Cantique* I, 1 (*SC* 37, p. 64-67) ; *Comm. sur le Cantique*, Prol. 4, 1-4. Chez Grégoire, voir *In Cant.* I (*GNO* VI, p. 26, 11-16) ; à propos de « saint des saints », *De beat.* VII (*GNO* VII, 2, p. 149) ; *In Basil.*, *GNO* X, 1, p. 109. Dans ce dernier texte, Grégoire use par imitation de l'expression πανήγυρις πανηγύρεων pour solenniser la fête de l'Épiphanie et la placer au-dessus des autres fêtes.

« Vanité des vanités »

4. Maintenant donc que nous avons compris la notion de vain, il faudrait examiner ce que veut dire « vanité des vanités [a] » [1]. Et peut-être pourrions-nous avoir une idée plus claire de ce que nous cherchons, si nous examinions ensemble l'habitude de l'Écriture concernant les notions exprimées au comparatif. Faire ce qui est nécessaire et utile, l'Écriture le nomme « œuvre », mais tout ce qui, au-delà de ces occupations, touche au culte même de Dieu, elle l'appelle « œuvre des œuvres [b] » comme le montre le récit historique, le texte nous montrant, je crois, par une analogie tirée de l'expression « œuvre des œuvres », l'occupation qui mérite le plus d'estime. En effet, ce que s'occuper des « œuvres » est à l'oisiveté prise dans son sens général, l'activité concernant des œuvres plus élevées et plus dignes d'estime l'est, dans une même proportion, aux autres œuvres. Il en est de même pour le mot « saint » dans l'Écriture ; et aussi pour « saint des saints [c] » ; ce qui est saint l'emporte autant en sainteté sur ce qui est impur que l'emporte d'un autre côté sur ce qui est saint ce qui est « saint des saints », ce qui est contemplé par excellence dans l'acclamation « saint » [2]. Nous ne manquerons pas d'appliquer à « vanité des vanités » ce qui nous a été enseigné au sujet de l'expression du comparatif [3], puisque l'Écriture a l'habitude de signifier de cette façon l'intensité de la notion à exprimer. En effet, le texte ne dit pas que les

2. Sens bien attesté du mot ἁγιασμός (voir *PGL*, *s.v.*). La référence liturgique à la triple acclamation marque la dernière étape de la gradation, après les expressions « saint » et « saint des saints ».

3. Emploi de termes grammaticaux : τὸ κρεῖττον (comparatif) ; ἐπίτασις (intensité) ; συγκριτικὴ ἐπίτασις (intensité du comparatif). Voir la définition de ces termes donnée par Denys de Thrace, *Ars grammatica*, dans *Grammatici Graeci*, I, I, III, p. 27-28, éd. A. Hilgard, Leipzig 1867-1910, repr. Hildesheim 1965.

νοοῦντες οὐ σφαλησόμεθα. Λέγει γὰρ οὐχ ἁπλῶς εἶναι μάταια τὰ ἐν τοῖς οὖσι φαινόμενα, ἀλλὰ καθ' ὑπέρθεσίν
25 τινα τῆς κατὰ τὸ μάταιον σημασίας εἶναι τοιαῦτα, ὡς εἴ τις λέγοι τοῦ νεκροῦ νεκρότερον καὶ τοῦ ἀψύχου ἀψυχότερον. Καίτοι ἡ συγκριτικὴ ἐπίτασις χώραν ἐπὶ τῶν τοιούτων οὐκ ἔχει, ἀλλ' ὅμως λέγεται τούτῳ τῷ ῥήματι πρὸς τὴν τῆς ὑπερβολῆς τοῦ δηλουμένου σαφήνειαν.
30 Ὥσπερ οὖν ἐστι τὰ ἔργα τῶν ἔργων καὶ τὰ ἅγια τῶν ἁγίων νοούμενα, δι' ὧν ἡ ὑπερθετικὴ πρὸς τὸ κρεῖττον ἔνδειξις ἑρμηνεύεται, οὕτω καὶ ἡ τῶν ματαιοτήτων ματαιότης τὸ ἀνυπέρθετον δείκνυσι τῆς ἐν τῷ ματαίῳ ὑπερβολῆς.

5. Καὶ μή τις ὑπολάβῃ κατηγορίαν εἶναι τῆς κτίσεως τὰ λεγόμενα. Ἦ γὰρ ἂν εἰς τὸν πεποιηκότα τὰ πάντα διαβαίνοι τὸ ἔγκλημα, εἰ τοιούτων ἡμῖν δημιουργὸς ἀναφανείη ὁ συστησάμενος ἐξ οὐκ ὄντων τὰ πάντα, εἴ περ
284 A. 5 ματαιότης εἴη τὰ πάντα. | Ἀλλ' ἐπειδὴ διπλῆ μέν ἐστιν ἡ τοῦ ἀνθρώπου κατασκευή, ψυχῆς σώματι συνδραμούσης,
624 M. μεμέρισται δὲ καταλλήλως ἑκατέρῳ τῶν ἐν ἡμῖν θεωρουμένων τὸ τῆς ζωῆς εἶδος· ἄλλη γὰρ ψυχῆς καὶ ἑτέρα σώματός ἐστι ζωή· ἡ μὲν γὰρ θνητὴ καὶ ἐπίκηρος, ἡ δὲ
10 ἀπαθὴς καὶ ἀκήρατος, καὶ αὕτη μὲν εἰς τὸ παρὸν βλέπει μόνον, τῆς δὲ ὁ σκοπὸς εἰς τὸ διηνεκὲς παρατείνεται· ἐπεὶ οὖν πολλὴ διαφορὰ τοῦ θνητοῦ πρὸς τὸ ἀθάνατον καὶ τοῦ προσκαίρου πρὸς τὸ ἀΐδιον, πρὸς τοῦτο φέρει τοῦ

1. *Hom.* I, 5 et 6 : Grégoire répond aux objections liées à la question du mal. Voir de même Basile, *Hom. : Quod Deus non est auctor malorum* (*PG* 31, 329-354).

2. Διπλοῦς : mot-clef de la définition de la nature humaine, utilisé par Grégoire chaque fois qu'il rappelle la distinction de l'âme et du corps (*hom.* I, 5, 5 ; VI, 10, 19 ; VIII, 1, 49-50).

3. Grégoire utilise plus couramment le vocabulaire du mélange (κεράννυμι) et de l'union (ἕνωσις) pour signifier l'union de l'âme et du

apparences des réalités sont simplement vaines, mais que celles-ci ont par excellence le signe de ce qui est vain, comme si l'on disait plus mort que ce qui est mort ou plus inanimé que ce qui est inanimé. Assurément l'intensité du comparatif ne s'applique pas à pareilles réalités, mais on se sert de ce tour pour exprimer clairement l'excès dans ce que l'on montre. De même donc qu'il y a des notions d'« œuvre des œuvres » et de « saint des saints » pour indiquer le superlatif par rapport au comparatif, de même aussi l'expression « vanité des vanités » montre le degré insurpassable de l'excès dans la vanité.

Ces paroles ne condamnent ni Dieu ni la création

5. Et qu'on n'aille pas prendre ces paroles pour une accusation de la création [1]. Assurément le reproche atteindrait celui qui a fait l'univers si, à supposer que tout soit vanité, celui qui a établi l'univers à partir du non-être nous apparaissait comme le créateur de telles réalités. Mais la structure de l'homme est double [2], l'âme s'étant unie [3] au corps, et la forme que prend la vie a été divisée d'une manière appropriée à chacune des deux parties que nous observons en nous : autre la vie de l'âme, autre celle du corps ; celle-ci est mortelle et périssable, celle-là impassible et sans mélange, celle-ci ne regarde qu'au présent, alors que le but de l'autre s'étend dans la durée. Et puisque la différence est grande entre ce qui est mortel et ce qui est immortel, entre ce qui est passager et ce qui est éternel, voici ce sur

corps (voir J. P. CAVARNOS, « The relation of body and soul in the thought of Gregory of Nyssa », dans *Gregor von Nyssa und die Philosophie*, p. 61-78). Le composé en συν- utilisé ici souligne que la venue à l'existence se fait en même temps pour l'âme et le corps (voir *De hom. op.* 29). Il est notable que le même verbe συντρέχω exprime l'union des deux natures du Christ (voir *PGL, s.v.)*.

ἐκκλησιαστοῦ ἡ φωνὴ τὸ μὴ δεῖν πρὸς τὴν αἰσθητὴν
15 ταύτην βλέπειν ζωήν, ἥτις συγκρινομένη τῇ ὄντως ζωῇ
ἀνύπαρκτός τις καὶ ἀνυπόστατός ἐστιν.

6. Ἀλλ' οὐδὲν ἧττον εἴποι τις ἂν μὴ ἔξω τῆς τοῦ
δημιουργοῦ κατηγορίας καὶ τοῦτον εἶναι τὸν λόγον, διότι
παρ' αὐτοῦ καὶ ἡ ψυχὴ καὶ τὸ σῶμα, ὥστε εἰ ἡ διὰ
σαρκὸς κατηγορεῖται ζωή, σαρκὸς δὲ ποιητὴς ὁ θεός, εἰς
5 ἐκεῖνον <ἂν> ἀναγκαίως ἡ τοιαύτη μέμψις τὴν ἀναφο-
ρὰν ἔχοι. Ἀλλὰ ταῦτα μὲν ἐρεῖ πάντως ὁ μήπω τῆς
σαρκὸς ἔξω γενόμενος μηδὲ ἀκριβῶς πρὸς τὴν ὑψηλοτέραν διακύψας ζωήν. Ἐπεὶ ὅ γε πεπαιδευμένος τὰ θεῖα
μυστήρια οὐκ ἀγνοεῖ πάντως ὅτι οἰκεία μὲν καὶ κατὰ
10 φύσιν τοῖς ἀνθρώποις ἐστὶν ἡ ζωὴ ἡ πρὸς τὴν θείαν φύσιν
ὡμοιωμένη, ἡ δὲ αἰσθητικὴ ζωὴ ἡ διὰ τῆς τῶν αἰσθητηρίων ἐνεργείας διεξαγομένη ἐπὶ τούτῳ τῇ φύσει δέδοται,
285 A. ἐφ' ᾧτε τὴν | τῶν φαινομένων γνῶσιν ὁδηγὸν γενέσθαι
τῆς ψυχῆς πρὸς τὴν τῶν ἀοράτων ἐπίγνωσιν, καθώς
15 φησιν ἡ Σοφία· « Ἐκ μεγέθους καὶ καλλονῆς κτισμάτων
ἀναλόγως τὸν πάντων γενεσιουργὸν καθορᾶσθαι [a]. » Ἡ δὲ
ἀνθρωπίνη ἀβουλία οὐ τὸ διὰ τῶν φαινομένων θαυμαζό-
μενον εἶδεν, ἀλλ' ὃ εἶδεν ἐθαύμασεν. Ἐπεὶ οὖν πρόσκαιρός
τε καὶ ὠκύμορος ἡ τῶν αἰσθητηρίων ἐνέργεια, τοῦτο
20 μανθάνομεν διὰ τῆς ὑψηλῆς ταύτης φωνῆς ὅτι ὁ πρὸς
ταῦτα βλέπων βλέπει οὐδέν. Ὁ δὲ διὰ τούτων πρὸς τὴν
τοῦ ὄντος κατανόησιν ὁδηγούμενος καὶ διὰ τῶν παρατρε-
χόντων τὴν στάσιμον φύσιν κατανοήσας καὶ τοῦ ἀεὶ
ὡσαύτως ἔχοντος ἐν περινοίᾳ γενόμενος εἶδέ τε τὸ ὄντως

6. a. Sag. 13, 5

1. On reconnaît l'expression du *Théétète* 176 a-b ; voir commentaire de Daniélou, *Platonisme*, p. 98-102.

quoi porte la parole de l'ecclésiaste : il ne faut pas regarder vers cette vie sensible qui, comparée à la vie réelle, est sans existence et sans fondement.

6. Mais on n'en pourrait pas moins dire que même ce discours est une condamnation du Créateur, puisque l'âme et le corps sont également son œuvre et qu'en conséquence, si on condamne la vie dans la chair, alors que Dieu a créé la chair, un blâme de cette sorte se reporterait nécessairement sur lui. C'est bien ce que dira un homme qui ne s'est pas encore dégagé de la chair et ne s'est pas vraiment tourné vers une vie plus élevée. Car celui qui a été instruit des mystères divins, lui, n'ignore aucunement que ce qui est propre aux hommes et conforme à leur nature, c'est une vie qui s'assimile à la nature divine [1] ; et que la vie sensible, qui est menée par l'activité des sens, a été donnée à notre nature pour que la connaissance des apparences guide l'âme vers l'intelligence des réalités invisibles, ainsi que le dit la Sagesse : « D'après la grandeur et la beauté des réalités créées, on voit analogiquement l'auteur de toutes choses [a] » [2]. Mais l'irréflexion humaine n'a pas vu ce qui est admirable à travers les apparences, elle a admiré ce qu'elle a vu. Puisque donc l'activité des sens est momentanée et éphémère, nous apprenons par cette parole élevée que celui qui porte sa vue sur ces choses-là ne voit rien. Mais celui qui est guidé par elles vers la compréhension de l'être, qui comprend par ce qui est fugitif la nature stable et entre dans l'intelligence de ce qui demeure toujours de façon identique, celui-là a vu ce

2. *Sag.* 13, 5 semble ici un rectificatif apporté à la négativité de l'*Ecclésiaste* (voir ci-dessus, Introd., p. 35). Après l'allusion au *Théétète*, la proximité de ce verset avec un fragment d'ANAXAGORE (fr. 21a Diels-Kranz) est aussi remarquable : « En effet les phénomènes sont la vue des choses non sensibles » (trad. Dumont, *Les Présocratiques*, Paris 1988).

25 ὃν ἀγαθὸν καὶ ὃ εἶδεν ἐκτήσατο· κτῆσις γάρ ἐστι τοῦ ἀγαθοῦ τούτου ἡ εἴδησις.

7. « Τίς γὰρ περισσεία, φησί, τῷ ἀνθρώπῳ, ᾧ μοχθεῖ ὑπὸ τὸν ἥλιον [a] ; » Τὴν ἐν τῷ σώματι ζωὴν προσηγόρευσε μόχθον ἐπὶ μηδενὶ κατορθώματι ἀκερδῶς σπουδαζόμενον. « Τίς γάρ, φησί, περισσεία τῷ ἀνθρώπῳ ; » Τοῦτ' ἔστι, τί 5 περιγίνεται τῇ ψυχῇ διὰ τοῦ βιωτικοῦ μόχθου τοῖς πρὸς τὸ φαινόμενον ζῶσιν ; Ἐν τίνι δὲ καὶ ἔστιν ἡ ζωὴ ἢ τί 286 A. μένει τῶν φαινομένων | καλῶν ἐν ταὐτότητι ; Ἥλιος περιέρχεται τὸν ἴδιον δρόμον [b] λάμπων ἀνὰ μέρος καὶ σκοτιζόμενος, φωτίζων τε τὸν ὑπερκείμενον ἡμῖν ἀέρα, 10 ὅταν ὑπὲρ γῆς ἑαυτὸν δείξῃ, καὶ σκότος διὰ τῶν δυσμῶν ἐφελκόμενος. Ἥστηκε δὲ ἡ γῆ [c] καὶ μένει ἐν τῷ παγίῳ ἀκίνητος, καὶ τὸ ἑστὼς οὐ κινεῖται, καὶ οὐχ ἵσταται τὸ κινούμενον, πάντα δὲ διὰ τῶν αὐτῶν ἐν παντὶ τῷ χρονικῷ διαστήματι δείκνυται, κατ' οὐδὲν διὰ τῆς πρὸς τὸ 15 καινότερον μεταβολῆς ἀλλασσόμενα. Δοχεῖόν ἐστι τῶν

7. a. Eccl. 1, 3 b. cf. Eccl. 1, 5-6 c. Eccl. 1, 4b

---

1. Soucieux de ses effets rhétoriques, Grégoire joue sur les homophonies et donne à la phrase l'allure d'une sentence (voir de même *hom.* III, 5, 60 ; VII, 8, 76-77). Voir MÉRIDIER, *L'influence de la seconde sophistique*, en particulier p. 178-181.

2. L'identité fait partie chez PLOTIN des notions premières ; cf. *Ennéades* V, 1, 4 ; VI, 2, 8, sur l'identité de l'Être.

3. Après avoir cité *Eccl.* 1, 3, Grégoire tire des versets suivants une réflexion sur les éléments ; mais tout son commentaire étant ordonné à l'analogie avec la nature humaine qui est affirmée ensuite (I, 8, 2-3), il ne suit pas l'ordre du texte biblique (à la différence, par ex., de l'*In Hexaem.*, où chaque verset de *Gen.* 1 est commenté séparément).

qui est réellement bon et possède ce qu'il a vu. Car la vision de ce bien, c'est sa possession [1].

Mouvement et stabilité des éléments

7. « Quel avantage pour l'homme à la peine qu'il prend sous le soleil [a] ? », dit le texte. Il proclame que la vie dans le corps est une peine et une occupation qui n'obtiennent aucun succès ni gain. « Quel avantage pour l'homme ? », dit-il. C'est-à-dire, de quoi bénéficie l'âme de ceux qui, dans la peine propre à cette vie, vivent pour l'apparence ? En quoi la vie consiste-t-elle donc ? ou qu'est-ce qui subsiste des belles réalités visibles en gardant son identité [2] ? Le soleil parcourt sa propre course [b], il brille et s'assombrit tour à tour, illuminant l'atmosphère qui est au-dessus de nous chaque fois qu'il se montre au-dessus de la terre, et amenant l'ombre par son coucher [3]. La terre, elle, se tient stable [c] et reste immobile en un point fixe ; ce qui est stable ne se meut pas, et ce qui est en mouvement n'a pas de stabilité, mais toutes choses se montrent, dans tout l'intervalle du temps [4], sous la même apparence, et ne sont nullement transformées par une mutation en quelque chose de plus nouveau. La mer est un réceptacle [5] des eaux qui s'écoulent venant de

4. Le vocabulaire de l'étendue sert à exprimer le temps, ici et ailleurs. Voir ci-dessus, Introd., p. 59-61.

5. L'image du « réceptacle » est héritée de la physique antique (PLATON, *Timée* 71 c) ; elle se trouve déjà chez BASILE, *Hom. sur l'Hexaéméron* IV, 7, *SC* 26 bis, p. 272-273. Dans la même homélie (IV, 3, p. 252 s.), Basile associe *Eccl.* 1, 7 au verset de *Gen.* 1, 9 : « Voilà pourquoi, selon la parole de l'*Ecclésiaste* : 'Tous les torrents vont à la mer, et la mer n'en est pas remplie.' Car les eaux coulent en vertu du commandement divin ; et la mer reste circonscrite à l'intérieur de ses propres limites par l'effet de cette première loi : 'Que les eaux se rassemblent en un seul lieu' .» Grégoire commente à son tour le verset de *Gen.* 1, 9 avec la même image du « réceptacle » (*In Hexaem.*, *PG* 44, 89 A).

πανταχόθεν συρρεόντων ὑδάτων ἡ θάλασσα, καὶ οὔτε ἡ
625 M. σύρροια λήγει οὔτε ἡ θάλασσα αὔξεται [d]. Τίς ὁ σκοπὸς
τοῦ δρόμου τοῖς ὕδασιν ἀεὶ πληροῦσι τὸ μὴ πληρούμενον;
Ἐπὶ τίνι δὲ τὰς ἐπιρροὰς δέχεται τῶν ὑδάτων ἡ θάλασσα,
20 ἀναυξὴς διὰ τῆς προσθήκης εἰς ἀεὶ διαμένουσα; Ταῦτα
λέγει, ἵνα ἐξ αὐτῶν τῶν στοιχείων ἐν οἷς ἐστιν ἡ ζωὴ τῶν
ἀνθρώπων προερμηνεύσῃ τῶν ἐν ἡμῖν στουδαζομένων τὸ
ἀνυπόστατον. Εἰ γὰρ ὁ συντεταμένος οὗτος τοῦ ἡλίου
δρόμος ὅρον οὐκ ἔχει οὔτε ἡ ἀνὰ μέρος φωτός τε καὶ
25 σκότους διαδοχὴ στάσιν ἐκδέχεται ἥ τε γῆ καταδεδικασ-
μένη τὴν στάσιν μένει ἐν τῷ παγίῳ ἀκίνητος, ἀνήνυτα δὲ
μοχθοῦσιν οἱ ποταμοὶ τῇ ἀπλήστῳ φύσει τῆς θαλάσσης
ἐνδαπανώμενοι, μάτην δὲ τὰς ἐπιρροὰς δέχεται τῶν
ὑδάτων ἡ θάλασσα, εἰς οὐδὲν πλέον ὑπολαμβάνουσα τοῖς
30 κόλποις τὸ διὰ παντὸς εἰσχεόμενον, εἰ ταῦτα ἐν τούτοις
ἐστίν, ἐν τίσιν εἰκὸς τὸ ἀνθρώπινον εἶναι, ὃ ἐν τούτοις τὴν
ζωὴν ἔχει, καὶ τί ξενιζόμεθα, εἰ « γενεὰ πορεύεται καὶ
287 A. γενεὰ ἔρχεται [e] », καὶ οὐκ ἐπιλείπει | τὴν φύσιν οὗτος ὁ
δρόμος, τῆς ἀεὶ ἐπεισιούσης γενεᾶς τῶν ἀνθρώπων τό τε
35 προεισελθὸν ἐξωθούσης καὶ ὑπὸ τοῦ ἐπεισιόντος ἐξωθου-
μένης;

d. cf. Eccl. 1, 7 e. Eccl. 1, 4a

---

1. Ici commence une longue phrase articulée par une double série de propositions hypothétiques. La première donne les caractéristiques propres de chaque élément d'après *Eccl.* 1, 4-7 ; la seconde ajoute l'autre principe fondamental de cette physique, le mouvement, mais le génitif absolu qui clôt la phrase souligne que le concept de φύσις inclut l'homme

partout, l'afflux ne cesse pas, et la mer ne s'accroît pas non plus [d]. Quel est le but de cette course des eaux qui emplissent toujours ce qui ne s'emplit pas ? Et pourquoi la mer accueille-t-elle l'afflux des eaux, en restant pour toujours sans s'accroître de ce qui s'ajoute à elle ? Le texte dit cela pour qu'à partir des éléments mêmes dans lesquels se passe le vie des hommes, on interprète d'avance le caractère inconsistant de nos occupations. En effet [1], si cette course bien réglée du soleil n'a pas de limite, si la succession, tour à tour, de la lumière et des ténèbres n'admet pas la stabilité, si la terre qui a été condamnée à la stabilité demeure immobile en un point fixe [2], si d'autre part les fleuves peinent sans résultat pour être dilapidés par la nature insatiable de la mer, si c'est en vain que la mer accueille l'afflux des eaux puisqu'elle ne gagne rien de plus à prendre dans son sein ce qui se déverse continuellement, s'il en est ainsi pour ces éléments, qu'en est-il vraisemblablement de l'humanité, elle qui vit au milieu d'eux, et pourquoi nous étonner si « un âge va et un âge vient [e] », et si cette course n'épargne pas notre nature, puisque la génération des hommes se reproduit sans cesse, chacune chassant la précédente avant d'être chassée par la suivante ?

lui-même. Grégoire arrive donc au terme de sa démonstration (voir ci-dessus, Introd., chap. V, sur la physique anthropocentrique).

2. Sur la nouveauté de l'interprétation d'*Eccl.* 1, 4 par rapport à l'exégèse origénienne, voir ci-dessus, Introd., chap. I. En opposant stabilité et instabilité, Grégoire utilise les catégories fondamentales de la pensée grecque (voir A. Spira, « Le temps d'un homme selon Aristote et Grégoire de Nysse : stabilité et instabilité dans la pensée grecque », dans *Le temps chrétien*, p. 283-294). Quant à la question de la stabilité des eaux de la mer, elle est l'occasion pour Basile (*Hom. sur l'Hexaéméron* III, 7) de réfuter la conception aristotélicienne.

8. Τί οὖν βοᾷ διὰ τούτων τῇ ἐκκλησίᾳ ὁ λόγος; ὅτι, ὦ ἄνθρωποι, εἰς τὸ πᾶν ἀποβλέποντες τὴν ἑαυτῶν φύσιν νοήσατε. Ἃ περὶ τὸν οὐρανὸν καὶ τὴν γῆν βλέπεις, ἃ ἐν τῷ ἡλίῳ καθορᾷς, ἃ ἐν τῇ θαλάσσῃ κατανοεῖς, ταῦτά σοι
5 καὶ τὴν σὴν φύσιν ἑρμηνευέτω. Ἔστι γάρ τις καθ' ὁμοιότητα τοῦ ἡλίου καὶ τῆς φύσεως ἡμῶν ἀνατολή τε καὶ δύσις. Μία ὁδὸς τοῖς πᾶσιν, εἷς ὁ κύκλος τῆς τοῦ βίου πορείας. Ὅταν διὰ γενέσεως ἀνατείλωμεν, πάλιν εἰς τὸ συγγενὲς χωρίον ἡμῶν καθελκόμεθα. Τῆς γὰρ ζωῆς ἡμῖν
10 ἐπιδυείσης, ὑπόγειον καὶ τὸ ἡμέτερον γίνεται φέγγος, ὅταν ἡ ἀντιληπτικὴ τοῦ φωτὸς αἴσθησις γῆ γένηται· πάντως δὲ ἡ γῆ πρὸς τὸ συγγενὲς ἀναλύεται, καὶ οὗτος κύκλος τίς ἐστι διηνεκῶς ἐν τοῖς αὐτοῖς ἑλισσόμενος. Καθάπερ ἐπὶ τοῦ ἡλίου φησὶν ὁ λόγος ὅτι ἀνατέλλων [a] μὲν
15 κατὰ τὸ ἄνω τῆς γῆς μέρος τοῖς νοτίοις ἐνδιοδεύει, ὑπόγειος δὲ κατὰ τὸ ἀντικείμενον τὸ βόρειον ὑπέρχεται μέρος καὶ τοῦτον τὸν τρόπον εἰς ἀεὶ περιοδεύων κυκλοῖ τὸν ἑαυτοῦ δρόμον καὶ πάλιν ἀνακυκλῶν περιέρχεται· « Κυκλοῖ γάρ, φησί, κυκλῶν [b] »· οὕτω τοίνυν καὶ τὸ σὸν

8. a. cf. Eccl. 1, 5-6 b. Eccl. 1, 6c

1. Le premier mode de la connaissance de soi repose donc sur l'analogie entre microcosme et macrocosme, empruntée à la tradition stoïcienne ; voir E. CORSINI, « L'harmonie du monde et l'homme microcosme dans le *De hominis opificio* », dans *Épektasis*, p. 455-462. Au début du *De an. et res.* (*PG* 46, 20 B), c'est aussi à partir de la théorie des éléments et de l'affirmation du retour de chaque être à ses éléments constitutifs que s'engage la discussion sur la nature de l'âme. — La suite de l'homélie oriente ce thème de la connaissance de soi vers l'affirmation de la ressemblance avec Dieu (voir ci-dessous, en 13, 22, la référence à *Gen.* 1,26) ; E. CORSINI a souligné cette dualité de la réflexion de Grégoire sur la nature humaine dans un autre article, « Plérôme humain et plérôme cosmique chez Grégoire de Nysse », dans *Écriture et culture*

« Connais-toi toi-même »

8. Que proclame donc par là le texte pour l'Église ? ceci : hommes, vous qui regardez l'univers, concevez votre propre nature [1]. Ce que tu observes du ciel et de la terre, ce que tu vois du soleil, ce que tu conçois de la mer, interprète-le par rapport à toi et à ta nature. Car il existe aussi, à la ressemblance du soleil, un lever et un coucher de notre nature. Il y a un unique chemin pour tous, unique est le cercle du trajet de la vie. Lorsque par la naissance nous nous levons, nous sommes entraînés à l'inverse vers le bas vers notre emplacement naturel. Car au coucher de notre vie, notre éclat aussi devient souterrain, lorsque la sensation qui nous fait percevoir la lumière devient terre ; et, de toute façon, la terre se dissout en ce qui lui est semblable et c'est comme un cercle qui se déroule continûment dans les mêmes éléments. De même pour le soleil, le texte dit qu'à son lever [a] il s'avance [2] avec les vents du sud dans la partie du ciel située au-dessus de la terre ; puis sous terre, il va à l'opposé vers la partie nord, et, parcourant ainsi son chemin éternellement, il accomplit le cercle de sa course, et, dans un nouveau cercle, il la parcourt encore. « Il circule et circule [b] », dit le texte.

philosophique, p. 111-126 (voir en particulier p. 111-119). — Le précepte socratique s'inscrit bien sûr à l'horizon de cette double approche. Textes parallèles chez Grégoire : *In Cant.* II (*GNO* VI, p. 63-69) ; *De beat.* V (*GNO* VII, 2, p. 133) ; *De an. et res.* (*PG* 46, 29 A). Un passage du *De mortuis* (*GNO* IX, p. 40, 1-20) met en parallèle l'expression de *Deut.* 15, 9 (πρόσεχε σεαυτῷ), le précepte socratique et une formule empruntée à *Prov.* 13, 10 (ἑαυτῶν ἐπιγνώμονες). Voir le chapitre consacré par P. Courcelle au précepte delphique d'Origène aux Cappadociens dans *Connais-toi toi-même*, p. 97-111.

2. Le verbe ἐνδιοδεύω est donné par L. Méridier comme un des néologismes forgés par Grégoire (*L'influence de la seconde sophistique*, p. 91). Le composé περιοδεύω, employé peu après, est d'un emploi classique.

20 πορεύεται πνεῦμα — ἀπὸ μέρους ἅπαν ὀνομάζων τὸ
288 A. ἀνθρώπινον πνεῦμα —, | τὴν ἐγκύκλιον ταύτην διὰ τῶν ὁμοίων περιτρέχον φοράν. « Πορεύεται γάρ, φησί, τὸ πνεῦμα καὶ ἐπὶ κύκλους αὐτοῦ ἐπιστρέφει τὸ πνεῦμα[c]. » Ὁ δὲ ταῦτα κατανοήσας οὐκ ἂν μικρὰ πρὸς τὸν ἑαυτοῦ
25 βίον ὠφεληθείη. Τί λαμπρότερον τοῦ φωτός ; Τί τῶν ἀκτίνων φανότερον ; Ἀλλ' ὅμως εἰ ὑπὸ γῆν ὁ ἥλιος ἔλθοι, κρύπτεται τὸ φέγγος καὶ ἡ ἀκτὶς ἀφανίζεται.

9. Πρὸς ταῦτά τις βλέπων σωφρονέστερον τὸν ἑαυτοῦ παρερχέσθω βίον, καταφρονῶν τῆς ὧδε περιφανείας, μαθὼν ἐκ τῶν ὁρωμένων ὅτι οὐ διαρκεῖ πρὸς τὸ διηνεκὲς τὸ ἐπίσημον, ἀλλ' ἀγχίστροφοί εἰσιν αἱ τῶν ἐναντίων
5 διαδοχαί· μένει δὲ οὐδὲν εἰς ἀεὶ τοιοῦτον οἷον ἐν τῷ
628 M. παρόντι ἐστίν, οὐ νεότης, οὐ κάλλος, οὐχ ἡ ἐκ τῶν δυναστειῶν περιφάνεια. Καὶ ταῦτα μὲν τοῖς ἐν εὐκληρίᾳ τινὶ ζῶσιν· ὅσοις δὲ ἐπίπονος ὁ πρὸς ἀρετὴν δοκεῖ βίος, τῷ τῆς γῆς ὑποδείγματι πρὸς τὸ ἐγκαρτερεῖν τοῖς δεινοῖς
10 ἡ ψυχὴ παιδοτριβείσθω. « Ἡ γῆ εἰς τὸν αἰῶνα ἕστηκεν[a]. » Τί μοχθηρότερον τῆς ἀκινήτου ταύτης παγιότητος ; Καὶ ὅμως παρατείνεται μέχρις αἰῶνος ἡ στάσις. Σὺ δέ, ᾧ ὀλίγος ὁ τῆς ἀθλήσεως χρόνος, μὴ γίνου τῆς γῆς ἀψυχότερος, μὴ γίνου τῶν ἀναισθήτων ἀνοητότερος ὁ
15 λογισμὸν εἰληχὼς καὶ λόγῳ πρὸς τὴν ζωὴν διοικούμενος,

c. Eccl. 1, 6c-d
9. a. Eccl. 1, 4b

---

1. Le mouvement du soleil et l'alternance d'ombre et de lumière qu'il produit, image ici de la vie humaine, donnent aussi son sens au symbolisme liturgique de Noël dans le sermon *In diem nat.* (*PG* 46, 1128-1149) ; analyse du symbolisme par J.-R. Bouchet, « La vision de l'économie du salut selon Grégoire de Nysse », *RSPT* 52 (1968), p. 613-644.

Ainsi, de la même manière va aussi ton propre souffle — et par la partie le texte nomme le tout, en parlant du souffle humain —, lorsqu'il accomplit de la même façon ce mouvement circulaire. « Il va, le souffle, dit le texte, et il retourne sur ses circuits, le souffle [c] .» Un homme qui concevrait cela n'en tirerait pas un mince avantage pour sa propre vie. Qu'y a-t-il de plus brillant que la lumière ? Qu'y a-t-il de plus manifeste que les rayons ? Et pourtant, si le soleil va sous terre, caché est son éclat et son rayon voilé [1].

9. Que celui qui considère cela parcoure sa vie plus sagement, en méprisant cette splendeur-là, sachant d'après ce qu'il voit que ce qui se remarque ne subsiste pas pour toujours, mais que les successions de contraires vont par des retournements rapides et que rien ne reste pour toujours semblable à ce qui est dans le moment présent, ni la jeunesse, ni la beauté, ni la splendeur donnée par les pouvoirs. Et cela vaut pour ceux qui ont une vie heureuse. Mais ceux dont la vie paraît pénible par comparaison avec leur vertu, que l'exemple de la terre les forme à endurer le malheur. « La terre est stable pour toujours [a] » [2]. Quoi de plus pénible à supporter que cette fixité immobile ? Et pourtant cette stabilité dure pour toujours. Mais toi, dont le temps d'épreuve est court [3], ne deviens pas plus inanimé que la terre, ne deviens pas plus insensé que les êtres insensibles, toi qui as reçu la capacité de raisonner et qui dans ta vie es gouverné par la raison ; au contraire, comme

2. Dans l'*In Hexaem.* (*PG* 44, 92 D) Grégoire utilise *Eccl.* 1, 4 pour son commentaire de *Gen.* 1, 9 et définit la terre comme οὐκ ἐλαττουμένη, οὐ πλεονάζουσα. La notion de mesure est au centre de la définition de chaque élément et de l'ensemble du monde créé.

3. Peut-être faut-il voir dans cette expression une allusion à *Hébr.* 10, 32.

ἀλλὰ « μένε, καθώς φησιν ὁ ἀπόστολος, ἐν οἷς ἔμαθες καὶ ἐπιστώθης [b] », ἐν ἑδραίᾳ καὶ ἀμετακινήτῳ τῇ στάσει. Ἐπεὶ καὶ τοῦτο τῶν θείων παραγγελμάτων ἐστί, τό
289 A. « Ἑδραῖοι καὶ ἀμετακίνητοι | γίνεσθε [c] », ἄσειστος ἔν σοι
20 μενέτω ἡ σωφροσύνη, παγία ἡ πίστις, ἀμετάθετος ἡ ἀγάπη, ἀκίνητος ἡ ἐν παντὶ καλῷ στάσις, ὡς ἂν καὶ ἡ ἔν σοι γῆ εἰς τὸν αἰῶνα ἑστήκοι.

Εἰ δέ τις κεχηνὼς πρὸς τὴν πλεονεξίαν καθάπερ τινὰ θάλασσαν τὴν ἀμετρίαν τῆς ἐπιθυμίας ἁπλώσας πρὸς τὰ
25 πανταχόθεν εἰσρέοντα κέρδη ἀπλήστως ἔχοι, οὗτος πρὸς τὴν ὄντως θάλασσαν βλέπων θεραπευέσθω τὴν νόσον. Ὡς γὰρ ἐκείνη τὸ ἑαυτῆς οὐ παρέρχεται μέτρον ἐν ταῖς μυρίαις τῶν ὑδάτων ἐπιρροαῖς, ἀλλ' ἐν τῷ ἴσῳ διαμένει πληρώματι, καθάπερ οὐδεμιᾶς αὐτῇ γινομένης ἐξ ὑδάτων
30 προσθήκης, κατὰ τὸν αὐτὸν τρόπον καὶ ἡ ἀνθρωπίνη φύσις ἰδίοις μέτροις ἐν τῇ ἀπολαύσει τῶν προσόντων διειλημμένη συμπλατῦναι τῷ πλήθει τῶν προσόδων τὴν ἀπολαυστικὴν λαιμαργίαν οὐ δύναται, ἀλλὰ τὸ μὲν εἰσρέον οὐ παύεται, ἡ δὲ τῆς ἀπολαύσεως δύναμις ἐν τῷ
35 ἰδίῳ ὅρῳ φυλάσσεται. Εἰ οὖν ἡ ἀπόλαυσις πλεονάσαι οὐ δύναται παρὰ τὸ μέτρον τῆς φύσεως, εἰς τί τὰς τῶν προσόδων ἐπιρροὰς ἐφελκόμεθα, οὐδέποτε πρὸς εὐποιΐαν ἄλλων ἐκ τῶν ἐπεισιόντων ὑπερχεόμενοι ; Ἐπεὶ δὲ κατὰ τὸν ἀποδοθέντα ἡμῖν τῆς ματαιότητος λόγον ἢ τὸ ἀνόητον
40 ῥῆμα ἢ τὸ ἀνόνητον πρᾶγμα ματαιότης ἐστίν, καλῶς ἐκεῖθεν τοῦ λόγου ἄρχεται, ὡς ἂν μήτε τι τῶν γινομένων

b. II Tim. 3, 14 c. I Cor. 15, 58

1. De façon paradoxale par rapport à l'exhortation des lignes précédentes, l'interprétation de *I Cor.* 15, 58 fait de la terre le modèle de la stabilité dans le bien. Dans la *Vie de Moïse* (II, 244), Grégoire, élaborant la doctrine de l'épectase, souligne avec ce même verset le paradoxe de l'alliance de la stabilité et du mouvement dans le bien.

dit l'Apôtre, « tiens-toi à ce que tu as appris et dont tu as acquis la certitude [b] », dans une stabilité ferme et immuable [1]. Puisque cette parole : « Soyez fermes et immuables [c] » fait aussi partie des commandements divins, qu'en toi la tempérance demeure inébranlable, la foi ferme, la charité immuable, immobile la stabilité en toute sorte de biens, comme si la terre qui est en toi demeurait aussi pour toujours.

Au contraire, si quelqu'un restait bouche bée devant la richesse comme devant une mer, si, déployant l'excès de son désir, il restait insatiable à la vue des gains qui affluent de partout, qu'il soigne sa maladie en regardant la mer véritable. Car de même que celle-ci ne dépasse pas sa propre mesure dans les innombrables écoulements des eaux, mais demeure également pleine comme si les eaux ne lui ajoutaient rien, de la même façon la nature humaine elle aussi, définie par des mesures propres dans sa jouissance de ce qui est, ne peut pas étendre sa gloutonnerie avide de jouissance à la mesure de l'ampleur des ressources ; au contraire, alors que l'afflux des biens ne cesse pas, sa capacité d'en jouir se maintient dans la limite qui lui est propre [2]. Si donc la jouissance ne peut pas s'accroître au-delà de la mesure de notre nature, pourquoi attirons-nous l'afflux des ressources sans jamais laisser déborder de ce qui nous en échoit pour en faire bénéficier d'autres ? Et puisque, selon l'explication que nous avons donnée de la vanité [3], elle est ou bien une parole qui n'a pas de sens ou bien une action sans succès, il est bon que le texte commence par cela, afin que nous ne considérions

2. Même affirmation dans l'*In Hexaem.* (*PG* 44, 93 A). De même que chaque élément a ses mesures et ses limites propres, c'est la φύσις tout entière qui est, elle aussi, délimitée ; la limite, c'est le propre du créé. Voir R. Leys, *L'image de Dieu chez saint Grégoire de Nysse*, Paris 1951, p. 78 s., sur la notion de plérôme.

3. Voir *hom.* I, 3.

μήτε τι τῶν λεγομένων, εἴ τι πρὸς τὸν ὧδε βλέπει
290 A. σκοπόν, | ὡς ὑφεστὼς λογισώμεθα. Πᾶσα γὰρ ἀνθρώπων
σπουδὴ πρός τι τῶν παρὰ τὸν βίον ἀσχολουμένη νηπίων
45 ἄντικρύς ἐστι τὰ ἐπὶ ψάμμων ἀθύρματα, οἷς ἡ τῶν
γινομένων ἀπόλαυσις τῇ περὶ τὰ γινόμενα σπουδῇ
συναπέληξεν· ἅμα τε γὰρ τοῦ πονεῖν ἐπαύσαντο, καὶ ἡ
ψάμμος πρὸς ἑαυτὴν συρρυεῖσα οὐδὲν ἴχνος τῶν πεπο-
νημένων τοῖς παισὶν ὑπελείπετο.

10. Τοῦτό ἐστιν ὁ ἀνθρώπινος βίος, ψάμμος ἡ φιλοτι-
μία, ψάμμος ἡ δυναστεία, ψάμμος ὁ πλοῦτος, ψάμμος
ἕκαστον τῶν κατὰ σπουδὴν διὰ σαρκὸς ἀπολαυομένων· ἐν
οἷς νῦν αἱ νηπιώδεις ψυχαὶ τοῖς ἀνυποστάτοις ἐμματαιά-
5 ζουσαι καὶ πολλοὺς περὶ ἕκαστον τούτων ὑπομένουσαι
πόνους, εἰ μόνον ἀπολείποιεν τὸ τῆς ψάμμου χωρίον, τὴν
ἐν σαρκὶ λέγω ζωήν, τότε τὸ μάταιον τῆς ὧδε διατριβῆς
629 M. ἐπιγνώσονται· τῷ γὰρ ὑλικῷ βίῳ καὶ ἡ ἀπόλαυσις
συναπέμεινεν, ἐφέλκονται δὲ μεθ' ἑαυτῶν οὐδὲν ὅτι μὴ
10 τὴν συνείδησιν μόνην. Ὥς μοι δοκεῖ καὶ ὁ μέγας
ἐκκλησιαστὴς ὥσπερ ἤδη ἔξω τούτων γενόμενος καὶ
γυμνῇ τῇ ψυχῇ τῆς ἀΰλου ζωῆς ἐπιβατεύων ἐκεῖνα εἶπεν,
ἃ εἰκός ποτε καὶ ἡμᾶς εἰπεῖν, ὅταν ἔξω τοῦ παραλίου

1. Faisant allusion à ce passage, E.R. DODDS (*Païens et chrétiens*, chap. I) montre combien une telle image de la vie humaine, qualifiée par ailleurs de « magie » et d'« illusion » (*V. Moys.* II, 316, *SC* 1 ter) s'inscrit dans la tradition néoplatonicienne ; il suggère des rapprochements avec PORPHYRE (*De abstinentia* I, 28) et PLOTIN (*Ennéades* IV, 3, 17-27). Avec des images d'une plus grande violence, certaines *Pensées* de MARC-AURÈLE sont aussi très proches, par ex. V, 33, 1-2 : « Dans un instant, tu ne seras plus que cendre ou squelette, et un nom, ou plus même un nom. Le nom : un vain bruit, un écho ! Ce dont on fait tant de cas dans la vie, c'est du vide, pourriture, mesquinerie, chiens qui s'entre-mordent, gamins querelleurs, qui rient et pleurent sans transition... » (trad. Trannoy, Paris 1975).

comme subsistant rien de ce qui se produit, rien de ce qui est dit, du moment que cela vise un but vain. Car tout l'empressement que mettent les hommes à ce qui concerne cette vie, c'est comme les jeux des petits enfants dans le sable [1] : la jouissance qui en naît cesse lorsqu'ils ne s'en occupent plus [2]. Aussitôt qu'ils arrêtent leurs efforts, le sable en s'écoulant sur lui-même ne laisse aucune trace des efforts faits par les enfants.

10. Voilà ce qu'est la vie humaine : sable l'ambition, sable la puissance, sable la richesse, sable tout ce dont nous nous empressons de tirer une jouissance charnelle [3]. Les âmes infantiles qui maintenant s'attachent vainement à ces choses sans fondement et qui endurent de nombreuses peines pour chacune d'elles reconnaîtront la vanité de cette manière de passer sa vie si seulement elles abandonnent l'emplacement du sable, je veux dire la vie dans la chair. Car la jouissance n'a que la durée de la vie dans la matière et les âmes n'en retirent pour elles-mêmes rien d'autre que la seule conscience. Le grand ecclésiaste lui aussi, me semble-t-il, prononça ces paroles comme quelqu'un qui était déjà loin de ces choses et qui, l'âme nue, était embarqué sur le navire de la vie immatérielle [4] ; et vraisemblablement nous prononcerons un jour nous aussi ces paroles, lorsque nous serons loin du rivage le long

2. L'expression σπουδὴ ... ἀσχολουμένη est pléonastique. La comparaison qui suit donne aux deux termes, par eux-mêmes de signification neutre, une connotation péjorative, qui reste attachée au mot σπουδή, très fréquent dans les Homélies. L'opposition σχολή/ἀσχολέω recouvre celle du latin *otium/negotium*. Voir M. HARL, « Les modèles d'un temps idéal dans quelques récits de vie », dans *Le temps chrétien*, p. 220-241 (note complémentaire, p. 239-241, sur quelques emplois de σχολάζειν et de σχολή chez les chrétiens).

3. L'image du sable n'est pas sans rappeler les déclarations de Salomon en *Sag*. 7, 8-10.

4. Sur l'origine de l'image, voir P. COURCELLE, « Grégoire de Nysse lecteur de Porphyre », *REG* 80 (1967), p. 402-406.

τούτου τόπου γενώμεθα περὶ ὃν ἡ ψάμμος ἐστὶν ἡ ὑπὸ
15 τῆς τοῦ βίου θαλάσσης ἐκπτυομένη, καὶ πάντων χωρισθῶμεν τῶν περικτυπούντων ἡμᾶς καὶ καταβομβούντων
291 A. κυμάτων, ἐκ τῆς νοηθείσης θαλάσσης μόνον | τὴν μνήμην τῶν ὧδε σπουδασθέντων ἐπαγόμενοι λέγωμεν τό « Ματαιότης ματαιοτήτων, τὰ πάντα ματαιότης[a] », καὶ τό
20 « Τίς περισσεία τῷ ἀνθρώπῳ, ᾧ μοχθεῖ ὑπὸ τὸν ἥλιον[b] ; » Ὄντως γάρ, κατά γε τὸν ἐμὸν λόγον, πάσης ἐστὶ ψυχῆς οὗτος ὁ λόγος, ὅταν γυμνωθεῖσα τῶν τῆδε πρὸς τὸν ἐλπιζόμενον μετοικισθῇ βίον. Εἴτε γάρ τι τῶν ὑψηλοτέρων ἐν τῇ ζωῇ ταύτῃ κατώρθωσε, κατηγορεῖ τούτου ἐν
25 ᾧ ἦν, τῇ πρὸς τὸ εὑρεθὲν συγκρίσει τὸ παρελθὸν ἀτιμάζουσα· εἴτε καὶ προσπαθῶς περὶ τὴν ὕλην διατεθεῖσα ἴδοι τὰ ἀπροσδόκητα καὶ τῇ πείρᾳ μάθοι τῶν σπουδασθέντων παρὰ τὸν βίον αὐτῇ τὸ ἀνόνητον, τότε θρηνοῦσα τὴν φωνὴν ταύτην προήσεται, οἷα δὴ ποιοῦμεν
30 ἐκ μεταμελείας οἱ ἄνθρωποι τὰς ἀβουλίας ἑαυτῶν ἐν τοῖς ὀλοφυρμοῖς διηγούμενοι, τό « Ματαιότης ματαιοτήτων » καὶ τὰ λειπόμενα.

11. « Πάντες οἱ λόγοι, φησίν, ἔγκοποι, καὶ οὐ δυνήσεται ἀνὴρ τοῦ λαλεῖν[a]. » Καὶ μὴν οὐδὲν ἐκ τοῦ προχείρου νομίζεται τοῦ λαλεῖν εὐκολώτερον. Τίς γάρ ἐστι κόπος τῷ λαλοῦντι ὅ τί τις βούλεται ; Ὑγρὰ ἡ γλῶσσα καὶ
5 εὔστροφος καὶ πρὸς ὅτιπερ ἂν ἐθέλῃ ῥημάτων εἶδος ἀπόνως ἑαυτὴν σχηματίζουσα· ἀκώλυτος ἡ ὁλκὴ τοῦ

10. a. Eccl. 1, 2 b. Eccl. 1, 3
11. a. Eccl. 1, 8a-b

---

1. Le rapprochement entre *Eccl.* 1, 8 et *I Tim.* 5, 17 est justifié par l'étymologie commune d'ἔγκοπος et du verbe κοπιάω. Le rapport entre sagesse et vieillesse est un des lieux communs de l'imagerie antique. Voir M. Aubineau, Note à *De virg.* XXIII, 6, *SC* 119, p. 555-557 (appendice

duquel le sable est ce que rejette la mer de la vie, et lorsque nous serons éloignés de tous les flots qui résonnent et mugissent autour de nous : loin de cette mer que nous avons connue, nous garderons seulement le souvenir de ce qui nous y a préoccupés et nous dirons ces mots : « Vanité des vanités, tout est vanité [a] », et : « Quel avantage pour l'homme à la peine qu'il prend sous le soleil ? [b] » Car vraiment, à mon avis du moins, ce discours est celui de toute âme lorsque, après avoir été dépouillée des réalités d'ici-bas, elle a émigré vers la vie qu'elle espérait. Qu'elle ait atteint une réalité plus élevée dans cette vie et accuse sa vie antérieure, méprisant le passé lorsqu'elle le compare à ce qu'elle a trouvé, ou que, restée dans des dispositions passionnées pour la matière, elle ait vu ce à quoi elle ne s'attendait pas et ait appris par expérience l'inutilité de ce qui l'occupait dans sa vie, elle prononcera alors en se lamentant cette parole — comme bien sûr nous le faisons, nous les hommes, par repentir quand nous rapportons avec des gémissements nos actes irréfléchis — : « Vanité des vanités », et la suite.

Les vrais discours

11. « Tous les discours, dit le texte, sont fatigants, et aucun homme ne pourra parler [a] » [1]. Et pourtant rien de ce qui est à notre portée ne semble plus facile que parler. En effet, quelle fatigue y a-t-il pour celui qui dit ce qu'il veut ? La langue est humide, souple, et elle prend sans difficulté la forme des mots qu'elle veut prononcer ; rien n'empêche l'aspira-

IV : L'enfant-vieillard). PHILON, *De vita contemplativa* 167, précise : « Ils considèrent comme anciens, non pas les gens âgés et grisonnants s'ils ont embrassé tardivement la doctrine, mais ceux qui dès leur jeunesse ont grandi et mûri dans la philosophie contemplative, la plus belle et la plus divine .» — Sur le rapport entre « presbytre » et prêtre, voir ci-dessus, Introd., chap. VI.

ἀερίου πνεύματος ᾧ συγκεχρημένη τοὺς φθόγγους ἐργάζεται· ἄλυπος ταῖς παρειαῖς ἡ ὑπουργία καὶ τοῖς χείλεσιν
292 A. ἅμα ἡ πρὸς τὴν ἐκφώνησιν τοῦ λεγομένου | συνεργία.
10 Τίνα οὖν ἐνορᾷ κόπον τῷ λόγῳ, τοῦ σωματικοῦ πόνου μὴ ποιοῦντος τῷ λόγῳ τὸν κόπον; Οὐ γὰρ γῆν σκάπτοντες ἢ πέτρας ἀνακυλίοντες ἢ ἐπὶ τῶν ὤμων ἀχθοφοροῦντες ἢ ἄλλο τι τῶν ἐπιπόνων κατεργαζόμενοι τὸν λόγον διεξοδεύομεν, ἀλλὰ τὸ συστὰν ἐν ἡμῖν νόημα διὰ φωνῆς ἐκκαλυ-
15 φθὲν λόγος ἐγένετο. Ἀλλ' ἐπειδὴ ὁ τοιοῦτος λόγος κόπον οὐκ ἔχει, νοητέον ἂν εἴη τίνες οἱ κοπιῶντες λόγοι, οὓς « οὐ δυνήσεται ἀνὴρ τοῦ λαλεῖν ». « Οἱ πρεσβύτεροι, φησί, διπλῆς τιμῆς ἀξιούσθωσαν, μάλιστα οἱ κοπιῶντες ἐν λόγῳ [b]. » Πρεσβύτερος δὲ κατὰ τὴν κοινὴν συνήθειαν ὁ
20 ἐκβὰς τὴν ἄτακτον ἡλικίαν καὶ ἐν γηραιᾷ καταστάσει γενόμενος λέγεται, ὡς εἴ γέ τις ἀστατοίη τῷ λογισμῷ καὶ ἐν ἀταξίᾳ τὸν βίον ἔχοι, οὔπω πρεσβύτερος ὁ τοιοῦτος, κἂν ἐν πολιᾷ τύχῃ φαινόμενος, ἀλλ' ἔτι ἀνήρ. Οὐκοῦν οἱ λόγοι, οἵ γε ἀληθῶς λόγοι, οἱ πρὸς τὸ ψυχωφελές τε καὶ
25 χρήσιμον τῶν ἀνθρώπων γινόμενοι, οὗτοι πλήρεις ἱδρώτων εἰσὶ καὶ πόνων καὶ πολὺν ἐπάγονται κόπον, ἵνα γένωνται λόγοι. « Τὸν γὰρ κοπιῶντα γεωργὸν δεῖ πρῶτον τῶν καρπῶν μεταλαμβάνειν [c] », φησὶν ὁ τῶν τοιούτων λόγων τεχνίτης, ὡς δέον μὴ ῥῆμα νοεῖσθαι τὸν λόγον,
632 M. 30 ἀλλὰ τὴν ἐν τοῖς ἔργοις ἀρετὴν εἰς διδασκαλίαν βίου τοῖς ὁρῶσιν προτιθεμένην ἀντὶ λόγου γίνεσθαι τοῖς διδασκομένοις. Πάντες οὖν οἱ τοιοῦτοι λόγοι ἔγκοποι, τῶν τὴν ἀρετὴν ὑφηγουμένων πρῶτον ἐν ἑαυτοῖς κατορθούντων ἅπερ διδάσκουσι. Τοῦτο γάρ ἐστι τὸ δεῖν πρῶτον τῶν
293 A. 35 καρπῶν μεταλαμβάνειν ὧν | πρὸ τῶν ἄλλων ἑαυτοῖς διὰ τῆς ἀρετῆς γεωργοῦμεν.

b. I Tim. 5, 17 c. II Tim. 2, 6

tion du souffle d'air dont elle se sert pour produire les sons. L'aide apportée par les joues ne demande pas plus d'efforts que l'énergie nécessaire aux lèvres pour articuler distinctement ce qu'on veut dire. Quelle fatigue le texte voit-il donc dans le discours si la fatigue ne provient pas de l'effort physique, car il n'y a pas besoin de creuser la terre, de rouler des pierres, de transporter des fardeaux sur ses épaules, de faire quoi que ce soit de pénible pour développer un discours : l'idée qui se constitue en nous, dévoilée par l'intermédiaire de la voix, devient discours. Mais puisqu'un tel discours ne s'accompagne pas de fatigue, il faudrait considérer quels sont les discours fatigants, ceux qu'« on ne pourra pas prononcer ». « Les anciens, dit l'Écriture, méritent un double honneur, surtout ceux qui peinent à parler [b] .» On a communément l'habitude d'appeler ancien celui qui est sorti de la jeunesse désordonnée et qui est dans la stabilité de la vieillesse ; ainsi tout homme au raisonnement instable et qui mènerait une vie désordonnée n'est pas encore un ancien, même si l'on voit ses cheveux blancs : c'est encore un homme jeune. Quant aux discours donc, ceux du moins qui sont véritablement des discours, ceux qui cherchent à être bienfaisants et utiles aux hommes, ils sont pleins de sueurs et de peines, ils occasionnent beaucoup de fatigue pour devenir des discours. « C'est au cultivateur, qui se fatigue, que doivent revenir en premier lieu, les fruits de la récolte [c] », dit l'artisan de ces discours-là, car il ne faut pas que le discours soit conçu comme simple parole, mais que la vertu dans les actes soit proposée comme enseignement de la vie à ceux qui nous voient agir et tienne lieu de discours pour ceux qui reçoivent l'enseignement. Tous ces discours-là sont donc fatigants, puisque ceux qui montrent le chemin de la vertu pratiquent d'abord eux-mêmes ce qu'ils enseignent. C'est pourquoi il faut que nous « reviennent d'abord les fruits » que nous cultivons par la vertu pour nous-mêmes, avant qu'ils ne reviennent aux autres.

12. Ἢ τάχα καὶ τὸ ἀσθενὲς τῆς λογικῆς φύσεως διερμηνεύει ὁ λόγος. Ἐπειδὰν γὰρ ἔξω γενομένη τῶν αἰσθητηρίων, ἃ δὴ ματαιότης ὠνόμασται, καὶ εἰς τὴν τῶν ἀοράτων θεωρίαν διαδυεῖσά πως ἡ διάνοια τῷ λόγῳ
5 παραστῆσαι τὸ νοηθὲν ἐγχειρήσῃ, τότε πολὺς γίνεται κόπος τῷ λόγῳ, τῆς ἑρμηνευτικῆς ταύτης φωνῆς μηδεμίαν μηχανὴν ἐξευρισκούσης περὶ τὴν τῶν ἀνεκφωνήτων σαφήνειαν. Οὐρανὸν ὁρῶμεν, τὰς τῶν φωστήρων αὐγὰς τῇ αἰσθήσει δεχόμεθα, γῆς ἐπιβεβήκαμεν, τὸν ἀέρα τῷ
10 στόματι ἕλκομεν, τῷ ὕδατι πρὸς τὸ δοκοῦν τῇ φύσει κεχρήμεθα, τὸ πῦρ εἰς κοινωνίαν βίου παραδεχόμεθα· κἂν τι περὶ τούτων ἐννοῆσαι θελήσωμεν τί τῶν φαινομένων ἕκαστον πέφυκε τῷ τῆς οὐσίας λόγῳ ἢ ὅπως τὴν ὑπόστασιν ἔσχεν, « οὐ δυνήσεται ἀνὴρ τοῦ λαλῆσαι [a] »,
15 κἂν ὑπὲρ τοὺς ἄλλους ὢν τύχῃ, πάσης καταληπτικῆς ἐπιστήμης πρὸς τὴν τῶν ἀνεφίκτων ἐξαγόρευσιν ἀτονούσης. Εἰ δὴ ὁ περὶ τούτων λόγος κόπος ἐστὶ ὑπερβαίνων τὴν ἀνθρωπίνην τοῦ λαλεῖν δύναμίν τε καὶ φύσιν, τί ἄν τις εἴποι πάσχειν τοὺς περὶ αὐτοῦ τοῦ λόγου λόγους
20 ἢ τοῦ πατρὸς τοῦ λόγου; Ἦ που πᾶσα ὑψηγορία τε καὶ μεγαλοφωνία ἀφασία τίς ἐστι καὶ σιωπή, εἰ πρὸς τὴν ἀληθῆ τοῦ ζητουμένου σημασίαν κρίνοιτο, ὡς τοῦτο
294 *A*. μόνον ἐπ' | αὐτοῦ τὸ ῥῆμα κυρίως εἰπεῖν ὅτι κἂν πάντας κινήσῃ τις λογισμοὺς καὶ μηδὲν ἐλλίπῃ τῶν θεοπρεπῶν
25 νοημάτων, εἰ πρὸς αὐτὴν τὴν ἀξίαν τοῦ προκειμένου κρίνοιτο ἡ φωνή, ὅπερ ἂν εἴπῃ, λόγος οὐκ ἔστιν· « Οὐ γὰρ δυνήσεται ἄνθρωπος τοῦ λαλεῖν [b]. »

12. a. Eccl. 1, 8b b. Eccl. 1, 8b

---

1. Grégoire isole ce stique d'*Eccl.* 1, 8 du reste du verset, car l'affirmation biblique rejoint sa préoccupation de la nature du discours humain sur Dieu. Il recourt au verset parallèle d'*Eccl.* 5, 1 (« Sur Dieu que tes discours soient peu nombreux ») pour traiter la question en *C. Eun.* II,

Les limites de la connaissance humaine

12. Ou peut-être le texte explique-t-il aussi la faiblesese de la nature du discours. En effet, une fois que la pensée est sortie des réalités sensibles après les avoir nommées « vanité » et que, s'étant comme plongée dans la contemplation des réalités invisibles, elle entreprend de montrer par le discours ce qu'elle a conçu, survient alors une grande fatigue à parler, car cette parole chargée d'interpréter ne découvre aucun moyen pour montrer clairement les réalités indicibles. Nous voyons le ciel, nous percevons par la sensation l'éclat des luminaires, nous marchons sur la terre ferme, nous aspirons l'air avec notre bouche, nous utilisons l'eau pour ce qui convient à notre nature, nous recevons le feu pour notre vie commune. Mais voulons-nous concevoir pour toutes ces réalités ce qu'est chacun de ces phénomènes quant à son essence, ou concevoir comment chacun tient sa subsistence, « aucun homme ne pourra parler [a] » [1], fût-il supérieur aux autres, car toute science compréhensive est sans force lorsqu'il s'agit d'exprimer les réalités inaccessibles. Si vraiment le discours sur ces réalités est source d'une fatigue qui dépasse la capacité de parole de l'homme et sa nature, comment quelqu'un pourrait-il dire qu'il supporte de parler du Verbe lui-même ou du Père du Verbe ? Sans doute, toute proclamation, toute déclamation sont-elles impuissance de parole et silence si l'on en juge par rapport à la vraie signification de ce qui est cherché, de sorte qu'on ne peut dire au sens propre à ce sujet que cette parole : mettrait-on en marche tous les raisonnements, sans laisser de côté un seul des concepts qui conviennent à Dieu, il n'y a pas de discours possible, quoi qu'on dise, si l'on compare le mot prononcé à la dignité de l'objet ; car « aucun homme ne pourra parler [b] ».

105. Voir ci-dessous, *hom.* VII, 8, 78 s. : l'image de l'ascension vertigineuse vient relayer les affirmations abstraites sur ce même sujet.

Οὐ γὰρ τὴν δι' ὀφθαλμῶν ἐγγινομένην τῇ ψυχῇ περὶ τὸ φαινόμενον θεωρίαν ἡ ὄψις ἔστησεν, ἀλλ' ἀεὶ βλέποντες
30 ὡς μηδέπω ἑωρακότες ἔτι ἐν ἀγνοίᾳ τὸ διὰ τῆς αἰσθήσεως λαμβανόμενον ἔχομεν. Διαβῆναι γὰρ τὸ χρῶμα ἡ ὄψις οὐ δύναται, ἀλλ' ἔχει μέτρον τῆς ἰδίας ἐνεργείας τὸ κατὰ τὴν ἐπιφάνειαν τῶν ὄντων αὐτῇ προφαινόμενον. Διό φησιν· « Οὐκ ἐμπλησθήσεται ὀφθαλμὸς τοῦ ὁρᾶν, καὶ οὐ
35 πληρωθήσεται οὖς ἀπὸ ἀκροάσεως[c] »· ὧν ἡ ἀκουστικὴ δύναμις δεχομένη τὸν περὶ ἑκάστου λόγον πληροῦσθαι φύσιν οὐκ ἔχει. Οὐδεὶς γὰρ εὑρεθήσεται λόγος διαλαμβάνων δι' ἀκριβείας ἐν ἑαυτῷ τὸ ζητούμενον. Πῶς οὖν πλησθήσεται ἀκοὴ τῆς περὶ τῶν ζητουμένων ἀκροάσεως,
40 τοῦ πληροῦντος οὐκ ὄντος;

13. Εἶτα μετὰ τοὺς λόγους τούτους αὐτὸς ἑαυτὸν ἐρωτᾷ καὶ ἑαυτῷ ἀποκρίνεται. Ἐρωτήσας γάρ· « Τί τὸ
633 M. γεγονός; αὐτό, φησί, τὸ γενησόμενον· καὶ τί τὸ πεποιημένον; αὐτό, φησί, τὸ ποιηθησόμενον[a]. » Τί οὖν βούλε-
5 ται τὸ ἐρώτημα; ὡς ἐξ ἀκολουθίας ἡμῶν πρὸς αὐτόν, ἀφ'
295 A. ὧν μεμαθήκαμεν, | ἀντιτιθέντων καὶ λεγόντων· εἰ « τὰ πάντα ματαιότης[b] », δῆλον ὅτι οὐδὲ γέγονεν ἕν τι τούτων ἃ οὐχ ὑφέστηκε· τὸ γὰρ μάταιον πάντως ἀνύπαρκτον, τὸ δὲ ἀνύπαρκτον οὐκ ἄν τις ἐν τοῖς γεγονόσι λογίσαιτο. Εἰ
10 δὴ ταῦτα οὐκ ἔστιν, εἰπὲ τί ἐστι τὸ γενόμενον, ὃ ἐν τῷ εἶναι μένει; Συντόμως οὖν αὐτῷ γέγονε πρὸς τὸ ἐρωτηθὲν ἡ ἀπόκρισις· βούλει γνῶναι τί ἐστι τὸ γενόμενον; νόησον τί ἐστι τὸ ἐσόμενον, καὶ ἐπιγνώσῃ ὃ γέγονε.

c. Eccl. 1, 8c-d
13. a. Eccl. 1, 9a-b b. Eccl. 1, 2

---

1. La limite de la connaissance sensible acquise par chacun des sens appelle la découverte et l'usage des sens spirituels. Ainsi est interprété

La vue ne fixe pas la connaissance du visible qui arrive à l'âme par l'intermédiaire des yeux [1], mais nous ne cessons pas de regarder comme si nous n'avions jamais vu et c'est encore dans l'ignorance que nous tenons ce que nous saisissons par la sensation. Car la vue ne peut pas aller au-delà de la surface, elle a pour mesure de sa propre activité ce qui se manifeste à elle de l'apparence de ce qui est. C'est pourquoi le texte dit : « L'œil ne sera pas comblé de voir, l'oreille ne sera pas comblée d'entendre [c].» Car la capacité de l'ouïe qui reçoit le discours portant sur chaque chose n'est pas de nature à être comblée. On ne trouvera aucun discours qui saisisse précisément en lui-même ce qui est cherché. Comment donc l'ouïe sera-t-elle comblée de ce qu'elle entend sur les objets de sa recherche, lorsque ce qui la remplirait n'existe pas ?

L'apocatastase

13. Puis, après ces paroles, l'ecclésiaste s'interroge lui-même et se répond. Il interroge : « Qu'est-ce qui a existé ? cela même qui sera, dit-il ; et : Qu'est-ce qui a été fait ? cela même qui sera fait [a] », dit-il. Que veut donc dire l'interrogation ? C'est d'après l'enchaînement du texte, à partir de ce que nous avons appris, que nous lui répliquons en disant : Si « tout est vanité [b] », à l'évidence rien de ce qui est sans subsistence n'a existé. Car ce qui est vain est vraiment sans existence, et personne n'irait compter ce qui est sans existence au nombre de ce qui a été. Et si vraiment cela n'est pas, qu'est-ce qui est, dis-le moi, et demeure dans l'être ? Il donne donc brièvement une réponse à ce qui a été demandé : tu veux apprendre ce qu'est ce qui est ? Conçois ce qu'est ce qui sera, et reconnais-y « ce qui a

Eccl. 2, 14 (« les yeux du sage sont dans sa tête ») : voir *hom.* V, 5. ORIGÈNE donne déjà d'*Eccl.* 1, 8 une exégèse spirituelle : « Nous ne pourrons nous rassasier de regarder et de contempler toutes les Écritures » (*Hom. sur l'Exode* XI, 5).

Τοῦτο δέ ἐστι τό· Νόησόν μοι, φησίν, ὦ ἄνθρωπε, οἷος
15 γενήσῃ διὰ τῆς ἀρετῆς σεαυτὸν ὑψώσας. Εἰ κατὰ πάντα
διὰ τῶν ἀγαθῶν χαρακτήρων τὴν ψυχὴν μορφωθείης, εἰ
ἔξω γένοιο τῶν τῆς κακίας κηλίδων, εἰ πάντα ῥύπον τῶν
ὑλικῶν μολυσμάτων τῆς ἑαυτοῦ φύσεως ἀποκλύσειας, τί
γενήσῃ διὰ τῶν τοιούτων καλλωπιζόμενος; Οἵαν σεαυτῷ
20 περιθήσεις μορφήν; Ἐὰν τοῦτο τῷ λογισμῷ κατανοήσῃς,
ἐδιδάχθης τὸ ἐν τοῖς πρώτοις γενόμενον, ὅ γε ἀληθῶς
ἐστι γενησόμενον, τό « κατ' εἰκόνα θεοῦ καὶ ὁμοίωσιν [c] ».
Καὶ ποῦ νῦν ἐκεῖνό ἐστιν, ἐρῶ πρὸς τὸν ταῦτα διδάσκοντα,
ὅ ποτε γέγονε καὶ εἰς ὕστερον αὖθις ἐλπίζεται, νῦν δὲ
296 A. 25 οὐκ ἔστιν; Ἀλλ' ἀποκρίνεται πάντως | τὸν αὐτὸν λόγον
ἡμῖν ὁ τὰ ὑψηλὰ παιδεύων, ὅτι διὰ τοῦτο τὰ παρόντα
ματαιότης ὠνόμασται, διότι ἐκεῖνο ἐν τοῖς παροῦσιν οὐκ
ἔστι. « Καὶ τί, φησί, τὸ πεποιημένον; αὐτὸ τὸ ποιηθησόμενον [d]. »

30 Μηδεὶς τῶν ἀκουόντων πολυλογίαν οἰέσθω καὶ ματαίαν
τινὰ ῥημάτων ἐπανάληψιν ἐν τῇ διαφορᾷ « τοῦ
γεγονότος » καὶ « τοῦ πεποιημένου ». Δείκνυσι γὰρ δι'
ἑκατέρου τῶν ῥημάτων ὁ λόγος τὴν τῆς ψυχῆς πρὸς τὴν
σάρκα διαφοράν. Γέγονεν ἡ ψυχὴ καὶ τὸ σῶμα πεποίηται.
35 Οὐκ ἐπειδὴ ἄλλο τι καὶ ἄλλο σημαίνει τῶν ῥημάτων ἡ
ἔμφασις, τῇ διαφορᾷ ταύτῃ κέχρηται τῶν ῥημάτων ἐφ'
ἑκατέρου τῶν σημαινομένων ὁ λόγος, ἀλλ' ἵνα σοι δῷ τὰ

c. Gen. 1, 26 d. Eccl. 1, 9b

1. Grégoire oriente tout son commentaire d'*Eccl.* 1, 9 vers l'affirmation de l'apocatastase à la fin du §. Ce retour à l'origine et l'identité du protologique et de l'eschatologique est, dit M. ALEXANDRE, « une sorte de principe de logique et de physique chrétienne » (« Protologie et eschato-

été [1] ». Voilà ce qu'est pour moi le « Conçois-toi, ô homme, tel que tu es », en t'élevant toi-même par la vertu. Si tu donnes en toutes choses forme à ton âme avec de bons traits, si tu te tiens à l'écart des taches de la méchanceté, si tu effaces la saleté des souillures matérielles, que deviendras-tu, ainsi embelli ? de quelle forme te revêtiras-tu ? Cherches-tu à le concevoir en raisonnant ? on t'a appris ce qui était au commencement, et c'est vraiment ce qui sera, le « à l'image de Dieu et à sa ressemblance [c] » [2]. Et où est maintenant, je le demande à celui qui l'enseigne, ce qui a été et est espéré à nouveau pour l'avenir, mais n'existe pas maintenant ? Mais celui qui enseigne les réalités élevées nous répond tout à fait le même discours : la raison pour laquelle les réalités présentes sont appelées « vanité » est que cette chose-là n'est pas dans les réalités présentes. « Et, dit-il, qu'est-ce qui a été fait ? cela même qui sera fait [d] .»

Qu'aucun des auditeurs n'aille penser que c'est excès de paroles et vaine répétition de mots que la différence établie entre « ce qui a été » et « ce qui a été fait ». Car, par chacun de ces mots, le texte montre la différence qui sépare l'âme de la chair. L'âme a été et le corps a été fait. Ce n'est pas parce quc l'emphase des mots signifie une chose puis l'autre que le texte a utilisé cette différence de mots pour chacune des deux réalités signifiées, mais pour que les mots adaptés te permettent de réfléchir sur chacune

logie », p. 125). La distinction entre « être » et « faire » recouvre pour Grégoire celle entre âme et corps, sans que cela remette en cause sa critique de la thèse origénienne de la préexistence des âmes (*De hom. op.* 27 et 28). BASILE (*Sur l'origine de l'homme* II, 3-4, *SC* 160) opère la même distinction en commentant *Gen.* 1, 27 et *Gen.* 2, 7 : « Ainsi donc la chair a été modelée (ἐπλάσθη), mais l'âme a été faite (ἐποιήθη).»

2. Sur la référence à *Gen.* 1, 26 dans les Homélies, voir ci-dessus, Introd., p. 33-34.

πρόσφορα περὶ ἑκατέρου λογίζεσθαι. Ἐκεῖνο κατ' ἀρχὰς γέγονεν ἡ ψυχὴ ὃ εἰς ὕστερον καθαρθεῖσα πάλιν ἀναφα-
40 νήσεται· ἐκεῖνο πεποίηται ταῖς χερσὶ τοῦ θεοῦ τὸ σῶμα πλασσόμενον ὃ δείξει τοῖς καθήκουσι χρόνοις αὐτὸ ἡ ἀνάστασις· ὁποῖον γὰρ ἂν μετὰ τὴν ἀνάστασιν ἴδοις, τοιοῦτον πάντως παρὰ τὴν πρώτην πεποίηται. Οὐδὲ γὰρ ἄλλο τί ἐστιν ἡ ἀνάστασις, εἰ μὴ πάντως ἡ εἰς τὸ ἀρχαῖον
45 ἀποκατάστασις.

14. Διὸ τούτοις ἐπάγει καὶ τὸ ἀκόλουθον λέγων ὅτι ἔξω τοῦ ἀρχαίου ἐστὶν οὐδέν. « Οὐκ ἔστι γάρ, φησί, πᾶν πρόσφατον ὑπὸ τὸν ἥλιον [a] », ὡς ἂν εἰ ἔλεγεν ὅτι εἴ τι μὴ κατὰ τὸ ἀρχαῖόν ἐστιν, οὐδὲ ἔστιν ὅλως, ἀλλὰ νομίζεται. |
*297 A.*5 « Οὐ γὰρ ἔστι, φησί, πρόσφατόν τι ὑπὸ τὸν ἥλιον », ὥστε λαλῆσαί τινα καὶ δεῖξαί τι τῶν ἐπιγενομένων ὅτι καινόν ἐστι τοῦτο καὶ τῷ ὄντι ὑφέστηκεν. Αὕτη τῶν εἰρημένων ἐστὶν ἡ διάνοια, ἡ δὲ λέξις τοῦτον ἔχει τὸν τρόπον· « Καὶ οὐκ ἔστι πᾶν πρόσφατον ὑπὸ τὸν ἥλιον, ὃς λαλήσει καὶ
10 ἐρεῖ· Ἴδε τοῦτο καινόν ἐστι [b]. » Καὶ ἐπαγωνίζεται τοῖς εἰρημένοις διὰ τῶν ἐφεξῆς λόγων· Εἴ τι ἀληθῶς, φησί, γέγονεν, ἐκεῖνό ἐστιν ὃ ἐν τοῖς αἰῶσιν ἐγένετο τοῖς πρὸ
636 M. ἡμῶν. Ταύτην γὰρ ἐνδείκνυται τὴν διάνοιαν αὐτὰ τὰ ῥήματα τῆς γραφῆς οὕτως ἔχοντα· « Ἤδη γέγονεν ἐν
15 τοῖς αἰῶσι τοῖς γεγονόσιν ἀπὸ ἔμπροσθεν ἡμῶν [c]. » Εἰ δὲ ἐπεκράτησε λήθη τῶν γενομένων, θαυμάσῃς μηδέν· καὶ γὰρ τὰ νῦν ὄντα λήθῃ συγκαλυφθήσεται. Ὅτε γὰρ πρὸς κακίαν ἡ φύσις ἔρρεψε, ἐν λήθῃ τῶν ἀγαθῶν ἐγενόμεθα· ὅταν γένηται πρὸς τὸ ἀγαθὸν αὖθις ἡμῖν ἡ ἀνάλυσις,
20 πάλιν τὸ κακὸν λήθῃ συγκαλυφθήσεται. Ταύτην γὰρ

14. a. Eccl. 1, 9c b. Eccl. 1, 9c-10a c. Eccl. 1, 10b-c

d'elles. Ce que l'âme a été dès l'origine, elle le manifestera à nouveau dans l'avenir une fois purifiée ; ce que le corps façonné par les mains de Dieu a été fait, la résurrection le montrera au temps fixé. En effet, tel tu pourras le voir après la résurrection, tel, c'est certain, il a été fait au premier jour. Car la résurrection n'est rien d'autre, c'est certain, que la restauration de l'état primitif [1].

14. Aussi ajoute-t-il à cela la suite du texte, en disant que rien n'existe en dehors de ce qui est retourné à son état primitif. « Il n'y a en effet, rien d'inédit sous le soleil [a] », dit le texte, comme s'il disait que, à part ce qui est conforme à ce qu'il était au commencement, rien n'est tout à fait, mais semble exister. « Il n'y a rien d'inédit sous le soleil », dit le texte, aucune réalité dont on puisse parler et qu'on puisse montrer en disant qu'elle est nouvelle et subsiste réellement. Tel est le sens de ces paroles et voici le tour que prend la lettre : « Il n'y a rien d'inédit sous le soleil, personne qui parlera et dira : Vois, cela est nouveau [b] .» Et le texte renchérit sur ce qui a été dit par les paroles qui suivent : si quelque chose existe véritablement, est-il dit, c'est ce qui fut dans les siècles antérieurs à nous. C'est en effet le sens que manifestent ces paroles mêmes de l'Écriture, qui se présentent ainsi : « Cela a déjà existé dans les siècles qui nous ont précédés [c] .» Et si l'oubli s'est emparé de ce qui a été, ne t'en étonne pas : car les réalités présentes aussi seront recouvertes par l'oubli. En effet, lorsque la nature s'est inclinée vers le mal, nous avons oublié les biens. Chaque fois que nous reviendrons à nouveau vers le bien, le mal à l'inverse sera recouvert par

1. Seul emploi du terme ἀποκατάστασις dans les *Homélies sur l'Ecclésiaste*. Voir J. DANIÉLOU, *L'être et le temps*, chap. X (Apocatastase), p. 205-226. La question est reprise par M. ALEXANDRE, « Protologie et eschatologie », particulièrement p. 130 et 157.

οἶμαι τὴν διάνοιαν ἐν τοῖς εἰρημένοις εἶναι, ἐν οἷς φησιν· « Οὐκ ἔστι μνήμη τοῖς πρώτοις, καί γε τοῖς ἐσχάτοις γενομένοις οὐκ ἔσται αὐτῶν μνήμη [d] », ὡς ἂν εἰ ἔλεγεν ὅτι τῶν ἐπιγενομένων μετὰ τὴν ἐξ ἀρχῆς εὐκληρίαν, δι'
25 ὧν ἐν κακοῖς γέγονε τὸ ἀνθρώπινον, ἐξαλείψει τὴν μνήμην τὰ πάλιν ἐν τοῖς ἐσχάτοις ἐπιγινόμενα. « Οὐκ ἔσται γὰρ αὐτῶν μνήμη μετὰ τῶν γενομένων εἰς τὴν
298 *A.* ἐσχάτην [e] », τουτέστιν ἡ ἐσχάτη κατάστασις | ἀφανισμὸν παντελῆ τῆς τῶν κακῶν μνήμης ἐμποιήσει τῇ φύσει, ἐν
30 Χριστῷ Ἰησοῦ τῷ κυρίῳ ἡμῶν, ᾧ ἡ δόξα εἰς τοὺς αἰῶνας τῶν αἰώνων. Ἀμήν.

d. Eccl. 1, 11 a-c. e. Eccl. 1, 11c-d

l'oubli. Je crois que c'est le sens de ces paroles où le texte dit : « Il ne reste pas de souvenir des premiers événements, pas plus qu'il n'y aura de souvenir des derniers événements [d] », comme s'il voulait dire que, après le bonheur donné au commencement, les réalités qui existeront à nouveau aux derniers temps effaceront le souvenir des réalités à cause desquelles l'humanité est dans le malheur. « Il n'y aura pas de souvenir après les événements de la fin [e] », c'est-à-dire, l'état final produira dans la nature humaine une destruction totale du souvenir des maux, dans le Christ Jésus notre Seigneur, à qui est la gloire pour les siècles des siècles. Amen.

HOMÉLIE II

(*Eccl.* 1, 12 - 2, 3)

(1) Le véritable « ecclésiaste », c'est le Christ. (2-4) En venant séjourner chez les hommes, il a vu le mauvais usage que l'homme a fait de sa liberté, et il a sauvé la nature humaine, brebis perdue. (5-6) Mais Salomon selon la chair nous offre déjà un modèle de sagesse, il a expérimenté la vanité du monde. (7-8) Le rire, le vin et leurs effets figurent parfaitement les limites du plaisir sensible, à l'opposé du bien véritable.

ΟΜΙΛΙΑ Β'

1. « Ἐγώ, φησίν, ὁ ἐκκλησιαστής[a]. » Ἐμάθομεν δὲ τίς ὁ ἐκκλησιαστὴς ὁ τὰ πεπλανημένα τε καὶ διεσκορπισμένα συνάγων εἰς ἓν καὶ ποιῶν τὰ πάντα μίαν ἐκκλησίαν καὶ μίαν ποίμνην, ἵνα μηδὲν ἀνήκοον ᾖ τῆς καλῆς τοῦ
5 ποιμένος φωνῆς τῆς τὰ πάντα ζωοποιούσης. « Τὰ γὰρ ῥήματα, φησίν, ἃ ἐγὼ λαλῶ, πνεῦμά ἐστι καὶ ζωή ἐστιν[b]. » Οὗτος ὀνομάζει ἑαυτὸν ἐκκλησιαστὴν ὡς ἰατρὸν καὶ ζωὴν καὶ ἀνάστασιν καὶ φῶς καὶ ὁδὸν θύραν τε καὶ ἀλήθειαν καὶ πάντα τὰ τῆς φιλανθρωπίας ὀνόματα.
10 Ὥσπερ οὖν τοῦ μὲν ἰατροῦ ἡ φωνὴ πρὸς τοὺς ἀσθενοῦντας οἰκείως ἔχει, ὁ δὲ τῆς ζωῆς λόγος ἐπὶ τῶν νεκρῶν ἐνεργὸς γίνεται τῶν ὅταν ἀκούσωσι τῆς φωνῆς τοῦ υἱοῦ τοῦ ἀνθρώπου μηκέτι ἐναπομενόντων τῇ ἀρχαίᾳ νεκρό-
299 A. τητι· οἱ δὲ ἐν χώμασιν ὄντες τὴν φωνὴν τῆς | ἀναστά-
15 σεως ἐπιζητοῦσι· καὶ ὁ τοῦ φωτὸς λόγος τοῖς ἐσκοτισμένοις ἁρμόδιος ἥ τε ὁδὸς τοῖς πεπλανημένοις, ἀλλὰ καὶ ἡ

1. a. Eccl. 1, 12 b. Jn 6, 63

1. Comme dans la liste des noms du Christ donnée en *V. Moys.* II, 177, le titre de « médecin » est en tête. Peut-être faut-il y voir, comme le suggère P. Alexander (*GNO* V, p. 298, *ad loc.*), une allusion à *Matth.* 9, 12. Cette dénomination prend tout son sens dans le contexte des comparaisons médicales fréquentes dans le texte. « Pour Grégoire l'économie est essentiellement thérapeutique », note J.-R. Bouchet, dans « La vision de l'économie du salut selon Grégoire de Nysse », *RSPT* 52

HOMÉLIE II

Le Christ ecclésiaste

1. « Moi, l'ecclésiaste [a] », dit le texte. Nous avons appris qui est l'ecclésiaste : celui qui ramène à l'unité ce qui est égaré et dispersé, celui qui fait de toutes choses une église unique et un troupeau unique, afin que rien ne soit sans entendre la belle voix du berger qui donne vie à tout. « Les paroles que je prononce, dit-il, sont esprit et vie [b] .» Il se nomme lui-même ecclésiaste, comme il se nomme aussi médecin [1], vie, résurrection, lumière, chemin, porte et vérité, et de tous les noms de son amour pour les hommes [2]. Ainsi donc la voix du médecin est faite pour ceux qui sont faibles, et la parole de la vie devient efficace pour les morts : lorsqu'ils entendent la voix du Fils de l'homme, ils ne restent plus dans la mort ancienne ; mais ceux qui sont dans les tombeaux recherchent la voix de la résurrection ; le mot de « lumière » convient à ceux qui sont dans les ténèbres, le chemin à ceux qui sont égarés et la porte à

(1968), p. 613-644 (sur le titre de médecin, p. 642-644). Développement de l'image du Christ médecin en *De an. et res.* 136 C – 137 A.

2. Ces listes de noms du Christ sont habituelles à Grégoire (voir *V. Moys.* II, 177 ; *De perf.*, *GNO* VIII, 1, p. 175, 14 s. ; *Ad Simpl.*, *GNO* III, 1, p. 62-63). Mais ces noms ne sont que des signes des manifestations des énergies divines, de « la puissance philanthropique » de Dieu (*C. Eun.* II, 417-418). À l'arrière-plan de ces désignations métaphoriques, il y a donc tout le débat avec Eunome sur la nature du Christ : voir présentation des textes de *C. Eun.* II par B. Krivochéine, « Simplicité de la nature divine et les distinctions en Dieu selon Grégoire de Nysse », *Studia Patristica* XVI, 2, *TU* 129 (1985), p. 389-411. — *Ad Simpl.*, p. 63, 1-2 : « il s'est fait cela pour nous selon l'économie, sans être par nature aucune de ces choses .»

θύρα τοῖς τοῦ εἰσελθεῖν δεομένοις· οὕτως καὶ ὁ ἐκκλησιαστὴς τοῖς ἐκκλησιάζουσι διαλέγεται πάντως. Οὐκοῦν πρὸς ἡμᾶς λαλεῖ ὁ ἐκκλησιαστής. Καὶ δὴ ἀκούσωμεν
20 τῶν λόγων αὐτοῦ ἡμεῖς ἡ ἐκκλησία. Ὡς γὰρ ὁ μὲν χορὸς πρὸς τὸν κορυφαῖον ὁρᾷ, πρὸς δὲ τὸν κυβερνήτην οἱ ναῦται καὶ πρὸς τὸν στρατηγὸν ἡ παράταξις, οὕτω καὶ πρὸς τὸν καθηγεμόνα τῆς ἐκκλησίας οἱ ἐν τῷ πληρώματι ὄντες τῆς ἐκκλησίας.

25 Τί οὖν φησιν ὁ ἐκκλησιαστής; « Ἐγὼ ἐγενόμην βασιλεὺς ἐπὶ Ἰσραὴλ ἐν Ἱερουσαλήμ [c]. » Πότε τοῦτο; Ἦ πάντως ὅτε « κατεστάθη βασιλεὺς ὑπ' αὐτοῦ ἐπὶ Σιὼν ὄρος τὸ ἅγιον αὐτοῦ διαγγέλλων τὸ πρόσταγμα κυρίου [d] »; Πρὸς ὃν εἶπεν ὁ κύριος ὅτι « Υἱός μου εἶ σύ »,
30 καὶ ὅτι « Σήμερον γεγέννηκά σε [e] »· τὸν γὰρ ποιητὴν τοῦ παντός, τὸν τῶν αἰώνων πατέρα, σήμερον εἶπε γεγεννηκέναι, ἵνα διὰ τοῦ παραθεῖναι τὸ χρονικὸν ὄνομα τῷ καιρῷ τῆς γεννήσεως μὴ τὴν προαιώνιον ὕπαρξιν, ἀλλὰ τὴν ἐν χρόνῳ ἐπὶ σωτηρίᾳ τῶν ἀνθρώπων διὰ σαρκὸς
35 γέννησιν παραστήσῃ ὁ λόγος.

637 M. **2.** Ταῦτα οὖν ὁ ἀληθινὸς ἐκκλησιαστὴς διεξέρχεται διδάσκων, οἶμαι, τὸ μέγα τῆς σωτηρίας μυστήριον, ὅτου χάριν ὁ θεὸς ἐν σαρκὶ ἐφανερώθη. « Ἔδωκα γάρ, φησί, τὴν καρδίαν μου τοῦ ἐκζητῆσαι καὶ τοῦ κατασκέψασθαι

c. Eccl. 1, 12 d. Ps. 2, 6-7 e. Ps. 2, 7

1. Dans la logique de la définition de l'*Ecclésiaste* comme livre pour l'Église, l'affirmation procède d'une lecture actualisante de l'Écriture et nous renvoie au public de Grégoire. Cela n'exclut peut-être pas une allusion à la structure hiérarchique de l'Église : l'évêque et son auditoire (voir ci-dessus, Introd., chap. VI).

2. Images du Christ, le pilote ou le chef sont aussi des images de l'évêque, par ex. dans l'*In Melet.* (*GNO* IX, p. 444). — Voir M.

ceux qui ont besoin d'entrer. De la même manière l'ecclésiaste s'adresse bien à ceux qui sont assemblés dans l'Église. C'est donc à nous que parle l'ecclésiaste ; eh bien, écoutons ses paroles, nous qui sommes l'Église [1]. En effet, de même que le chœur regarde vers le coryphée, les matelots vers le pilote, l'armée vers le général, de même c'est vers le guide de l'Église [2] que regardent ceux qui sont dans le plérôme de l'Église.

Que dit donc l'ecclésiaste ? « Moi, j'étais roi sur Israël, à Jérusalem [c].» Quand cela ? Sans aucun doute est-ce lorsqu'« il l'a établi roi sur la montagne sainte de Sion en proclamant le décret du Seigneur [d] » ? Le Seigneur lui a dit : « Tu es mon Fils », et : « Aujourd'hui, je t'ai engendré [e] » [3] ; le créateur de l'univers, le père des siècles l'a, dit-il, « engendré aujourd'hui », afin que par l'attribution d'un nom temporel au moment de sa génération le discours fasse comprendre non pas son existence d'avant les siècles [4], mais sa génération temporelle, dans la chair, pour le salut des hommes.

Motifs de l'Incarnation

2. Le véritable ecclésiaste poursuit donc en enseignant, je crois, le grand mystère du salut, en vue duquel Dieu s'est manifesté dans la chair. « J'ai adonné, dit-il, mon cœur à chercher et à observer, dans la sagesse, tout ce qui existe

ALEXANDRE, « Les nouveaux martyrs », p. 44 s. : l'auteur montre comment les noms donnés aux martyrs passent aux évêques, nouveaux défenseurs de la foi.

3. Le *Ps.* 2 est utilisé dès les premiers siècles comme l'annonce de l'Incarnation dans l'A.T. (JUSTIN, *Apologie* I, 40, 13-14). Grégoire le commente dans l'*In inscr. Ps.* II, 8, (*GNO* V, p. 92, 15 – 93, 10).

4. L'opposition χρονικόν/προαιώνιον rappelle le contexte théologique de la lutte anti-arienne (cf. *PGL*, *s.v.* προαιώνιος). Voir de même la distinction entre κτιστόν et ἄκτιστον appliquée au Christ en *In Cant.* XIII (*GNO* VI, p. 380, 15 – 381, 16). Sur les débats liés pendant cette période au terme γέννησις, voir M. SIMONETTI, *La crisi ariana nel IV secolo*, Rome 1975, chap. XV, p. 461-480.

5 ἐν τῇ σοφίᾳ περὶ πάντων τῶν γενομένων ὑπὸ τὸν
300 A. οὐρανόν[a]. » Αὕτη ἡ αἰτία τοῦ | ἐπιδημῆσαι διὰ σαρκὸς
τοῖς ἀνθρώποις τὸν κύριον, τὸ δοῦναι τὴν καρδίαν αὐτοῦ
εἰς τὸ ἐπισκέψασθαι ἐν τῇ σοφίᾳ ἑαυτοῦ περὶ τῶν ὑπὸ τὸν
οὐρανὸν γενομένων. Τὰ γὰρ ὑπὲρ τὸν οὐρανὸν οὐκ ἐδεῖτο
10 τοῦ ἐπισκεπτομένου, ὡς οὐδὲ τοῦ ἰατρεύοντος τὸ μὴ τῇ
νόσῳ κρατούμενον[b]. Ἐπεὶ οὖν περὶ γῆν τὰ κακά· τὸ γὰρ
ἑρπυστικὸν θηρίον ὁ ὄφις ὁ « ἐπὶ τῷ στήθει καὶ τῇ
κοιλίᾳ[c] » συρόμενος βρῶμα ποιεῖται τὴν γῆν οὐδὲν τῶν
οὐρανίων σιτούμενος, ἀλλ' ἐν τῷ πατουμένῳ συρόμενος
15 πρὸς τὸ πατοῦν ἀεὶ βλέπει, τηρῶν τὴν πτέρναν[d] τῆς
ἀνθρωπίνης πορείας καὶ τὸν ἰὸν ἐνιεὶς ἐκείνοις τοῖς « τὴν
ἐξουσίαν τοῦ πατεῖν ἐπάνω ὄφεων[e] » ἀπολέσασι· διὰ
τοῦτο ἔδωκε τὴν καρδίαν αὐτοῦ « ἐκζητῆσαι καὶ κατασκέψασθαι περὶ πάντων τῶν γενομένων ὑπὸ τὸν οὐρα-
20 νόν[f] ». Ἐν γὰρ τοῖς ὑπεράνω τῶν οὐρανῶν ἀταπείνωτον
βλέπει τὴν θείαν μεγαλοπρέπειαν ὁ προφήτης λέγων ὅτι
« Ἐπήρθη ἡ μεγαλοπρέπειά σου ὑπεράνω τῶν οὐρανῶν[g]. »
Ἐπειδὴ δὲ τὸ ὑπουράνιον μέρος διὰ τῆς κακίας ἐταπει-
νώθη· οὕτω γάρ φησιν ὁ ψαλμῳδὸς ὅτι « Διὰ τὰς
25 ἁμαρτίας αὐτῶν ἐταπεινώθησαν[h] »· τοῦτο ἦλθεν ὁ ἐκκλη-

2. a. Eccl. 1, 13a-c b. cf. Lc 5, 31 c. Gen. 3,14 d. cf. Gen. 3, 15 e. Lc 10, 19 f. Eccl. 1, 13a-c g. Ps. 8, 2 h. Ps. 106, 17

---

1. Le verbe ἐπιδημῆσαι, usuel pour désigner l'Incarnation, est complété ici par ἐπισκέψασθαι, substitué à κατασκέψασθαι employé en *Eccl.* 1, 13.

2. Présente dans le texte biblique, l'opposition « sous le ciel »/« au-dessus du ciel » est constamment reprise dans les Homélies. Ce symbolisme cosmologique donne lieu à la fois à l'interprétation théologique de

sous le ciel [a] .» Telle est la raison pour laquelle le Seigneur est venu séjourner [1] dans la chair parmi les hommes : adonner son cœur, dans sa sagesse, à l'observation de ce qui existe sous le ciel. En effet, ce qui est au-dessus du ciel [2] n'avait pas besoin d'être observé, de même que ce qui n'est pas sous l'emprise de la maladie n'a pas besoin non plus du médecin [b]. Car sur la terre il y a donc les maux : la bête rampante, le serpent qui se traîne « sur la poitrine et sur le ventre [c] », fait de la terre son aliment [3] et ne se nourrit de rien de ce qui est dans le ciel, mais en rampant sur ce qu'il foule il cherche sans cesse à le fouler, il épie le talon [d] des hommes à leur passage et injecte son venin à ceux qui ont perdu « le pouvoir de fouler les serpents à leurs pieds [e] » [4] ; c'est pour cette raison qu'il a adonné son cœur « à chercher et à observer tout ce qui existe sous le ciel [f] ». En effet, dans ce qui est au-dessus des cieux, le prophète regarde ce qui ne peut pas être abaissé, la majesté de Dieu, et dit : « Ta majesté s'est élevée au-dessus des cieux [g5] .» Mais puisque la partie qui est au-dessous du ciel a été abaissée par le mal, ainsi que le dit le psalmiste : « Il ont été abaissés à cause de leurs péchés [h] », l'ecclésiaste est venu observer ce qui existe sous

l'économie du salut (descente du Christ « sous le ciel ») et au commentaire spirituel et moral : « pensez aux choses d'en haut » (*hom.* V, 4, 50 s. ; allusion à *Col.* 3, 2).

3. Double allusion à *Gen.* 3, 14 et 15. M. ALEXANDRE remarque que les Pères ont fait leur l'idée que le serpent « mangeait de la terre », signe de ses tendances diaboliques (*Le commencement du Livre, Genèse I-V. La version grecque de la Septante et sa réception*, Paris 1988, p. 313).

4. Grégoire supprime la mention des « scorpions » dans sa citation de *Lc* 10, 19, ce qui adapte le verset au rappel qu'il vient de faire de *Gen.* 3, 14-15.

5. *Ps.* 8, 2 à rapprocher de la référence au *Ps.* 144, 3-5 en *hom.* VII, 8, 119-120, lorsque Grégoire évoque l'inaccessibilité de Dieu.

σιαστὴς ἐπισκέψασθαι τί γέγονεν ὑπὸ τὸν οὐρανὸν ὃ μὴ πρότερον ἦν, πῶς εἰσῆλθεν ἡ ματαιότης, πῶς ἐπεκράτησε τὸ ἀνύπαρκτον, τίς ἡ δυναστεία τοῦ μὴ ὑπάρχοντος. Τὸ γὰρ κακὸν ἀνυπόστατον, ὅτι ἐκ τοῦ μὴ ὄντος τὴν
30 ὑπόστασιν ἔχει, τὸ δὲ ἐκ τοῦ μὴ ὄντος ὂν οὐδὲ ἔστι
301 A. πάν|τως κατὰ τὴν ἰδίαν φύσιν, ἀλλ' ὅμως τῶν τῇ ματαιότητι ὁμοιωθέντων ἐπικρατεῖ ἡ ματαιότης.

3. Ἦλθεν οὖν ἐκζητῆσαι τῇ ἑαυτοῦ σοφίᾳ τί γέγονεν ὑπὸ τὸν ἥλιον, τίς ἡ σύγχυσις τῶν τῇδε πραγμάτων, πῶς ἐδουλώθη τὸ ὂν τῷ μὴ ὄντι, πῶς δυναστεύει κατὰ τοῦ ὄντος τὸ ἀνυπόστατον. Καὶ εἶδεν « ὅτι περισπασμὸν
5 πονηρὸν ἔδωκεν ὁ θεὸς τοῖς υἱοῖς τῶν ἀνθρώπων τοῦ περισπᾶσθαι ἐν αὐτῷ [a] ». Τοῦτο δὲ οὐχ, ὡς ἄν τις ἐκ τοῦ προχείρου νοήσειεν, εὐσεβές ἐστιν οἴεσθαι ὅτι αὐτὸς ἔδωκεν ὁ θεὸς τὸν πονηρὸν τοῖς ἀνθρώποις περισπασμόν· ἢ γὰρ ἂν εἰς ἐκεῖνον ἡ τῶν κακῶν αἰτία ἐπαναφέροιτο. Ὁ
10 γὰρ τῇ φύσει ἀγαθὸς καὶ ἀγαθῶν πάντως παρεκτικὸς γίνεται, διότι « πᾶν δένδρον καλὸν καρποὺς καλοὺς ποιεῖ [b] » καὶ οὔτε ἀπὸ ἀκανθῶν σταφυλὴ οὔτε ἐξ ἀμπέλου ἄκανθα φύεται [c]. Ὁ οὖν τῇ φύσει ἀγαθὸς οὐκ ἄν τι

3. a. Eccl. 1, 13d-f b. Matth. 7, 17 c. cf. Matth. 7, 16

1. Ce passage réintroduit la notion de « vanité », les adjectifs ἀνύπαρκτον et ἀνυπόστατον reprenant les termes mêmes de la définition qui en est donnée au début de l'homélie I (I, 3, 29-31) ; voir aussi *hom.* I, 13, 8 et *hom.* V, 2, 31.

2. Grégoire ne s'arrête pas ici au sens du mot περισπασμός, hapax de la LXX que GRÉGOIRE LE THAUMATURGE traduit à l'aide de la métaphore de l'homme ballotté par les événements dans la *Metaphrasis in Eccl.* (*PG* 10, 990 D). Le mot est utilisé en *De virg.*, Prol., 4, par allusion à ἀπερισπάστως en *I Cor.* 7, 35, pour définir la « vie commune » par opposition à la virginité.

le ciel et qui n'était pas auparavant, comment est venue la vanité, comment le néant l'a emporté, quelle est la puissance de ce qui n'a pas d'existence. Car le mal est ce qui est sans fondement, parce qu'il tient sa subsistence de ce qui n'est pas [1] ; mais ce qui tient son être de ce qui n'est pas n'existe pas du tout non plus selon sa propre nature ; mais cependant la vanité domine sur les réalités qui ont été assimilées à la vanité.

3. C'est ce qu'il est donc venu chercher dans sa sagesse : qu'est-il arrivé sous le soleil, quelle confusion des choses d'ici-bas s'y est-elle produite, comment ce qui est a-t-il été asservi à ce qui n'est pas, comment ce qui n'a pas de subsistence l'emporte-t-il sur ce qui est ? Et il a vu que « c'est une mauvaise agitation [2] que Dieu a donnée aux fils des hommes pour qu'ils s'y agitent [a] ». Mais il n'est pas pieux de croire, comme on pourrait le penser d'après le sens littéral, que Dieu lui-même a donné cette « mauvaise agitation » aux hommes [3] : assurément, ce serait lui rapporter la cause des maux. En effet, celui qui est bon par nature est aussi en tout cause de ce qui est bon ; c'est pourquoi « tout arbre bon donne de bons fruits [b] » et la grappe ne naît pas des épines ni les épines de la vigne [c]. Celui donc qui est bon par nature ne saurait tirer de ses

3. Le refus du sens littéral du verbe « donner » amène la reprise de l'objection déjà soulevée en *hom.* I, 5-6. La réponse est l'affirmation de la liberté humaine, définie quelques lignes plus haut. Un passage de l'*Or. cat.* (5, 12) reprend de façon synthétique la réponse de Grégoire : « Le caractère propre de la liberté (τῆς αὐτεξουσιότητος ... τὸ ἰδίωμα) étant de choisir librement l'objet désiré, la responsabilité des maux dont vous souffrez aujourd'hui ne retombe pas sur Dieu, qui a créé notre nature indépendante et libre (ἀδέσποτόν τε καὶ ἄνετον), mais sur votre irréflexion (ἀβουλία), qui a choisi le pis au lieu du mieux » (trad. Méridier).

πονηρὸν ἐκ τῶν θησαυρῶν ἑαυτοῦ προχειρίσαιτο· οὐδὲ
15 γὰρ ὁ ἀγαθὸς ἄνθρωπος ἐκ τοῦ περισσεύματος τῆς
καρδίας κακὰ λαλεῖ[d], ἀλλὰ κατάλληλα τῇ ἑαυτοῦ φθέγγεται φύσει· πόσῳ οὖν μᾶλλον ἡ τῶν ἀγαθῶν πηγὴ οὐκ
ἄν τι τῶν πονηρῶν ἐκ τῆς ἰδίας φύσεως προχέοι;

Ἀλλὰ τοῦτο νοεῖν ὑποτίθεται ἡ εὐσεβεστέρα διάνοια
20 ὅτι τὸ ἀγαθὸν τοῦ θεοῦ δόμα, τοῦτο δέ ἐστιν ἡ
640 M. αὐτεξούσιος κίνησις τῇ διημαρτημένῃ τῶν ἀνθρώπων
χρήσει ὄργανον εἰς ἁμαρτίαν ἐγένετο. Ἀγαθὸν γὰρ τῇ
φύσει τὸ αὐτεξούσιον καὶ ἀδούλωτον, τὸ δὲ ὑπεζευγμένον
302 A. ἀνάγκαις οὐκ ἄν τις | ἐν ἀγαθοῖς ἀριθμήσειεν. Ἀλλ' ἡ
25 αὐτεξούσιος αὕτη τῆς διανοίας ὁρμὴ ἀπαιδαγωγήτως
πρὸς τὴν αἵρεσιν τῆς κακίας ἀπορρυεῖσα περισπασμὸς
τῆς ψυχῆς ἐγένετο ἀπὸ τῶν ὑψηλῶν τε καὶ τιμίων πρὸς
τὰς ἐμπαθεῖς τῆς φύσεως κινήσεις κατασπασθείσης.
Τοῦτό ἐστιν ὃ σημαίνει τό « ἔδωκεν[e] », οὐχ ὅτι αὐτὸς τὸ
30 κακὸν τῇ τῶν ἀνθρώπων ζωῇ ἐνεποίησεν, ἀλλ' ὅτι τοῖς
παρὰ τοῦ θεοῦ δοθεῖσιν ἀγαθοῖς ὁ ἄνθρωπος ὑπὸ ἀβουλίας
εἰς κακῶν ὑπηρεσίαν ἐχρήσατο.

Σύνηθες δέ ἐστι τῇ ἁγίᾳ γραφῇ τὰ τοιαῦτα τῶν
νοημάτων ταῖς τοιαύταις ἐξαγγέλλειν φωναῖς, ὡς τό
35 « Παρέδωκεν αὐτοὺς ὁ θεὸς εἰς πάθη ἀτιμίας[f] » καὶ
« Ἔδωκεν αὐτοὺς εἰς ἀδόκιμον νοῦν[g] » καὶ « Ἐσκλήρυνε
τὴν καρδίαν Φαραώ[h] » καὶ τό « Τί ἐπλάνησας ἡμᾶς,
κύριε, ἀπὸ τῆς ὁδοῦ σου, ἐσκλήρυνας ἡμῶν τὰς καρδίας

d. cf. Lc 6, 45 e. cf. Eccl. 1, 13e f. Rom. 1, 26 g. Rom. 1, 28 h. Ex. 9, 12

1. L'emploi du verbe ἀπορρέω rappelle peut-être l'image platonicienne des ailes de l'âme qui se détachent (*Phèdre* 246d).

2. Sur l'endurcissement de Pharaon, lieu scripturaire par excellence de la réflexion des Pères sur la liberté humaine, voir ORIGÈNE, *Philocalie*

trésors quelque chose de mauvais, pas plus que l'homme bon ne dit de mauvaises paroles de l'abondance de son cœur [d], mais parle en accord avec sa nature. Combien plus alors la source des biens ne saurait-elle de sa propre nature répandre rien de mal !

Mais le sens le plus pieux suggère de penser que le bon présent fait par Dieu, c'est-à-dire le mouvement du libre arbitre, est devenu instrument pour le péché à cause de l'utilisation pécheresse que les hommes en ont fait. Car ce qui est libre et non asservi est bon par nature, tandis que personne ne compterait au nombre des biens ce qui a été soumis au joug des contraintes. Mais ce libre élan de la pensée, qui s'est détaché [1] sans guide pour choisir le mal, est devenu agitation de l'âme, et celle-ci, s'écartant des réalités élevées et précieuses, a été attirée vers les mouvements passionnels de la nature. Voilà ce que signifie « il a donné [e] » : ce n'est pas Dieu qui a lui-même produit le mal dans la vie des hommes, mais c'est l'homme qui, dans son irréflexion, a utilisé au service du mal les biens donnés par Dieu.

C'est une habitude de la Sainte Écriture d'exprimer de telles pensées avec de tels mots, ainsi : « Dieu les a livrés à des passions avilissantes [f] », « Il les a livrés à leur intelligence sans jugement [g] », « Il a endurci le cœur dc Pharaon [h] » [2], et : « Pourquoi, Seigneur, nous as-tu fait errer loin de ton chemin et as-tu endurci nos cœurs pour

27. Origène consacre également toute une homélie à *Jér.* 20, 7, et il commence par cette affirmation : « Tout ce que l'Écriture dit de Dieu, même quand c'est invraisemblable en soi, il faut penser que c'est digne d'un Dieu bon » (*Hom. sur Jérémie* XX, 1, *SC* 238) ; il distingue ensuite entre la « bonne tromperie » de Dieu et la « mauvaise tromperie » du serpent (*ibid.* XX, 4). Voir H. DE LUBAC, *Recherches dans la foi. Trois études sur Origène, saint Anselme et la philosophie chrétienne*, Paris 1979, p. 9-78 (« 'Tu m'as trompé, Seigneur'. Le commentaire d'Origène sur *Jérémie* 20, 7 »).

τοῦ μὴ φοβεῖσθαί σε[i] » καὶ « Ἐπλάνησεν αὐτοὺς ἐν
40 ἀβάτῳ καὶ οὐχ ὁδῷ[j] » καὶ « Ἠπάτησάς με καὶ
ἠπατήθην[k] », καὶ ὅσα τούτοις ἐστὶν ὁμοιότροπα, ἐφ' ὧν ἡ
ἀκριβὴς διάνοια οὐ τὸ παρὰ τοῦ θεοῦ τι τῶν ἀτόπων
ἐγγενέσθαι τῇ ἀνθρωπίνῃ φύσει συνίστησιν, ἀλλὰ κατη-
303 A. γορεῖ τῆς ἐξουσίας, ἣ ἀγαθὸν | μέν ἐστι καὶ θεοῦ δῶρον
45 δεδομένον τῇ φύσει, γέγονε δὲ διὰ τῆς ἀβουλίας ἡμῖν
δύναμις τῆς πρὸς τὸ ἐναντίον ῥοπῆς. Εἶδεν οὖν ὁ
ἐκκλησιαστὴς « σύμπαντα τὰ πεποιημένα ἐν τῷ ὑπὸ τὸν
ἥλιον βίῳ, ὅτι πάντα ἦν ματαιότης[l] ». Οὐκ ἦν γὰρ « ὁ
συνιῶν, οὐκ ἦν ὁ ἐκζητῶν τὸν θεόν, ἐπειδὴ πάντες
50 ἐξέκλιναν καὶ ἅμα ἠχρειώθησαν[m] ». Διὰ τοῦτο εἰπὼν ὅτι
« Καὶ ἰδοὺ τὰ πάντα ματαιότης[n] » τὴν αἰτίαν ἐπήγαγεν
ὅτι οὐχ ὁ θεὸς τούτων αἴτιος ἀλλ' ἡ προαίρεσις τῆς
ἀνθρωπίνης ὁρμῆς, ἣν πνεῦμα[n] ὠνόμασεν. Κατηγορεῖ δὲ
τούτου τοῦ πνεύματος οὐχ ὅτι τοιοῦτον ἐξ ἀρχῆς ἦν — ἢ
55 γὰρ ἂν ἔξω κατηγορίας ἦν εἰ τοιοῦτον ἐγένετο —, ἀλλ'
ὅτι διαστραφὲν ἐξηρμόσθη τοῦ κόσμου.

4. « Διεστραμμένον γάρ, φησίν, οὐ δυνήσεται ἐπικοσμηθῆναι[a] », τουτέστιν οὐκ ἂν γένοιτο τῇ παρὰ τοῦ
θεοῦ διακοσμηθείσῃ κτίσει οἰκεῖον τὸ ἐνδιάστροφον.

i. Is. 63, 17 j. Ps. 106, 40 k. Jér. 20, 7 l. Eccl. 1, 14 m. Ps. 13, 2-3 n. Eccl. 1, 14c
4. a. Eccl. 1, 15a

---

1. *Ps.* 13, 2-3 (LXX) : (v. 2) διέκυψεν ... τοῦ ἰδεῖν εἰ ἔστιν συνίων ἢ ἐκζητῶν τὸν θεόν. (3) Πάντες ἐξέκλιναν, ἅμα ἠχρειώθησαν. La modification que Grégoire apporte à la syntaxe de ces versets en fait une parole attribuée à Salomon et explicite le lien logique entre le v. 2b et le verset suivant.

2. Sans la citer entièrement, Grégoire interprète l'expression

que nous ne te craignions pas [i] ? », « Il les a égarés dans un lieu impraticable et ce qui n'était pas un chemin [j] », « Tu m'as trompé et j'ai été trompé [k] », et toutes les paroles de ce genre. Le sens exact qu'on tire de ces paroles, loin de prouver que Dieu met quelque chose d'inconvenant dans la nature humaine, accuse la liberté d'action, qui est un bien et un présent donné par Dieu à la nature humaine, mais qui est devenu par notre irréflexion capacité d'incliner vers son contraire. L'ecclésiaste a donc vu « tout ce qui a été fait dans ce qui vit sous le soleil, et que tout était vanité [l] ». Car « il n'y en avait pas un pour comprendre, pas un pour chercher Dieu, puisque tous se sont détournés et ont été corrompus [m] » [1]. Aussi, après avoir dit : « Et voici, tout est vanité [n] », il en a ajouté la cause : ce n'est pas Dieu qui en est cause, mais le « choix » de l'élan humain qu'il a nommé « esprit [n] » [2] ; et il accuse cet esprit, non d'être tel depuis le commencement — car assurément il serait à l'abri de toute accusation s'il avait été tel —, mais d'avoir « été perverti » et d'avoir perdu l'harmonie avec le monde.

4. « Ce qui a été perverti ne pourra être ordonné [a] », dit-il, c'est-à-dire que ce qui a été détourné ne saurait être apparenté à la création bien ordonnée [3] par Dieu. En effet

προαίρεσις πνεύματος dans un sens anthropologique ; mais plus loin (*hom.* V, 5, 6 et 8), il souligne la signification péjorative de l'expression : de la part du pécheur, il n'y a que « choix du vent ». C'est dans la logique de la traduction grecque du texte biblique ; pour l'hébreu, D. Lys (*L'Ecclésiaste*, p. 160-162) souligne l'allure proverbiale de l'expression. Grégoire le Thaumaturge garde un sens physique à l'expression en parlant du « souffle corrupteur » qui emplit le monde (*Metaphrasis in Eccl.*, *PG* 10, 990).

3. Le même composé διακοσμέω, substitué par Grégoire au verbe ἐπικοσμέω employé en *Eccl.* 1, 15, lui sert dans le *De hom. op.* 1, 132a pour souligner l'achèvement et la beauté de la création. Voir de même Basile, *Hom. sur l'Hexaéméron* VII, 3, 66 A.

Ὥσπερ γὰρ ὁ τεχνίτης ὁ κατὰ πρόθεσίν τι ἑαυτῷ
5 τεκταινόμενος κανόνι καὶ σπάρτῳ διευθύνει τὰ μέρη τὰ τὴν ἐργασίαν τοῦ σκεύους διὰ τῆς τεχνικῆς πρὸς ἄλληλα
304 A. θέσεως συμπεραίνοντα· εἰ δέ τι τούτων μὴ κατὰ | τὴν σπάρτον διευθυνθείη, οὐ παραδέχεται πάντως τὴν διαστροφὴν ἡ εὐθὴς ἁρμονία, ἀλλὰ χρὴ κἀκεῖνο ὑπαχθῆναι
10 τῇ σπάρτῳ καὶ εὐθὺ γενέσθαι, εἰ μέλλοι τῷ εὐθεῖ συναρμόζεσθαι· οὕτω φησὶν ὁ ἐκκλησιαστὴς ὅτι ἡ παρὰ τῆς κακίας διαστραφεῖσα φύσις τῇ κεκοσμημένῃ ὑπὸ τοῦ ὀρθοῦ λόγου κτίσει ἐγγενέσθαι οὐ δύναται.

« Καὶ ὑστέρημα, φησίν, οὐ δυνήσεται ἀριθμηθῆναι [b]. »
15 Ὑστερεῖσθαι τὸ λείπεσθαι ἡ γραφικὴ συνήθεια νοεῖν
641 M. διδάσκει, καὶ τοῦτο ἐκ πολλῶν ἔστι πιστώσασθαι. Ὁ γὰρ « ἐν παντὶ καὶ ἐν πᾶσι μεμυημένος Παῦλος οἶδε καὶ ὑστερεῖσθαι καὶ περισσεύειν [c] »· καὶ ὁ διὰ τῆς ἀσωτίας τὴν πατρικὴν ἐκδαπανήσας οὐσίαν λιμοῦ κατασχόντος [d]
20 ἤρξατο ὑστερεῖσθαι· καὶ περὶ τῶν ἁγίων ὁ Παῦλος διεξιὼν τά τε ἄλλα φησὶ περὶ αὐτῶν ἐν οἷς ἐκακοπάθουν τῷ σώματι, καὶ τοῦτο προστίθησιν ὅτι « ὑστερούμενοι καὶ θλιβόμενοι [e] ». Οὐκοῦν καὶ ἐνταῦθα « ὑστέρημα » ὁ λόγος εἰπὼν τὸ λεῖπον διὰ τῆς φωνῆς ἐνεδείξατο· τὸ δὲ λεῖπον
25 ἐναρίθμιον τοῖς οὖσι γενέσθαι οὐ δύναται. Καὶ γὰρ οἱ μαθηταί, ἕως μὲν πάντες ἦσαν ἐν τῷ ἰδίῳ πληρώματι, δυοκαίδεκα ἦσαν τὸν ἀριθμόν, ἐπεὶ δὲ « ἀπώλετο ὁ υἱὸς τῆς ἀπωλείας [f] », ἐκολοβώθη ὁ ἀριθμὸς τῷ μὴ συναριθ-

b. Eccl. 1, 15b c. Phil. 4, 12 d. cf. Lc 15, 14 e. Hébr. 11, 37 f. cf. Jn 17, 12

---

1. Sur les instruments utilisés pour la construction, voir R. MARTIN, *Manuel d'architecture*, I. *Matériaux et technique*, Paris 1965 (p. 38 et 190-191 sur la taille des pierres dans les chantiers). — Mais le sens figuré

l'artisan qui construit quelque chose pour lui, selon un plan, aligne à l'aide d'une règle et d'un cordeau [1] les parties qui contribuent à la réalisation de l'objet grâce à la disposition habile des unes par rapport aux autres ; et si l'une des parties n'a pas été alignée au cordeau, la droite harmonie n'admet pas du tout la distorsion et il faut soumettre cette partie aussi au cordeau et l'aligner, si l'on veut qu'elle soit adaptée à la partie qui est droite. De la même manière l'ecclésiaste dit que la nature déviée par le mal ne peut pas rester dans la création telle qu'elle a été ordonnée par la droite raison.

« Et, dit-il, un manque ne pourra être compté [b]. » L'habitude de l'Écriture nous apprend à comprendre « manquer » comme « faire défaut », et de nombreux exemples permettent d'en avoir l'assurance [2]. Paul, en effet, « initié en toute circonstance et de toutes les manières, sait vivre dans le manque aussi bien que dans l'abondance [c] » ; celui qui a dilapidé le bien paternel dans une vie de prodigue a commencé à connaître le manque, et la famine le tenait [d]. Et au sujet des saints, Paul expose comment ils souffraient dans leur corps, et il ajoute en particulier qu'ils connaissaient « le manque et l'oppression [e] ». Donc ici aussi le texte, en disant « manque », a montré par ce mot ce qui fait défaut ; et ce qui fait défaut ne peut pas être compté au nombre des êtres. Les disciples eux aussi, en effet, étaient douze, tant qu'ils étaient dans la plénitude de leur nombre. Mais lorsque s'est perdu « le fils de perdition [f] »,

des mots de ce vocabulaire est évidemment exploité par Grégoire (voir *hom.* VI, 1, 34-38). Basile utilise ce même verset d'*Eccl.* 1, 15 pour l'appliquer à Eunome : « car 'tout ce qui est tordu ne sera pas redressé', selon la parole de l'Ecclésiaste, et les critères de la vérité ne pourront pas non plus s'appliquer à ceux qui ont choisi le mensonge pendant leur vie, comme il le croit » (*Contre Eunome* I, 4, 85 s., *SC* 299).

2. Après avoir proposé λείπεσθαι comme équivalent sémantique au nom de « l'habitude scripturaire », Grégoire procède de fait au relevé de quelques occurrences du verbe ὑστερεῖσθαι dans le N.T.

μεῖσθαι τοῖς οὖσι τὸν λείποντα· « ἕνδεκα[g] » γὰρ μετὰ
30 τὸν Ἰούδαν καὶ ἦσαν καὶ ὠνομάζοντο. Τὸ οὖν « Ὑστέρημα, φησίν, οὐ δυνήσεται τοῦ ἀριθμηθῆναι[h] ». Τί τοῦτο
305 A. σημαίνει διὰ τοῦ λόγου ; ὅτι ἦν ποτε καὶ τὸ καθ' | ἡμᾶς τῷ παντὶ ἐναρίθμιον· συνετελοῦμεν γὰρ καὶ ἡμεῖς εἰς τὴν ἱερὰν τῶν λογικῶν προβάτων ἑκατοντάδα. Ἐπεὶ δὲ
35 ἀπεβουκολήθη τῆς οὐρανίου διαγωγῆς τὸ ἓν πρόβατον ἡ ἡμετέρα φύσις διὰ κακίας πρὸς τὸν ἁλμυρὸν τοῦτον καὶ αὐχμῶντα τόπον κατασπασθεῖσα, οὐκέτι ὁ αὐτὸς ἀριθμὸς ἐπὶ τοῦ ποιμνίου τῶν ἀπλανῶν μνημονεύεται, ἀλλ' ἐνενήκοντα καὶ ἐννέα κατονομάζονται[i]· τὸ γὰρ μάταιον
40 ἔξω τοῦ ἀριθμοῦ τῶν ὑφεστώτων γίνεται, διότι « ὑστέρημα οὐ δυνήσεται τοῦ ἀριθμηθῆναι[j] ». Ἦλθεν οὖν « ζητῆσαι καὶ σῶσαι τὸ ἀπολωλὸς[k] » καὶ ἐπὶ τῶν ὤμων λαβὼν ἀποκαταστῆσαι τοῖς οὖσι τὸ τῇ ματαιότητι τῶν ἀνυπάρκτων ἐναπολλύμενον, ἵνα πάλιν ἄρτιος γένηται ὁ
45 τῆς κτίσεως τοῦ θεοῦ ἀριθμός, ἀποσωθέντος τοῦ ἀπολωλότος τοῖς μὴ ἀπολλυμένοις.

5. Τίς οὖν ἡ τοῦ πλανηθέντος ἐπάνοδος καὶ τίς ὁ τρόπος τῆς ἀπὸ τῶν κακῶν πρὸς τὸ ἀγαθὸν ἀναλύσεως, ἐν τοῖς ἐφεξῆς διδασκόμεθα. Ὁ γὰρ « πεπειραμένος κατὰ

g. Matth. 28, 16 h. Eccl. 1, 15b i. cf. Matth. 18, 13 j. Eccl. 1, 15b k. Lc. 19, 10

---

1. La trahison de Judas et le passage de 12 à 11 apôtres, de même que la parabole de la brebis perdue, ont donné lieu aux spéculations des gnostiques sur le nombre des éons chassés ou sortis du plérôme (sur le nombre des apôtres, voir Irénée, *Adv. Haer.* II, 20, 2-5 ; sur la brebis perdue, *Adv. Haer.* I, 8, 4 et III, 23, 8). Évagre interprète le verset en distinguant ce qui peut être dénombré et ce qui est « indénombrable » (*Scholies à l'Ecclésiaste* 6, *SC* 397).

2. Grégoire lie étroitement son interprétation de la parabole de la brebis perdue et sa conception du « plérôme », voir R.M. Hübner, *Die Einheit des Leibes Christi bei Gregor von Nyssa*, Leyde 1974, en

leur nombre fut amoindri puisqu'on ne pouvait pas compter au nombre des êtres celui qui faisait défaut. Ils étaient donc onze après le départ de Judas [1] et se nommaient les « Onze [g] ». La parole, « le manque ne pourra pas être compté [h] », que signifie-t-elle donc dans le texte ? que notre nombre aussi était complet un jour. Car nous aussi nous appartenions à la centaine sacrée des brebis rationnelles [2]. Mais après qu'une unique brebis — notre nature [3] — se fut détournée du pâturage de la vie céleste, et fut tirée à cause du péché vers ce lieu amer et sale, on ne mentionne plus le même nombre pour le troupeau de celles qui ne se sont pas égarées, mais elles sont nommées les quatre-vingt dix-neuf [i]. Car la vanité est en dehors du nombre des réalités stables. C'est pourquoi « le manque ne pourra être compté [j] ». Il est donc venu « chercher et sauver ce qui était perdu [k] », prendre sur ses épaules et restaurer au nombre des êtres ce qui se perdait dans la vanité des choses sans consistance, afin que le nombre de la création de Dieu soit à nouveau complet, ce qui était perdu ayant été sauvé et réintégré à ce qui n'était pas perdu.

Sagesse de Salomon

5. Quel est le chemin de retour pour l'égaré, quelle est la manière de l'affranchir du mal et de le tourner vers le bien ? Nous l'apprenons dans ce qui suit. « Celui qui a fait l'expérience de tout d'une manière semblable (à nous), à l'exception du

particulier p. 128-130. L'enjeu de l'interprétation est à nouveau l'affirmation de l'apocatastase, comme l'indique l'emploi du verbe ἀποκαταστῆσαι à la l. 43 (voir M. Alexandre, « Protologie et eschatologie », p. 155-156).

3. La même expression se retrouve en *In Cant.* II (*GNO* VI, p. 61, 8), où elle définit le plérôme de la création. Le Christ, s'il est ici le berger, peut être assimilé à la brebis dans d'autres contextes. Une phrase d'*Adv. Apol.* (*GNO* III, 1, p. 151-152) souligne la réversibilité de l'image : le Christ est « brebis dans la nature qui est assumée, berger dans celle qui assume ».

πάντα καθ' ὁμοιότητα χωρὶς ἁμαρτίας[a] » ἐκ τῶν ἡμε-
5 τέρων ἡμῖν διαλέγεται. Ὁ τὰς ἀσθενείας ἡμῶν ἀναλαβὼν
δι' αὐτῶν τῶν ἀσθενημάτων τῆς φύσεως τὴν ἔξω κακίας
ὁδὸν ὑποδείκνυσι. Νῦν γάρ μοι νόησον τὴν σοφίαν ἐξ
αὐτοῦ τοῦ κατὰ σάρκα Σολομῶντος ἡμῖν διαλέγεσθαι,
διαλέγεσθαι δὲ ταῦτα δι' ὧν ἂν μάλιστα πρὸς ὑπεροψίαν
10 ὁδηγηθείημεν τῶν παρὰ τοῖς ἀνθρώποις σπουδαζομένων.
Οὐ γὰρ καθ' ὁμοιότητα τῶν πολλῶν, οἷς οὐκ ἔστι κατ' |
306 A. ἐξουσίαν τὸ καταθύμιον, καὶ ὁ παρ' αὐτοῦ γίνεται λόγος,
ὡς διὰ τούτου τὸ ἀναξιόπιστον ἔχειν, κατηγορῶν ἐκείνων
ὧν οὐ πεπείραται. Ἡμεῖς γὰρ οὐ τῇ ἑαυτῶν πείρᾳ πάντα
15 μανθάνομεν, ἀλλὰ διὰ μόνων τῶν λογισμῶν ἐκεῖνα
γινώσκομεν ὧν τὴν ἀπολαυστικὴν τῶν ἡδέων πεῖραν ἡ
πενία κωλύει. Κἂν τινι προσάγηται συμβουλὴ παρ' ἡμῶν,
τὸ παρ' οὐδὲν ἡγεῖσθαι δεῖν τὰ ὑπὸ τῶν ἀνθρώπων
τιμώμενα, πρόχειρος ἡ παραγραφὴ τοῦ ἀκούοντος, τὸ διὰ
20 τοῦτο ἡμᾶς ἀτιμάζειν ἐκεῖνα, ὅτι μὴ τῇ πείρᾳ τὴν ἐν
αὐτοῖς ἡδονὴν ἐγνωρίσαμεν. Ἐπὶ δὲ τοῦ ταῦτα ἡμῖν
διαλεγομένου ἀργεῖ πᾶσα τοιαύτη ἀντίρρησις. Σολομὼν
γάρ ἐστιν ὁ ταῦτα λέγων.

Ὁ δὲ Σολομὼν οὗτος τρίτος ἦν ἐν τοῖς βασιλεῦσι τοῦ
644 M. 25 Ἰσραὴλ μετὰ τὸν Σαοὺλ ἐκεῖνον καὶ τὸν παρὰ τοῦ κυρίου
ἐξειλεγμένον Δαβίδ. Αὐτὸς τὴν ἀρχὴν παρὰ τοῦ πατρὸς
ἐκδεξάμενος καὶ αὐξηθείσης εἰς μέγεθος ἤδη τοῖς Ἰσραη-
λίταις τῆς δυναστείας ἀναδείκνυται βασιλεύς[b] · ὃς οὐκέτι

5. a. Hébr. 4, 15 b. cf. III Rois 1, 11-40

---

1. Citant *Hébr.* 4, 15, Grégoire ne fait qu'une allusion à l'Incarnation, et la notion de « faiblesse » suffit à évoquer la nature humaine. En préférant le parfait de πειράω à celui de πειράζω utilisé dans le texte biblique, il introduit sa réflexion sur l'expérience de Salomon. Le terme

péché [a] » nous le fait connaître à partir de ce que nous sommes [1]. Lui qui a pris nos faiblesses, il nous montre, à travers les faiblesses mêmes de notre nature, le chemin qui nous fait sortir du mal. Maintenant, considère en effet que c'est la sagesse qui vient de Salomon lui-même selon la chair qui s'adresse à nous et nous adresse les paroles qui pourraient par-dessus tout nous conduire au mépris des occupations humaines. Car Salomon n'est pas à la ressemblance de la plupart des hommes qui désirent ce qui n'est pas en leur pouvoir, et en cela il n'est pas indigne de foi, comme s'il dénonçait des réalités dont il n'a pas fait l'expérience. Car, pour nous, nous n'apprenons pas tout par expérience personnelle, mais seuls nos raisonnements nous font connaître les réalités dont le dénuement nous empêche de faire l'expérience et de goûter l'agrément. Et à supposer que nous donnions à quelqu'un le conseil de n'accorder aucune valeur à ce qu'honorent les hommes, la réplique de celui qui nous écoute vient d'elle-même : si nous méprisons ces réalités, c'est que nous n'avons pas connu par expérience le plaisir qu'elles procurent. Mais avec l'interlocuteur que nous avons ici, toute réfutation de ce genre est sans effet : car c'est Salomon qui parle.

Or Salomon était le troisième des rois d'Israël après l'illustre Saül et après David, qui fut choisi par le Seigneur [2]. Lui-même a reçu de son père le commandement et il est proclamé roi à l'époque où la puissance des Israëlites s'était grandement accrue [b]. Comme il n'avait

πεῖρα, neutre par lui-même, à la différence de πειρασμός, est d'abord connoté positivement dans le cas de Salomon : ses expériences sont à la mesure de son entière liberté.

2. Allusions à l'histoire de Salomon, mais en *hom.* I, 2, Grégoire a souligné la différence entre le texte sapientiel et les « livres historiques et prophétiques ». Sur l'utilisation de l'ἱστορία voir ci-dessus, Introd., chap. VII.

διὰ πολέμου καὶ μάχης τρίβων τὸ ὑποχείριον, ἀλλὰ κατὰ
30 πᾶσαν ἐξουσίαν τῇ εἰρήνῃ ἐμβιοτεύων ἔργον ἐποιεῖτο οὐ
τὴν κτῆσιν τῶν μὴ προσόντων, ἀλλὰ τὴν ἀπόλαυσιν τῶν
περιόντων. Ὡς οὖν οὐδενὸς αὐτῷ πρὸς οὐδὲν τῶν
καταθυμίων ὄντος κωλύματος· ἥ τε γὰρ περιουσία τῇ
ἐπιθυμίᾳ συνεξετείνετο καὶ ἡ σχολὴ πρὸς τὴν ἀπόλαυσιν
35 ἄνετος ἦν· οὐδενὸς τῶν ἀβουλήτων τὴν ἐν τοῖς καταθυμίοις διαγωγὴν ἐπικόπτοντος, τά τε ἄλλα σοφὸς ὢν καὶ
ἐφευρεῖν τι τῶν καθ' ἡδονὴν ὑπὸ συνέσεως ἱκανὸς εἶπε τὰ
307 *A.* καὶ τὰ | τῶν πρὸς ἀπόλαυσιν σπουδαζομένων ἐπινοῆσαι
καὶ πάντα ποιήσας ὅσα καθεξῆς τῷ λόγῳ ἀπηριθμήσατο,
40 δι' αὐτῆς εἶπε μεμαθηκέναι τῆς πείρας ὅτι ἓν πέρας ἐστὶ
τῶν ἐν τούτοις σπουδαζομένων ἡ ματαιότης. Τάξιν δὲ
τοιαύτην ἐπέθηκε τῷ διηγήματι ὡς πρῶτον μὲν ἐν τοῖς
πρώτοις χρόνοις τῆς ἑαυτοῦ ζωῆς τῇ παιδεύσει δοῦναι
σχολὴν καὶ μὴ καταμαλακισθῆναι πρὸς τὰς ἐκ τῶν
45 τοιούτων πόνων σπουδάς, χρήσασθαι δὲ τῇ « προαιρέσει
τοῦ πνεύματος[c] », τουτέστι τῇ ὁρμῇ τῆς φύσεως, εἰς
προσθήκην γνώσεως, εἰ καὶ μετὰ πόνων κατωρθοῦτο τὸ
σπουδαζόμενον, καὶ οὕτως αὐξηθεὶς διὰ σοφίας μὴ λόγῳ
κατασκέψασθαι τὴν ἐμπαθῆ καὶ ἄλογον περὶ τὰς σωματι-
50 κὰς ἀπολαύσεις τῶν ἀνθρώπων ἀπάτην, ἀλλὰ καὶ δι'
αὐτῆς τῆς πείρας ἑκάστου τῶν σπουδαζομένων ἐπιγνῶναι
τὸ μάταιον.

c. Eccl. 1, 14c

---

1. Sur le sens exact d'ἀπόλαυσις, voir ci-dessus, Introd., p. 80.
2. Telle est la conclusion de l'expérience de Salomon, menée dans les meilleures conditions possibles. Les termes ματαιότης et μάταιον sont mis en valeur en fin de phrase, ici et à la l. 52. On retrouve ce même jugement lorsque Grégoire, en *In Cant.* IV (*GNO* VI, p. 132, 19 - 133, 3), rappelle l'enseignement de l'*Ecclésiaste* pour expliquer une expression de *Cant.* 2, 7, « par les puissances et les vertus du champ » (le « champ » étant le

plus à dissiper à la guerre et au combat les biens dont il disposait, mais qu'il pouvait vivre dans la paix en toute liberté, il s'occupait non pas à acquérir ce qu'il ne possédait pas, mais à jouir de ce qu'il avait en abondance. De la sorte donc, rien ne l'empêchait de se porter vers ce qu'il désirait, quoi que ce fût. L'abondance était coextensive à son désir, et le loisir pour en jouir [1] était sans relâche. Rien de contraire à sa volonté ne l'empêchait de mener une vie selon ses désirs ; mais lui qui était sage et surtout capable par son intelligence de découvrir quelque chose des plaisirs, dit qu'il a réfléchi à toutes les occupations procurant jouissance ; et après avoir fait tout ce qu'il a énuméré successivement dans son discours, il dit qu'il a appris de l'expérience même qu'il n'y a qu'un terme à ces sortes d'occupations : la vanité [2]. Et voici l'ordre qu'il a donné à son récit : dans les premiers temps de sa vie, il a consacré du temps à son éducation, sans fléchir dans son empressement pour ce qui exige tant d'efforts ; puis il a fait usage du libre « choix de l'esprit [c3] », c'est-à-dire de l'élan de sa nature, pour accroître son savoir, même si c'était au prix d'efforts qu'il réussissait dans l'objet de son empressement. Ayant ainsi gandi en sagesse, ce n'est pas en paroles qu'il a examiné l'erreur passionnelle et irrationnelle des hommes au sujet des jouissances matérielles, mais c'est par l'expérience même qu'il a reconnu la vanité de chacune de ces occupations.

monde) : « Si, considérant les apparences, nous trouvions quelque puissance en elles, l'Ecclésiaste contredit une telle interprétation, puisqu'il appelle vain tout ce que l'on y voit s'accomplir. En effet ce qui est vain n'a pas de consistance et ce dont la substance est sans consistance n'a pas de puissance » (*In Cant.* IV, *GNO* VI, p. 132, 19 - 133, 3 ; trad. M. Canévet, *La colombe et la ténèbre*, p. 63). Constatation parallèle dans le *De mortuis* (*GNO* IX), avec le même vocabulaire de la πεῖρα : voir la reprise de l'expression τῇ πείρᾳ μαθών (p. 54, 14) quelques lignes plus bas, διὰ τῆς τῶν ἀλγεινῶν πείρας ... μαθόντες (p. 55, 1-3).

3. Voir ci-dessus, p. 161, n. 2.

6. Ὁ μὲν οὖν σκοπὸς τῶν μετὰ τὰ προεξητασμένα γεγραμμένων οὗτός ἐστι. Καιρὸς δ' ἂν εἴη καὶ αὐτὴν παραθέσθαι καθεξῆς κατὰ τὸ ἀκόλουθον τῶν γεγραμμένων τὴν ἐπὶ λέξεως θεωρίαν. « Ἐλάλησα ἐγὼ ἐν τῇ
5 καρδίᾳ μου τῷ λέγειν, ἰδοὺ ἐμεγαλύνθην ἐγώ [a]. » Ἐπειδὴ γὰρ εἶδον, φησίν, περὶ ἐμαυτὸν τὸ ἐκ τῆς δυναστείας μέγεθος καὶ τὸν ὄγκον τῆς βασιλείας ἀθρόως ἐπιγενόμενον, οὐκ ἔστην ἐπὶ τῶν παρόντων οὐδὲ αὐταρκὲς ᾠήθην εἰς εὐκληρίαν βίου τὸ ἀπόνως μοι προσγενόμενον, ἀλλὰ
10 πρὸ τούτων τὸ τῆς σοφίας κτῆμα περὶ παντὸς ἐποι-
308 A. ησάμην, ὃ οὐκ ἔστι δυνατὸν ἄλλως εἰ μὴ μετὰ πόνων | τε καὶ ἱδρώτων κτήσασθαι. Διὰ τοῦτο εἰπὼν ὅτι « Ἐλάλησα ἐγὼ ἐν τῇ καρδίᾳ μου τῷ λέγειν, ἰδοὺ ἐμεγαλύνθην ἐγώ » ἐπήγαγε τό · « Καὶ προσέθηκα σοφίαν [b]. » Τὸν γὰρ κατὰ
15 τὸ αὐτόματόν μοι προσγεγονότα τῆς δυναστείας ὄγκον ηὔξησα τῇ τῆς σοφίας προσθήκῃ, ταῦτα κατ' ἐμαυτὸν εἰπὼν ὅτι χρὴ μάλιστα διὰ τούτου τῶν προγεγονότων βασιλέων δειχθῆναι ὑπέρτερον καὶ ἐν σοφίᾳ τὸ πλέον ἔχειν. « Προσέθηκα γὰρ σοφίαν ἐν πᾶσι τοῖς γενομένοις
20 ἔμπροσθέν μου ἐν Ἱερουσαλήμ [c] », καὶ ὅπως ἂν ταῦτα

6. a. Eccl. 1, 16a-b b. Eccl. 1, 16a-b c. Eccl. 1, 16c-d

---

1. Formule de transition habituelle à Grégoire ; voir *In Cant.* III (*GNO* VI, p. 82, 17-18 ; 183, 16 ; etc.). Après l'interprétation globale du passage, retour à la « lettre » des versets, comme en *hom.* I, 14, 7 ; V, 6, 3.

2. Grégoire isole le second stique d'*Eccl.* 1, 16 et souligne l'autonomie de la proposition en déplaçant ἐγώ après le verbe. Dans le texte biblique au contraire, ἐμεγαλύνθην peut apparaître comme un doublet de προσέθηκα et avoir lui aussi σοφίαν pour complément.

3. À rapprocher de *III Rois* 3, 12, verset que Grégoire rappelle au début de son commentaire du *Cantique* (*In Cant.* I, *GNO* VI, p. 16, 15-18). Voir de même *III Rois* 4, 25-26 cité par Origène, *Comm. sur le Cantique*, Prol., 3-4.

4. L'introduction de la notion de πόνος donne une autre signification à l'expérience de Salomon et prépare l'affirmation d'*Eccl.* 1, 18. Le

« Sagesse et connaissance »

6. Tel est donc le but de ce qui est écrit après ce qui vient d'être examiné. Mais ce serait le moment [1] de proposer à la suite, d'après l'enchaînement de ce qui est écrit, l'étude de la lettre du texte. « Et moi, j'ai dit en parlant dans mon cœur : voici que je suis devenu puissant [a2] .» En effet, lorsque j'ai vu autour de moi, dit-il, la grandeur donnée par le pouvoir [3], le prestige qui accompagne d'emblée la royauté, je ne me suis pas attaché aux réalités présentes, je n'ai pas non plus considéré que ce qui m'arrivait sans souffrance était suffisant pour réussir ma vie ; mais au lieu de ces réalités-là, j'ai estimé par-dessus tout la possession de la sagesse, ce qui ne peut s'acquérir qu'au prix d'efforts [4] et de sueurs. Aussi, après avoir dit : « Et moi, j'ai dit en parlant dans mon cœur : voici que je suis devenu puissant », a-t-il ajouté : « Et j'ai acquis plus de sagesse [b] .» En effet, le prestige de la puissance qui m'était venu de lui-même, je l'ai accru en lui ajoutant la sagesse, me disant en moi-même que je devais me montrer supérieur aux rois précédents surtout sur ce point et avoir la supériorité de la sagesse. Car « j'ai acquis plus de sagesse que tous ceux qui m'ont précédé à Jérusalem [c] », et j'ai compris comment cela se produirait.

langage de Grégoire est encore une fois ici celui de la philosophie grecque. Les Cyniques en particulier ont mené toute une réflexion sur le bon usage des *ponoi* : voir M.-O. GOULET-CAZÉ, *L'ascèse cynique. Un commentaire de Diogène Laërce VI, 70-71*, Paris 1986 (sur les *ponoi*, p. 53-71). Les *ponoi* utiles définissent une ascèse cynique que M.-O. Goulet distingue de l'ascèse stoïcienne ; ils incitent à une vie κατὰ φύσιν — thème qui peut se retrouver au fil des diatribes des Pères contre les excès de l'homme (voir *hom.* III, 4, sur l'embellissement excessif des maisons). Deux mises au point récentes sur les liens entre Cyniques et chrétiens : M.-O. GOULET-CAZÉ, « Le cynisme à l'époque impériale », dans *Aufstieg und Niedergang der römischen Welt*, II, 36, 4, Berlin 1990, p. 2788-2800 ; G. DORIVAL, « Cyniques et chrétiens au temps des Pères grecs », dans *Valeurs dans le stoïcisme. Du Portique à nos jours (Mélanges Spanneut)*, Lille 1993, p. 57-88.

γένοιτο κατενόησα. Τίς γὰρ οὐκ οἶδεν ὅτι ἐν τῇ γνώσει τῶν ἑτέροις προπεπονημένων τοῖς φιλοπονοῦσιν ἡ σοφία συνίσταται ; Διὸ φησίν· « Ἡ καρδία μου εἶδε πολλά, σοφίαν καὶ γνῶσιν[d] », οὐ κατὰ τὸ αὐτόματον ἀκμητὶ
25 τῆς τῶν τοιούτων γνώσεως ἐγγενομένης, ἀλλ' ἐπειδή, φησίν, « ἔδωκα τὴν καρδίαν μου τοῦ γνῶναι σοφίαν καὶ γνῶσιν[e] », ὡς οὐκ ἂν μαθὼν ἐκεῖνα εἰ μὴ πόνος τε καὶ μελέτη τῆς γνώσεως αὐτῶν καθηγήσατο.

645 M. Ἀλλὰ καί· « Παραβολάς, φησί, καὶ ἐπιστήμην
30 ἔγνων[f] », τουτέστι τὴν ἐξ ἀναλογίας γινομένην τοῦ ὑπερκειμένου κατάληψιν διὰ τῆς παραθέσεως τῶν γινω-
309 A. σκομένων. Καὶ ταῦτα μεμαθηκέναι | λέγει· « Παραβολὰς γάρ, φησί, καὶ ἐπιστήμην ἔγνων », καθάπερ καὶ ἐν τῷ εὐαγγελίῳ διδάσκων τοὺς ἀκροωμένους ὁ κύριος τὸν περὶ
35 τῆς βασιλείας λόγον ὑπ' ὄψιν ἄγει, ἢ μαργαρίτην ἢ θησαυρὸν ἢ γάμον ἢ κόκκον ἢ ζύμην[g] ἤ τι τοιοῦτον διηγησάμενος, οὐ ταῦτα λέγων εἶναι τὴν βασιλείαν, ἀλλὰ διὰ τῆς ὁμοιώσεως τῶν ἐν τούτοις σημαινομένων ἐναύσματά τινα καὶ αἰνίγματα τῶν ὑπὲρ κατάληψιν πραγμάτων
40 παραβολικῶς τοῖς ἀκούουσιν ὑποδείκνυσιν. Καὶ εἰς τοῦτό μοι γέγονε, φησίν, ἡ « προαίρεσις τοῦ πνεύματος[h] », τὸ γενέσθαι μοι « πλῆθος σοφίας[i] », ὡς ἂν διὰ τοῦ γενέσθαι σοφὸς μὴ διαμάρτοιμι τῆς τῶν ὄντων γνώσεως μηδὲ ἐκτὸς γενοίμην τῆς τοῦ λυσιτελοῦντος εὑρέσεως. Ἐκ γὰρ
45 σοφίας ἡ γνῶσις συνίσταται, ἡ δὲ γνῶσις εὐκολωτέραν

d. Eccl. 1, 16e e. Eccl. 1, 17a f. Eccl. 1, 17b g. cf. Matth. 13, 45 ; 22, 2 ; 13, 31.33 h. Eccl. 1, 17c i. cf. Eccl. 1, 18a

1. Grégoire ne s'arrête pas ici au sens de γνῶσις, à la différence de CLÉMENT, *Stromate* I, 58. Associant dans le même paragraphe *Eccl.* 1, 17 et *Eccl.* 7, 12 (« L'excellence de la science de la sagesse sera pour son possesseur une source de vie »), Clément fait l'éloge du vrai « gnostique » (γνωστικός), modèle de sagesse.

Qui ne sait, en effet, que la sagesse réside, pour ceux qui sont prêts à l'effort, dans la connaissance des efforts faits auparavant par d'autres ? C'est pourquoi il dit : « Mon cœur sait beaucoup de choses, sagesse et connaissance [d] [1] » ; la connaissance de ces choses n'est pas venue d'elle-même, sans fatigue, mais parce que, dit-il, « j'ai adonné mon cœur à connaître sagesse et connaissance [e] », dans la pensée qu'il ne les aurait pas apprises si la peine et le souci de les connaître ne l'avaient pas guidé.

Mais il dit aussi : « Je connais les paraboles et la science [f] [2] », c'est-à-dire la compréhension du transcendant qui s'obtient par analogie, par la comparaison avec les réalités connues. Il dit avoir appris cela aussi. Car « je connais, dit-il, les paraboles et la science » ; de même dans l'Évangile aussi, le Seigneur, lorsqu'il enseigne ses auditeurs, met sous leurs yeux la parole concernant le Royaume en parlant d'une perle, d'un trésor, d'une noce, d'une graine de sénevé, de levain [g] et d'autres choses semblables. Il ne dit pas que c'est cela le Royaume, mais par la ressemblance avec ce qui est signifié dans ces réalités, il fait entrevoir en parabole à ses auditeurs quelques lueurs énigmatiques des réalités qui sont hors de notre compréhension. Et voici, dit-il, où est allé pour moi le « choix de l'esprit [h] » : avoir « abondance de sagesse [i] », dans la pensée qu'en devenant sage, je ne ferais pas d'erreur sur la connaissance des êtres, je ne serais pas privé de la découverte de ce qui est utile. Car dans la sagesse réside la connaissance, et la connaissance nous rend plus

2. La présence du mot « parabole » en *Eccl.* 1, 17 amène les allusions attendues aux textes évangéliques, mais le substantif αἰνίγματα renvoie surtout à *Prov.* 1, 6, cité au début de l'homélie I. L'obscurité des Écritures devient ainsi le modèle de la connaissance de Dieu : une connaissance analogique.

ἡμῖν ποιεῖ τὴν τοῦ ὑπερέχοντος κρίσιν. Τοῦτο δὲ οὐκ ἀκμητὶ τοῖς σπουδάζουσι παραγίνεσθαι πέφυκεν, ἀλλ' ὁ προστιθεὶς ἑαυτῷ γνῶσιν συνεπιτείνει πάντως τῇ μαθήσει τὸν πόνον. Διό φησιν ὅτι « Ὁ προστιθεὶς γνῶσιν προσθή-
50 σει ἄλγημα [j] ». Καὶ τοιοῦτος γεγονὼς τότε τῶν ἡδέων ὡς ματαίων καταψηφίζεται.

7. Λέγει γὰρ ὅτι « Εἶπα ἐγὼ ἐν τῇ καρδίᾳ μου, δεῦρο δή, πειράσω σε ἐν εὐφροσύνῃ, καὶ ἰδὲ ἐν ἀγαθοῖς, καί γε τοῦτο ματαιότης [a] ». Οὐ γὰρ εὐθὺς ἔδωκεν ἑαυτὸν τῇ τοιαύτῃ πείρᾳ οὐδὲ ἄγευστος τοῦ κατεσκληκότος τε καὶ
5 σεμνοτέρου βίου πρὸς τὴν τῶν ἡδέων μετουσίαν κατώλισ-
310 A. θεν, ἀλλ' ἐνασκηθεὶς | ἐκείνοις καὶ κατορθώσας τῷ ἤθει τὸ ἀμειδὲς καὶ ἀνένδοτον, δι' ὧν μάλιστα τὰ τῆς σοφίας μαθήματα τοῖς σπουδάζουσι γίνεται, τότε καθίησι πρὸς τὰ τῇ αἰσθήσει τερπνὰ νομιζόμενα, οὐ πάθει πρὸς ταῦτα
10 καθελκυσθείς, ἀλλὰ τοῦ ἐπισκέψασθαι χάριν εἴ τι συντελεῖ πρὸς τὴν τοῦ ἀληθινῶς ἀγαθοῦ γνῶσιν ἐν τούτοις γενομένη ἡ αἴσθησις.

Ἐπεὶ τό γε κατ' ἀρχὰς ἐχθρὸν ἑαυτοῦ ποιεῖται τὸν γέλωτα καὶ περιφορὰν ὀνομάζει τὸ πάθος, ὅπερ ἴσον ἐστὶ

j. Eccl. 1, 18b
7. a. Eccl. 2, 1

---

1. Que ce verset soit ou non un proverbe à l'origine (voir Lys, *L'Ecclésiaste*, p. 176), il est aussi dans la lignée du lien traditionnellement établi par la pensée grecque entre παθεῖν et μαθεῖν (voir Eschyle, *Agamemnon* 247-250 ; Sophocle, *Œdipe-roi* 403). Ces deux termes sont aussi au départ de l'expérience religieuse telle qu'elle est décrite dans les premiers siècles (voir M. Harl, « Le langage de l'expérience religieuse chez les Pères grecs », *Riv. di Storia e Letterat. religiosa* 13 [1977], p. 5-34, notamment p. 6-7).

2. L'emploi de ἐν et le datif pour traduire la préposition utilisée après des verbes intransitifs est caractéristique d'Aquila, le traducteur présumé

facile le discernement de ce qui nous dépasse. Cela n'est pas donné sans fatigue à ceux qui s'en préoccupent : au contraire, celui qui cherche à accroître sa connaissance étend de façon certaine sa souffrance en même temps que son savoir. Aussi dit-il : « Qui accroît la connaissance accroîtra la souffrance [j1] .» Et, une fois dans une telle situation, il condamne les plaisirs comme vains.

Le plaisir et ses limites

7. Il dit : « J'ai dit dans mon cœur : voici, je t'éprouverai dans la joie ; vois les biens [2], cela vraiment est vanité [a] .» Il ne s'est pas soumis aussitôt à une telle épreuve, il ne s'est pas non plus laissé aller à prendre part aux plaisirs sans avoir goûté à une vie austère et plus grave : il s'est d'abord exercé [3] à cette vie-là et il a acquis le sérieux et la fermeté de son comportement, qualités qui assurent par excellence à ceux qui les cultivent la connaissance de la sagesse ; puis il descend vers les réalités réputées agréables pour les sens : ce n'est pas la passion qui l'y attire, mais c'est pour examiner si la sensation née de ces réalités contribue à la connaissance de ce qui est véritablement bon.

Car depuis le commencement, il considère le rire comme son ennemi et il appelle la passion une « turbulence [4] », ce

de l'*Ecclésiaste*. Voir H. THACKERAY, *A Grammar of the Old Testament in Greek*, réimpr. Hildesheim 1978, p. 47 ; et D. BARTHÉLEMY, *Les devanciers d'Aquila*, Leyde 1963, p. 21-31.

3. Avant de faire référence à l'« ascèse » chrétienne, les mots de la famille de ἀσκέω définissent une des composantes de l'idéal de vie philosophique. Voir *V. Macr.* 12, 11 ; à comparer avec PHILON, *De vita contemplativa* 28. P. HADOT (« Exercices spirituels », dans *Exercices spirituels et philosophie antique*, p. 13-58) a montré le rôle de l'exercice et de la méditation dans la pensée stoïcienne. L'ἄσκησις est liée à la notion de πόνος dans la philosophie cynique ; voir ci-dessus, p. 170, n. 4.

4. Les manuscrits hésitent entre περιφορά (WSEGΘ) et παραφορά (ΥP), comme le texte biblique lui-même (*Eccl.* 2, 1 et de même *Eccl.* 2, 12).

15 κατὰ διάνοιαν τῇ παραφορᾷ τε καὶ παρανοίᾳ· ἢ τί γὰρ ἂν ἄλλο τις ὀνομάσειε κυρίως τὸν γέλωτα ὃς μήτε λόγος ἐστὶ μήτε ἔργον ἐπί τινι σκοπῷ κατορθούμενον, διάχυσις δὲ σώματος ἀπρεπὴς καὶ πνεύματος κλόνος καὶ βρασμὸς ὅλου τοῦ σώματος καὶ διαστολὴ παρειῶν καὶ γύμνωσις 20 ὀδόντων τε καὶ οὔλων καὶ ὑπερῴας αὐχένος τε λυγισμὸς καὶ φωνῆς παράλογος θρύψις συνεπικοπτομένης τῇ κλάσει τοῦ πνεύματος· τί ἂν ἄλλο εἴη τοῦτο, φησί, καὶ οὐ παράνοια; Διό φησι· « Τῷ γέλωτι εἶπον περιφοράν[b] », ὡς ἂν εἰ ἔλεγε τῷ γέλωτι ὅτι· Μαίνῃ καὶ παρεξέστηκας 25 καὶ οὐκ ἐντὸς τοῦ καθεστῶτος μένεις, ἑκουσίως ἀσχη- *311 A.* μονῶν καὶ διαστρέφων | ἐν τῷ πάθει τὸ εἶδος, ἐπ' οὐδενὶ χρησίμῳ τὴν διαστροφὴν ἐργαζόμενος. Εἶπον δὲ « καὶ τῇ εὐφροσύνῃ· Τί τοῦτο ποιεῖς;[c] » Ὅπερ ἴσον ἐστὶ τῷ λέγειν ὅτι· Πρὸς τὴν ἡδονὴν ἀντιστατικῶς ἔσχον ὑπο- 648 M. 30 πτεύων αὐτῆς τὸν προσεγγισμόν, οἱονεὶ κλέπτου τινὸς λαθραίως ἐντὸς παραδυομένου τῶν τῆς ψυχῆς ταμιείων οὐκ ἀφῆκά ποτε κατακρατῆσαι τῆς διανοίας αὐτήν. Εἰ γὰρ ἔγνων μόνον τὴν ἡδονὴν οἷόν τι θηρίον τὰς αἰσθήσεις μου περιέρπουσαν, εὐθὺς <ἂν> ἀπεμαχόμην τε πρὸς 35 αὐτὴν καὶ ἀντέβαινον, Τί ταῦτα ποιεῖς[c]; λέγων πρὸς τὴν ἀνδραποδώδη ταύτην καὶ ἄλογον εὐφροσύνην· Τί ἐκθηλύ-

b. Eccl. 2, 2a c. Eccl. 2, 2b

1. Autre description physiologique du rire en *De hom. op.* 12, 160 b-d. Mais le caractère hyperbolique de la description relève ici de l'ἔκφρασις et impose la condamnation du rire. Celui-ci, on le sait, n'a pas bonne réputation chez les Pères ! Cela va des conseils de modération (CLÉMENT D'ALEXANDRIE, *Pédagogue* II, 5 ; BASILE, *Grande Règle* 17 [Sur la tempérance dans le rire]) à la condamnation absolue (BASILE, *Petite Règle* 31) ; voir D. AMAND, *L'ascèse monastique de saint Basile*, Maredsous 1949. — Sur la postérité de cette condamnation du rire, voir

qui équivaut pour le sens à égarement et folie. En effet, comment pourrait-on proprement nommer autrement le rire, qui n'est ni une parole, ni un acte ordonné à quelque but ? Il est au contraire un écoulement inconvenant du corps, un tumulte de l'esprit, un bouillonnement de tout le corps : les joues se gonflent, les dents, les gencives et le palais sont découverts, la nuque s'infléchit, la voix, brisée parce que le souffle est coupé, s'interrompt sans raison [1]. Que pourrait-ce bien être, dit-il, sinon folie ? C'est pourquoi il dit : « J'ai dit au rire : turbulence [b] » [2], comme s'il disait au rire : Tu es fou, tu es hors de sens, tu n'es pas dans ton état normal, toi qui es volontairement inconvenant, en déformant ton apparence par la passion et en produisant une déformation sans aucune utilité. Et j'ai dit « à la joie : Pourquoi fais-tu cela [c] ? » Ce qui revient à dire : Je me suis opposé au plaisir, je me suis méfié de son approche comme de celle d'un voleur qui s'introduit en cachette à l'intérieur des celliers de l'âme ; alors je ne l'ai pas laissé se rendre maître de ma pensée. Car si j'avais su seulement que le plaisir est semblable à une bête sauvage qui s'insinue dans les sensations, je l'aurais aussitôt combattu [3] et j'aurais marché contre lui, en disant à cette joie servile et irrationnelle : « Pourquoi fais-tu cela [c] ? » Pourquoi effémines-tu la virilité de la nature ? Pourquoi

par exemple J. Le Goff, « Le rire dans les règles monastiques du Haut Moyen Âge », dans *Haut Moyen Âge, Culture, éducation et société (Mélanges Riché)*, Paris 1990, p. 93-103.

2. L'hésitation du verset biblique entre περιφορά et παραφορά, ainsi que le recours au vocabulaire médical, inscrit aussi cette page dans la tradition médico-philosophique. Les *Lettres d'Hippocrate*, sorte de roman philosophique daté approximativement du Ier siècle av. J.C., donnent le rire comme un des symptômes de la maladie de Démocrite ; l'ambivalence du rire, signe de folie ou de sagesse, est alors source d'interrogation (voir J. Pigeaud, *La maladie de l'âme*, p. 452-464).

3. Nous gardons la correction de W. Jaeger qui ajoute ἄν (*GNO* V, p. 311, 8) pour donner leur valeur d'irréel aux deux indicatifs.

νεις τὸ ἀνδρῶδες τῆς φύσεως; Τί καταμαλάσσεις τῆς διανοίας τὸ σύντονον; Τί ἐκνευρίζεις τῆς ψυχῆς τὸν τόνον; Τί διαλυμαίνῃ τοῖς λογισμοῖς; Τί μοι τὸ καθαρὸν
40 τῆς τῶν νοημάτων αἰθρίας τῇ παρ' ἑαυτῆς ὁμίχλῃ ζόφον ποιεῖς;

8. Ταῦτα, φησί, καὶ τὰ τοιαῦτα ποιήσας « ἐσκεψάμην εἰ ἡ καρδία μου ἑλκύσει ὡς οἶνον τὴν σάρκα μου[a] », τουτέστιν ὅπως ἂν ἐπικρατεστέρα γένοιτο ἡ τῶν νοητῶν ἐπιμέλεια τῶν τῆς σαρκὸς κινημάτων, ὥστε μὴ στασιά-
5 ζειν πρὸς ἑαυτὴν τὴν φύσιν, ἄλλα μὲν τῆς διανοίας προαιρουμένης, πρὸς ἕτερα δὲ τῆς σαρκὸς ἀφελκούσης, ἀλλ' ὡς καταπειθὲς καὶ ὑποχείριον ποιῆσαι τῷ νοητῷ τῆς
312 A. ψυχῆς μέρει « τὸ τῆς σαρκὸς ἡμῶν | φρόνημα[b] », ἑλκυσθέντος τε καὶ καταποθέντος τοῦ ἐλαττουμένου ἐν
10 τῷ πλεονάζοντι, ὃν τρόπον ἐπὶ τῶν διψώντων γίνεται· οὐ γὰρ ἐναπομένει ὁ οἶνος τῇ κύλικι, εἴ γε τῷ διψῶντι στόματι προσαχθείη, ἀλλὰ μεθίσταται πρὸς τὸν πίνοντα καὶ ἀφανὴς γίνεται μετὰ σπουδῆς ἐπὶ τὸ ἐντὸς εἰσελκόμενος.

15 Οὗ γενομένου ἀπλανής μοι καὶ ἀνεμπόδιστος ἐγένετο ἡ ὁδηγία πρὸς τὴν ἐπιστήμην τῶν ὄντων. « Ἡ καρδία γάρ μου, φησίν, ὡδήγησέ με ἐν σοφίᾳ[c] », δι' ἧς κατεκράτησα τῆς ἐπαναστάσεως τῶν ἡδονῶν, καὶ γέγονέ μοι ἡ παίδευσις αἰτία « τοῦ κρατῆσαι ἐπὶ εὐφροσύνῃ[d] ». Οὕτω

8. a. Eccl. 2, 3a-b b. cf. Rom. 8, 6 c. Eccl. 2, 3c d. Eccl. 2, 3d

1. Image platonicienne : voir *Banquet* 187a, que l'on retrouve en *De hom. op.* 13, 169 c.

2. Aristote, *Météor.* 346 b, distingue ὁμιχλή, νέφος et νεφέλη. Grégoire utilise métaphoriquement νεφέλη et γνόφος par opposition à αἰθρία pour renforcer l'antithèse entre les malheurs présents de l'Église et la paix attendue (*In Melet.*, *GNO* IX, p. 442). Même image dans l'*In*

amollis-tu l'intensité de la pensée ? Pourquoi détends-tu la corde de l'âme [1] ? Pourquoi la corromps-tu par des raisonnements ? Pourquoi rends-tu ténébreuse la pureté éthérée de mes pensées par le brouillard [2] que tu provoques ?

8. Après avoir fait cela et autres choses semblables, dit-il, « j'ai examiné si mon cœur attirerait ma chair comme le vin [a] », c'est-à-dire j'ai examiné comment le souci des réalités intelligibles deviendrait plus puissant que les mouvements de la chair, de sorte que la nature ne se révoltât plus contre elle-même — la pensée préférant une chose et la chair entraînant violemment dans le sens contraire —, mais qu'elle rende comme docile et soumise à la partie intelligible de l'âme « le sentiment de notre chair [b] », l'inférieur étant attiré et absorbé par ce qui le dépasse, à la manière de ce qui se passe pour ceux qui ont soif : le vin ne reste pas dans la coupe du moment qu'elle est portée à la bouche de celui qui a soif, mais il passe dans le buveur et devient invisible rapidement puisqu'il est absorbé à l'intérieur.

Cela étant, le chemin qui mène à la science des êtres devint pour moi sans égarement et sans encombre. « Car mon cœur, dit-il, m'a mené sur le chemin de la sagesse [c] » ; grâce à elle, je me suis rendu maître du soulèvement des plaisirs. Et l'éducation m'a permis d'« être maître de la joie [d] » [3]. C'est ainsi en effet que se comprend l'enchaîne-

Hexaem. (*PG* 44, 93 B – 97 B) et le *De inf.* (*GNO* III, 2, p. 80). Selon J. Daniélou, *L'être et le temps*, chap. VII (Aveuglement), p. 144, l'originalité de l'image ici serait d'évoquer la transformation du brouillard en nuage.

3. Les chaînes sur l'*Ecclésiaste* (*ad* 2, 3) donnent le même terme εὐφροσύνῃ (*Chaîne de Procope* : ἐπὶ εὐφροσύνῃ ; *Chaîne des trois Pères* et de même *Catena Hauniensis* : ἐν εὐφροσύνῃ). Mais Rahlfs édite : τοῦ κρατῆσαι ἐπ' ἀφροσύνῃ, d'après le latin ; Jérôme commente ainsi la proposition *ut obtinerem in stultitiam* (*Comm. sur l'Ecclésiaste, CCSL* 72, p. 263).

20 γὰρ περιέχει ἡ ἀκολουθία τῆς λέξεως. Τόδε μοι μάλιστα κατὰ τὴν γνῶσιν σπουδαζόμενον ἦν τὸ ἐπὶ μηδενὶ ματαίῳ τὴν ζωὴν ἀσχολῆσαι, ἀλλ' εὑρεῖν ἐκεῖνο τὸ ἀγαθὸν οὗ τις ἐπιτυχὼν οὐχ ἁμαρτάνει τῆς τοῦ συμφέροντος κρίσεως, ὃ διαρκές τέ ἐστι καὶ οὐ πρόσκαιρον καὶ πάσῃ τῇ ζωῇ 25 παρατείνεται, ἐπ' ἴσης ἀγαθὸν πάσῃ ἡλικίᾳ γινόμενον καὶ πρώτῃ καὶ μέσῃ καὶ τελευταίᾳ καὶ παντὶ τῷ τῶν ἡμερῶν ἀριθμῷ. « Ἕως οὗ γὰρ ἴδω, φησί, ποῖον τὸ ἀγαθὸν τοῖς υἱοῖς τῶν ἀνθρώπων, ὃ ποιήσουσιν ὑπὸ τὸν ἥλιον ἀριθμὸν ἡμερῶν ζωῆς αὐτῶν[e]. » Τὰ γὰρ διὰ σαρκὸς σπουδαζόμε-30 να, κἂν ὅτι μάλιστα πρὸς τὸ παρὸν δελεάζῃ τὴν αἴσθησιν, ἐν ἀκαρεῖ τὸ εὐφραῖνον ἔχει· οὐ γάρ ἐστιν ἐπ' οὐδενὶ τῶν ἐν τῷ σώματι γινομένων διαρκῶς ἡσθῆναι, ἀλλ' ἡ τοῦ 313 A. πίνειν ἡδονὴ συναπολήγει τῷ κόρῳ, καὶ ἐπὶ | τοῦ ἐσθίειν ὡσαύτως ἡ πλησμονὴ τὴν ὄρεξιν ἔσβεσε, καὶ εἴ τις ἄλλη 35 ἐπιθυμία κατὰ τὸν αὐτὸν τρόπον τῇ τοῦ ἐπιθυμητοῦ μετουσίᾳ κατεμαράνθη, κἂν πάλιν γένηται, πάλιν μαραίνεται· διαρκεῖ δὲ οὐδὲν εἰς ἀεὶ τῶν τῇ αἰσθήσει τερπνῶν οὐδὲ ὡσαύτως ἔχει. Καὶ ἔτι πρὸς τούτοις ἄλλο τῇ νηπιότητι ἀγαθὸν καὶ ἕτερον τῇ τῆς ἡλικίας ἀκμῇ, ἄλλο 40 τῷ παρακμάσαντι καὶ ἕτερον τῷ παρ' ἡλικίαν, καὶ τῷ γέροντι πάλιν ἄλλο τῷ εἰς γῆν ἤδη ῥέποντι.

Ἐγὼ δέ, φησίν, ἐζήτουν ἐκεῖνο τὸ ἀγαθὸν ὃ πάσῃ ἡλικίᾳ καὶ παντὶ τῷ χρόνῳ τῆς ζωῆς ἐπ' ἴσης ἀγαθόν ἐστιν, οὗ κόρος οὐκ ἐλπίζεται καὶ πλησμονὴ οὐχ εὑρίσκε-

e. Eccl. 2, 3e-g

1. Grégoire utilise volontiers l'image de l'appât, qui exprime traditionnellement la tromperie du sensible ; mais il n'hésite pas à changer le sens de l'image dans un passage de l'*Or. cat.* (24, 4), l'Incarnation elle-même étant alors assimilée à une ruse : « La Divinité ... se cacha sous l'enveloppe de notre nature afin que l'appât de la chair fît passer avec lui l'hameçon de la Divinité » (trad. Méridier).

ment du texte. Ce dont je me préoccupais surtout, en fonction de ce que je savais, c'était de ne passer ma vie à rien de vain et de trouver au contraire ce bien dont le possesseur sait reconnaître l'utilité sans se tromper ; c'est un bien durable et non passager, qui s'étend à la vie tout entière : il est également bon pour tout âge, pour le début, le milieu et la fin de la vie, et pour le nombre entier des jours. « Jusqu'à ce que je voie, dit-il, ce qu'est le bien pour les fils des hommes, ce qu'ils feront sous le soleil pendant le nombre des jours de leur vie [e] » : les préoccupations charnelles, même si elles appâtent [1] les sens surtout pour le moment présent, ne tiennent le bonheur que dans l'instant. Car rien de ce qui se produit dans le corps ne peut réjouir de façon continue : le plaisir de boire s'arrête avec la satiété [2] et pour la nourriture de même, le rassasiement éteint l'appétit, et tout désir, de la même façon, se flétrit lorsqu'on obtient l'objet du désir. Naît-il de nouveau, de nouveau il se flétrit. Aucun des plaisirs sensibles ne satisfait définitivement ni ne demeure identique. Et de plus, autre est ce qui est bon pour la petite enfance, autre ce qui l'est pour la fleur de la jeunesse, autre ce qui l'est pour l'âge adulte, autre pour celui qui est avancé en âge, et autre encore pour le vieillard qui s'affaisse déjà vers la terre.

Mais moi, dit-il, j'ai cherché ce bien qui est également bon pour tout âge et tout temps de l'existence, dont on n'attend pas de satiété et dont on ne trouve pas de

2. Le terme κορός est associé plus loin à πλησμονή pour exprimer la nature finie de tout désir sensible. Réflexions comparables en *De beat.* IV (*GNO* VII, 2, p. 119) et en *In Cant.* XIV (*GNO* VI, p. 425). Sur la notion de κόρος, voir M. Harl, « Recherches sur l'origénisme d'Origène : la 'satiété' (κόρος) de la contemplation comme motif de la chute des âmes », *Studia Patristica* VIII, 2, *TU* 93 (1966), p. 373-405. — Sur l'infinité du vrai bien affirmée ensuite, voir J. Daniélou, *Platonisme*, p. 291 s. (« L'épectase »).

649 M. 45 ται, ἀλλὰ συμπαρατείνεται τῇ μετουσίᾳ ἡ ὄρεξις καὶ συνακμάζει τῇ ἀπολαύσει ὁ πόθος καὶ τῇ τοῦ ἐπιθυμητοῦ ἐπιτυχίᾳ οὐ περιγράφεται, ἀλλ' ὅσῳ μᾶλλον ἐντρυφᾷ τῷ ἀγαθῷ, τοσούτῳ μᾶλλον ἡ ἐπιθυμία τῇ τρυφῇ συνεκκαίεται, καὶ ἡ τρυφὴ τῇ ἐπιθυμίᾳ συνεπιτείνεται καὶ κατὰ 50 πᾶν διάστημα τῆς ζωῆς ἀεὶ καλὸν τοῖς μετιοῦσι γίνεται, οὐδὲν τῷ ἀστάτῳ τῶν ἡλικιῶν τε καὶ τῶν χρόνων συναλλοιούμενον, ὃ καὶ μύοντι καὶ ἀναβλέποντι, εὐημεροῦντι καὶ λυπουμένῳ, νυκτερεύοντί τε καὶ διημερεύοντι, πεζεύοντι καὶ θαλαττεύοντι, ἐνεργοῦντι καὶ ἀνειμένῳ, 55 ἄρχοντι καὶ δουλεύοντι καὶ πᾶσιν ἁπαξαπλῶς τοῖς κατὰ τὸν βίον ἐπ' ἴσης ἀγαθόν ἐστιν, ὑπὸ τῶν περιστατικῶς 314 A. τινι συμπιπτόντων | οὔτε τι χεῖρον οὔτε κρεῖττον γινόμενον, οὔτε ἐλαττούμενον οὔτε αὐξόμενον. Τοῦτό ἐστι, κατά γε τὸν ἐμὸν λόγον, τὸ ὄντως ὂν ἀγαθόν, ὅπερ ἰδεῖν 60 ὁ Σολομὼν ἐζήτει « ὃ ποιήσουσιν οἱ ἄνθρωποι ὑπὸ τὸν ἥλιον κατὰ πάντα τὸν ἀριθμὸν τῶν ἡμερῶν τῆς ζωῆς αὐτῶν[f] ». Ὅπερ οὐδὲν ἕτερον εἶναί μοι φαίνεται ἢ τὸ τῆς πίστεως ἔργον, ἧς ἡ ἐνέργεια κοινή τε πᾶσίν ἐστιν, ἐκ τοῦ ὁμοτίμου τοῖς ἐθέλουσι προκειμένη καὶ παντοδυνάμως 65 καὶ διαρκῶς τῇ ζωῇ παραμένουσα. Τοῦτό ἐστι τὸ ἀγαθὸν ἔργον, ὃ καὶ ἐν ἡμῖν γένοιτο ἐν Χριστῷ Ἰησοῦ τῷ κυρίῳ ἡμῶν, ᾧ ἡ δόξα εἰς τοὺς αἰῶνας. Ἀμήν.

f. Eccl. 2, 3f-g

---

1. Surdétermination de l'expression ; voir ci-dessus, Introd., chap. V.
2. Le mot « foi » prononcé à la fin de l'homélie paraît faire la synthèse de l'expérience de Salomon. En *Or. cat.* 38 et 39, la réflexion sur la foi

rassasiement ; l'appétit en augmente avec la possession, le désir s'en accroît lorsqu'on en jouit et ne se limite pas à l'obtention de ce que l'on souhaitait, mais plus on se complaît dans le bien, plus le plaisir qu'on en a enflamme le désir. Le plaisir est coextensif au désir et, pendant toute la durée de l'existence, il est toujours beau pour ceux qui y ont part, n'étant en rien altéré par ce qu'ont d'instable les âges et les temps ; il est également bon pour l'aveugle et pour celui qui voit, pour l'homme heureux et pour l'homme accablé, pour l'homme de la nuit et pour l'homme du jour, pour l'homme de la terre et pour l'homme de la mer, pour l'homme d'action et pour celui qui se détend, pour celui qui commande et pour l'esclave, en un mot pour tous les vivants, car il ne devient ni inférieur ni supérieur, il ne diminue ni ne s'accroît sous l'effet des événements fortuits. Tel est, du moins à mon avis, le bien véritable [1], ce pour quoi précisément Salomon cherchait à voir « ce que les hommes feraient sous le soleil pendant tout le nombre des jours de leur vie [f] ». Et cela ne me semble être rien d'autre que l'œuvre de la foi [2] : son activité est commune à tous, elle est donnée de manière égale à qui veut, et elle demeure pour la vie de façon toute-puissante et continue. C'est là l'œuvre bonne, puisse-t-elle être aussi en nous, dans le Christ Jésus notre Seigneur, à qui est la gloire pour les siècles. Amen.

s'appuie aussi sur la distinction entre les biens sensibles et le vrai bien, objet du discernement de Salomon ; voir encore *De inst. christ.*, *GNO* VIII, 1, p. 43-44.

HOMÉLIE III

(*Eccl.* 2, 4-6)

(1-3) Les premiers enseignements de l'ecclésiaste, dans les homélies précédentes, font place à la confession de Salomon : la liste de ses fautes est un enseignement pour les membres de l'Église. (4-5) Première faute, le luxe des maisons ; il faut leur préférer la demeure véritable des vertus. (6-7) Le vin et son chœur de plaisirs sont la deuxième faute avouée par Salomon, et il n'a pas planté la vigne véritable. (8-9) Le raffinement extrême des jardins cultivés par les hommes n'est rien à côté de la vie donnée par le créateur de l'unique Jardin.

ΟΜΙΛΙΑ Γ′

1. Τί μετὰ τοῦτο ἡμᾶς ἡ ἐκκλησιαστικὴ διδάσκει φωνή, καιρὸς ἂν εἴη διερευνήσασθαι. Μεμαθήκαμεν ἐν πρώτοις ἃ μεμαθήκαμεν, ὅτι ὁ πᾶσαν ἐκκλησιάζων τὴν κτίσιν καὶ τὰ ἀπολωλότα ζητῶν καὶ τά πεπλανημένα
5 συναθροίζων εἰς ἕν, οὗτος ἐπισκέπτεται τὸν ἐπίγειον βίον. Ἐπίγειον γάρ ἐστι τὸ ὑπουράνιον, ὅπερ ὁ λόγος τὸ « ὑπὸ
315 A. τὸν οὐρανὸν [a] » ὀνομάζει, ἐν ᾧ | κατακρατεῖ ἡ ἀπάτη καὶ ἡ ματαιότης καὶ τὸ ἀνύπαρκτον. Ἐν δὲ τῇ δευτέρᾳ μεμαθήκαμεν ἐξηγήσει τὸ ἐκ προσώπου τοῦ Σολομῶντος
10 γίνεσθαι τὴν κατηγορίαν τῆς ἀπολαυστικῆς τε καὶ ἐμπαθοῦς διαθέσεως, ὡς ἂν ἡμῖν ἀξιόπιστος γένοιτο ἡ τῶν τοιούτων ἀθέτησις, τοῦ κατὰ πᾶσαν ἐξουσίαν τὸ πρὸς ἡδονὴν εἰς ἀπόλαυσιν ἔχοντος καὶ πάντα τὰ δοκοῦντα παρὰ τοῖς ἀνθρώποις σπουδάζεσθαι ἀντ' οὐδε-
15 νὸς διαπτύοντος.

1. a. Eccl. 1, 13c

---

1. L'expression, employée à nouveau en *hom.* V, 5, 15, donne à Salomon le statut de personnage, sujet du discours commencé en *Eccl.* 1,12. Cela est important au moment où Grégoire abandonne l'interprétation christologique et va mettre en doute la réalité historique de

HOMÉLIE III

Résumé des homélies précédentes

1. Que nous enseigne ensuite la voix de l'ecclésiaste ? ce serait le moment de l'examiner avec soin. Nous avons appris dans la première instruction que celui qui assemble toute la création, qui cherche ce qui était perdu, qui regroupe et réunit ce qui était égaré, c'est lui qui observe la vie terrestre. Car ce qui est sous le ciel est terrestre, et le texte le nomme « ce qui est sous le ciel [a] », là où dominent la tromperie, la vanité et le néant. Dans le deuxième commentaire, nous avons appris que la personne de Salomon [1] condamnait la disposition à la jouissance et aux passions pour que nous croyions possible le rejet de telles dispositions, puisque lui qui possédait en toute liberté la possibilité d'accéder au plaisir et d'en jouir dénigrait et tenait pour rien tout ce dont les hommes trouvent bon de se préoccuper.

Salomon (III, 3, 7 s.). Qu'il s'agisse du monologue de Salomon ou du dialogue du *Cantique*, la question est d'ordre exégétique ; voir ORIGÈNE, *Philocalie* 7, 1 (« Sur l'identité des personnages de la divine Écriture »). M.-J. RONDEAU, *Les commentaires patristiques du Psautier (IIIe-Ve siècles)*, Rome 1985, vol. II, p. 40-51, a rappelé que l'exégèse prosopologique était en usage dans les écoles païennes pour expliquer les textes d'Homère et les pièces de théâtre et elle a montré comment Origène l'utilisait largement dans son commentaire de l'Écriture. « Salomon selon la chair », dit Grégoire à la fin de l'*hom.* II (II, 5, 8) ; de la même manière Origène distingue dans l'*Épître aux Romains* Paul « spirituel » et Paul « charnel ».

2. Τί τοίνυν κατὰ τὸ ἀκόλουθον ἐπὶ τοῦ παρόντος ἐκ τρίτου μανθάνομεν ; ὃ πάντων μάλιστα οἶμαι κατάλληλον εἶναι τοῖς ἐκκλησιάζουσι μάθημα, λέγω δὲ τὴν περὶ τῶν μὴ κατὰ λόγον γεγενημένων ἐξομολόγησιν, ἣ τὸ τῆς
5 αἰσχύνης ἐμποιεῖ τῇ ψυχῇ πάθος διὰ τῆς τῶν ἀτόπων ἐξαγορεύσεως. Ἔοικε γὰρ μέγα τι καὶ ἰσχυρὸν πρὸς τὴν τῆς ἁμαρτίας ἀποφυγὴν ὅπλον εἶναι ἡ ἐναποκειμένη τοῖς ἀνθρώποις αἰδώς, εἰς αὐτὸ τοῦτο, οἶμαι, παρὰ τοῦ θεοῦ ἐντεθεῖσα τῇ φύσει ὡς ἂν ἡμῖν ἀποτροπὴ τῶν χειρόνων ἡ
10 τοιαύτη τῆς ψυχῆς διάθεσις γένοιτο. Συγγενῶς δὲ ἔχει πρὸς ἄλληλα καὶ οἰκείως τό τε κατὰ τὴν αἰδῶ καὶ τὸ κατ' αἰσχύνην πάθος, δι' ὧν ἀμφοτέρων ἡ ἁμαρτία κωλύεται, εἴπερ ἐθέλοι τις πρὸς τοῦτο χρήσασθαι τῇ τοιαύτῃ τῆς ψυχῆς διαθέσει. Μᾶλλον γὰρ τοῦ φόβου πολλάκις ἡ αἰδὼς
15 πρὸς τὴν ἀποφυγὴν τῶν ἀτόπων ἐπαιδαγώγησεν, ἀλλὰ καὶ ἡ αἰσχύνη ἡ ἐπακολουθοῦσα τοῖς ἐλέγχοις τοῦ
316 A. πλημμελήματος ἱκανὴ δι' ἑαυτῆς σωφρονίσαι | τὸν ἁμαρτάνοντα πρὸς τὸ μὴ πάλιν ἐν τοῖς ὁμοίοις γενέσθαι. Καὶ ἔστιν, ὡς ἄν τις ὅρῳ τὴν διαφορὰν αὐτῶν ὑπογρά-
652 M. 20 ψειεν, αἰσχύνη μὲν ἐπιτεταμένη αἰδώς, αἰδὼς δὲ τὸ ἔμπαλιν ὑφειμένη αἰσχύνη. Δείκνυται δὲ καὶ τῷ κατὰ πρόσωπον χρώματι ἡ τῶν παθῶν διαφορά τε καὶ κοινωνία. Ἡ μὲν γὰρ αἰδὼς ἐρυθήματι μόνῳ ἐπισημαίνεται, συμπαθόντος πως τῇ ψυχῇ τοῦ σώματος κατά τινα

1. Sur le sens de ἐξομολόγησις, voir *In inscr. Ps.* II, 6 (*GNO* V, p. 88, 20 – 89, 13), à propos du *Ps.* 99, 1 ; après avoir distingué deux sens du mot, celui d'« aveu » (ἐξαγόρευσις) et celui d'« action de grâces » (εὐχαριστία), Grégoire écrit : « Le psaume *Pour la confession* t'est donc proposé si le souvenir du péché te consume et te conseille de te purifier en te repentant (διὰ τῆς μετανοίας). En *In sext. Ps.* (*GNO* V, p. 191, 25-26), Grégoire insiste sur la nécessité de cette confession avant la mort — voir ci-dessus, Introd., chap. VII, p. 88, sur la confession de Salomon.

La confession de Salomon

2. Qu'apprenons-nous donc à présent en troisième lieu, dans la suite du texte ? Il s'agit d'un savoir qui concerne surtout, je crois, les membres de l'Église, je veux parler de la confession [1] des actes non conformes à la raison, qui fait naître pour l'âme de la honte, par l'aveu des erreurs. La pudeur qui réside dans les hommes paraît en effet être une bien grande et puissante arme pour échapper au péché ; c'est pour cela même, je pense, que Dieu l'a placée dans notre nature, afin, je crois, qu'une telle disposition de l'âme nous détourne du pire. Car éprouver de la pudeur et éprouver de la honte sont des attitudes apparentées l'une à l'autre et de la même famille [2] ; toutes deux font obstacle au péché, à condition toutefois qu'on veuille bien utiliser à cette fin cette disposition de l'âme. Car la pudeur nous enseigne souvent mieux que la crainte à fuir les erreurs, mais la honte elle aussi, qui suit les preuves de la faute, suffit par elle-même à corriger le pécheur, afin qu'il ne retourne plus dans les mêmes fautes. Et, pour esquisser d'un trait la différence entre ces deux sentiments, la honte, c'est de la pudeur à son comble, et la pudeur, à l'inverse, est de la honte atténuée. La couleur du visage montre ce que ces passions ont de distinct et de commun. La pudeur se signale seulement par une rougeur, car le corps compatit en quelque manière avec l'âme par quelque corrélation

2. Aristote identifie presque αἰσχύνη et αἰδώς. L'une et l'autre relèvent de la crainte ; entre la honte et la crainte la différence se traduit au plan des réactions physiques : « On rougit lorsqu'on a honte, tout comme lorsqu'on craint la mort, on pâlit » (*Éthique à Nicomaque*, IV, 15, trad. Gautier et Jolif). Après avoir commencé par assimiler les deux sentiments, Grégoire les différencie en soulignant qu'ils ne se manifestent pas au même moment : l'αἰδώς précède la faute et la prévient, l'αἰσχύνη la suit et tend à empêcher qu'elle ne se reproduise.

25 φυσικὴν συνδιάθεσιν καὶ τοῦ περικαρδίου θερμοῦ πρὸς τὴν ἐπιφάνειαν τῆς ὄψεως ἀναζέσαντος, ὁ δὲ αἰσχυνθεὶς ἐπὶ τῇ φανερώσει τοῦ πλημμελήματος πελιδνὸς γίνεται καὶ ὑπέρυθρος, τοῦ φόβου τὴν χολὴν τῷ ἐρυθήματι μίξαντος. Τὸ οὖν τοιοῦτον πάθος ἱκανὸν ἂν γένοιτο τοῖς 30 προειλημμένοις τινὶ τῶν ἀτόπων εἰς τὸ μηκέτι ἐν τούτοις γενέσθαι, ὧν ἂν τὸν ἔλεγχον ἐν αἰσχύνῃ ποιήσωνται. Εἰ δὴ ταῦτα οὕτως ἔχει καὶ δεόντως ὁ λόγος τοῦ πάθους κατεστοχάσατο, ὡς ἐπὶ φυλακῇ τῶν πλημμελημάτων τῆς 317 A. | τοιαύτης διαθέσεως ἐγγινομένης τῇ φύσει, καλῶς ἐστιν 35 ἴδιον μάθημα τῆς ἐκκλησίας ἡγήσασθαι τὸ διὰ τῆς ἐξαγορεύσεως τῶν πεπλημμελημένων κατόρθωμα· ἔστι γὰρ διὰ τούτου τὴν ἑαυτοῦ ψυχὴν τῷ τῆς αἰσχύνης ὅπλῳ κατασφαλίσασθαι. Ὥσπερ γὰρ εἴ τις ἐκ λαιμαργίας ἀμέτρου δυσπέπτους τινὰς χυμοὺς ἐν ἑαυτῷ συναγάγοι, 40 εἶτα ἐν φλεγμονῇ γενομένου τοῦ σώματος, τομῇ καὶ καυτῆρι θεραπευθεὶς τὴν νόσον καθάπερ τινὰ παιδαγωγὸν πρὸς τὴν εὐταξίαν ἔχοι τοῦ ἐφεξῆς βίου τὴν οὐλὴν τοῦ καυτῆρος ἐπὶ τοῦ σώματος βλέπων, οὕτως ὁ στηλιτεύσας ἑαυτὸν διὰ τῆς τῶν κρυφίων ἐξαγορεύσεως τῇ μνήμῃ τοῦ 45 κατ' αἰσχύνην πάθους πρὸς τὸν ἐφεξῆς παιδαγωγηθήσεται βίον.

1. Employé ici comme adjectif, le terme περικάρδιος appartient au vocabulaire médical, voir Galien, *De usu partium* VI, 16 et 18. Galien en donne une description imagée (« Comme une maison », « un abri, fait de nerfs légers ») plutôt qu'une définition. Grégoire décrit en *De hom. op.* 12, 157 c - 160 a le rôle du cœur comme source des émotions, à la suite de Basile qui rappelait une des découvertes de la médecine, « l'installation d'un foyer de chaleur près du cœur, le mouvement continu du souffle dans le péricarde » (*Sur l'origine de l'homme* I, 2, *SC* 160).

2. Grégoire revient à plusieurs reprises sur l'exemple de la gloutonnerie (*hom.* V, 6, 49-58 ; VIII, 3, 47-48), qui a le double avantage d'illustrer l'analogie de l'âme et du corps et de renvoyer à la pratique médicale. Le qualificatif ἄμετρος ramène la réflexion au plan de la φύσις,

naturelle, et la chaleur qui enveloppe le cœur [1] bouillonne jusqu'à devenir visible, tandis que celui qui a honte, lorsque sa faute est révélée, devient livide et légèrement rouge, la crainte mêlant la bile à la rougeur. Être ainsi affecté suffirait donc à ceux qui ont commis auparavant quelque acte déplacé, pour qu'ils ne se trouvent plus dans des situations où la honte les confondra. S'il en est vraiment ainsi et si la définition de la passion a été convenablement cernée, à savoir que cette disposition est inscrite dans notre nature pour prévenir les fautes, il est bien de considérer comme un savoir propre de l'Église la correction, par le moyen de l'aveu, de ceux qui ont commis des fautes. Car, par ce moyen, on peut fortifier son âme par l'arme de la honte. Supposons un homme qui absorberait des mets difficiles à digérer, à cause d'une gloutonnerie immodérée [2] : lorsque, malade, il serait soigné par incision et cautérisation, son corps s'étant couvert d'abcès, il regarderait la cicatrice de la brûlure sur son corps [3] et considérerait la maladie comme un pédagogue l'invitant à bien ordonner la suite de sa vie ; de la même façon, celui qui s'est dénoncé [4] publiquement par l'aveu de ses actes cachés sera instruit pour la suite de sa vie par le souvenir de ce que la honte lui a fait éprouver.

définie dans la première homélie comme ce qui a ses mesures propres. Contraire aux principes de la « physique », la gloutonnerie appelle aussi les condamnations morales (voir BASILE, *Grandes Règles* 18-20, sur la tempérance dans la nourriture, trad. D. AMAND, *L'ascèse monastique de Saint Basile*, Maredsous 1949).

3. En *De an. et res.*, *PG* 46, 91 A-C (Terrieux, § 74), l'image de l'âme mordue comme par un fouet illustre le lien entre la honte et le souvenir.

4. Le verbe στηλιτεύω, repris un peu plus bas par l'image de la stèle gravée, appartient d'abord au vocabulaire politique et juridique (voir *LSJ*, *s.v.* στηλή). Quelques emplois tardifs cependant font de ce verbe un synonyme de στηλοκοπέω ; les noms inscrits sur une stèle sont l'objet de la réprobation publique.

3. Ταῦτα τοίνυν ἐστὶν ἃ διὰ τῆς νῦν ἀναγνώσεως τῶν ἐν τῷ Ἐκκλησιαστῇ γεγραμμένων ἡ ἐκκλησία παιδεύεται. Λέγει γὰρ ἐλευθέρᾳ φωνῇ δημοσιεύων ἐκεῖνο καὶ ἐπὶ πάντων ἀνθρώπων καθάπερ τινὰ στήλην ἔγγραφον ἀνατι-
5 θεὶς τὴν τῶν γεγενημένων παρ' αὐτοῦ ἐξαγόρευσιν, ἃ τοιαῦτά ἐστιν ὡς τὴν ἄγνοιαν αὐτῶν καὶ τὴν σιωπὴν εἶναι τοῦ λόγου ἐνδοξοτέραν. Λέγει δέ· εἰ μὲν ἀληθῶς ταῦτα πεποιηκὼς ἢ διὰ τὴν ἡμετέραν ὠφέλειαν πλασσόμενος, ἐφ' ᾧτε δι' ἀκολούθου τὸν λόγον πρὸς τὸν σκοπὸν
10 συμπερᾶναι, οὐκ ἔχω τοῦτο δι' ἀκριβείας εἰπεῖν· λέγει δ'
318 A. οὖν ὅμως ταῦτα οἷς οὐκ ἂν ὁ | πρὸς ἀρετὴν βλέπων ἑκουσίως συνενεχθείη. Ἀλλ' εἴτε οἰκονομίας χάριν τὰ μὴ γενόμενα ὡς γεγονότα διέξεισι καὶ κατηγορεῖ ὡς ἐν πείρᾳ γενόμενος, ἵνα ἡμεῖς πρὸ τῆς πείρας τὴν τῶν κατηγο-
15 ρημένων ἐπιθυμίαν ἐκκλίνωμεν, εἴτε καὶ καθῆκεν ἑαυτὸν ἑκουσίως πρὸς τὴν τῶν τοιούτων ἀπόλαυσιν, ὥστε δι' ἀκριβείας τὰ αἰσθητήρια ἑαυτοῦ καὶ διὰ τῶν ἐναντίων γυμνάσαι, προκείσθω κατ' ἐξουσίαν τῷ βουλομένῳ, ἐφ' ὅπερ ἂν ἐθέλῃ τὸν στοχασμὸν ἄγειν.

20 Εἰ δέ τις λέγοι τῷ ὄντι γεγενῆσθαι αὐτὸν ἐν τῇ τῶν ἡδέων πείρᾳ, οὕτως ὑπολαμβάνομεν· καθάπερ γὰρ οἱ ἐπὶ τὸν βυθὸν τῆς θαλάσσης δυόμενοι καὶ διερευνῶντες ἐν τῷ πυθμένι τοῦ ὕδατος, εἴ πού τινα μαργαρίτην εὕροιεν ἤ τι ἄλλο τοιοῦτον τῶν ἐν βυθῷ τικτομένων, οἷς ἡδονὴν μὲν
25 οὐδεμίαν ἡ ὑπὸ τὸ ὕδωρ ταλαιπωρία φέρει, ἡ δὲ τοῦ κέρδους ἐλπὶς βυθίους ἐποίησεν, οὕτως εἰ γέγονεν ὁ
653 M. Σολομὼν ἐν τούτοις πάντως ὥσπερ τις τῶν κατὰ

1. De même qu'il laisse plus loin à ses auditeurs toute liberté d'interprétation (III, 3, 18 s.), Grégoire introduit l'idée que le discours de Salomon pourrait relever de la fiction (emploi de πλάσσω et, plus loin, de l'expression « qu'il raconte ce qui n'est pas arrivé comme si c'était arrivé »). Même appel au libre jugement du lecteur en *V. Moys.* II, 173.

3. Or c'est là ce que l'Église nous enseigne par la lecture, aujourd'hui, de ce qui est écrit dans l'*Ecclésiaste*. Il s'exprime d'une voix libre, publiquement, et présente à tous les hommes, comme une stèle gravée, l'aveu de ses actions, et elles sont telles qu'il y a plus de gloire à les taire et à les ignorer qu'à les dire. Mais il les dit : qu'il ait vraiment fait ces actes ou qu'il les ait imaginés pour nous être utile, afin que son discours, par son enchaînement, atteigne son but, je ne peux pas le dire exactement. Mais il dit, en tout cas, des choses dont un homme tourné vers la vertu ne s'accommoderait pas volontiers. Mais qu'il raconte, en vue de l'économie, ce qui n'est pas arrivé comme si c'était arrivé, et qu'il s'accuse d'en avoir fait l'expérience afin que nous-mêmes nous nous détournions, avant d'en faire l'expérience, du désir de ce qu'il dénonce, ou bien qu'il se soit laissé aller de son plein gré à la jouissance de telles réalités de façon à pleinement exercer tous ses sens, même au contact de réalités contraires, libre à chacun d'en juger en toute liberté [1], dans le sens qu'il désire.

Et si quelqu'un dit que Salomon a réellement fait l'expérience des plaisirs, voici comment nous le comprenons : ceux qui plongent dans l'abîme marin et explorent le fond de l'eau pour trouver une perle ou quelque autre merveille née de l'abîme, n'éprouvent aucun plaisir à la fatigue qu'ils ressentent sous l'eau — mais c'est l'espoir du gain qui les fait aller dans l'abîme ; de même si Salomon a vécu dans ces plaisirs absolument comme un pêcheur de murex au fond de la mer, il s'est immergé lui-même dans

C'est remettre en cause l'importance du sens littéral, dans la ligne de l'affirmation paulinienne « la lettre tue et l'esprit vivifie » (*II Cor.* 3, 6), que Grégoire rappelle au début du Prologue de l'*In Cant.* (*GNO* VI, 7, 12-14). ORIGÈNE propose une série d'exemples de l'Ancien et du Nouveau Testament « racontés comme s'ils avaient eu lieu, mais dont il faut croire qu'ils n'ont pas pu avoir lieu selon la lettre du récit d'une façon convenable et rationnelle » (*Traité des principes* IV, 3,1, trad. Harl).

θάλασσαν πορφυρευόντων, ἔδωκεν ἑαυτὸν τῇ τρυφῇ ὑποβρύχιον, οὐκ ἐφ' ᾧτε καταπλησθῆναι τῆς θαλαττίας
30 ἅλμης, ἅλμην δὲ λέγω τὴν ἡδονήν, ἀλλὰ τοῦ ζητῆσαί τι τῇ διανοίᾳ χρήσιμον ἐν τῷ τοιούτῳ βυθῷ. Χρήσιμον δ' ἂν εἴη διὰ τῶν τοιούτων εὑρισκόμενον, κατά γε τὸν ἐμὸν στοχασμόν, ἢ τὸ ἀμβλῦναι τὰς τοῦ σώματος ὁρμὰς διὰ
319 A. τοῦ | προθεῖναι κατ' ἐξουσίαν ὃ βούλεται — πρὸς γὰρ τὸ
35 κωλυόμενον φιλονεικοτέρας ἀεὶ τὰς κινήσεις ἡ φύσις ἔχει — ἤτοι τοῦ ἀξιοπίστου χάριν ἐν τούτοις γίνεται ὁ διδάσκαλος ὡς μηκέτι τοῖς ἀνθρώποις ἀσπαστὸν νομισθῆναι τὸ καταπεφρονημένον πρᾶγμα ὑπὸ τοῦ διὰ τῆς πείρας διδαχθέντος τὸ μάταιον. Καὶ γὰρ καὶ τοὺς ἰατρούς
40 φασιν ἐν ἐκείνῳ μάλιστα κατορθοῦν τὴν τέχνην οὗ ἂν διὰ τῶν ἰδίων σωμάτων τὸ εἶδος τῆς ἀρρωστίας γνωρίσωσι. Καὶ ἀσφαλέστεροι τῶν τοιούτων γίνονται σύμβουλοί τε καὶ θεραπευταὶ ὧν διὰ τοῦ προθεραπευθῆναι τὴν γνῶσιν ἔσχον, ὅσῳ τῷ ἰδίῳ πάθει προεδιδάχθησαν.

4. Ἴδωμεν τοίνυν τί λέγει πεπονθέναι ὁ τῷ καθ' ἑαυτὸν βίῳ τὸν ἡμέτερον ἰατρεύων βίον. « Ἐμεγάλυνα, φησί, ποίημά μου, ᾠκοδόμησά μοι οἴκους[a]. » Εὐθὺς ἐκ κατηγορίας ὁ λόγος ἄρχεται. Οὐ γὰρ τὸ τοῦ θεοῦ φησι
5 ποίημα, ὅπερ εἰμὶ ἐγώ, ἀλλὰ τὸ ἐμὸν ἐμεγάλυνα. Ἐμὸν δὲ

4. a. Eccl. 2, 4a-b

1. L'image semble propre à Grégoire, même si le symbole de la plongée en eau profonde peut rappeler l'interprétation origénienne d'Isaac qui « creuse des puits » (*Gen.* 26, 18). Origène associe les trois patriarches aux trois parties de la philosophie : « Isaac occupe le rang de la philosophie, quand il creuse des puits et sonde les profondeurs des choses » (*Comm. sur le Cant.* Prol., 3, 19, *SC* 375).

la volupté, non pour être englouti par l'onde amère — et par cette amertume, je veux dire le plaisir —, mais pour chercher quelque chose qui soit utile à la pensée dans un tel abîme [1]. Et on trouverait ainsi quelque chose d'utile, selon ma conjecture du moins, que ce soit le fait d'émousser les élans du corps en choisissant librement ce qu'on veut — car, pour se porter vers ce qui est interdit, la nature a toujours des mouvements plus combatifs —, ou bien alors, c'est pour être crédible que le maître se tient là, afin que les hommes ne considèrent plus comme délectable ce qui a été objet de mépris de la part de celui qui a appris par l'expérience la vanité. C'est ainsi que les médecins aussi, dit-on, réussissent dans leur art surtout chaque fois qu'ils découvrent en examinant leur propre corps la forme que prend une maladie. Et ils deviennent des conseillers et des thérapeutes d'autant plus sûrs pour des maladies dont ils ont eu connaissance pour en avoir été guéris antérieurement, qu'ils ont été instruits préalablement par leur propre souffrance [2].

Première faute : le luxe des maisons

4. Voyons donc ce que dit avoir éprouvé celui qui guérit notre vie par la sienne [3]. « J'ai agrandi mon ouvrage, dit-il, j'ai construit pour moi des demeures [a].» D'emblée, le discours commence par une accusation. Car il ne dit pas l'ouvrage de Dieu, celui que je suis, mais ce

2. Grégoire développe assez longuement au début de la lettre canonique sur la pénitence (*Ad Letoium, PG* 45, 224 A-C) les conditions du savoir médical et la manière d'arriver à des soins appropriés pour chaque maladie ; il peut ensuite proposer, par analogie, l'examen de chaque partie de l'âme. Sur ce travail de l'observation médicale, voir aussi le récit de la visite du médecin auprès de Macrine en *De an. et res.*, *PG* 46, 29 C-D (Terrieux, § 15).

3. Sur le Christ médecin, voir ci-dessus, p. 150-151, n. 1.

ποίημα οὐδέν ἐστιν ἄλλο ἢ ὅπερ τῇ αἰσθήσει τὴν ἡδονὴν φέρει. Ἔστι δὲ τοῦτο τὸ ποίημα τῷ μὲν γενικῷ λόγῳ ἕν, τῇ δὲ κατὰ λεπτὸν διαιρέσει εἰς πολλὰ ταῖς τῆς τρυφῆς χρείαις καταμερίζεται. Τὸν γὰρ ἅπαξ ἐντὸς τοῦ βυθοῦ
10 τῆς ὕλης γενόμενον ἀνάγκη πᾶσα πανταχόσε τὸν ὀφθαλμὸν περιάγειν ὅθεν ἂν ᾖ δυνατὸν ἡδονὴν ἐκφυῆναι. Καθάπερ γὰρ ἐκ μιᾶς πηγῆς πολλαχῇ διὰ σωλήνων
320 A. ὀχετηγεῖται τὸ ὕδωρ καὶ οὐδὲν ἧττον ἓν τὸ ὕδωρ ἐστὶ | τὸ ἐκ τῆς αὐτῆς πηγῆς μεριζόμενον, κἂν ἐν μυρίοις κρουνοῖς
15 τύχῃ ῥέον, οὕτω μία τῇ φύσει οὖσα ἡ ἡδονὴ ἄλλως καὶ ἄλλως ἐν ταῖς τῶν ἐπιτηδευμάτων διαφοραῖς ὑπονοστοῦσα ῥέει πανταχοῦ ταῖς τοῦ βίου χρείαις ἑαυτὴν συνεισάγουσα.

Οἷον ὁ βίος ἀναγκαίαν ἐποίησε τῇ φύσει τὴν οἴκησιν·
20 ἀσθενέστερον γὰρ πέφυκε τὸ ἀνθρώπινον ἢ ὥστε τὰς ἐκ τοῦ θάλπους τε καὶ κρύους ἀνωμαλίας φέρειν· μέχρι τούτου ὁ οἶκος ἔχει πρὸς τὴν ζωὴν τὸ ὠφέλιμον. Ἀλλὰ

1. « Mon ouvrage » : l'expression biblique est interprétée à l'aide de catégories empruntées à la pensée stoïcienne. Comparer avec BASILE, *Hom. in illud : Attende tibi ipsi* (*PG* 31, 197-217) : l'homme lui-même, c'est l'union de l'âme et du corps ; le corps, c'est « ce qui est nôtre » et nos biens « ce qui est autour de nous ». Grégoire reprend cette distinction pour commenter *Cant.* 4, 12 (*In Cant.* IX, *GNO* VI, p. 276, 16 – 277, 1). Sur ces points de rencontre entre le texte biblique et les concepts de la philosophie grecque, et leur utilisation par Grégoire, voir M. HARL, « Références philosophiques et références bibliques du langage de Grégoire de Nysse dans ses *Orationes in Canticum canticorum* », dans *ERMHNEYMATA. Festschrift für Hadwiga Hörner*, Heidelberg 1990, p. 117-131.

2. Transposition de l'image de la plongée en mer utilisée précédemment ; mais le mot important est ἅπαξ, employé dans le N.T. pour marquer le caractère unique de l'Incarnation. Le mot s'applique ici à toute vie humaine et rappelle la réfutation par Grégoire de la théorie de la préexistence des âmes et de la métempsychose (*De hom. op.* 28).

3. L'expression est empruntée au *Ps.* 68, 3. Elle apparaît sous la même forme en *De virg.*, VIII, 39, alors que les manuscrits du texte biblique

qui est mien, « je l'ai agrandi ». Et « mon ouvrage [1] », ce n'est rien d'autre que ce qui apporte le plaisir à la sensation. Cet ouvrage est un au sens générique, mais il se fractionne en se divisant et en s'émiettant dans les besoins de la volupté. Car il est tout à fait nécessaire que celui qui est venu une seule fois [2] à l'intérieur de l'« abîme de la matière [3] » promène son œil en tout lieu d'où pourrait naître le plaisir. De même en effet que d'une seule source, on fait dériver l'eau à plusieurs endroits par des canaux — et l'eau qui part fractionnée de la même source n'en est pas moins unique, même si elle coule en maintes fontaines —, de même le plaisir qui est un par nature s'infiltre de çà de là dans les différentes occupations et coule partout en s'introduisant dans les besoins de la vie.

Par exemple, la vie a fait une nécessité [4], pour notre nature, d'une habitation. Car l'homme est naturellement trop faible pour supporter les irrégularités de la chaleur et du froid : jusque-là, la maison ne comporte que ce qui est

hésitent entre ὕλη, la matière, et ἰλύς, la boue (voir *C. Eun.* III, 1). Par la symétrie avec l'expression ἐπὶ τὸν βυθὸν τῆς θαλάσσης employée plus haut (3, 21-22), l'image prend toute sa force.

4. L'adjectif ἀναγκαῖος annonce l'opposition entre besoin et plaisir développée par la suite pour stigmatiser le luxe excessif des demeures ou du vêtement. On trouve le thème chez les Cyniques : voir Télès, fr. IV B, éd. O. Hense (*Teletis Reliquiae*, Tübingen 1909), trad. fr. A.-J. Festugière (*Deux prédicateurs dans l'Antiquité, Télès et Musonius*, Paris 1978) et L. Paquet (*Les Cyniques grecs*, Paris 1992). É. Patlagean (*Pauvreté économique et pauvreté sociale*, p. 53 s.) rappelle que ce que nous appelons le seuil de pauvreté était défini par l'absence d'habitat ; pour Libanios (*Or.* XI, 195), tout homme est pauvre tant qu'il ne s'est pas rendu propriétaire. — Le développement qui suit sur le luxe des maisons trouve un écho dans les sermons sur l'amour des pauvres et contre les usuriers, chez Grégoire (*GNO* IX, p. 93-207), Basile ou Grégoire de Nazianze et, plus tard, Jean Chrysostome (voir les textes rassemblés par A.-G. Hamman sous le titre *Riches et pauvres dans l'Église ancienne*, Paris 1962). Thème obligé de la prédication, mais des études comme celle d'É. Patlagean en montrent aussi les bases concrètes.

παρελθεῖν τοὺς ὅρους τῆς χρείας ἡ ἡδονὴ τὸν ἄνθρωπον ἐβιάσατο. Ὡς γὰρ οὐχὶ σώματι τὸ χρειῶδες πορίζων,
25 ἀλλὰ τοῖς ὀφθαλμοῖς ἐπιτηδεύων τέρψεις καὶ ἐντρυφήματα λυπεῖται σχεδὸν ὅτι μὴ τὸν οὐρανὸν αὐτὸν ἐποίησεν ὑπωρόφιον μηδὲ τὰς τοῦ ἡλίου ἀκτῖνας ἔχει τῷ ὀρόφῳ καὶ αὐτὰς ἐντεκτήνασθαι. Διὸ πλατύνει μὲν ἁπανταχόθεν τὰς τῶν κατασκευασμάτων περιγραφάς, τὴν τῆς συνοι-
30 κίας περιβολὴν ὡς οἰκουμένην τινὰ ἄλλην ἑαυτῷ κτίζων, ἀνατείνει δὲ εἰς ὅτι μήκιστον ὕψος τοὺς τοίχους, ποικίλλει δὲ ταῖς ἔνδον τῶν οἰκημάτων διασκευαῖς, ἐξ ἀλλήλων καὶ δι' ἀλλήλων *** παρέχων τῇ κατασκευῇ τῶν ἔνδον
321 A. οἴκων τὴν ποικιλίαν. Εἶτα Λάκαινα | καὶ Θεσσαλὴ καὶ ἐκ
35 Καρύστου λίθος ἀναπτύσσεται διὰ σιδήρου εἰς πλάκας, τά τε Νειλῷα μέταλλα καὶ τὰ τῆς Νουμιδίας ἀναζητεῖται καί που καὶ ἡ Φρυγία πέτρα ταῖς σπουδαῖς ταύταις συμπαρείληπται, ἣ τῇ λευκότητι τοῦ μαρμάρου τὴν πορφυρᾶν βαφὴν πρὸς τὸ συμβὰν κατασπείρασα τρυφὴ
40 γίνεται τοῖς λιχνοτέροις ὄμμασι πολυειδῆ τινα καὶ
656 M. πολυσχημάτιστον τὴν διάχυσιν τοῦ χρώματος ἐν τῷ λευκῷ ζωγραφήσασα. Ὢ πόσαι περὶ τούτων σπουδαί, πόσα τὰ μηχανήματα, τῶν μὲν ὕδατι καὶ σιδήρῳ διαπριόντων τὰς ὕλας, ἄλλων δὲ διὰ χειρῶν ἀνθρωπίνων
45 νυκτὶ καὶ ἡμέρᾳ πονούντων τῶν κατεργαζομένων τὴν ἔκπρισιν· καὶ οὐδὲ ταῦτα ἤρκεσε τοῖς πονοῦσι περὶ τὸν

1. Lacune décelée par W. Jaeger (*GNO* V, p. 320), qui voit dans ce membre de phrase le début d'une conclusion du développement précédent.

2. Aujourd'hui Caristo, sur la côte sud de l'Eubée.

3. Liste des marbres les plus réputés. La « pierre phrygienne » désigne le marbre de Synnada, elle est donc exploitée en Cappadoce, d'après l'explication de Dioscoride ; Strabon (XIII, 57) note l'existence des carrières de marbre de Synnada en Phrygie. Le marbre de Numidie était recherché pour ses veinures vertes. Basile, dans l'homélie *Contre les riches* 2 (*PG* 31, 285 B) nomme aussi la « pierre de Phrygie, les dalles de

utile à la vie. Mais le plaisir a forcé l'homme à dépasser les limites du besoin. En effet, comme il ne cherche pas à procurer à son corps ce dont il a besoin, mais qu'il s'occupe des joies et des délices de ses yeux, il est presque chagriné à la pensée qu'il n'a pas pu faire du ciel même son toit et qu'il ne peut pas fixer les rayons du soleil eux aussi à sa toiture. C'est pourquoi l'homme étend largement en tous sens les dimensions de ses constructions, faisant de l'ensemble de sa résidence comme une autre terre pour lui-même ; il élève le plus haut possible les murs, il décore avec les matériaux qui sont à l'intérieur des maisons +......+ [1] obtenant, par leur agencement mutuel, de la variété pour l'arrangement intérieur des maisons. Alors, la pierre de Laconie, celle de Thessalie et celle de Carystos [2] sont débitées en plaques par le fer, on fait appel aussi aux carrières du Nil et à celles de Numidie, et parfois, on prend aussi pour ces effets recherchés la pierre phrygienne [3] qui, par le mélange fortuit de la teinte pourpre à la blancheur du marbre, devient source de volupté pour les yeux pleins de convoitise, car elle peint et étale sur le blanc une couleur aux formes variées et multiples. Oh ! que de recherches pour cela, que d'artifices mis en œuvre ! Les uns scient les matériaux avec de l'eau et une lame, d'autres, à mains nues, peinant jour et nuit, achèvent la taille des blocs obtenus [4]. Et cela ne suffit même pas à ceux

Laconie ou de Thessalie ». Sur les carrières de marbre et leur exploitation, voir L. Robert, « Philologie et réalités (Sur des lettres d'un métropolite de Phrygie au xe siècle) », *Journal des savants*, 1961, p. 97-166, et 1962, p. 18 s. ; sur l'utilisation de la polychromie, R. Martin, *Manuel d'architecture grecque*, I, Paris 1965, p. 135-144.

4. L. Robert, *art. cit.*, p. 105, cite ce passage et pense que Grégoire fait ici allusion au travail de la carrière : « Les premiers scient les blocs dans le rocher ; les seconds, sans la scie, avec leurs mains (aidés de coins et de leviers) détachent de la paroi de la carrière le bloc préparé, isolé par les premiers .» Dans l'application à la vie spirituelle qui suit, il s'agirait plutôt de la technique des incrustations.

μάταιον κόσμον, ἀλλὰ καὶ τὸ καθαρὸν τῆς ὑέλου διὰ
φαρμάκων εἰς βαφὰς ποικίλας καταμολύνεται, ὡς ἂν καὶ
παρὰ ταύτης τι συνεισενεχθείη τῇ τῶν ὀμμάτων χλιδῇ.
322 A. 50 Πῶς δ' ἄν τις εἴποι τὰς τῶν ὀρόφων | περιεργίας ἐφ' ὧν
τὰ ξύλα ἐκ δένδρων γινόμενα πάλιν ἐπαναστρέφοντα διὰ
τῶν σοφισμάτων τῆς τέχνης δένδρα νομίζεται κλάδους
καὶ φύλλα καὶ καρποὺς ἐν ταῖς γλυφίσιν ἐκφύοντα.

Σιωπῶ τὸν χρυσὸν τὸν εἰς λεπτούς τε καὶ ἀερώδεις
55 ὑμένας διατεινόμενον καὶ πανταχῇ τούτοις ἐπιχρωννύμε-
νον, ὡς ἂν τὴν λιχνείαν τῶν ὀμμάτων πρὸς ἑαυτὸν
ἐπιστρέφοι, τὴν δὲ τῶν ἐλεφάντων συνεισφορὰν εἰς τὸν
περίεργον καλλωπισμὸν τῶν εἰσόδων τόν τε ἀλειφόμενον
ταῖς γλυφίσι τούτων χρυσὸν ἢ τὸν διὰ τῶν ἥλων
60 ἐγκροτούμενον ἄργυρον καὶ πάντα τὰ τοιαῦτα. Τί ἄν τις
λέγοι ἢ τὰ ἐδάφη τῶν οἴκων ταῖς ποικίλαις τῶν λίθων
βαφαῖς ὑπολάμποντα, ὡς ἂν καὶ οἱ πόδες αὐτῶν τῆς
αὐγῆς τῶν λίθων κατατρυφῶσι, τήν τε κατὰ τὸ πλῆθος
τῶν τοιούτων οἴκων φιλοτιμίαν, ὧν οὐχὶ ἡ χρεία τῆς
65 ζωῆς τὴν κατασκευὴν ἀναγκαίαν ποιεῖ ἀλλ' ἡ ἐπιθυμία
διὰ τῶν ἀνονήτων προϊοῦσα ἐφευρίσκει τὴν ἀκαιρίαν;
Χρὴ γὰρ τῶν οἴκων τοὺς μὲν δρόμους εἶναι, τοὺς δὲ
περιπάτους, τοὺς δὲ εἰσοδίους, τοὺς δὲ προεισοδίους καὶ
323 A. ἄλλους | ἐπιπυλίους· οὐ γὰρ ἀρκεῖν ἡγοῦνται πρὸς
70 κόμπον τὰς πύλας καὶ τὰ προπύλαια καὶ τὴν ἐντὸς τῶν
πυλῶν εὐρυχωρίαν, εἰ μή τι τοιοῦτον προσεντυγχάνοι τοῖς
εἰσιοῦσιν, οἷον εὐθὺς καταπλῆξαι τῷ μεγέθει τοῦ ὁρωμέ-
νου τὸν εἰσερχόμενον· λουτρά τε πρὸς τούτοις παριόντα
τῇ φιλοτιμίᾳ τὴν χρείαν ποταμοῖς ὅλοις ἐν τῇ τῶν

1. Cette description complaisante relève du goût rhétorique pour l'*ekphrasis* (voir Méridier, *L'influence de la seconde sophistique*, chap. IX, p. 139-152). Mais on peut aussi se souvenir que Flavius Josèphe décrit le « palais royal de Salomon » en évoquant les revêtements précieux

qui peinent pour de vains ornements ; même la pureté du verre est altérée avec des produits pour obtenir des teintes variées, afin qu'avec lui on puisse encore ajouter au luxe donné aux yeux. Et que dire des raffinements apportés aux toitures ! Les pièces de bois taillées dans des arbres, transformées grâce aux artifices de la technique, paraissent être à nouveau des arbres dont naissent, dans des encoches préparées, des rameaux, des feuilles et des fruits [1].

Je passe sous silence l'or répandu sur les voiles fins et vaporeux, qui les rehausse partout de sa couleur pour attirer sur lui la convoitise des yeux ; et le rôle des ivoires pour l'ornement raffiné des entrées, l'or qui recouvre leurs parties creuses ou l'argent fixé avec des clous, et tous les ornements de cette sorte. Que dire aussi des sols des maisons, que les teintes variées des pierres font briller, de sorte que même les pieds [2] jouissent de l'éclat des pierres ! Que dire de toute la prétention de telles maisons ! Ce ne sont pas les besoins de la vie qui en rendent l'arrangement nécessaire, mais le désir, à force de se déployer dans l'inutile, invente de la futilité. Il faut en effet que les maisons possèdent des allées, des promenades, des entrées, des vestibules et autres moyens d'accès [3] ; et, pense-t-on, ce n'est pas assez fastueux, ces portes, ces perrons et ce vaste espace après le seuil, si ceux qui arrivent ne se trouvent pas devant un spectacle dont la grandeur frappe aussitôt celui qui entre. Il y a encore les bains qui dépassent, par leur prétention, la simple utilité et débordent, remplis de fleuves entiers, dans une profusion de fontaines ; à côté ont

des murs, les représentations végétales figurées sur les murs, ainsi que les terrasses et les bosquets (*Antiquités juives* VIII, 5, 1-2).

2. Le pronom αὐτῶν souligne l'ironie.

3. Accumulation de termes désignant les entrées de la demeure. L. Méridier (*op. cit.*, p. 93) donne προεισόδιος et ἐπιπύλιος comme néologismes.

κρουνῶν δαψιλείᾳ κατακλυζόμενα, καὶ τούτων προβεβλημένα γυμνάσια, καὶ ταῦτα περιττῶς διὰ ποικίλων μαρμάρων εἰς κόσμον ἐξησκημένα, στοαί τε πανταχόθεν περὶ τὴν οἴκησιν Νουμιδικοῖς ἢ Θεσσαλοῖς ἢ Σοηνίταις στύλοις ὑπερειδόμεναι ὅ τε ἐν τοῖς ἀνδριᾶσι χαλκὸς εἰς μυρία εἴδη σχηματιζόμενος πρὸς ὅτιπερ ἂν ἡ ἐπιθυμία τῆς περιεργίας χέῃ τὴν ὕλην, τά τε ἐκ τῶν μαρμάρων εἴδωλα καὶ τὰς ἐπὶ τῶν πινάκων γραφὰς δι' ὧν καὶ τοῖς ὀφθαλμοῖς ἐκπορνεύουσιν ἀπογυμνούσης τῆς τέχνης διὰ | μιμήσεως τὰ ἀθέατα, καὶ ὅσα ἐν τοῖς τοιούτοις ἔστιν ἰδεῖν εἰς ἔκπληξίν τε καὶ ὥραν ἐπιτεχνώμενα.

5. Πῶς ἄν τις τὰ καθ' ἕκαστον διεξέλθοι τῷ λόγῳ ἐν οἷς ἡ σπουδὴ κατηγορία καὶ ἔλεγχος τῆς περὶ τὰ προτιμότερα ῥᾳθυμίας ἐστίν; Ὅσῳ γὰρ ἄν <τις> πλεονάσῃ τῷ τε πλήθει καὶ τῇ περὶ τὰς ὕλας φιλοτιμίᾳ τὴν ἐν τοῖς κατασκευαζομένοις σπουδήν, τοσούτῳ μᾶλλον ἐλέγχει τὸ τῆς ψυχῆς ἀκαλλώπιστον. Ὁ γὰρ πρὸς ἑαυτὸν βλέπων καὶ τὴν ἰδίαν ὄντως οἴκησιν καλλωπίζων, ὥστε ποτὲ καὶ τὸν θεὸν ἔνοικον δέξασθαι, ἄλλας ἔχει τὰς ὕλας ἐξ ὧν τὸ κάλλος τῇ τοιαύτῃ οἰκήσει συνερανίζεται. Οἶδα ἐγὼ χρυσὸν τοῖς τοιούτοις ἔργοις ἐνστίλβοντα τὸν ἐκ τῶν τῆς γραφῆς νοημάτων μεταλλευόμενον, οἶδα ἄργυρον τὰ θεῖα λόγια τὰ πεπυρωμένα, ὧν ἀπαστράπτει ἡ λαμπηδὼν διὰ τῆς ἀληθείας ἐκλάμπουσα. Λίθων δὲ ποικίλων αὐγάς, ἐξ ὧν οἵ τε τοῖχοι τοῦ τοιούτου ναοῦ κατακοσμοῦνται, καὶ τῆς κατασκευῆς τὰ ἐδάφη τὰς

1. Les manuscrits hésitent sur le terme Σοηνίταις retenu par Alexander d'après le ms. E (S συηνίταις ; Λ αἰγινίταις ; ΘΡ σοινίταις ; Υ σογινίταις). Pline l'Ancien, *Hist. nat.* 36, 13, mentionne la « pierre thébaine », *thebaicus lapis*, que l'on trouvait dans la région de Syene en Égypte.

été placés des gymnases, et tout cela est bellement exécuté à grand renfort de marbres variés, et de tous côtés autour de la demeure, des portiques soutenus par des colonnes en marbre de Numidie, de Thessalie ou de Syene [1], et le bronze auquel on a donné mille formes dans les statues, pour obtenir tous ces objets dans lesquels le désir de raffinement peut couler la matière. Et les statues de marbre, et les dessins sur les tableaux, par lesquels les hommes se débauchent même des yeux, puisque l'art met à nu en le reproduisant ce qu'on ne doit pas voir, et tout ce qu'on peut voir dans ces œuvres-là, élaborées pour étonner et plaire !

La demeure véritable

5. Comment décrire en détails par la parole ce dont la préoccupation condamne les hommes et prouve leur insouciance à l'endroit de ce qui a le plus de valeur ? Plus on accroît par l'abondance et la prétention des matériaux utilisés sa préoccupation de l'aménagement des maisons, plus on prouve le manque de beauté de son âme [2]. Car celui qui porte ses regards sur lui-même et embellit ce qui est vraiment sa demeure, de façon à y accueillir un jour aussi Dieu comme hôte, celui-là possède d'autres matériaux pour contribuer à la beauté d'une telle demeure.

Je sais, moi, que l'or qui brille dans de telles œuvres, c'est ce qu'on extrait des pensées de l'Écriture ; je sais que l'argent, c'est celui des paroles divines faites de feu, dont la clarté brillante de vérité illumine. Et en concevant les dispositions variées des vertus comme les éclats de pierres variées ornant les murs d'un tel temple et les fondements

2. Opposition attendue entre la richesse extérieure et la misère intérieure. Parallèle chez Basile, dans l'homélie *Contre les riches* 1-2 (*PG* 31, 278-283).

ποικίλας τῶν ἀρετῶν διαθέσεις νοήσας οὐκ ἂν ἁμάρτοις τοῦ τῇ οἰκίᾳ ταύτῃ πρέποντος κόσμου. Κατεστορέσθω τῇ ἐγκρατείᾳ τὸ ἔδαφος δι' ἧς ἡ τῆς γηΐνης διανοίας κόνις οὐ διοχλήσει τὸν διαιτώμενον. Ἡ τῶν οὐρανίων ἐλπὶς
20 ὡραϊζέτω τὸν ὄροφον πρὸς ἣν ἀναβλέπων τῷ τῆς ψυχῆς ὀφθαλμῷ οὐκ εἰδώλοις κάλλους διὰ γλυφίδων μεμορφω-
325 A. μένοις | ἐνατενίσεις, ἀλλ' αὐτὸ κατόψει τὸ ἀρχέτυπον κάλλος οὐ χρυσῷ τινι καὶ ἀργύρῳ διηνθισμένον, ἀλλ' ὅπερ ὑπὲρ χρυσίον καὶ λίθον τίμιόν ἐστι πολύν. Εἰ δὲ χρὴ
25 καὶ τὸν ἐκ πλακῶν κόσμον ὑπογράψαι τῷ λόγῳ, ἔνθεν ἡ ἀφθαρσία καὶ ἡ ἀπάθεια διαπλακούτω τὸν οἶκον, ἐκεῖθεν ἡ δικαιοσύνη καὶ τὸ ἀόργητον κοσμείτω τὴν οἴκησιν, καθ' ἕτερον μέρος ἡ ταπεινοφροσύνη καὶ τὸ μακρόθυμον διαλαμπέτω καὶ κατ' ἄλλο πάλιν ἡ περὶ τὸ θεῖον
30 εὐσέβεια. Πάντα δὲ ταῦτα ὁ καλὸς τεχνίτης ἡ ἀγάπη εὐθέτως πρὸς ἄλληλα συναρμοζέτω. Κἂν λουτρῶν ἐπιθυμῇς, ἔχεις, ἐὰν θέλῃς, καὶ λουτρὸν κατοικίδιον καὶ κρουνοὺς ἰδίους δι' ὧν ἔστι τὰς κηλῖδας τῆς ψυχῆς ἀπορρύψασθαι, ᾧ ἐκέχρητο καὶ ὁ μέγας Δαβὶδ καθ'
35 ἑκάστην νύκτα ἐντρυφῶν τῷ τοιούτῳ λουτρῷ [a]. Στύλους

5. a. cf. Ps. 6, 7

1. Thème symbolique de la demeure spirituelle ; voir parallèle en *In Cant.* IV (*GNO* VI, p. 109), à propos de *Cant.* 1, 17 : « Les poutres de nos maisons sont des cèdres, nos lambris sont des cyprès ». À l'arrière-plan, les images pauliniennes de *I Cor.* 3, 10-12. Chez Grégoire, le fondement de l'image est l'affirmation de l'ἀκολουθία des vertus (voir *De inst. christ.*, *GNO* VIII, 1, p. 77, 15 — 78, 8). — Sur la beauté des vertus comparées à des pierres précieuses, voir ORIGÈNE, *Hom. sur Ézéchiel* XIII, 3 ; Origène appuie son exégèse d'*Éz.* 28, 13 par une référence au *Pasteur* d'HERMAS (*Similitude* IX, 92). Le thème de la bonne construction est repris en *hom.* VII, 3.

de sa construction, tu ne te tromperais pas sur la décoration qui convient à cette demeure [1]. Que le sol en soit aplani par la maîtrise de soi, par laquelle la poussière de la pensée terrestre ne troublera pas celui qui y vit. Que l'espérance des biens célestes en embellisse le toit ; en levant vers elle l'œil de ton âme, tu ne fixeras pas ton regard sur des simulacres de la beauté auxquels les ciseaux ont donné forme, mais tu verras l'archétype de la beauté, qui n'est aucunement paré d'or ni d'argent, mais qui est bien plus précieux qu'un peu d'or ou qu'une pierre. Mais s'il faut aussi décrire en paroles le décor qui provient du revêtement, qu'ici l'incorruptibilité et l'impassibilité soient le revêtement de la demeure, que là, la justice et la sérénité ornent l'habitation, que d'une part brillent l'humilité et la longanimité, et de l'autre aussi la piété à l'égard du divin. Voilà tous les éléments que le bon artisan, la charité, dispose harmonieusement les uns par rapport aux autres [2]. Désires-tu des bains de purification, tu as, si tu le veux, ton bain domestique et tes fontaines personnelles, grâce auxquelles tu peux nettoyer les souillures de l'âme [3]. Chaque nuit, le grand David lui aussi prenait avec délices ce bain-là [a]. Ne mets pas tout ton soin à construire des

2. Voir *I Cor.* 3, 10-12. Sur la supériorité de la charité comme fondement, commentaire de *I Cor.* 13 en *De inst. christ.*, *GNO* VIII, 1, p. 59, 18 – 60, 17. — L'expression συναρμογὴ εὔθετος désigne, selon L. ROBERT (*art. cit.*, p. 105), la pose parfaite des fines plaques de marbre. Sur ce passage, voir aussi du même auteur : *À travers l'Asie Mineure*, Paris 1980, chap. IX.

3. Thème ascétique de la purification par les larmes. Textes parallèles en *In inscr. Ps.* (*GNO* V, p. 191, 26-30) ; *De beat.* III (*GNO* VII, 2, p. 108), reprenant l'exemple de David. Comparer avec ÉVAGRE, *Traité pratique* 27, *SC* 171, trad. A. et C. Guillaumont : « Lorsque nous nous heurtons au démon de l'acédie, alors, avec des larmes, divisons notre âme en deux parties : une qui console et l'autre qui est consolée .»

δὲ τὴν τῆς ψυχῆς στοὰν ὑπερείδοντας μὴ Φρυγίους τινὰς ἢ πορφυρίτας περιεργάζου, ἀλλὰ τὸ ἐν παντὶ ἀγαθῷ στάσιμόν τε καὶ ἀμετακίνητον τῶν ὑλικῶν ἔστω σοι τούτων καλλωπισμάτων πολυτιμότερον. Εἴδωλα δὲ παν-
40 τοδαπὰ ἢ ἐν γραφαῖς ἢ ἐν πλάσμασιν, ὅσα πρὸς μίμησιν τῆς ἀληθείας δι' ἀπάτης ἐπιτεχνῶνται οἱ ἄνθρωποι, ἡ
326 A. τοιαύτη οὐ καταδέχεται | οἴκησις ἐν ᾗ γέμει τὰ τῆς ἀληθείας ἀγάλματα. Δρόμους δὲ καὶ περιπάτους ἐπιθυμῶν τὴν ἐν ταῖς ἐντολαῖς ἔχεις διαγωγήν. Οὕτω γὰρ
45 φησιν ἡ σοφία· « Ἐν ὁδοῖς δικαιοσύνης περιπατῶ καὶ ἀνὰ μέσον ὁδῶν δικαιώματος ἀναστρέφομαι [b]. » Ὡς καλόν ἐστιν ἐν τούτοις διακινεῖσθαι καὶ διαγυμνάζεσθαι τὴν ψυχὴν καὶ διελθόντα τῇ κινήσει τὸν τῆς ἐντολῆς τόπον ἐπὶ τὸ αὐτὸ πάλιν ἐπαναστρέφειν, τουτέστι πληρώσαντα
50 τὴν σπουδαζομένην αὐτῷ ἐντολὴν πάλιν πρὸς τὸν δεύτερόν τέ καὶ τρίτον καὶ πολλοστὸν τῆς εὐσεβείας δίαυλον μὴ ἀποκαμεῖν. Τὰ δὲ εἰσόδια καὶ προεισόδια κάλλη ἡ τοῦ ἤθους κατόρθωσις καὶ ἡ εὐσχημοσύνη τοῦ βίου καλλωπιζέτω. Ὁ τοῦτον τὸν τρόπον ἐξασκῶν εἰς κάλλος τὸ
55 ἑαυτοῦ οἰκοδόμημα μικρὰ φροντιεῖ τῆς γηΐνης ὕλης, οὐκ ἐνοχλήσει μετάλλοις, οὐκ Ἰνδικὰ περάσει πελάγη ἵνα τὰ τῶν ἐλεφάντων ὀστᾶ ἐμπορεύσηται, οὐ τεχνιτῶν περιεργίας μισθώσεται ὧν ἡ τέχνη προσαπομένει τῇ ὕλῃ· ἀλλ' οἴκοθεν ἕξει τὸν πλοῦτον τὸν ταῖς τοιαύταις κατασκευαῖς
60 χορηγοῦντα τὰς ὕλας· πλοῦτος δέ ἐστιν ἡ προαίρεσις.

Τὴν δὲ τοῦ σώματος τοῦ ἰδίου φύσιν, ἕως ἂν συζῇ τῇ σαρκί, τοσοῦτον θεραπεύσει ὅσον μὴ στερῆσαι τῶν ἀναγκαίων τινός. Τοσοῦτον γὰρ ἑαυτῷ περιθήσει οἰκίδιον
327 A. | ὡς διαθάλψαι μόνον, εἰ τούτου γένοιτο χρεία, καὶ

b. Prov. 8, 20

colonnes phrygiennes ou de porphyre pour soutenir le portique de l'âme, mais que la constance et l'immutabilité en tout bien te soient bien plus précieuses que ces embellissements matériels. Les images de toutes sortes, dessins ou figurines, que les hommes réalisent artificieusement pour reproduire la vérité, la demeure où abondent les chefs-d'œuvre de la vérité ne les reçoit pas. Toi qui désires des allées et des promenades, tu as la voie des commandements. Car la Sagesse parle ainsi : « Je marche dans les chemins de justice, je fréquente les chemins du droit [b].» Qu'il est beau pour l'âme de s'y mouvoir, de s'y exercer sans cesse, et, après avoir parcouru de son mouvement le lieu d'un commandement, de revenir au même point, c'est-à-dire qu'ayant rempli le commandement auquel elle s'attache, elle ne se laisse pas décourager ensuite par la deuxième, la troisième, par la moindre course de la piété [1]. Que la droiture morale et la décence de la vie embellissent la beauté des entrées et des vestibules. Celui qui prépare de cette manière sa propre maison pour la rendre belle se souciera peu du matériau terrestre, il n'ira pas extraire le minerai, il ne parcourra pas les mers indiennes pour se procurer des défenses d'éléphant, il n'achètera pas les curiosités futiles des artisans, dont l'art reste attaché à la matière. C'est de sa propre demeure qu'il obtiendra la richesse qui fournit les matériaux pour de tels aménagements. Et la richesse, c'est le choix libre [2].

Il prendra juste assez soin de sa nature corporelle, tant qu'il vivra dans la chair, pour n'être privé de rien de nécessaire. Il s'entourera d'une demeure qui suffise à le

1. Comme les vertus, les commandements sont soumis à l'ἀκολουθία. Grégoire insiste sur la nécessité de les parcourir tous : *De virg.* XVIII, 1 ; *De beat.* VI (*GNO* VII, 2, p. 145).

2. Voir ci-dessus, Introd., chap. VII, sur la liberté de Salomon.

65 κατασκιάσαι πάλιν, ὅταν καταφρύγηται τῷ φλογμῷ τῶν ἀκτίνων τὰ σώματα, τήν τε τοῦ ἱματίου σκέπην πρὸς τὸν αὐτὸν βλέπων σκοπὸν κατασκευάσει, ὡς ἂν τὸ γυμνὸν ἐπικαλυφθείη τοῦ σώματος, οὐ πορφυρευτάς τινας καὶ κοκκοβάφους ἀναζητῶν οὐδὲ τοὺς ῥᾳδιουργοῦντας εἰς 70 νῆμα τοῦ χρυσίου τὴν φύσιν, οὐδὲ τοὺς ἐκ Σηρῶν βόμβυκας περιεργαζόμενος καὶ τὸ ἐξ αὐτῶν νῆμα διὰ τῆς ὑφαντικῆς περιεργίας ἐσθῆτα ποιῶν πρὸς χρυσὸν καὶ πορφύραν συγκεκραμένην, τῇ τε ἐπιτυχούσῃ τροφῇ τὸ ἐνδέον τῆς χρείας παραμυθήσεται, χαίρειν ἐάσας ὀψαρτυ-75 τικὰς μαγγανείας. Ἐν ὀλιγοδείᾳ δὲ διὰ τῶν ἐπιτυχόντων τῇ σαρκὶ λειτουργήσας πᾶσαν ἑαυτοῦ τὴν ζωὴν ἀναθήσει τῇ τῆς ψυχῆς ἐπιμελείᾳ μεγαλύνων τὸ τοῦ θεοῦ ποίημα, οὐχὶ τὸ ἴδιον, ὡς ἂν μὴ καὶ αὐτὸς εἰς ἀνάγκην ἔλθοι ποτὲ τοῦ τὴν ματαίαν δι' ἐξαγορεύσεως δημοσιεύειν σπουδήν, 80 καθὼς νῦν μεμαθήκαμεν παρὰ τοῦ εἰπόντος ὅτι « Ἐμεγάλυνα ποίημά μου[c] », οὐ τὸ τοῦ θεοῦ, ὅπερ ἦν αὐτός, ἀλλὰ τὸ ἑαυτοῦ, ὅπερ ἦν τὸ τῆς σαρκός ἐνδιαίτημα, οὐ ταῖς χρείαις ὁριζόμενον ἀλλὰ ταῖς ματαίαις ἐπιθυμίαις συμπλατυνόμενον.

6. Προστίθησι δὲ τούτοις ὁ λόγος καὶ ἄλλου πράγματος ἐξαγόρευσιν, ὅπερ τις τῆς τε τῶν νοημάτων παραφορᾶς καὶ τῆς ἐκ τοῦ καθεστῶτος ἐκστάσεως ἀρχέγονον λέγων οὐκ ἂν ἁμάρτοι. Τοῦτο δέ ἐστιν ἡ ἐκ τοῦ οἴνου

c. Eccl. 2, 4a

1. *Topos* de la prédication pour encourager la simplicité du vêtement. Voir Clément, *Pédagogue* II, 106-115. Les soies des Sères sont aussi vantées par Basile, à l'occasion d'une description du ver à soie qui doit donner à ses lecteurs « une claire idée de la résurrection » (*Hom. sur l'Hexaéméron*, VIII, 8, 79A, *SC* 26 bis, p. 472-473). Pour É. Patlagean

réchauffer si le besoin s'en fait sentir, et qui lui donne aussi de l'ombre lorsque les corps sont desséchés par le feu des rayons ; il apprêtera le vêtement qui le couvre dans le même but, pour cacher la nudité de son corps, sans aller chercher des teinturiers pour obtenir de la pourpre et de l'écarlate, ni ceux qui maltraitent la nature de l'or pour en faire un fil, sans ouvrager les soies des Sères pour transformer le fil qu'on en obtient en un vêtement mêlé d'or et de pourpre, grâce au travail de tissage [1]. Et il apaisera le manque de ce qui lui est utile par une nourriture de fortune, en donnant congé aux sortilèges culinaires [2]. En servant la chair frugalement avec ce qui se présente, il consacrera toute sa vie au soin de l'âme, en « agrandissant l'ouvrage » de Dieu, et non le « sien propre », pour ne pas devoir lui aussi en venir à avouer publiquement la vanité de ses occupations, comme nous l'apprenons maintenant de celui qui dit : « J'ai agrandi mon ouvrage [c] » — non cet ouvrage de Dieu qu'il était lui-même, mais le sien propre [3], sa demeure de chair, car il s'est adonné aux désirs vains au lieu de se limiter au nécessaire.

Deuxième faute : le vin et ses méfaits

6. Et le texte ajoute à ces paroles l'aveu d'une autre action aussi, dont on pourrait dire sans se tromper qu'elle est à l'origine de la folie des pensées et de l'égarement loin de ce qui est stable. Il s'agit de la ruine de la

(*Pauvreté économique et pauvreté sociale*, p. 123), qui analyse les symboles utilisés par la prédication de cette période, « le vêtement de soie, rehaussé d'or ou de broderies, ou encore uni, est le propre du riche, le superflu dont se dépouillent les héros des histoires ascétiques ». Mais ce thème de la morale chrétienne a des antécédents évidents dans la morale cynique (voir les textes cités par M.-O. GOULET, *L'ascèse cynique*, Paris 1986, p. 57-66).

2. La modération dans la nourriture va de pair avec la simplicité du vêtement : voir PHILON, *De vita contemplativa* 74.

3. Voir ci-dessus, p. 196, n. 1.

5 γινομένη τῆς διανοίας λύμη. Εἰπὼν γὰρ ὅτι « Ἐμεγάλυνα ποίημά μου » καί « Ὠικοδόμησά μοι οἴκους[a] » ἐπάγει
328 A. τούτοις τὸ καί· « Ἐφύτευσά | μοι ἀμπελῶνας[b] ». Ὡς κατὰ κοινοῦ δηλονότι τὸ « ἐμεγάλυνα » καὶ ἐπὶ τῶν καθεξῆς ὑπαριθμουμένων σημαινόμενον. Νοεῖν οὖν δέδω-
10 κε διὰ τούτου ὡς καὶ τῆς φυτείας τῶν ἀμπελών<ων> διὰ τοῦ μεγαλυνθῆναι παριούσης τὴν χρείαν. « Ἐφύτευσά μοι ἀμπελῶνας » ὅπερ ἴσον ἐστὶ τῷ λέγειν ὅτι παρεσκεύασα τῷ πυρὶ τὰς ὕλας δι' ὧν ηὔξησα τῶν ἡδονῶν τὴν φλόγα, ἢ ὅτι κατέχωσα τὸν νοῦν εἰς βάθος, καθάπερ τινὰ
15 χοῦν ἐπιτύμβιον ἐπιφορήσας τῇ διανοίᾳ τὴν μέθην. « Ἐφύτευσά μοι ἀμπελῶνας », οὐκ ἐσωφρονίσθην, φησί, τῷ διηγήματι τῆς τοῦ Νῶε παραφορᾶς[c], ὅτι κἀκεῖνον ἡ τοιαύτη φυτεία τοῦ κόσμου τῆς εὐσχημοσύνης ἀπογυμνώσασα ἔδειξε τοῖς ὁρῶσιν ἐλεεινόν τε ἅμα καὶ ἐπιγέλασ-
20 τον. Τοῖς μὲν γὰρ εὐνουστέροις τῶν παίδων ἐλέους ἄξιον ἐνομίσθη τὸ ἄσχημον, τῷ δὲ ἀτασθάλῳ τε καὶ ἀπαιδεύτῳ γέλωτος ἀφορμὴ τὸ τῆς μέθης γίνεται θέαμα. Πολὺν δὲ περιλαμβάνει παθημάτων κατάλογον ἡ τῆς τῶν ἀμ-
660 M. πελώνων φυτείας ἐξομολόγησις. Ὅσα γὰρ καὶ οἷά ἐστι τὰ
25 ἐκ τοῦ οἴνου ἀποτελούμενα πάθη, πάντα τῇ δυνάμει περιέχει ὁ λόγος.

Τίς γὰρ οὐκ οἶδε τῶν πάντων ὅτι ὁ οἶνος, ὅταν παρέλθῃ τῇ ἀμετρίᾳ τὴν χρείαν, ἀκολασίας ἐστὶν ὑπέκ-

6. a. Eccl. 2, 4a-b b. Eccl. 2, 4c c. cf. Gen. 9, 20

---

1. Le thème de l'ivresse de Noé est largement développé par PHILON dans toute la deuxième partie du *De plantatione* (139-148), puis au début du *De ebrietate* (1-13) ; sur l'histoire de Lot, voir *De ebrietate* 154-166. Le vin est symbole « de la divagation et du délire, de la stupidité totale du désir insatiable » (*ibid.* 4). — Ἐπιγέλαστος : l'adjectif rappelle que Cham est présenté comme celui qui a ri de son père (PHILON, *Quaestiones in Genesim* II, 71 ; *De sobrietate* 6). — En employant l'expression

pensée sous l'effet du vin. En effet, après avoir dit : « J'ai agrandi mon ouvrage » et : « J'ai construit pour moi des demeures [a] », il ajoute : « J'ai planté pour moi des vignes [b] » ; comme il arrive communément, le « j'ai agrandi » porte évidemment aussi sur ce qui est dénombré dans la suite ; il donne donc à penser, par là, que même la plantation de vignes dépasse les besoins, parce qu'elle est « agrandie ». « J'ai planté pour moi des vignes », ce qui équivaut à dire : J'ai préparé pour le feu les matériaux avec lesquels j'ai augmenté la flamme des plaisirs, ou : J'ai enseveli mon esprit profondément, en déposant l'ivresse sur la pensée comme de la terre pour une sépulture. « J'ai planté pour moi des vignes », je n'ai pas été rendu sage, dit-il, par le récit de la folie de Noé [c1] : une telle plantation, en le dévêtant de la parure de la décence, l'a montré pitoyable et risible à la fois à ceux qui le voyaient. Car de la part des plus bienveillants de ses enfants, son indécence parut mériter la pitié, mais chez celui qui était follement présomptueux et qui n'était pas encore éduqué [2], le spectacle de l'ivresse provoque le rire. C'est une longue liste de passions qu'embrasse la confession de la plantation des vignes : le nombre et la variété des passions nées du vin, le texte les contient tous en puissance [3].

Qui au monde ne sait en effet que le vin, lorsqu'on en boit sans mesure plus qu'il n'est besoin, enflamme l'in-

εὐσχημοσύνης ἀπογυμνώσασα, Grégoire connaît-il la divergence pour *Gen.* 9, 22 entre la LXX qui utilise γύμνωσις et Aquila et Symmaque qui traduisent ἀσχημοσύνη (indécence) ? Voir *Bible d'Alexandrie, Genèse*, Paris 1986.

2. En *Gen.* 9, 24, Cham est seulement désigné comme le « fils le plus jeune » de Noé (νεότερος) ; PHILON donne une interprétation allégorique de la jeunesse de Cham (*Quaest. in Gen.* II, 74).

3. Lieu commun de la littérature patristique : voir JEAN CHRYSOSTOME, *Hom. sur la Genèse* XXIX.

καυμα, ἡδονῶν χορηγία, νεότητος λύμη, γήρως ἀσχη-
329 A. 30 μο|σύνη, γυναικῶν ἀτιμία, μανίας φάρμακον, παρανοίας ἐφόδιον, ψυχῆς δηλητήριον, διανοίας νέκρωσις, ἀρετῆς ἀλλοτρίωσις; Ἐκεῖθεν ὁ ἀπροφάσιστος γέλως, ὁ ἄνευ αἰτίας θρῆνος, τὸ αὐτόματον δάκρυον, ἡ ἀνυπόστατος μεγαλαυχία, ἡ ἐπὶ τῷ ψεύδει ἀναισχυντία, ἡ τῶν
35 ἀνυπάρκτων ἐπιθυμία, ἡ τῶν ἀμηχάνων ἐλπίς, ἡ ὑπέρογκος ἀπειλή, ὁ ἄλογος φόβος, ἡ τῶν κατ' ἀλήθειαν φοβερῶν ἀναισθησία, ἡ ἀναίτιος ὑποψία, ἡ παράλογος φιλανθρωπία, ἡ τῶν ἀδυνάτων ἐπαγγελία· ἵνα παρῶμεν τὰ ἄλλα, τὸν ἀπρεπῆ νυσταγμόν, τὴν πάρετον καρηβα-
40 ρίαν, τὴν ἐκ τῆς ἀμέτρου πληθώρας ἀσχημοσύνην, τὴν τῶν ἄρθρων λύσιν, τὸν λυγισμὸν τοῦ αὐχένος οὐκέτι ἑαυτὸν ἐπὶ τῶν ὤμων ἀνέχοντος, τῆς ἐκ τοῦ οἴνου ὑγρότητος τὸν σύνδεσμον τοῦ αὐχένος ὑπολυούσης. Τί τὸ παράνομον ἄγος τῆς θυγατρομιξίας εἰργάσατο; Τί τὴν
45 διάνοιαν τοῦ Λὼτ ἀπὸ τῶν γινομένων ἐξέκλεψεν, ὃς καὶ τὸ ἄγος ἐτόλμησε καὶ ἠγνόησεν, ὅπερ ἐτόλμησεν [d]; Τίς ὥσπερ ἐν αἰνίγματι τὴν ἀλλόκοτον τῶν τέκνων ἐκείνων προσηγορίαν ἐκαινοτόμησεν; Πῶς αἱ τοῦ ἐναγοῦς τόκου μητέρες ἀδελφαὶ τῶν ἰδίων τέκνων ἐγένοντο; Πῶς οἱ
50 παῖδες τὸν αὐτὸν ἔσχον πατέρα τε ὁμοῦ καὶ προπάτορα; Τίς ὁ συγχέας ἐν παρανομίᾳ τὴν φύσιν; Οὐκ οἶνος ἐκβὰς τὰ μέτρα τὴν ἀπιστουμένην ταύτην τραγῳδίαν εἰσήνεγ-

d. cf. Gen. 19, 30-38

1. Θυγατρομιξία : un papyrus du IIe s. de notre ère atteste l'emploi du mot dans la langue courante (d'après *LSJ*, *s.v.*). — L'inceste de Lot est présenté par ORIGÈNE (*Traité des principes* IV, 2, 2) comme une des « difficultés mystérieuses de l'Écriture », de même que les deux épouses d'Abraham ou les différentes épouses de Jacob. Il en donne une interprétation allégorique dans l'une des *Hom. sur la Genèse* (V, 3-6) : Lot

tempérance, mène le chœur des plaisirs, ruine la jeunesse, rend indécente la vieillesse, déshonore les femmes, provoque la folie, mène à la déraison, détruit l'âme, met à mort la pensée, aliène la vertu ? Sous son effet, les rires sans raison, les lamentations sans cause, les larmes spontanées, l'orgueil sans fondement, l'impudence dans le mensonge, le désir de ce qui est néant, l'espoir de ce qui est impossible, la menace démesurée, la crainte sans raison, l'insensibilité à ce qui est vraiment à craindre, le soupçon sans cause, la bonté sans raison, la promesse des choses impossibles. Passons sur le reste, l'assoupissement inconvenant, la tête lourde et inerte, l'indécence qui suit l'excès démesuré de vin, le relâchement des articulations, le fléchissement du cou qui ne se tient plus droit sur les épaules, car l'humidité donnée par le vin relâche le muscle du cou. Qu'est-ce qui a produit la souillure illégale de l'inceste [1] ? Qu'est-ce qui a soustrait à Lot la pensée de ce qui s'était passé, lui qui a osé commettre le sacrilège et a ignoré ce qu'il avait osé faire [d] ? Qui a inventé comme dans une énigme le nom étrange de ces enfants ? Comment les mères d'un enfantement sacrilège sont-elles devenues les sœurs de leurs propres enfants ? Comment les enfants ont-ils eu le même homme pour père et pour grand-père ? Quel est-il, celui qui par sa transgression introduit la confusion dans la nature ? N'est-ce pas le vin qui, dépassant la mesure, a produit cette tragédie incroyable [2] ?

est figure de la Loi et ses filles figures du peuple charnel. Grégoire s'en tient à l'interprétation morale qui condamne les personnages du récit biblique.

2. Malgré l'emploi des mots τραγῳδία et τραγικὸν διήγημα, il paraît difficile de voir dans ces lignes, comme le suggère P. ALEXANDER (*GNO* V, p. 329) une allusion à l'histoire d'Œdipe. Tout le passage est une condamnation de Lot, à la lumière de l'aveu de Salomon. La mention de Sodome dans la suite du paragraphe souligne que l'on n'est pas sorti du contexte biblique.

κεν ; Οὐ μέθη τὸν τοιοῦτον μῦθον τῇ ἱστορίᾳ συνέπλασεν,
330 A. | ὃς ταῖς ὑπερβολαῖς καὶ τοὺς ὄντως μύθους παρέρχεται ;
55 « Ἐπότισαν γάρ, φησίν, οἶνον τὸν ἑαυτῶν πατέρα [e] », καὶ οὕτως αὐτῷ τῆς διανοίας ἐξωσθείσης ὑπὸ τοῦ οἴνου καθάπερ μανίᾳ τινὶ κατεχόμενος τὸ τραγικὸν τοῦτο διήγημα τῷ βίῳ κατέλιπεν, ἐκκλαπείσης παρὰ τὸν τοῦ ἄγους καιρὸν ὑπὸ τῆς μέθης αὐτῷ τῆς αἰσθήσεως [f]. Ὦ
60 κακῶς τῶν Σοδομιτικῶν ἀποθέτων αἱ γυναῖκες ἐκεῖναι τὸν οἶνον μεθ' ἑαυτῶν ἐκκομίσασαι. Ὦ κακὴν φιλοτησίαν ἐκ πονηροῦ κρατῆρος τῷ πατρὶ παρεγχέασαι. Ὡς πολύ γε ἄμεινον ἦν μετὰ πάντων κἀκεῖνον τὸν οἶνον ἐν Σοδόμοις καταφθαρῆναι πρὶν τῆς τοιαύτης τραγῳδίας
65 χορηγὸν γενέσθαι.

7. Καὶ τοιούτων ὄντων ὑποδειγμάτων καὶ τοσούτων καθ' ἑκάστην ἡμέραν τῶν ἐκ τοῦ οἴνου κακῶν ἐμφυομένων τῷ βίῳ, καὶ τοῦτο πεποιηκέναι φησὶν ὁ ἀνεπαισχύντως διὰ τῆς ἐξαγορεύσεως τὸ ἑαυτοῦ στηλιτεύων,
5 τὸ μὴ μόνον τῷ ὄντι κεχρῆσθαι οἴνῳ, ἀλλ' ὅπως ἂν καὶ πλεονάσειεν ἡ τοῦ τοιούτου κτήματος χορηγία προνοηθῆναι. « Ἐφύτευσα γάρ μοι, φησίν, ἀμπελῶνας [a] », ὧν οὐκ ἂν δεηθείη ὁ αὐτὸς ἄμπελος εὐθηνοῦσα γινόμενος, ἄμπελος πνευματική, εὐθαλής τε καὶ ἀμφιλαφής, τοῖς τοῦ
10 βίου κλάδοις καὶ ταῖς ἀγαπητικαῖς ἕλιξι διαπλεκομένη πρὸς τὸ ὁμόφυλον, καὶ κομῶσα μὲν ἀντὶ φύλλων τῇ εὐσχημοσύνῃ τῶν τρόπων, ἡδὺν δὲ καὶ πέπειρον τὸν τῆς
331 A. ἀρετῆς βότρυν | ἐκτρέφουσα. Ὁ ταῦτα ἐν τῇ ἰδίᾳ

e. Gen. 19, 33 f. cf. Gen. 19, 33-35
7. a. Eccl. 2, 4c

N'est-ce pas l'ivresse qui a ajouté à l'histoire un tel récit, qui va au-delà même des récits authentiques par ses outrances ? En effet, le texte dit : « Elles firent boire du vin à leur père [e] », et ainsi, lorsque le vin eut chassé sa faculté de penser, comme possédé par quelque folie, il laissa ce récit tragique de sa vie, l'ivresse lui ôtant toute sensation au moment du sacrilège [f]. Oh ! quel mal que ces femmes ayant emporté avec elles le vin des réserves de Sodome ! Oh ! le mauvais souhait qu'elles ont porté à l'honneur de leur père en versant le vin du cratère funeste ! Comme il eût mieux valu qu'avec tout, le vin aussi fût détruit à Sodome avant de devenir le chorège d'une telle tragédie !

7. Et puisque de tels exemples existent et que de si grands maux nés chaque jour du vin surviennent dans la vie, celui qui confesse publiquement sa vie sans honte dit qu'il a aussi fait cette action : non seulement il a effectivement pris du vin, mais il a veillé à se procurer en abondance un tel bien. « J'ai planté pour moi des vignes [a] », dit-il, ce dont n'aurait pas eu besoin la vraie vigne, celle qui est prospère, une vigne spirituelle [1], florissante et épaisse, où s'enchevêtrent les rameaux de la vie et les boucles de la charité pour qu'elles soient de même souche. Elle se pare, au lieu de feuilles, de la décence des mœurs qui nourrit la grappe de la vertu pour la rendre mûre et

1. Après le *De ebrietate* et le *De sobrietate* de Philon, le thème de la « sobre ivresse » est devenu un des leit-motiv de la littérature patristique ; voir H. LEWY, *Sobria ebrietas. Untersuchungen zur Geschichte der alten Mystik*, Giessen 1929 ; chez Grégoire, voir J. DANIÉLOU, *Platonisme*, p. 274-284. — L'image de la vigne spirituelle est plusieurs fois reprises en *In Cant.* (IV, *GNO* VI, p. 119, 12 — 121-5 ; V, p. 156, 14 — 157, 4 ; X, p. 308, 5 — 311, 7). Le texte de l'homélie X commente l'exhortation de *Cant.* 5, 1 : « Mangez, amis, buvez, enivrez-vous, mes frères ! », et Grégoire donne David, Paul et Pierre comme exemples de « sobre ivresse ». Dans notre passage, l'expression ὁ αὐτὸς ἄμπελος, écho de l'affirmation johannique (*Jn* 15, 1), introduit l'exégèse spirituelle.

661 M. καταφυτεύων ψυχῇ καὶ γεωργῶν οἶνον τὸν « τὴν καρδίαν
15 εὐφραίνοντα [b] » καὶ « ἐργαζόμενος τὴν ἑαυτοῦ γῆν [c] » κατὰ τὴν παροιμιώδη φωνήν, ὡς ὁ τῆς τοιαύτης γεωργίας ἀπαιτεῖ νόμος, οἱονπερεὶ σκάλλων τοῖς λογισμοῖς τὸν βίον καὶ τὰ νόθα τῶν παραφυομένων ταῖς τῶν ἀρετῶν ῥίζαις ἐκτίλλων, ἐπάρδων δὲ τοῖς μαθήμασι τὴν ψυχὴν
20 καὶ τῇ δρεπάνῃ τοῦ κριτικοῦ λόγου περικόπτων τὴν εἰς τὰ περιττὰ καὶ ἀνόνητα τῆς διανοίας φοράν, μακαριστὸς ἂν εἴη τῆς γεωργίας οὗτος τῷ τῆς σοφίας κρατῆρι [d] τὸν ἑαυτοῦ βότρυν ἐνθλίβων.

8. Ἀλλ' οὐ γινώσκει τὴν τοιαύτην φυτουργίαν ὁ πρὸς τὴν γῆν βλέπων καὶ τὰ ἐξ αὐτῆς ἀσπαζόμενος. Προστίθησι γὰρ τούτοις τὰ τῶν κήπων τε καὶ παραδείσων [a] τοῦ πλούτου ἐγκαλλωπίσματα. Τίς χρεία παραδείσων πολλῶν
5 τῷ πρὸς τὸν ἕνα παράδεισον βλέποντι ; Τίς δέ μοι ἡ ἐκ κήπου ὄνησις τοῦ τὰ λάχανα φύοντος, τὴν τῶν ἀσθενούντων τροφήν ; Εἰ ἐν τῷ ἑνὶ παραδείσῳ ἤμην, οὐκ ἂν εἰς πολλῶν παραδείσων ἐπιθυμίαν διεχεόμην. Εἰ ἐν ὑγείᾳ τὴν ψυχὴν διῆγον, ὡς δύνασθαι τῆς στερροτέρας μετέχειν
10 τροφῆς, οὐκ ἂν ἐν τοῖς λαχάνοις ἀπησχολούμην, κηπεύων ἐμαυτῷ τὴν κατάλληλον τῇ ἀσθενείᾳ τροφήν [b]. Ἀλλ'

b. Sir. 40, 20 c. Prov. 12, 11 d. cf. Prov. 9, 2
8. a. cf. Eccl. 2, 5a b. cf. Rom. 14, 2

1. La richesse du vocabulaire de l'agriculture employé ici rappelle l'analogie développée par PHILON entre l'agriculture et la « culture » de l'âme (*De agricultura* 8-19).

2. Même image en *In Cant.* IV (*GNO* VI, p. 119, 19).

3. Le terme παράδεισος en *Eccl.* 2, 5 rappelle l'emploi du même mot en *Gen.* 2, 8, alors que l'hébreu ne permet pas un tel rapprochement. En commentant *Eccl.* 3, 2b (« moment pour planter »), Grégoire cite intégralement le verset de la *Genèse* en l'associant à l'image paulinienne de *I Cor.* 3, 9 (*hom.* VI, 6, 6-8). De façon semblable ici, la fin de la phrase suivante, avec la mention des « légumes », suggère une double allusion à *Gen.* 9, 3 et à *Rom.* 14, 2.

4. Comme ORIGÈNE dans ses *Homélies sur l'Exode* (VII, 5, 48 et 8, 32, *SC* 321), Grégoire reprend la distinction de Paul entre les différentes

agréable. L'homme qui plante cela dans sa propre âme, cultive le vin qui « réjouit le cœur [b] » et il « travaille sa propre terre [c] », selon la parole des *Proverbes*. Comme le demande la loi d'une telle culture, il sarcle pour ainsi dire sa vie par ses raisonnements, il arrache les mauvaises pousses aux racines des vertus, il arrose son âme de connaissances et taille à la faux [1] du discours critique le mouvement qui porte la pensée vers le superflu et l'inutile. Bienheureux serait l'homme qui ferait une telle culture, pressant dans la coupe de la sagesse [d2] la grappe qu'il aurait lui-même fait pousser !

Les jardins et l'unique Jardin

8. Mais il ne connaît pas un tel jardinage, celui qui regarde vers la terre et chérit les fruits qu'elle porte. Le texte ajoute en effet aux vignobles les beautés des potagers et des jardins [a], qui appartiennent à l'homme riche. Quel besoin a-t-il de beaucoup de jardins, celui qui regarde vers l'unique Jardin [3] ? Quel avantage pour moi à avoir un potager qui produise des légumes, la nourriture des malades ? Si je demeurais dans l'unique Jardin, je ne me disperserais pas dans le désir de nombreux jardins. Si je conduisais sainement mon âme pour pouvoir prendre part à une nourriture plus consistante, je ne me serais pas occupé de légumes, en cultivant pour moi-même la nourriture qui convient à la maladie [b4]. Mais une fois que

nourritures en *V. Moys.* II, 140. Mais une allusion polémique n'est peut-être pas absente dans notre passage : dans le traité *De l'abstinence* de Porphyre, de peu postérieur à son traité *Contre les Chrétiens* de 270 (d'après J. Bouffartigue), la pratique d'une nourriture végétarienne est une condition nécessaire du salut. PORPHYRE donne un fondement mythique à sa position en s'appuyant sur le témoignage de Théophraste : les anciens Égyptiens ne sacrifiaient aux dieux que « de petits végétaux, comme si les hommes cueillaient de leurs mains le premier duvet de la nature féconde » (*De l'abstinence* II, 5, 2, trad. Bouffartigue et Patillon, *CUF*). Voir aussi le « paradis végétarien » selon BASILE (*Sur l'origine de l'homme* II, 6, *SC* 160).

ἐπειδὴ ἅπαξ συνεισῆλθε μὲν ἡ τρυφὴ τῇ χρείᾳ, παρῆλθε
332 A. δὲ τοὺς ὅρους αὐτῆς ἡ ἐπιθυμία, | μετὰ τὴν ἐν τοῖς οἴκοις
πολυτέλειαν καὶ τὴν ὑπωρόφιον τῶν ματαίων δαπάνην
15 τότε καὶ τὴν ὕπαιθρον ἐπιτηδεύει τρυφὴν καὶ τῇ τοῦ
ἀέρος φύσει πρὸς τὴν τῶν ἡδονῶν ὑπηρεσίαν συγκέχρη-
ται. Δένδρα γὰρ αὐτῷ διὰ γεωργίας ἐπιτηδεύεται ἀειθαλῆ
τε καὶ δασέα καὶ ἀντὶ ὀρόφου τῷ ἀέρι γινόμενα, ἵνα καὶ
ὕπαιθρος ὡς ἐν οἴκῳ τρυφῴη, καὶ παντοδαπαῖς πόαις διὰ
20 τῆς τῶν κηπευόντων τέχνης ἡ ἐπιφάνεια τῆς γῆς
ἀμφιέννυται ὥστε πανταχόθεν ἡδέα πάντα τῷ ὀφθαλμῷ
προσπίπτειν, ἐφ' ὅπερ ἂν περιαγάγῃ τὸ βλέμμα, καὶ διὰ
παντὸς ἐν τοῖς καταθυμίοις εἶναι καὶ βλέπειν ἐν ἑκάστῃ
τοῦ ἔτους ὥρᾳ τὰ ὑπὲρ τὴν ὥραν, πόαν ἐν χειμῶνι καὶ
25 ἄνθη πρόωρα καὶ τὴν ἀναδενδρουμένην ἄμπελον τὴν τοῖς
ἀλλοτρίοις κλάδοις τοὺς ἰδίους ἐνδιαπλέκουσαν καὶ τὰς
γλαφυρὰς τοῦ κισσοῦ πρὸς τὰ δένδρα περιπλοκὰς ὅσα τε
αὖ καρπῶν εἴδη ἐξ ἑτερογενῶν ἀλλήλοις μιγνύμενα τὴν
φύσιν βιάζεται, τῷ εἴδει τε καὶ τῇ γεύσει τὸ ἐπαμφοτερί-
30 ζον ἐπισημαίνοντα, ὡς ἀμφότερα εἶναι δοκεῖν, ἅπερ ἂν ἐκ
τῆς τῶν ἑτεροφυῶν συγκράσεως γένηται. Πάντα ταῦτα
καὶ εἴ τι ἄλλο ἐν τοῖς φυτοῖς ἐξεῦρεν ἡ τέχνη βιασαμένη
τὴν φύσιν, ἃ ἡ χρεία μὲν τῆς ζωῆς οὐκ ἐζήτησεν,
ἐπιζητεῖ δὲ ἡ ἀπαιδαγώγητος ἐπιθυμία.

1. Si la description d'un tel jardin relève encore de l'usage rhétorique de l'*ekphrasis*, les recoupements avec des paysages réels décrits par Grégoire dans sa lettre XX suggèrent que son discours n'est pas de pure fiction. Il s'agit dans la lettre du bourg de Ouanôta, aujourd'hui Avanos près de Nysse, d'après P. Maraval ; Grégoire en vante le site et les habitations somptueuses. On y retrouve le thème de « la nature forcée par

la volupté s'est introduite dans le besoin et que le désir a dépassé les limites de ce besoin, après avoir pourvu à la magnificence des maisons et à la dépense en vains objets pour l'intérieur, il s'occupe alors aussi de la volupté à l'extérieur et utilise la nature de l'air au service de ses plaisirs. Il s'occupe en effet à cultiver pour lui des arbres toujours verts, épais, qui procurent comme une toiture en plein air, afin d'avoir de la volupté à l'extérieur aussi bien que chez lui, et toutes sortes de prairies, grâce à l'art des jardiniers, habillent la surface du sol ; ainsi, de tous côtés des spectacles agréables tombent sous le regard de celui qui se promène [1], et on vit toujours au milieu de réalités désirables, on voit en chaque saison de l'année ce qui est hors de saison, une prairie en hiver et des fleurs avant la saison, et la vigne qui monte aux arbres, entremêlant ses propres rameaux à ceux des autres arbres, et les entrelacements délicats de lierre aux arbres, et toutes les espèces de fruits qui, mêlés les uns aux autres alors qu'ils sont de souches différentes, contraignent la nature, révélant par leur aspect et par leur goût leur double origine, car ils semblent être deux fruits à la fois, à la suite du mélange de deux plants. Voilà entre autres tout ce que l'art contraignant la nature peut inventer dans le domaine des plantes. Ce n'est pas le besoin qui recherche ces inventions, mais le désir lorsqu'il est sans guide.

l'art » (§ 11), les « sarments de vigne » qui se mêlent à des rosiers, une pièce d'eau, et le même vocabulaire architectural. Beauté naturelle et beauté artificielle se confondent : « (...) même la disposition des plantes et l'harmonieux tableau qui en résulte — en vérité un chef-d'œuvre de peintre plutôt que d'horticulteur, tant la nature s'est conformée avec docilité au désir de ceux qui ont disposé cela —, je crois qu'il n'est pas possible de les représenter par des mots » (*Ep.* XX, 12, trad. P. Maraval, *SC* 363).

9. Ταῦτα ἐν τῇ τῶν κήπων τε καὶ παραδείσων
333 A. φιλοτεχνίᾳ [a] | γεγενῆσθαι ὁ τὰ ἑαυτοῦ ἐξαγορεύων λέγει.
Ὁ γὰρ εἰπὼν ὅτι « Ἐφύτευσα πᾶν ξύλον καρποῦ [b] » τῇ
περιληπτικῇ ταύτῃ φωνῇ τὸ μηδὲν ἐλλελοιπέναι τῶν
5 τοιούτων συνενεδείξατο. Εἶτα μετὰ τὴν τρυφὴν τὴν
ὕπαιθρόν τε καὶ ὑπωρόφιον οὐδὲ τὸ ὕδωρ ἀσυντελὲς πρὸς
τὴν τῶν ἡδονῶν συνεισφορὰν καταλείπεται, ὡς δέον
πᾶσιν ἐντρυφᾶν τοῖς στοιχείοις, τῇ γῇ διὰ τῶν οἴκων, τῷ
ἀέρι διὰ τῶν δένδρων, τῷ ὕδατι διὰ τῆς χειροποιήτου
10 θαλάσσης. Ἵνα γὰρ καὶ ἡ τοῦ ὕδατος ὄψις ἐφηδύνῃ τῶν
664 M. ὀφθαλμῶν τὴν ἀπάτην, λίμνη τὸ ἔδαφος γίνεται, κυκλόθεν
περιοικοδομηθέντος τοῦ ὕδατος, ὡς ἂν καὶ ἡ νῆξις
ἡδονὴν φέροι τοῖς φαιδρυνομένοις τὰ σώματα καὶ τὸ
ἀπορρέον εὐανθεστέρους τοὺς παραδείσους κατασκευάζοι,
15 πανταχῇ πρὸς τὰς χρείας τῶν ἀρδομένων κατασχιζόμενον.
« Ἐποίησα γάρ μοι, φησί, κολυμβήθρας ὑδάτων, τοῦ
ποτίσαι ἀπ' αὐτῶν δρυμὸν βλαστῶντα ξύλα [c]. » Εἰ δέ μοι
ἦν ἡ τοῦ παραδείσου πηγή, τουτέστιν ἡ τῶν ἀρετῶν
διδασκαλία, δι' ἧς ὁ τῆς ψυχῆς αὐχμὸς ἐδροσίζετο,
20 ὑπερεῖδον ἂν τῶν γηίνων ὑδάτων ὧν πρόσκαιρος μὲν ἡ
ἀπόλαυσις, παροδικὴ δὲ ἡ φύσις. Οὐκοῦν ἄμεινον ἂν εἴη
τῆς θείας πηγῆς δι' ἧς αἱ ἀρεταὶ τῆς ψυχῆς ἐκφύονταί τε
334 A. καὶ ἄρδονται βραχεῖαν ἀπόρροιαν ἑαυτοῖς | ὀχετηγῆσαι,
ὡς ἂν τὸ τῶν ἀγαθῶν ἐπιτηδευμάτων ἄλσος ἐν ταῖς
25 ψυχαῖς ἡμῶν θάλλοι, διὰ τοῦ κυρίου ἡμῶν Ἰησοῦ
Χριστοῦ, ᾧ ἡ δόξα εἰς τοὺς αἰῶνας. Ἀμήν.

9. a. cf. Eccl. 2, 5a b. Eccl. 2, 5b c. Eccl. 2, 6.

La source des vertus

9. Voilà où conduit le goût des potagers et des jardins [a], dit celui qui confesse ses actions. Car celui qui dit : « J'ai planté tout arbre fruitier [b] » montre en même temps par cette parole, où il utilise un singulier collectif, qu'il n'a laissé de côté aucun fruit. Puis, après avoir accompagné sa volupté à l'extérieur comme à l'intérieur de chez lui, même l'eau n'est pas laissée inemployée et contribue à ses plaisirs, dans la pensée qu'il convient de se délecter de tous les éléments, de la terre par les maisons, de l'air par les arbres, de l'eau par la mer, une mer faite de main d'homme. Pour que la vue de l'eau adoucisse l'illusion des yeux, le sol pavé devient un étang, l'eau entoure le tour de la maison, en sorte que ceux qui se baignent aient même le plaisir de la natation, et que le flot jaillissant permette une meilleure floraison des jardins, car il se divise et sert partout aux besoins de l'arrosage. « J'ai fait pour moi des bassins d'eau, dit-il, et j'arrose grâce à eux les arbres qui font germer une forêt [c]. » Mais si j'avais en moi la source du Jardin [1], c'est-à-dire l'enseignement des vertus, grâce auquel la sécheresse de l'âme serait imprégnée de rosée, j'aurais méprisé les eaux terrestres, dont la jouissance est donnée en son temps, mais dont la nature est transitoire. Il vaudrait donc mieux, pour la source divine par laquelle les vertus de l'âme naissent et sont désaltérées, que son flot rapide soit canalisé pour les vertus elles-mêmes, afin que le bois sacré des bonnes actions fleurisse dans nos âmes, par notre Seigneur Jésus-Christ à qui est la gloire pour les siècles. Amen.

1. Sur cette interprétation allégorique de l'Éden et des fleuves du paradis, voir PHILON, *Leg. all.* I, 63-87 ; l'interprétation philonienne est largement reprise par AMBROISE, *De paradiso* 3, 14-18.

HOMÉLIE IV

(*Eccl.* 2, 7-11)

(1) Aveu plus grave encore aux yeux de l'ecclésiaste : sa richesse lui a permis d'avoir des esclaves, de soumettre au joug de sa domination ceux qui sont comme lui à l'image de Dieu. (2) Cette richesse elle-même, l'or, quelque forme qu'elle prenne, n'est qu'une vaine satisfaction, (3) et le prêt à intérêt ne donne que de mauvais fruits. (4) Là se justifie l'affirmation de Paul : « L'amour de l'argent est la racine de tous les maux .» (5) Ainsi s'étendent les méfaits des passions, et il faut se méfier d'elles et les combattre comme le serpent de la *Genèse*.

ΟΜΙΛΙΑ Δ´

1. Ἔτι ἡμῖν ὁ τῆς ἐξομολογήσεως τόπος παρακατέχει τὸν λόγον. Πάντα γὰρ σχεδὸν καθεξῆς διεξέρχεται ὁ τὰ ἑαυτοῦ διηγούμενος δι' ὧν τῶν κατὰ τὸν βίον τοῦτον πραγμάτων ἡ ματαιότης γνωρίζεται. Νυνὶ δὲ καθάπερ 5 μείζονός τινος κατηγορίας ἅπτεται τῶν αὐτῷ πεπραγμένων ἐξ ὧν τὸ κατὰ τὴν ὑπερηφανίαν διαβάλλεται πάθος. Τί γὰρ τοσοῦτον εἰς τῦφον ἐν τοῖς ἀπηριθμημένοις ἐστίν, οἶκος πολυτελὴς καὶ πλῆθος ἀμπέλων καὶ ἡ ἐν κήποις ὥρα καὶ τῶν ὑδάτων ἥ τε κατὰ τὰς κολυμβήθρας 10 σύστασις καὶ ἡ ἐν παραδείσοις διάχυσις[a], ὅσον τὸ ἄνθρωπον ὄντα δεσπότην ἑαυτὸν τῶν ὁμοφύλων οἴεσθαι; « Ἐκτησάμην γάρ, φησί, δούλους καὶ παιδίσκας, καὶ οἰκογενεῖς ἐγένοντό μοι[b]. » Ὁρᾷς τὸν ὄγκον τῆς ἀλαζονείας; Θεῷ ἄντικρυς ἡ τοιαύτη φωνὴ ἀντεπαίρεται. Τὰ 15 σύμπαντα γὰρ δοῦλα[c] εἶναι τῆς πάντων ὑπερκειμένης ἐξουσίας παρὰ τῆς προφητείας ἠκούσαμεν. Ὁ οὖν κτῆμα 335 A. | ἑαυτοῦ τὸ τοῦ θεοῦ κτῆμα ποιούμενος ἐπιμερίζων τε τῷ γένει τὴν δυναστείαν, ὡς ἀνδρῶν τε ἅμα καὶ γυναικῶν ἑαυτὸν κύριον οἴεσθαι, τί ἄλλο καὶ οὐχὶ διαβαίνει τῇ

1. a. cf. Eccl. 2, 4-6 b. Eccl. 2, 7a-b c. cf. Ps. 118, 91

1. Allusion au *Ps.* 118,91 (« Par ton ordre le jour demeure, parce que toutes choses sont tes esclaves »). La présence du terme δοῦλα justifie le

HOMÉLIE IV

Scandale de l'esclavage

1. C'est encore le sujet de la confession qui retient notre texte. En effet, l'ecclésiaste, en racontant ce qui chez lui fait reconnaître la vanité des choses de cette vie, passe pour ainsi dire tout en revue. Et maintenant, il aborde comme objet d'une accusation plus grave celles de ses actions qui lui font dénoncer la passion de l'orgueil. Y a-t-il autant matière à fatuité dans les biens qu'il a dénombrés — maison somptueuse, abondance de vignes, l'agrément des potagers et, pour les eaux, leur collecte dans les bassins et leur répartition dans les jardins [a] — que lorsqu'un homme se considère le maître de ses congénères ? « J'ai acquis, dit-il, des esclaves et des servantes, et j'ai eu des serviteurs nés chez moi [b] .» Vois-tu l'énormité de la forfanterie ? Une telle parole s'élève ouvertement contre Dieu. Car nous avons entendu dire par la prophétie que toutes choses sont les esclaves du pouvoir qui est au-dessus de tout [c1]. Or, l'homme qui fait de la « possession » de Dieu sa propre possession et qui s'attribue domination sur sa race, au point de se croire le maître d'hommes aussi bien que de femmes, que fait-il d'autre que transgresser la nature par

rapprochement avec *Eccl.* 2, 7. L'introduction du verset du psaume met au premier plan l'argument de la royauté de Dieu sur la création, avant que Grégoire ne commente cette nouvelle faute de Salomon en se référant à *Gen.* 1, 26-28 qui affirme la royauté de l'homme sur la création.

20 ὑπερηφανίᾳ τὴν φύσιν, ἄλλο τι ἑαυτὸν παρὰ τοὺς ἀρχομένους βλέπων;

« Ἐκτησάμην δούλους καὶ παιδίσκας[d]. » Τί λέγεις; Δουλείᾳ καταδικάζεις τὸν ἄνθρωπον οὗ ἐλευθέρα ἡ φύσις καὶ αὐτεξούσιος καὶ ἀντινομοθετεῖς τῷ θεῷ, ἀνατρέπων 25 αὐτοῦ τὸν ἐπὶ τῇ φύσει νόμον. Τὸν γὰρ ἐπὶ τούτῳ γενόμενον ἐφ' ᾧτε κύριον εἶναι τῆς γῆς καὶ εἰς ἀρχὴν τεταγμένον παρὰ τοῦ πλάσαντος, τοῦτον ὑπάγεις τῷ τῆς δουλείας ζυγῷ, ὥσπερ ἀντιβαίνων τε καὶ μαχόμενος τῷ θείῳ προστάγματι. Ἐπιλέλησαι τῶν τῆς ἐξουσίας ὅρων, 30 ὅτι σοι μέχρι τῆς τῶν ἀλόγων ἐπιστασίας ἡ ἀρχὴ περιώρισται. « Ἀρχέτωσαν γάρ, φησί, πετεινῶν καὶ ἰχθύων καὶ τετραπόδων καὶ ἑρπετῶν[e]. » Πῶς παρελθὼν τὴν ὑποχείριόν σοι δουλείαν κατ' αὐτῆς ἐπαίρῃ τῆς ἐλευθέρας φύσεως, μετὰ τῶν τετραπόδων ἢ καὶ τῶν 35 ἀπόδων ἀριθμῶν τὸ ὁμόφυλον; « Πάντα ὑπέταξας τῷ ἀνθρώπῳ[f] », βοᾷ διὰ τῆς προφητείας ὁ λόγος καὶ ὑπ' 665 M. ἀριθμὸν ἄγει τῷ λόγῳ τὰ ὑποχείρια, « κτήνη καὶ βόας καὶ 336 A. πρόβατα[g] ». Μὴ ἐκ τῶν κτηνῶν σοι γεγόνασιν | ἄνθρωποι; Μὴ αἱ βόες σοι τὴν ἀνθρωπίνην γονὴν ἐτεκνώσαντο; 40 Μία δουλεία τῶν ἀνθρώπων τὰ ἄλογα. Σοὶ δὲ ταῦτα ὀλίγα; « Ἐξανατέλλων, φησί, χόρτον τοῖς κτήνεσιν καὶ χλόην τῇ δουλείᾳ τῶν ἀνθρώπων[h]. » Σὺ δὲ τὴν φύσιν δουλείᾳ καὶ κυριότητι σχίσας αὐτὴν ἑαυτῇ δουλεύειν καὶ ἑαυτῆς κυριεύειν ἐποίησας. « Ἐκτησάμην γὰρ δούλους

d. Eccl. 2, 7a e. Gen. 1, 26 f. Ps. 8,7 g. Ps. 8,8 h. Ps. 103, 14

---

1. Formule de définition, comme le signale P. ALEXANDER (*GNO* V, p. 335). M. SPANNEUT (*Le stoïcisme des Pères de l'Église*, Paris 1957, p. 235-240) note que, dès Justin, la pensée chrétienne affirme l'existence du libre arbitre dans l'homme avec les termes de la philosophie stoïcienne, mais avec le souci de se dégager de tout déterminisme ou

son orgueil, lui qui se regarde comme différent de ceux qu'il commande ?

« J'ai acquis des esclaves et des servantes [d].» Que veux-tu dire ? Tu condamnes à l'esclavage l'homme dont la nature est libre et autonome [1], et tu légifères en t'opposant à Dieu, en renversant la loi qu'il a établie pour la nature. En effet, celui qui est né pour être maître de la terre [2], celui qui a été placé pour commander par le créateur, tu le soumets au joug de l'esclavage, en transgressant et en combattant pour ainsi dire l'ordre divin. Tu as oublié les limites de ton pouvoir, tu as oublié que le commandement t'a été imparti dans les limites de l'autorité sur les êtres sans raison. « Qu'ils commandent, dit l'Écriture, aux volatiles, aux poissons, aux quadrupèdes et aux reptiles [e].» Comment, outrepassant ton droit à l'asservissement, t'élèves-tu contre la nature libre elle-même, en comptant au nombre des quadrupèdes et des animaux sans pattes celui qui est de la même race que toi ? « Tu as tout soumis à l'homme [f] », proclame la parole de la prophétie, et par cette parole il met dans le nombre les êtres qui sont en notre pouvoir, « troupeaux, bœufs et bétail [g].» Des hommes seraient-ils nés de tes troupeaux ? Tes vaches auraient-elles enfanté la race humaine ? Les êtres sans raison sont seuls soumis aux hommes. Est-ce trop peu pour toi ? « Il fait croître, est-il dit, de l'herbe pour les troupeaux et de la verdure pour ce qui est soumis aux hommes [h]. » Mais toi, tu as déchiré la nature (humaine) par l'esclavage et la domination, tu l'as faite esclave d'elle-même et domina-

fatalisme ; Grégoire lui-même écrit un *Contra fatum*. — Sur la liberté de Salomon, voir ci-dessus, Introd., p. 81 s.

2. *Gen.* 1, 26 est cité peu après à l'appui de ce développement. Voir de même *De hom. op.* 2, 133 a-b, et 4. PHILON emploie les images de l'homme cocher, pilote et roi de la création (*De op. mundi* 84-88) ; BASILE donne des exemples concrets de la domination de l'homme sur les poissons et les bêtes sauvages (*Sur l'origine de l'homme* I, 8-10).

45 καὶ παιδίσκας[i]. » Ποίας, εἰπέ μοι, τιμῆς ; Τί εὗρες ἐν τοῖς οὖσι τῆς φύσεως ταύτης ἀντάξιον ; Πόσου κέρματος ἐτιμήσω τὸν λόγον ; Πόσοις ὀβολοῖς τὴν εἰκόνα τοῦ θεοῦ[j] ἀντεστάθμησας ; Πόσων στατήρων τὴν θεόπλαστον φύσιν ἀπενεπόλησας ; « Εἶπεν ὁ θεός· Ποιήσωμεν ἄνθρωπον
50 κατ' εἰκόνα ἡμετέραν καὶ ὁμοίωσιν[k]. » Τὸν καθ' ὁμοιότητα τοῦ θεοῦ ὄντα καὶ πάσης ἄρχοντα τῆς γῆς καὶ πάντων τῶν ἐπὶ τῆς γῆς τὴν ἐξουσίαν παρὰ τοῦ θεοῦ κληρωσάμενον τίς ὁ ἀπεμπολῶν, εἰπέ, τίς ὁ ὠνούμενος ; Μόνου θεοῦ τὸ δυνηθῆναι τοῦτο, μᾶλλον δὲ οὐδὲ αὐτοῦ τοῦ θεοῦ.
55 « Ἀμεταμέλητα γὰρ αὐτοῦ, φησί, τὰ χαρίσματα[l]. » Οὐκ ἂν οὖν ὁ θεὸς τὴν φύσιν καταδουλώσειεν, ὅς γε καὶ αὐθαιρέτως ἡμᾶς τῇ ἁμαρτίᾳ δουλωθέντας εἰς ἐλευθερίαν ἀνεκαλέσατο.

Εἰ δὲ ὁ θεὸς οὐ δουλοῖ τὸ ἐλεύθερον, τίς ὁ ὑπερτιθεὶς
60 τοῦ θεοῦ τὴν ἑαυτοῦ δυναστείαν ; Πῶς δὲ καὶ πραθήσεται ὁ ἄρχων πάσης τῆς γῆς καὶ τῶν ἐπιγείων πάντων ;
337 A. Ἀνάγκη | γὰρ πᾶσα καὶ τὸ κτῆμα τοῦ πωλουμένου συναποδίδοσθαι. Πόσου τοίνυν πᾶσαν τὴν γῆν τιμησόμεθα ; πόσου δὲ τὰ ἐπὶ τῆς γῆς πάντα ; Εἰ δὲ ταῦτα
65 ἀτίμητα, ὁ ὑπὲρ ταῦτα ποίας ἄξιος τιμῆς, εἰπέ μοι ; Κἂν

i. Eccl. 2, 7a j. cf. Gen. 1, 26 k. Gen. 1, 26 l. Rom. 11, 29

---

1. La diatribe violente que Grégoire entame contre l'esclavage prend pour argument central l'affirmation de *Gen.* 1, 26. T.J. Dennis (« The relationship between Gregory of Nyssa's attack on slavery in his *fourth homily on Ecclesiastes* and his treatise *De hominis opificio* », *Studia Patristica* XVII, 3, Oxford 1982, p. 1065-1072) a souligné l'originalité d'un tel texte : le recours à *Gen.* 1, 26 situe en effet la question au plan théologique, bien au delà d'un problème de morale sociale. D'autres textes de Grégoire sont en deçà de telles affirmations (en particulier *Or.*

trice d'elle-même [1]. « J'ai acquis des esclaves et des servantes [i].» À quel prix, dis-moi ? Qu'as-tu trouvé, parmi les êtres, de même prix que la nature (humaine) ? À quelle somme as-tu évalué la raison ? Combien de pièces de monnaie as-tu payé en échange de l'image de Dieu [j] ? Contre combien de statères as-tu échangé la nature façonnée par Dieu ? « Dieu dit : Faisons l'homme à notre image et ressemblance [k].» Celui qui est à la ressemblance de Dieu, qui commande à toute la terre et qui a reçu de Dieu en héritage le pouvoir sur tout ce qui est sur la terre, qui peut le vendre, dis-moi, qui peut l'acheter ? À Dieu seul appartient ce pouvoir : bien plus, pas même à Dieu lui-même ! Car « il ne se repent pas de ses dons [l] », est-il dit. Dieu ne saurait asservir la nature, lui qui volontairement nous a rappelés à la liberté, nous qui avions été asservis au péché.

Mais si Dieu n'asservit pas ce qui est libre, qui peut établir au-dessus de Dieu sa propre domination ? Et comment sera aussi vendu celui qui commande toute la terre et tout ce qui est sur la terre ? Car il est de toute nécessité que le bien de celui qui est vendu soit cédé en même temps que lui. À combien estimerons-nous donc toute la terre ? et à combien tout ce qui est sur la terre ? Et si c'est inestimable, à quel prix estimes-tu, dis-moi,

cat. 22, 1-2) et plus proches des positions habituelles des Pères présentant l'esclavage comme une des conséquences de la chute (voir GRÉGOIRE DE NAZIANZE, *Or.* 14, 25 ; BASILE, *Sur le Saint Esprit* XX, 51). Sur les positions de l'Église des premiers siècles face à l'esclavage, voir F. LAUB, *Begegnung des frühen Christentums mit der antiken Sklaverei*, Stuttgart 1982, chap. VI, p. 99-108 ; A.R. KORSUNSKI, « The Church and the slavery problem in the IVth century », dans *Miscellanea historiae ecclesiasticae* VI (Section I : *Les transformations dans la société chrétienne au IVe siècle*), Bruxelles 1983, p. 95-110.

« τὸν κόσμον ὅλον [m] » εἴπης, οὐδὲ οὕτως εὗρες τὴν πρὸς ἀξίαν τιμήν. Οὐδὲ γὰρ ὅλον εἶπε τὸν κόσμον ὁ εἰδὼς τὴν ἀνθρωπίνην φύσιν ἀκριβῶς τιμᾶσθαι ἄξιον εἶναι τῆς ψυχῆς τοῦ ἀνθρώπου ἀντάλλαγμα [n]. Ἄνθρωπος τοίνυν
70 ὅταν ὤνιος ᾖ, οὐδὲν ἕτερον ἢ ὁ τῆς γῆς κύριος ἐπὶ τὸ πωλητήριον ἄγεται. Οὐκοῦν συναποκηρυχθήσεται αὐτῷ δηλαδὴ καὶ ἡ ὑπάρχουσα κτίσις. Αὕτη δέ ἐστι γῆ τε καὶ νῆσοι καὶ θάλασσα καὶ τὰ ἐν τούτοις πάντα. Τί οὖν καταθήσεται ὁ ὠνούμενος; Τί δὲ λήψεται ὁ ἀποδιδόμε-
75 νος, τοσούτου κτήματος ἑπομένου τῷ συναλλάγματι; Ἀλλὰ τὸ βραχὺ βιβλίδιον καὶ ἡ ἐγγεγραμμένη συνθήκη καὶ ἡ τῶν ὀβολῶν ἀπαρίθμησις δεσπότην σε τῆς εἰκόνος τοῦ θεοῦ [o] εἶναι ἠπάτησεν; Ὦ τῆς ἀνοίας. Εἰ δὲ ἀπόλοιτο τὸ συμβόλαιον, εἰ δὲ ὑπὸ σητῶν διαβρωθείη τὰ γράμμα-
80 τα, εἰ δὲ ὕδατός ποθεν παρεμπεσοῦσα ῥανὶς ἐξαλείψειεν, ποῦ σοι τὰ τῆς δουλείας ἐνέχυρα; ποῦ σοι τὰ τῆς δεσποτείας ἐφόδια;

Οὐδὲν γὰρ ὁρῶ πλέον παρὰ τὸν ὑποχείριον ἐκ τοῦ |
338 A. ὀνόματός σοι προσγενόμενον πλὴν τοῦ ὀνόματος. Τί γὰρ
85 τῇ σῇ φύσει ἡ ἐξουσία προσέθηκεν; οὐ χρόνον, οὐ κάλλος, οὐκ εὐεξίαν, οὐ τὰ κατ' ἀρετὴν προτερήματα. Ἐκ τῶν αὐτῶν σοι ἡ γένεσις, ὁμοιότροπος ἡ ζωή, κατὰ τὸ ἴσον

m. Matth. 16, 26 n. cf. Matth. 16, 26 o. cf. Gen. 1, 26

1. L'expression « le monde entier » est présente à la fois en *Matth.* 16, 26, que Grégoire cite ensuite, et en *Prov.* 17, 6, qui est une addition de la LXX au texte hébreu. Sur le thème de la richesse du sage, ÉVAGRE associe aussi *Prov.* 17, 6 à deux versets du N.T., *I Cor.* 1, 5 et *Hébr.* 11, 37 (*Scholies aux Proverbes* 155, *SC* 340).

2. Verbe absent des dictionnaires *LSJ* et *PGL*, donné par MÉRIDIER (*L'influence de la seconde sophistique*, p. 88-94) comme un des néolo-

celui qui est au-dessus ? Dirais-tu « le monde entier [m] » [1], que tu ne trouverais même pas là le prix qui convient. Car celui qui sait estimer la nature humaine à son juste prix a dit que le monde entier n'est pas digne d'être échangé contre l'âme d'un homme [n]. Chaque fois qu'un homme est à acheter, ce n'est pas moins que le maître de la terre qui est conduit au marché. Donc ce qui sera vendu à la criée [2] en même temps que cet homme, c'est évidemment aussi la création [3] existante. Et la création, ce sont la terre, les îles, la mer, et tout ce qu'elles contiennent. Que paiera donc l'acheteur ? Que recevra le vendeur, si c'est une telle possession qui accompagne la transaction ? Mais le petit livret, l'engagement écrit et le paiement en espèces [4] t'ont-ils convaincu avec leur tromperie que tu étais maître de l'image de Dieu [o] ? Ô folie ! Et si le contrat se perdait, si les lettres étaient mangées par les vers, si une goutte d'eau en tombant les effaçait, où seraient les gages de ton droit à asservir ? où les moyens de ta domination ?

Car je ne vois rien que tu aies en plus par rapport à ton sujet — tu le nommes ainsi — que le nom. En effet, qu'est-ce que le pouvoir a ajouté à ta nature ? ni temps, ni beauté, ni bonne santé, ni les avantages que donne la vertu. Tu nais des mêmes êtres humains, ta vie se déroule de la

gismes forgés par Grégoire ; le *TLG* signale cependant un emploi dans un fragment de Ménandre. « Vendre à la criée » est déjà un des sens du verbe ἀποκηρύσσω, d'emploi classique.

3. Contre W. Jaeger qui choisit κτῆσις d'après les mss EΛP, nous retenons κτίσις, donné par tous les autres mss (WSGΘ) ; loin de faire difficulté pour le sens, l'expression fait écho à la périphrase : « le maître de la terre », et la proposition qui suit l'explicite aussi.

4. Accumulation en quelques lignes du vocabulaire des opérations financières, ce qui permet à Grégoire quelques interrogations rhétoriques ; voir R. Bogaert, « Changeurs et banquiers chez les Pères de l'Église », *Ancient Society* 4 (1973), p. 239-270. Dans ce contexte commercial συνάλλαγμα (transaction) fait écho au terme ἀντάλλαγμα (échange), employé en *Matth.* 16, 26, que Grégoire vient de citer.

ἐπικρατεῖ τά τε τῆς ψυχῆς καὶ τὰ τοῦ σώματος πάθη σοῦ τε τοῦ κυριεύοντος κἀκείνου τοῦ ὑπεζευγμένου τῇ
90 κυριότητι, ὀδύναι καὶ εὐθυμίαι, εὐφροσύναι καὶ ἀδημονίαι, λύπαι καὶ ἡδοναί, θυμοὶ καὶ φόβοι, νόσοι καὶ θάνατοι. Μή τις ἐν τούτοις διαφορὰ πρὸς τὸν δοῦλον τῷ κυριεύοντι ; Οὐ τὸν αὐτὸν ἕλκουσιν ἀέρα διὰ τοῦ ἄσθμα-
668 M. τος ; Οὐχ ὡσαύτως ὁρῶσι τὸν ἥλιον ; Οὐχ ὁμοίως τῇ τῆς
95 τροφῆς προσθήκῃ συντηροῦσι τὴν φύσιν ; Οὐχ αἱ αὐταὶ τῶν σπλάγχνων διασκευαί ; Οὐ μία κόνις οἱ δύο μετὰ τὸν θάνατον ; Οὐχ ἓν τὸ κριτήριον ; Οὐ κοινὴ βασιλεία καὶ γέεννα κοινή ; Ὁ οὖν ἐν πᾶσι τὸ ἴσον ἔχων ἐν τίνι τὸ πλέον ἔχεις, εἰπέ, ὥστε ἄνθρωπον ὄντα δεσπότην ἀνθρώ-
100 που σεαυτὸν οἴεσθαι καὶ « Ἐκτησάμην » λέγειν « δούλους καὶ παιδίσκας [p] », ὥσπερ αἰπόλιόν τι ἢ συβόσιον. Εἰπὼν γὰρ ὅτι « Ἐκτησάμην δούλους καὶ παιδίσκας » προσέθηκε τὴν ἐν τοῖς ποιμνίοις καὶ βουκολίοις προσγενομένην εὐθηνίαν αὐτῷ. « Καὶ κτῆσις γάρ, φησί, βουκολίου καὶ
105 ποιμνίου ἐγένετό μοι πολλή [q] », ὡς ἐν τῇ ἴσῃ τάξει τούτων τε κἀκείνων ὑπεζευγμένων τῇ ἐξουσίᾳ.

2. Εἶτα ἐπὶ τούτοις ὁδῷ πρόεισιν ἐπὶ τὰ μείζω τῶν
339 A. ἁμαρτη|μάτων ἡ ἐξαγόρευσις· βοᾷ γὰρ καθ' ἑαυτοῦ « τὴν πάντων τῶν κακῶν ῥίζαν, ἥτις ἐστὶν ἡ φιλαργυρία [a] ». Καί φησιν ἐπὶ λέξεως οὕτως ὅτι « Συνήγαγόν μοι καί

p. Eccl. 2, 7a q. Eccl. 2, 7c
2. a. I Tim. 6, 10

1. Un des emplois bien attestés de κριτήριον pour désigner le jugement dernier (voir *PGL*), alors qu'il a partout ailleurs le sens de critère de discernement dans les *Homélies sur l'Ecclésiaste*.

même manière, les passions de l'âme et du corps vous dominent autant, toi, le maître, et celui qui est soumis au joug de ta domination : douleurs et satisfactions, joies et inquiétudes, chagrins et plaisirs, colères et craintes, maladies et morts. Y aurait-il en cela une différence entre l'esclave et le maître ? N'aspirent-ils pas le même air avec leur respiration ? Ne voient-ils pas pareillement le soleil ? Ne conservent-ils pas semblablement leur nature à l'aide de la nourriture ? Leurs entrailles ne sont-elles pas disposées de la même façon ? Ne sont-ils pas tous deux une même poussière après la mort ? N'y a-t-il pas un même jugement [1], n'ont-ils pas un royaume commun et une commune géhenne ? Toi donc qui as en tout un sort égal, en quoi as-tu davantage, dis-moi, pour te croire, toi, un homme, souverain sur un homme et pour dire : « J'ai acquis des esclaves et des servantes [p] », comme on acquiert quelque troupeau de chèvres ou de cochons ? En effet, après avoir dit : « J'ai acquis des esclaves et des servantes », il a ajouté l'abondance en troupeaux de brebis et de bœufs qui était devenue la sienne. « J'ai fait acquisition, dit-il, de brebis et de bœufs en quantité [q] », comme si animaux et esclaves étaient soumis à rang égal à son pouvoir.

L'or, ce mirage

2. Ensuite, outre cela, l'aveu passe aux péchés plus graves. Contre lui-même, il dénonce bien haut « la racine de tous les maux, qui est l'amour de l'argent [a] » [2]. Et il le dit ainsi, à la lettre :

2. La référence paulinienne (qui reviendra au paragraphe 4) justifie à la fois une critique sociale (contre l'usure et contre la richesse excessive) et une réflexion morale sur la distinction des vrais et des faux biens. Cette affirmation à l'allure de sentence a un parallèle chez DIOGÈNE LAËRCE (VI, 50) : « L'amour de l'argent est la métropole de tous les maux ». — Sur les réalités sociales correspondantes et la position des Pères, voir S. GIET, « La doctrine de l'appropriation des biens chez quelques-uns des Pères », *RecSR* 1948, p. 51-91 ; É. PATLAGEAN, *Pauvreté économique et pauvreté sociale*, chap. VII (« Les formes de l'accumulation »).

5 γε ἀργύριον καί γε χρυσίον[b] ». Τί γὰρ ἐλύπησε καταμεμιγμένον τῇ γῇ τὸ χρυσίον κἀκείνοις ἐγκεχυμένον τοῖς τόποις οἷς ἐξ ἀρχῆς ἐνετέθη παρὰ τοῦ κτίσαντος; Τί ὀφείλειν σοι πλέον παρὰ τοὺς καρποὺς τὴν γῆν ὁ δημιουργήσας ἐποίησεν; Οὐ μόνα σοι τὰ ἀκρόδρυα καὶ τὰ
10 σπέρματα πρὸς τὴν τροφὴν ἀπεκλήρωσεν[c]; Διὰ τί παρέρχῃ τῆς ἐξουσίας τοὺς ὅρους; Ἢ δεῖξον καὶ ταῦτά σοι συγκεχωρημένα παρὰ τοῦ κτίσαντος, ὥστε μεταλλεύειν τε καὶ ἀνορύσσειν καὶ πυρὶ καταχωνεύειν τὸ ὑποκείμενον καὶ συνάγειν ταῦτα, ἃ μὴ ἐσκόρπισας. Ἢ
15 ταῦτα μὲν ἴσως οὐδὲ ἔγκλημά τις εἶναι λογίσεται τὸ οὕτως ἑαυτῷ συνάγειν ἐκ τῶν τῆς γῆς μετάλλων τὰ χρήματα. Ἀλλ' ἐπειδὴ πρόσκειται τῷ λόγῳ ὅτι « περιουσιασμοὺς βασιλέων καὶ τῶν χωρῶν[d] », οὐκέτι πρὸς τὸ ἀνεύθυνον ἡ τοῦ συναγαγεῖν διάνοια φέρεται. Ὡς γὰρ ἐξὸν
20 τῇ βασιλικῇ δυναστείᾳ ἐκ τῶν χωρῶν τὸν περιουσιασμὸν τῶν χρημάτων συνάγειν, δηλονότι φόρους ἐπιβάλλειν, δεκάτας εἰσπράττεσθαι, εἰσφέρειν χρήματα τοὺς ὑποχειρίους καταναγκάζειν, οὕτως συνειλοχέναι φησὶ τό τε χρυσίον καὶ τὸ ἀργύριον. Πλὴν εἴτε οὕτως εἴτε ὡς
25 ἑτέρως, ἡδέως ἂν μάθοιμι τί πλέον ἔσται τῷ τὰς τοιαύτας
340 A. ὕλας | συνάγοντι.

Δεδόσθω καθ' ὑπόθεσιν μὴ κατὰ μνᾶν ἢ δραχμὴν ἢ τάλαντον τοῖς φιλοχρηματοῦσι προσγίνεσθαι, ἀλλ' ἀθρόως αὐτοῖς ἀποχρυσωθῆναι τὰ πάντα. Τὴν γῆν, τὴν

b. Eccl. 2, 8a c. cf. Gen. 1, 29 d. Eccl. 2, 8b

1. Peut-être faut-il voir dans le choix des deux verbes συνάγειν et σκορπίζειν une allusion à *Matth.* 12,30 (« Qui n'amasse pas avec moi dissipe »).

« J'ai amassé pour moi de l'argent et de l'or [b] .» Pourquoi a-t-il été source de tourment, l'or mêlé à la terre et répandu dans les lieux où le Créateur l'avait placé depuis le commencement ? Le Créateur a-t-il fait que la terre te doive plus que les récoltes ? Ne t'a-t-il pas attribué seulement les fruits et les semences pour nourriture [c] ? Pourquoi franchis-tu les limites de ton pouvoir ? Ou bien prouve que cela aussi t'a été concédé par le Créateur et que tu peux donc extraire du sol, creuser, fondre au feu le minerai, amasser ces biens que tu n'as pas répandus [1]. Ou bien peut-être personne ne considérera-t-il même comme répréhensible le fait d'amasser ainsi pour soi les richesses tirées des mines de la terre. Mais puisque le texte ajoute « les possessions abondantes des rois et des provinces [d] » [2], l'idée d'amasser n'a plus de rapport avec l'innocence. En effet, comme il était permis à la puissance royale d'amasser l'abondance des richesses venues des provinces, et bien évidemment de lever des impôts, d'exiger des dîmes, de contraindre les sujets à apporter de l'argent, il dit avoir amassé ainsi l'or et l'argent. Mais qu'il en soit ainsi ou autrement, je voudrais bien savoir ce qu'aura de plus celui qui amasse de tels biens matériels.

Qu'on prenne pour hypothèse, non que les biens de ceux qui aiment les richesses se comptent en mines, en drachmes ou en talents, mais que tout soit soudain changé

2. La richesse et le pouvoir de Salomon sont évoqués en *III Rois* 4, 7 – 5, 6 (sur l'organisation des provinces) ; *III Rois* 10, 14-22 (sur les redevances et les tributs apportés par les rois). Rien n'indique si Grégoire vise aussi indirectement le poids des institutions impériales du IVe siècle ; sur la répartition et la perception des impôts, voir par ex. Y. COURTONNE, *Saint Basile et son temps*, Paris 1973, p. 32-36.

30 ψάμμον, τὰ ὄρη, τὰ πεδία, τὰς νάπας, πάντα ὑποθώμεθα πρὸς ταύτην κατὰ τὸ ἀθρόον μεταβεβλῆσθαι τὴν ὕλην. Τί πρὸς εὐδαιμονίαν διὰ τούτων ἐπιδώσει ὁ βίος ; Εἰ ἐκεῖνο ἐν παντὶ βλέπει ὃ νῦν ἐν ὀλίγῳ ὁρᾷ, τί τῶν τῆς ψυχῆς ἀγαθῶν, τί τῶν κατὰ τὸ σῶμα σπουδαζομένων διὰ τῆς
35 τοιαύτης περιουσίας γενήσεται ; Ἄρα τίς ἐλπίς ἔσται διὰ τούτου τὸν ἐν τοσούτῳ ζῶντα χρυσῷ γενέσθαι σοφόν, ἀγχίνουν, θεωρητικόν, ἐπιστήμονα, φίλον θεῷ, σώφρονα, καθαρόν, ἀπαθῆ, παντὸς τοῦ πρὸς κακίαν καθέλκοντος ἀμιγῆ τε καὶ ἀπαράδεκτον ; ἢ τοῦτο μὲν οὐχί, δυνατὸν δὲ
40 τῷ σώματι καὶ ἡδὺν ὀφθῆναι καὶ εἰς πολλὰς ἐτῶν ἑκατοντάδας τὴν ζωὴν παρατείνοντα, ἀγήρω καὶ ἄνοσον καὶ ἀπήμονα καὶ πάντα ὅσα περὶ τὸν ἐν σαρκὶ βίον
669 M. σπουδάζεται ; Ἀλλ' οὐδεὶς οὕτω μάταιος οὐδὲ τῆς φύσεως τῆς κοινῆς ἀνεπίσκεπτος ὡς ταῦτα νομίσαι τοῖς
45 ἀνθρώποις προσγίνεσθαι, εἴπερ εἰς πλῆθος ἄφθονον ἡ τῶν χρημάτων ὕλη κατ' ἐξουσίαν πᾶσι προχέοιτο· ἐπεὶ καὶ νῦν ἔστιν ἰδεῖν πολλοὺς τῶν κατὰ τὴν τοιαύτην προεχόντων περιουσίαν ἐν ἐλεεινῷ σώματι ζῶντας, ὡς εἰ μὴ παρεῖεν οἱ θεραπεύοντες μὴ ἂν ἑαυτοῖς πρὸς τὴν ζωὴν
50 ἱκανοὺς εἶναι. Εἰ οὖν ἡ καθ' ὑπόθεσιν ἡμῖν τοῦ χρυσίου
341 A. περιουσία προτεθεῖσα τῷ λόγῳ | οὔτε σώματος οὔτε ψυχῆς τι κέρδος ὑπέδειξεν, πολλῷ μᾶλλον εἰκὸς τὸ ἐν

1. Clément d'Alexandrie (*Pédagogue* III, 6) prend l'exemple de Midas et oppose au mythe païen l'image du chrétien seul riche ; « c'est donc dans l'âme que se trouve la richesse », affirme-t-il en retrouvant un thème philosophique d'origine stoïcienne. Véritable lieu commun de l'éloquence, l'allusion à Midas se retrouve aussi chez Basile (*Hom. in illud : Destruam horrea mea, PG* 31, 261-278) et, vers la même époque, chez Libanios, *Discours sur les patronages* 31 (éd. et trad. L. Harmand, Paris 1955).

2. On peut noter le caractère éclectique de cette série d'adjectifs définissant le sage ; sans doute les suffixes privatifs des trois derniers adjectifs font-ils la part belle au détachement, ici encore au point de rencontre du stoïcisme (voir Marc-Aurèle, *Pensées* VI, 30) et de la

en or [1] pour eux — tout, la terre, le sable, les montagnes, les plaines, les vallons boisés, supposons que tout ait été soudainement changé en cette matière. En fait de bonheur, qu'y gagnera leur vie ? Si notre homme voit en toutes choses ce qu'il voit maintenant dans le peu qu'il possède, quel bien de l'âme, quel bienfait pour son corps aura-t-il par une telle surabondance ? Et quel espoir y aura-t-il donc que celui qui vit dans une telle masse d'or devienne avisé, intelligent, contemplatif, savant, ami de Dieu, sage, pur, impassible, intact et intègre de tout ce qui entraîne au mal [2] ? ou s'il ne devient rien de cela, peut-on espérer qu'il soit vigoureux de corps, agréable à voir, et qu'il prolonge sa vie jusqu'à des centaines d'années, qu'il ne connaisse ni la vieillesse, ni la maladie ni la douleur, mais tous ces biens que l'on recherche dans la vie charnelle ? Mais personne n'est si vain ni si peu attentif à la nature commune [3] qu'il puisse penser que cela peut arriver aux hommes, quand bien même les richesses matérielles couleraient en abondance et à volonté pour tous. Car même aujourd'hui, on peut voir qu'un grand nombre d'hommes supérieurs par la surabondance de leurs biens vivent dans un corps pitoyable au point que si leurs serviteurs ne les assistaient pas, ils ne se suffiraient pas pour vivre. Si donc la surabondance d'or, pour revenir à l'hypothèse que nous avons prise pour notre raisonnement, n'a fait entrevoir de gain ni pour le corps ni pour l'âme, il est encore plus normal que ce que

conception philonienne (voir *De vita contemplativa* 10-17 et 25-27 ; *Quod deterius* 46 : Isaac, figure de l'homme sans passion). A.-M. MALINGREY rassemble les caractéristiques de la *philosophia* pour les Pères cappadociens dans *Philosophia*, Paris 1961, p. 223-233.

3. Expression fréquente chez les stoïciens (voir DIOGÈNE LAËRCE et PLUTARQUE, *SVF* III, 4-9) et passée dans le discours patristique. Employée analogiquement, la notion prend de l'importance par opposition aux ἰδιώματα dans les discussions sur nature et personnes divines (voir Grégoire de Nysse, *Ad Graecos*, *GNO* III, 1, p. 19-33 ; *Ad Ablabium*, *ibid.*, p. 37-57).

ὀλίγῳ δεικνύμενον ἄχρηστον εἰς ὠφέλειαν τῶν ἐχόντων ἐλέγχεσθαι.

55 Ἢ τί γὰρ ἂν γένοιτο παρ' αὐτῆς τῆς ὕλης κέρδος τῷ ἔχοντι ὃ μήτε γεύσει μήτε ὀσφρήσει μήτε τῇ ἀκοῇ ἐνεργὸν γίνεται, ὃ κατὰ τὴν ἁφὴν ὁμοτίμως πρὸς πᾶν τὸ ἀντίτυπον ἔχει; Μὴ γάρ μοι τὴν ἐκ συναλλάγματος ποριζομένην τροφὴν ἢ περιβολὴν τῷ χρυσῷ προστιθέτω 60 τις. Ὁ γὰρ χρυσίῳ τὸν ἄρτον ἢ τὸ ἱμάτιον ἀλλαξάμενος τοῦ ἀχρήστου τὸ ἐπωφελὲς διημείψατο καὶ ζῇ τροφὴν ἑαυτῷ τὸν ἄρτον, οὐ τὸν χρυσὸν ποιησάμενος. Ὁ δὲ τὴν ὕλην ταύτην διὰ τῶν τοιούτων συναλλαγμάτων ἑαυτῷ συναγαγὼν εἰς τί τῶν χρημάτων ἀπώνατο, τίς συμβουλὴ 65 διὰ τούτων, τίς διδασκαλία πραγμάτων, ποία τοῦ μέλλοντος πρόρρησις, τίς πρὸς τὰς τοῦ σώματος ὀδύνας παραμυθία; Ἔσχεν, ἠρίθμησεν, ἀπέθετο, σφραγῖδι κατεσημήνατο, αἰτηθεὶς ἠρνήσατο, ἀπιστηθεὶς καὶ ἐπώμοσεν. Οὗτος ὁ μακαρισμός, τοῦτο τῆς σπουδῆς τὸ πέρας, 70 αὕτη ἡ ἀπόλαυσις, μέχρι τούτου ἡ εὐδαιμονία τὸ ὕλην τῇ ἐπιορκίᾳ πορίσασθαι. Ἀλλ' εὔχρουν, φησί, τοῦ χρυσίου τὸ εἶδος. Μὴ καὶ τοῦ πυρὸς εὐχροώτερον; Μὴ τῶν ἄστρων περικαλλέστερον; Μὴ τῶν ἀκτίνων τοῦ ἡλίου φανότερον; *342 A.* Τίς ὁ κωλύων σε τῆς ἀπολαύσεως ταύτης, ὥστε | σοι 75 ἀνάγκην εἶναι διὰ τῆς εὐχροίας τοῦ χρυσοῦ τὰ καθ' ἡδονὴν πορίζειν ταῖς ὄψεσιν; Ἀλλὰ σβέννυται, φησί, τὸ πῦρ καὶ ὁ ἥλιος δύεται καὶ οὐ διαρκεῖ τῆς λαμπηδόνος ἡ χάρις. Τοῦ δὲ χρυσοῦ τίς, εἰπέ μοι, διὰ τοῦ σκότους παραλλαγὴ πρὸς τὸν μόλυβδον; Ἀλλ' οὐκ ἄν, φησίν, ἐκ 80 τοῦ πυρὸς ἢ τῶν ἄστρων γένοιτο ἡμῖν δέραια καὶ περιδέξια καὶ πόρπαι καὶ ζῶναι καὶ μανιάκαι καὶ

1. Grégoire brosse un portrait plus concret d'un usurier dans son homélie sur les usuriers (*C. usur.*), peut-être contemporaine des *Hom. sur l'Ecclésiaste*, d'après J. BERNARDI (*La prédication des Pères cappado-*

l'on trouve dans une petite quantité d'or s'avère inutile pour ceux qui la possèdent !

Oui, quel gain pour son propriétaire avec cette matière, si elle n'a d'effet ni sur son goût, ni sur son odorat, ni sur son ouïe, si, au toucher, elle est de la même valeur que tout objet ? Et que l'on ne m'oppose pas la nourriture ou le vêtement obtenus en échange d'or. En effet, celui qui a échangé son pain ou son manteau contre de l'or a troqué ce qui est avantageux en échange de ce qui est inutile et s'il vit, c'est parce qu'il a pris le pain pour nourriture, et non l'or. Mais celui qui a amassé pour lui cette matière grâce à de tels échanges, en quoi a-t-il profité de ses richesses, quel conseil en tire-t-il, quel enseignement pour sa situation, quel pronostic pour l'avenir, quelle consolation pour les souffrances physiques [1] ? Il a acquis, il a compté, il a mis en réserve, il a marqué de son sceau, il a dit non lorsqu'il était sollicité, il s'est parjuré même, lorsque sa loyauté a été mise en doute. Voici sa béatitude, voici la limite de son empressement, voici sa jouissance, voici où s'arrête son bonheur : se procurer de la matière par faux serment ! Mais l'aspect de l'or, dit-il, est d'une belle couleur. N'est-il pas de plus belle couleur que le feu même ? N'est-il pas plus magnifique que les astres ? N'est-il pas plus brillant que les rayons du soleil ? Qui t'interdit la jouissance de ces éléments, pour qu'il te faille avoir recours à la belle couleur de l'or pour procurer à tes regards des spectacles agréables ? — Mais le feu s'éteint, dit-il, le soleil se couche et le charme de sa clarté ne dure pas. — Et quelle différence dans l'obscurité entre l'or et le plomb, dis-moi ? — Mais, dit-il, ni le feu ni les astres ne pourraient nous donner les parures, les bracelets, les broches, les ceintures,

ciens. Le prédicateur et son auditoire, Montpellier 1968, III, 1). Les limites du bonheur du riche font déjà la matière de l'homélie de Clément d'Alexandrie, « *Quel riche peut être sauvé* ? ».

στέφανοι καὶ τὰ τοιαῦτα, ὁ δὲ χρυσὸς ταῦτά τε ποιεῖ καὶ εἴ τι ἄλλο πρὸς κόσμον ἐπιτηδεύεται. Ἤγαγε πρὸς τὸ κεφάλαιον τῆς ματαιότητος τὴν σπουδὴν ἡ συνηγορία τῆς
85 ὕλης.

Αὐτὸ γὰρ τοῦτο πρὸς αὐτοὺς εἴποιμι ἄν· τί σπουδάζει ὁ χρυσῷ τὴν κόμην περιανθίζων ἢ τῶν ὤτων ἐξάπτων τὰ προκοσμήματα ἢ τὴν δέρριν περιβάλλων τοῖς περιτραχηλίοις χλίδωσιν ἢ ἐν ἄλλῳ τινι φέρων μέρει τοῦ σώματος;
90 Χρυσὸν προδείκνυσιν ὅπουπερ ἂν τύχῃ προβεβλημένος τοῦ σώματος, οὐδὲν αὐτὸς πρὸς τὴν αὐγὴν τοῦ χρυσίου μεταμορφούμενος. Ὁ γὰρ πρὸς τὸν χρυσοφοροῦντα βλέπων τὸ μὲν χρυσίον οὕτως ὁρᾷ ὡς εἰ τύχοι καὶ ἐν τοῖς πρατηρίοις προκείμενον, τὸν δὲ φοροῦντα οἷος πέφυκε |
343 *A*. 95 τοιοῦτον βλέπει. Κἂν εὐεργές τε καὶ διάγλυφον ᾖ τὸ χρυσίον, κἂν τὰς χλοερὰς ἢ πυραυγεῖς ψηφῖδας ἐν ἑαυτῷ περιείργῃ, οὐδὲν μᾶλλον αἴσθησίν τινα τῶν παρακειμένων ἡ φύσις ἐδέξατο, ἀλλ' εἴτε λώβη τις εἴη περὶ τὰ πρόσωπα
672 M. εἴτε τι λείποι τῶν κατὰ φύσιν, ἢ ὀφθαλμοῦ ἐκρυέντος ἢ
100 παρειᾶς εἰδεχθῶς ἐν οὐλῇ κοιλανθείσης, μένει τὸ αἶσχος ἐν τῷ φαινομένῳ, μηδὲν τῇ αὐγῇ τοῦ χρυσίου ἐπισκοτούμενον· κἂν ἐπαλγὴς ὢν <τις> τύχῃ τῷ σώματι, οὐδεμίαν ἐπήγαγε παραμυθίαν τῷ πονοῦντι ἡ ὕλη.

3. Ὃ οὖν μήτε πρὸς κάλλος μήτε πρὸς εὐεξίαν σώματος μήτε πρὸς τὴν τῶν ἀλγημάτων παραμυθίαν φέρει τι χρήσιμον τοῖς σπουδάζουσιν, ὑπὲρ τίνος σπουδάζεται; Καὶ τίς ἡ διάθεσις τῶν τῇ καρδίᾳ προστετηκότων
5 τῇ ὕλῃ, ὅταν ἐν τῷ συνειδότι τῆς τοιαύτης κτήσεως τύχωσιν ὄντες; Ὡς τί πλέον ἔχοντες ἑαυτοῖς ἐπαγάλλονται; Ἆρ' εἴ τις αὐτοὺς ἐρωτήσειεν εἰ δέχονται αὐτοῖς

1. Voir en parallèle l'énumération de bijoux féminins que Clément d'Alexandrie (*Pédagogue* II, 124) emprunte à Aristophane.

les colliers, les couronnes et autres objets semblables [1] ; c'est l'or qui produit ces objets et tout autre ornement. Il a poussé son zèle au comble de la vanité, le plaidoyer de la matière.

Car voici ce que je pourrais leur dire : que recherche-t-il, celui qui fleurit ses cheveux avec de l'or, attache des pendeloques à ses oreilles, se met sur la peau [2] des bijoux qu'il porte autour de son cou ou sur une autre partie du corps ? Il exhibe de l'or partout où il a pu en répandre sur lui, mais il ne se transforme nullement lui-même en l'éclat de l'or. Car si l'on regarde celui qui porte de l'or, on voit, d'un côté, l'or comme celui qui s'étale dans les boutiques et, de l'autre côté, l'homme qui porte cet or, tel qu'il est naturellement. L'or a beau être bien travaillé et ciselé, il a beau tenir serties en lui-même des pierres précieuses vertes ou à l'éclat de feu, la nature ne reçoit pas mieux la perception de ce qu'on lui a ajouté ; et que quelque mutilation marque les visages, ou qu'il y manque l'un des dons de la nature — un œil borgne ou une joue hideusement creusée par une cicatrice —, la laideur demeure dans ce qui apparaît, elle n'est pas du tout laissée dans l'ombre par l'éclat de l'or. Et en cas de douleur physique, celui qui souffre ne trouve aucune consolation dans la matière.

Contre le prêt à intérêt

3. Pourquoi donc se préoccuper de ce qui n'apporte rien d'utile pour la beauté, la bonne santé du corps ou la consolation des souffrances ? Et dans quelles dispositions sont ceux qui ont consumé leur cœur pour la matière, chaque fois qu'ils prennent conscience de ce qu'il en est d'un tel bien ? De quel avantage se glorifient-ils ? Si on leur

2. Δέρριν est attesté par le ms. Λ. La traduction suggère un emploi ironique du terme, adapté au ton de la diatribe, caractéristique de tout ce passage.

ἀμειφθῆναι πρὸς ἐκεῖνο τὴν φύσιν καὶ γενέσθαι αὐτοὶ
τοῦτο ὃ τῇ τοσαύτῃ παρ' αὐτῶν διαθέσει τετίμηται,
10 ἕλοιντο ἂν τὴν μεταβολὴν ὥστε ἐξ ἀνθρώπου πρὸς τὸν
χρυσὸν αὐτοῖς μεταβῆναι τὴν φύσιν καὶ δειχθῆναι μηκέτι
λογικοί τε καὶ διανοητικοὶ καὶ τοῖς αἰσθητηρίοις πρὸς τὴν
ζωὴν κεχρημένοι, ἀλλ' ὠχροί τε καὶ βαρεῖς καὶ ἄναυδοι
ἄψυχοί τε καὶ ἀναίσθητοι, οἷα ἡ τοῦ χρυσοῦ φύσις ἐστίν;
15 Οὐκ ἂν οἶμαι ταῦτα ἑλέσθαι οὐδὲ τοὺς σφόδρα διὰ τῆς |
344 A. ἐπιθυμίας συντετηκότας τῇ ὕλῃ. Εἰ οὖν ἐν κατάρας εἴδει
τοῖς εὖ φρονοῦσίν ἐστι τὸ ἐν τοῖς ἰδιώμασι τῆς ἀψύχου
ὕλης γενέσθαι, τίς ἡ ἄλογος περὶ τὴν κτῆσιν τούτων
μανία ὧν τὸ πέρας ἡ ματαιότης ἐστίν, ὡς καὶ φόνων διὰ
20 τοῦτο καὶ λῃστείας κατατολμᾶν τοὺς προσλελυσσηκότας
τοῖς χρήμασι; καὶ οὐ τούτων μόνον, ἀλλὰ καὶ τῆς
πονηρᾶς ἐπινοίας τῶν τόκων ἣν ἄλλην τις λῃστείαν καὶ
μιαιφονίαν ὀνομάσας οὐκ ἂν ἁμάρτοι τοῦ δέοντος. Ἢ τί
γὰρ διαφέρει λαθραίως ἐκ τοιχωρυχίας ἀλλότρια ληϊσά-
25 μενον ἔχειν καὶ τῷ φόνῳ τοῦ παροδεύοντος δεσπότην
ἑαυτὸν τῶν ἐκείνου ποιεῖν ἢ διὰ τῆς τῶν τόκων ἀνάγκης
κτᾶσθαι τὰ μὴ προσήκοντα; Ὢ κακῆς προσηγορίας.
Τόκος ὄνομα τῇ λῃστείᾳ γίνεται. Ὢ πικρῶν γάμων. Ὢ

1. Même allégorie de la transformation de toutes choses en or chez Basile, *Hom. in illud : Destruam horrea mea*, *PG* 31, 269.

2. La présence du terme ματαιότης souligne que Grégoire, loin de se laisser emporter par une éloquence de convention, structure son commentaire par le rappel d'une expression déjà employée dans la deuxième homélie (II, 5, 40 s.).

3. Sur la richesse mal acquise, voir Libanios, *Or.* VII (la richesse mal acquise est un malheur pire que la pauvreté). Selon B. Schouler (Introd. à *Libanios. Discours moraux*, Paris 1973, p. 79), l'idée est un écho de la prédication cynico-stoïcienne. Pour la réflexion des chrétiens des premiers siècles sur la question, voir les références signalées ci-dessus, p. 233, n. 2.

demandait s'ils acceptent d'échanger leur nature contre cette matière et de devenir eux-mêmes ce qu'ils ont honoré en se comportant ainsi, choisiraient-ils la transformation ? Et d'hommes qu'ils étaient, ils transformeraient leur nature en or [1], ils n'apparaîtraient plus comme raisonnables, intelligents, doués des sens utiles pour l'existence, mais ils seraient jaunes, lourds, muets, sans âme et sans sensibilité, comme est la nature de l'or ? Je ne crois pas que même ceux qui dans leur désir se sont grandement consumés pour cette matière feraient ce choix. Si donc pour les hommes sensés, c'est une forme de malédiction de prendre les caractéristiques de la matière inanimée, quelle est cette folie irrationnelle de posséder ce dont la vanité [2] est le terme, folie telle que ceux qui se sont jetés avec rage sur les richesses osent commettre pour ce motif meurtres et actes de piraterie ? et non seulement ces crimes mais aussi l'idée perverse des prêts à intérêts que sans erreur on pourrait légitimement appeler une autre forme de piraterie et de meurtre [3]. Quelle différence en effet entre se procurer en cachette par effraction les biens d'autrui et après avoir tué le premier venu se rendre maître de ses biens, et d'autre part, acquérir des biens auxquels on n'a pas droit, en utilisant la contrainte qu'imposent les intérêts, les rejetons [4] ? Ô mauvaise appellation ! « rejeton » devient un nom pour piraterie ! Ô amères épousailles ! Ô pernicieuse

4. Le double sens de τόκος donne un nouvel élan aux exhortations de Grégoire. Ce jeu de mots, impossible à rendre en français — nous avons choisi de juxtaposer ici les deux termes au moment où Grégoire tire parti du jeu de mots —, est traditionnel dès l'époque classique : voir PLATON, *République* VI, 507a ; ARISTOPHANE, *Thesmophories*, v. 843 s. On le retrouve chez BASILE, *Hom. in Ps. XIV*, II, 3, 6 (*PG* 29, 272 B), homélie à laquelle Grégoire renvoie son public dans son propre sermon *Contra usurarios*. — Sur le prêt à intérêt et son interdiction par l'Église, voir S. GIET, « De saint Basile à saint Ambroise. La condamnation du prêt à intrêt au IVe siècle », *RecSR* 1944, p. 95-128.

πονηρᾶς συζυγίας, ἣν ἡ φύσις μὲν οὐκ ἐγνώρισεν, ἡ δὲ
30 τῶν φιλοχρηματούντων νόσος ἐν τοῖς ἀψύχοις ἐκαινοτόμησεν. Ὦ χαλεπῶν κυημάτων, ἀφ' ὧν ὁ τοιοῦτος τόκος ἐκφύεται. Μόνον ἐν τοῖς οὖσι τὸ ἔμψυχον τῇ κατὰ τὸ ἄρρεν καὶ θῆλυ[a] διαφορᾷ διεκρίθη. Τούτοις εἶπεν ὁ πλάσας θεός· « Αὐξάνεσθε καὶ πληθύνεσθε[b] », ὥστε διὰ
35 τῆς ἐξ ἀλλήλων γενέσεως εἰς πλῆθος τὸ ζωογονούμενον αὔξεσθαι. Ὁ δὲ τοῦ χρυσίου τόκος ἐκ ποίων γάμων συνίσταται; Ἐκ ποίας τελεσφορεῖται κυήσεως;

Ἀλλ' οἶδα τὴν ὠδῖνα τοῦ τοιούτου τόκου, παρὰ τοῦ προφήτου μαθών· « Ἰδού, φησίν, ὠδίνησεν ἀδικίαν, συνέ-
40 λαβε πόνον καὶ ἔτεκεν ἀνομίαν[c]. » Οὗτος ἐκεῖνός ἐστιν ὁ
345 A. τόκος ὃν ὠδίνησε | μὲν ἡ πλεονεξία, τίκτει δὲ ἡ ἀνομία καὶ ἡ μισανθρωπία μαιεύεται. Ὁ γὰρ ἀεὶ κρύπτων τὴν εὐπορίαν καὶ ὅρκῳ τὸ μὴ ἔχειν πιστούμενος, ἐπειδὰν ἴδῃ τινὰ ἀνάγκῃ καταπνιγόμενον, τότε ἐγκύμων τῷ βαλλαν-
45 τίῳ προφαίνεται, τότε τὸν πονηρὸν τῆς φιλοκερδίας ὠδίνει τόκον, ἐλπίδα τοῦ δανείσματος τῷ δυστυχοῦντι προδείκνυσιν, ἵν' ἐπιβάλλει ὕλην τῷ δυστυχήματι ὥσπερ ὁ τῷ ἐλαίῳ κατασβεννύων τὴν φλόγα· οὐ γὰρ ἐθεράπευσε τῷ δανείῳ τὴν ζημίαν, ἀλλ' ἐπέτεινεν· καὶ ὥσπερ ἐν τοῖς
50 αὐχμοῖς αὐτομάτως ἀκανθοφοροῦσιν αἱ ἄρουραι, οὕτω
673 M. καὶ ἐν ταῖς συμφοραῖς τῶν στενοχωρουμένων οἱ τῶν πλεονεκτῶν ὑλομανοῦσι τόκοι. Εἶτα προτείνει τὴν χεῖρα μετὰ τοῦ χρήματος, ὥσπερ ἡ ὁρμιὰ τὸ κεκρυμμένον ἄγκιστρον τῷ δελεάματι, περιχανὼν δὲ ὁ δείλαιος τῇ

3. a. cf. Gen. 1, 27 b. Gen. 1, 22.28 c. Ps. 7, 15

1. Grégoire profite de l'indétermination du sujet du verset pour lui donner une signification morale. Sur la difficulté des changements de

union ! que la nature ne connaît pas, mais que la maladie de ceux qui aiment les richesses a inventée dans les êtres inanimés ! Ô douloureux enfantements ! d'où naît un tel rejeton ! Seuls les êtres animés se distinguent par la différence entre mâle et femelle [a]. Dieu leur dit après les avoir façonnés : « Croissez et multipliez-vous [b] ! », de sorte que par ce qui naît de l'un et de l'autre, l'espèce vivante croît en masse. Mais le rejeton de l'or, de quelles épousailles surgit-il ? De quelle grossesse est-il le fruit ?

Je connais l'enfantement d'un tel rejeton, l'ayant appris du prophète : « Voici, dit-il, il a enfanté l'injustice, il a embrassé la souffrance et il a enfanté l'illégalité [c] » [1]. Voilà le rejeton qu'a enfanté la cupidité, que met au monde l'iniquité et dont la haine des hommes accouche. L'homme qui cache toujours sa prospérité et se porte garant par serment qu'il n'a pas de biens, lorsqu'il voit un homme pris à la gorge, se montre alors avec sa bourse pleine, il enfante alors le rejeton funeste de l'amour du gain, il fait espérer à celui qui est dans le malheur le prêt à intérêt, là où [2] il nourrit le malheur comme un homme qui voudrait éteindre la flamme avec de l'huile. Car il ne soigne pas le dommage par le prêt, mais il l'augmente. Et, comme au temps de la sécheresse, les champs produisent d'eux-mêmes des ronces, de même au temps du malheur de ceux qui sont dans la gêne pullulent les rejetons des hommes cupides. Puis le riche tend sa main avec l'argent, comme la ligne du pêcheur l'hameçon caché par un appât ; l'infortuné ouvre grande la bouche à l'abondance qui se

sujet d'un verset à l'autre du *Ps.* 7, voir M.-J. RONDEAU, *Les commentaires patristiques du Psautier (IIIe-Ve siècles)*, Rome 1985, vol. II, p. 67-68 ; selon JÉRÔME (*Tract. in Ps. 7, CCSL* 78, p. 25), seul le diable peut être sujet de telles actions !

2. À la différence d'Alexander, nous gardons ἵν' donné par les mss WSEP, avec l'indicatif, au sens de « où ».

55 πρὸς τὸ παρὸν εὐπορίᾳ καὶ εἴ τι κρυπτὸν ἐν ἀποθέτοις εἶχε τῇ τοῦ ἀγκίστρου ὁλκῇ συνεξήμεσε. Τοιαῦτα τὰ τῶν τόκων εὐεργετήματα.

Κἂν μέν τις πρὸς βίαν ἀφέληταί τινος τὸ ἐφόδιον ἢ λαθὼν ὑποκλέψῃ, βίαιος καὶ λωποδύτης καὶ τὰ τοιαῦτα 60 λέγεται, ὁ δὲ δημοσιεύων ἐν συμβολαίοις τὴν ἀδικίαν καὶ ἐμμάρτυρον τὴν πικρίαν ποιούμενος καὶ συνθήκαις τὴν | 346 A. παρανομίαν κρατύνων φιλάνθρωπος καὶ εὐεργέτης καὶ σωτὴρ καὶ πάντα τὰ χρηστὰ τῶν ὀνομάτων προσαγορεύεται· καὶ τὸ μὲν ἐξ ὑφαιρέσεως κέρδος κλέμμα λέγεται, ὁ 65 δὲ διὰ τῆς τοιαύτης ἀνάγκης ἀπογυμνῶν τὸν χρεώστην φιλανθρωπίᾳ τὴν πικρίαν ὑποκορίζεται· οὕτω γὰρ τὰς ζημίας τῶν δειλαίων κατονομάζουσι. « Συνήγαγόν μοι καί γε ἀργύριον καί γε χρυσίον [d].» Ἀλλὰ τούτου χάριν ὁ σοφῶς παιδεύων τὸν βίον ἐν τῷ καταλόγῳ τῶν ἐξαγορευ-70 ομένων καὶ ταῦτα κατηριθμήσατο, ἵνα μαθόντες οἱ ἄνθρωποι παρὰ τοῦ τῇ πείρᾳ κατεγνωκότος ὅτι ἓν τῶν ἐπ' ἀτοπίᾳ κατεγνωσμένων τοῦτό ἐστι, φυλάξωνται πρὸ τῆς πείρας τὴν τοῦ κακοῦ προσβολήν, καθάπερ ἔστι καὶ τοὺς λῃστρικούς τε καὶ θηριώδεις τόπους ἀπαθῶς παρελ-75 θεῖν διὰ τοῦ προμαθεῖν τοὺς ἐν τούτοις προκινδυνεύσαντας.

4. Καλῶς δὲ ὁ θεῖος ἀπόστολος τὸ πάθος τῆς φιλαργυρίας ὁρίζεται, « ῥίζαν αὐτὴν πάντων τῶν κακῶν εἶναι [a] » ἀποφηνάμενος. Ὥσπερ γὰρ ἐάν τινι μέρει διεφθορὼς καὶ σηπεδονώδης ἐπιρρυῇ χυμὸς καὶ φλεγμονὴ τῷ

d. Eccl. 2, 8a
4. a. I Tim. 6, 10

1. Les trois termes évoquent la pratique de l'évergétisme ; voir Jean Chrysostome, *Sur la vaine gloire* 4-5, et l'introduction d'A.-M. Malingrey à l'édition (*SC* 188, p. 9-10), qui considère le traité comme un témoignage sur l'évergétisme encore très sensible au IVe siècle.

présente et vomit à cause du tiraillement de l'hameçon tout ce qu'il avait caché dans ses réserves. Tels sont les bienfaits des prêts à intérêts.

Enlève-t-on de force ses ressources à quelqu'un, les lui vole-t-on en cachette, on est appelé violent, pillard, et d'autres noms semblables ; mais celui qui pratique publiquement l'injustice dans des contrats, qui produit un témoignage de sa dureté, celui qui fait prévaloir l'illégalité par des conventions, celui-là est proclamé publiquement philanthrope, bienfaiteur, sauveur [1], il reçoit tous les noms élogieux. Et le gain résultant d'une escroquerie est appelé vol, mais celui qui dépouille son débiteur par une telle contrainte atténue sa dureté en la couvrant du nom de philanthropie. Voilà le nom qu'on donne aux peines infligées aux malheureux. « J'ai amassé pour moi l'argent et l'or [d] .» Mais celui qui enseigne sagement la vie a fait entrer aussi cela dans la liste de ses aveux ; de la sorte les hommes, apprenant de celui qui condamne par expérience que c'est l'une des choses condamnées pour son inconvenance, se garderont de l'atteinte du mal [2] avant d'en faire eux-mêmes l'expérience, tout comme il est possible de parcourir sans dommage les lieux infestés de pirates et de bêtes sauvages si les premiers à avoir couru le danger vous en ont à l'avance informé.

L'argent, racine de tous les maux

4. Le divin Apôtre définit bien la passion de l'amour de l'argent en affirmant qu'elle est « la racine de tous les maux [a] ». En effet, si en quelque partie un liquide suppure, décomposé et purulent, et qu'à cet endroit

2. Des expressions similaires se retrouvent à la fin du *De or. dom.* (V, *GNO* VII, 2, p. 73, 21), lorsque Grégoire commente la formule Μὴ εἰσενέγκῃς ἡμᾶς εἰς πειρασμόν ; l'« expérience » de Salomon évoquée dans les homélies précédentes recouvre nettement ici l'épreuve de la tentation et du péché, souvent illustrée par Grégoire grâce à l'image de l'appât et de l'hameçon.

5 τόπῳ ἐγγένηται, ἀνάγκη πᾶσα εἰς ἀπόστασίν τινα καὶ διαφθορὰν τὸ ἐνσκῆψαν ὑγρὸν ἀπορραγῆναι, διαφαγόντος
347 A. τοῦ πύου τὴν ἐπιφάνειαν, οὕτως οἷς ἂν ἐνρυῇ | τῆς φιλοχρηματίας ἡ νόσος, εἰς ἀκολασίαν ὡς τὰ πολλὰ τὸ πάθος ἀπέσκηψε. Διὰ τοῦτο προστίθησι τῇ περιουσίᾳ τοῦ
10 χρυσίου τε καὶ ἀργυρίου τὴν ἀκολούθως τῷ προκατασχόντι νοσήματι ἐπακολουθοῦσαν ἀσχημοσύνην. « Ἐποίησα γάρ, φησίν, ᾄδοντας καὶ ᾀδούσας, τῶν συμποσίων τὰ ἐντρυφήματα, οἰνοχόους καὶ οἰνοχόας[b]. » Ἤρκεσεν ἡ μνήμη τῶν ὀνομάτων στηλιτεῦσαι τὸ πάθος ὅπερ ἡ περὶ
15 τὰ χρήματα νόσος προωδοποίησεν. Ὢ τῆς ἀτόπου ταύτης φιλοτεχνίας. Ὡς ἀθρόον ἐπιβάλλει τῶν ἡδονῶν τὸ ῥεῦμα, οἷόν τισι χειμάρροις διπλοῖς δι' ἀκοῆς τε καὶ ὄψεως τὰς ψυχὰς ἐπικλύζον, ἵνα καὶ βλέπηται τὸ κακὸν καὶ ἀκούηται. Ἡ ᾠδὴ τὴν ἀκοὴν καταστρέφεται, ἡ ὄψις τὴν
20 ὄψιν καταγωνίζεται. Ἐκεῖθεν ὁ θῆλυς φθόγγος διὰ τῆς λελυμένης τῶν ᾠδῶν ἁρμονίας συνεισάγει ἑαυτῷ ἐπὶ τὴν καρδίαν τὰ πάθη, ἐντεῦθεν ἡ ὄψις οἷόν τι μηχάνημα πολεμικὸν τοῖς ὀφθαλμοῖς τοῦ ταῖς ᾠδαῖς προδιαλυθέντος ἐμπίπτουσα τὴν ψυχὴν καταστρέφεται.

25 Στρατηγὸς δὲ τῆς παρατάξεως ταύτης ὁ οἶνος γίνεται, ὥσπερ τις πονηρὸς τοξότης διπλοῖς βέλεσι κατατοξεύων τὸν ἄνθρωπον ἐπί τε τὴν ἀκοὴν καὶ τὴν ὄψιν τὰς τῆς ἡδονῆς εὐθύνων ἀκίδας· βέλος γὰρ γίνεται τῆς μὲν ἀκοῆς ἡ ᾠδή, τῆς δὲ ὄψεως τὸ φαινόμενον. Οὐ γὰρ ψιλὸν ὄνομα

b. Eccl. 2, 8c-e

---

1. Au delà de la critique traditionnelle des spectacles, des banquets et de leurs perversions (voir description parallèle de la vie relâchée des riches en *De benef.*, *GNO* IX, p. 105, 18 s.), il importe de noter la réflexion sur le mauvais usage des sens, la vue et l'ouïe, qui se rattache

survienne une inflammation, il est de toute nécessité qu'on perce l'abcès pour le faire régresser et l'éliminer, une fois que le pus a rongé la surface ; de la même façon, chez ceux en qui la maladie de l'amour de l'argent a fait irruption, cette passion a le plus souvent abouti au désordre. C'est pourquoi le texte ajoute à la surabondance de l'or et de l'argent ce qui accompagne logiquement le mal déjà en place, la laideur. « J'ai fait, dit-il, de chanteurs et de chanteuses les délices des banquets, échansons, hommes et femmes [b] .» Le souvenir de ces noms suffit à dénoncer la passion à laquelle la maladie des richesses a frayé la voie ! Quel goût inconvenant ! Avec quelle abondance se précipite le flot des plaisirs, inondant les âmes en passant par l'ouïe et la vue comme en deux torrents, afin que le mal soit à la fois regardé et entendu ! Le chant abat l'ouïe, le spectacle combat la vue [1]. Ici la voix féminine, par l'harmonie langoureuse des chants, introduit avec elle les passions jusqu'au cœur, là le spectacle, comme une machine de guerre, tombe sous les yeux de celui que les chants ont déjà alangui et abat son âme.

Et le stratège de cette bataille rangée, c'est le vin, comme un archer funeste qui frappe l'homme de deux traits en dirigeant droit sur l'ouïe et la vue les pointes du plaisir. Le trait lancé contre l'ouïe, c'est le chant, et contre la vue, c'est ce que l'on voit. Le nom d'« échansons » n'est pas un simple nom, c'est bien de leur fonction qu'ils tirent

à la question de la physique et de la connaissance véritable. — Sur le chant et les banquets, voir CLÉMENT D'ALEXANDRIE, *Pédagogue* II, 40-44 : aux instruments de musique païens est opposée la liturgie, où la voix inspirée par le Logos véritable est seule digne de Dieu (déjà chez PLATON, *Protagoras*, 347 c-d, où la musique des joueuses de flûte est délaissée au profit de la vraie conversation) ; de même dans son *Discours aux jeunes gens sur la manière de tirer profit des lettres helléniques* (chap. IX), BASILE invite à préférer la majesté de la musique dorienne aux passions exacerbées par les chants des Corybantes et des Bacchants.

676 M. 30 τῶν οἰνοχόων ἐστίν, ἀλλ' ἐκ τοῦ ἔργου πάντως ἡ
348 A. ἐπωνυμία γίνεται. Ὅταν τοίνυν | ἐγχέηται μὲν ἀφειδῶς τοῖς συμπόταις ὁ ἄκρατος, ὑπηρετῇ δὲ τῇ τοιαύτῃ διακονίᾳ νεότης εἰς κάλλος ἐξησκημένη ἢ παίδων διὰ τοῦ κόσμου θηλυνομένων ἢ καὶ αὐτοῦ τοῦ θήλεος γένους
35 ἀναστρεφομένου τῷ συμποσίῳ καὶ ταῖς φιλοτησίαις τὸν ἀπρεπῆ φλογμὸν συνεγχέοντος, εἰς τί ποτε εἰκὸς τελευτῆσαι τὰς τοιαύτας σπουδάς; Ὁ γὰρ σκοπὸν ἑκάστου τῶν γινομένων τὴν ἡδονὴν ποιούμενος καὶ παριὼν τῇ περιεργίᾳ τὴν χρείαν ὅπως μὲν κατακοσμήσει τὰς τὴν ᾠδὴν
40 μουσουργούσας, οἵαν δὲ περιθήσει ταῖς οἰνοχοούσαις τὴν στολήν, σιωπᾶν χρὴ τὰ τοιαῦτα μᾶλλον καὶ μὴ ἐμβαθύνειν τῷ λόγῳ τῇ τῶν τοιούτων ὑπογραφῇ, ὡς ἂν μὴ δι' αὐτῆς τῆς κατηγορίας ἐπιξαίνοι τοῖς ἐμπαθεστέροις ἡ μνήμη τὰ τραύματα. Διὰ ταῦτα ὁ χρυσὸς καὶ ὑπὲρ
45 τούτων ὁ ἄργυρος, ἵνα τὰ τοιαῦτα παρασκευάσῃ τῆς τρυφῆς δελεάματα.

5. Ἢ τούτου χάριν τὸ κατὰ τὴν ἡδονὴν πάθος ὄφις[a] ὑπὸ τῆς γραφῆς ὀνομάζεται, ᾧ φύσις ἐστίν, εἰ ἡ κεφαλὴ πρὸς τὴν ἁρμονίαν τοῦ τοίχου παραδυείη, πάντα τὸν κατόπιν ὁλκὸν συνεπάγεσθαι. Οἷον τί λέγω; Ἀναγκαίαν
5 τοῖς ἀνθρώποις ποιεῖ ἡ φύσις τὴν οἴκησιν, ἀλλὰ διὰ τῆς

5. a. Gen. 3, 1

1. Dans la phrase qui suit, Grégoire joue sur l'étymologie du mot avec les termes ἐγχέηται et ἄκρατος (οἶνος) ; l'expression οὐ ψιλὸν ὄνομα invite à remarquer une similitude entre le mot et sa signification. Avec ce goût pour les rappels étymologiques, qu'ils soient exacts ou fantaisistes, nous sommes encore à la rencontre d'une double tradition : d'une part, la

leur dénomination [1]. Ainsi lorsque le vin pur est versé sans compter aux convives et que, pour un tel office, sert une jeunesse parée pour être belle, qu'il s'agisse de jeunes garçons, femmes par leur parure, ou de vraies femmes qui fréquentent les banquets et répandent la flamme inconvenante par les toasts portés, à quoi mènent, naturellement, de telles occupations ? Car celui qui fait du plaisir le but de tout ce qui existe et qui néglige l'utile pour le superflu, il faut taire sa façon d'apprêter celles qui entonnent le chant et la robe dont il drape les femmes qui versent le vin, et ne pas s'enliser dans le discours en décrivant de tels spectacles, afin d'éviter que, dans l'accusation elle-même, l'évocation ne ravive les blessures de ceux qui sont le plus sujets à cette passion. Voilà la raison de l'or et le but de l'argent : préparer ces appâts de la volupté [2].

La lutte contre les passions

5. C'est pourquoi sans doute la passion du plaisir est appelée « serpent [a] » par l'Écriture [3] : c'est sa nature, si sa tête s'insinue à la jointure des pierres d'un mur, de s'avancer ensuite tout entier en rampant. Que veux-je dire par là ? Leur nature fait aux hommes nécessité d'une habitation, mais, par ce besoin, le plaisir, s'insinuant à la

réflexion du *Cratyle* et les commentaires qu'elle suscite chez les néoplatoniciens et les stoïciens (voir les textes rassemblés par BARATIN-DESBORDES, *L'analyse linguistique*, en particulier p. 77-133) et, d'autre part, l'exégèse allégorique de Philon, avec la place faite aux explications étymologiques (voir V. NIKIPROWETZKI, *Le commentaire de l'Écriture chez Philon d'Alexandrie*, Leyde 1977, p. 75-81).

2. L'expression n'est pas sans rappeler la formule du *Timée* 69d : ἡδονή, μέγιστον κακοῦ δέλεαρ.

3. L'image du serpent comme symbole des plaisirs (cf. le récit de *Gen.* 3 et le rapprochement παράδεισος/τρυφή au v. 23) est développée par PHILON, *De op. mundi* 157-160. — Développement sur l'enchaînement des passions nées de l'orgueil et de l'amour du plaisir en *De virg.* IV, 2 et 5.

349 *A.* χρείας ταύτης ἡ | ἡδονὴ τῇ ἁρμονίᾳ τῆς ψυχῆς παραδυεῖσα εἰς ἄμετρόν τινα καλλωπισμοῦ πολυτέλειαν τὴν χρείαν παρέτρεψεν καὶ τὴν σπουδὴν μετεποίησεν. Εἶτα πρὸς ἀμπελῶνάς τινας καὶ κολυμβήθρας καὶ παραδείσους καὶ 10 τὰ τῶν κήπων ἐγκαλλωπίσματα [b] μεθέρπει τὸ θηρίον, ἡ ἡδονή. Μετὰ ταῦτα ἐπικορυφοῦται τῇ ὑπερηφανίᾳ καὶ τῷ τύφῳ περιελίσσεται τὴν κατὰ τῶν ὁμοφύλων ἀρχὴν ἑαυτῇ ὑποζεύξασα. Ἐπὶ τούτοις τὸν τῆς φιλοχρηματίας ὁλκὸν ἐπισύρεται ᾧ κατ' ἀνάγκην ἕπεται τὸ ἀκόλαστον, τὸ 15 ἔσχατόν τε καὶ οὐραῖον μέρος τῆς κατὰ τὴν ἡδονὴν θηριώσεως. Ἀλλ' ὥσπερ οὐκ ἔστιν ἐκ τοῦ οὐραίου τὸν ὄφιν ἀνελκυσθῆναι, τῆς τραχείας φυσικῶς φολίδος πρὸς 350 *A.* τὸ | ἔμπαλιν τοῖς ἐφελκομένοις ἀντιβαινούσης, οὕτως οὐκ ἔστιν ἐκ τῶν τελευταίων ἄρξασθαι τῆς ψυχῆς ἐξοικίζειν 20 τὴν τῆς ἡδονῆς ἑρπηδόνα, εἰ μή τις τῷ κακῷ τὴν πρώτην εἴσοδον ἀποκλείσειε. Διὸ καὶ « τὴν κεφαλὴν αὐτοῦ ἐπιτηρεῖν [c] » ὁ τῆς ἀρετῆς ὑφηγητὴς ἐγκελεύεται, κεφαλὴν ὀνομάζων τὴν ἀρχὴν τῆς κακίας ἧς μὴ παραδεχθείσης ἄπρακτόν ἐστι τὸ λειπόμενον. Ὁ γὰρ καθόλου πρὸς τὴν 25 ἡδονὴν πολεμίως διατεθεὶς οὐκ ἂν ταῖς μερικαῖς προσβολαῖς τοῦ πάθους ὑπενεχθείη, ὁ δὲ τὴν ἀρχὴν τοῦ πάθους ὑποδεξάμενος ἅπαν ἐν ἑαυτῷ τὸ θηρίον συμπαρεδέξατο.

Διὰ τοῦτο πάντα διεξελθὼν ὁ τὰ τοιαῦτα δημοσιεύων πάθη ἐπὶ κεφαλαίῳ ἀναλαμβάνει τὸν λόγον. Εἰπὼν γὰρ ἐξ 30 ἀρχῆς ὅτι « Ἐμεγάλυνα ποίημά μου [d] », καὶ νῦν ἐπάγει

b. cf. Eccl. 2, 4-6 c. Gen. 3, 15 d. Eccl. 2, 4

---

1. L'emploi, à quelques lignes d'intervalle, du même mot ἁρμονία, traduit par « jointure », pour désigner au sens propre le bon ajustement des pierres du mur (dans ce sens, voir de même *hom.* II, 4, 9) et, au sens figuré, en une formulation elliptique, la jointure de l'âme et du corps ou la jointure des différentes parties de l'âme, souligne la cohérence des images utilisées par Grégoire et légitime l'allusion au serpent de la *Genèse.*

jointure de l'âme [1], a détourné le besoin en une dépense sans mesure d'ornements et a transformé notre préoccupation. Ensuite, la bête, le plaisir, rampe vers les vignes, les bassins, les jardins et les embellissements des potagers [b]. Après quoi il atteint au comble de l'orgueil, se love dans sa fatuité en s'arrogeant le commandement de ses semblables. En plus, il entraîne dans son mouvement ce qui va avec l'amour de l'argent, suivi nécessairement de l'intempérance, qui forme la partie extrême et la queue de cette bête qu'est le plaisir. Mais de même qu'il n'est pas possible d'attraper le serpent par la queue, car l'écaille naturellement rugueuse [2] résiste, à rebours, à ceux qui essaient de le saisir, de même il n'est pas possible de commencer par la fin pour faire sortir de l'âme le reptile du plaisir, si on n'a pas fermé dès l'abord la voie d'accès au mal. C'est pourquoi le guide de la vertu ordonne de « guetter la tête du serpent [c] », nommant tête le commencement du mal : si on ne lui a pas fait place, ce qui suit est sans effet. Car celui qui s'est entièrement disposé au combat contre le plaisir ne saurait tomber sous les traits d'une passion particulière, mais celui qui a fait place au commencement de la passion a fait place en lui en même temps à la bête tout entière.

Aussi après avoir exposé tout cela, celui qui avoue publiquement de telles passions reprend-il en résumé son discours. En effet, après avoir dit au début : « J'ai agrandi mon ouvrage [d] » [3], il ajoute maintenant aussi, après la

2. Comme le note Alexander (*GNO* V, p. 349), le problème textuel ῥαχία/τραχεία se retrouve en *De or. dom.* IV (*GNO* VII, 2, p. 53, 8). Voir l'article de Callahan, « The serpent and ἡ ῥαχία in Gregory of Nyssa » : Callahan propose de garder ῥαχία pour désigner l'endroit d'où l'on chasse le serpent. — Une telle utilisation de l'anatomie du serpent se retrouve chez Grégoire à propos des écailles en *De or. dom.* IV (*GNO* VII, 2, p. 53-55) ; en *Ep.* III, 6, la « multiplicité des écailles » du serpent figure la diversité du mal ; *Ep.* XXX, 4 évoque les difficultés de la mise à mort du serpent de l'hérésie.

3. *Eccl.* 2, 4 et *Eccl.* 2, 9 : parallélisme du texte biblique. Pour le commentaire d'*Eccl.* 2, 4, voir ci-dessus, *hom.* II, 6.

μετὰ τὴν ἐπὶ μέρους ἔκθεσιν τῶν γεγονότων ὅτι « Ἐμεγαλύνθην [e] », δεικνὺς ὅτι οὐ διὰ μικρῶν τινων γέγονεν αὐτῷ τῶν ἐναντίων ἡ γνῶσις, ἀλλ' ὡς εἰς τὸ ἀκρότατον μέγεθος προελθεῖν τὴν πεῖραν, ὡς μηδεμίαν τῶν ὁμοίων
35 μνήμην ἐν τοῖς πρὸ αὐτοῦ γεγενημένοις τὸ ἴσον ἔχειν. Φησὶ γὰρ ὅτι « Ἐμεγαλύνθην καὶ προσέθηκα παρὰ
677 M. πάντας τοὺς γενομένους ἔμπροσθέν μου ἐν Ἱερουσαλήμ [f] », καὶ ὅτου χάριν προπαιδευθεὶς πάσῃ σοφίᾳ πρὸς τὴν τῶν τοιούτων κατῆλθε πεῖραν νῦν τὸν σκοπὸν ἐξεκάλυψε.
40 « Σοφία γάρ μου, φησίν, ἐστάθη μοι [g]. » Σημαίνει δὲ διὰ τῶν εἰρημένων ὅτι Διὰ τῆς σοφίας ἀνηρευνησάμην πᾶσαν ἀπολαυστικὴν ἐπίνοιαν, καὶ ἔστη μοι ἡ διάνοια ἐπὶ τοῦ
351 A. ἀκροτάτου τῶν ἐν τούτοις | εὑρισκομένων. Ἥ τε γὰρ ὄψις τῇ ἐπιθυμίᾳ συνήργησε καὶ ἡ προαίρεσις διὰ τῆς τῶν
45 ὄψεων ἡδονῆς τῶν καταθυμίων ἐνεφορήθη· ὡς μηδὲν ὑπολειφθῆναι τῶν εἰς ἀπόλαυσιν ἐπινοουμένων, ἀλλά μοι γενέσθαι μερίδα κτήσεως τὴν τῶν καθ' ἡδονὴν μετουσίαν. Ὅπερ οὐδὲν ἄλλο σημαίνειν μοι φαίνεται ἢ ὅτι Περιέσχον ἐν ἐμαυτῷ πᾶσαν ἀπολαυστικὴν ἐπίνοιαν, οἷον ἀπό τινος
50 κτήματος τὴν εὐφροσύνην ἀπὸ τῶν γινομένων καρπούμενος. « Οὐκ ἀπεκώλυσα γάρ, φησί, τὴν καρδίαν μου ἀπὸ πάσης εὐφροσύνης, καὶ ἡ καρδία μου εὐφράνθη ἐν παντὶ μόχθῳ μου, καὶ τοῦτο ἐγένετο μερίς μου ἀπὸ παντὸς μόχθου μου [h] », μερίδα τὴν κτῆσιν λέγων.

e. Eccl. 2, 9a f. Eccl. 2, 9a-c g. Eccl. 2, 9d h. Eccl. 2, 10c-g

---

1. Faut-il voir dans l'expression μερίδα κτήσεως une allusion à *Nombres* 18, 20 ? C'est ce que suggère P. ALEXANDER (*GNO* V, p. 351) en rapprochant ce passage de la *Lettre* XVII, où Grégoire souligne que l'expression est bien une citation : « C'est pour cela, je pense, que la loi

présentation du passé point par point : « Je suis devenu puissant [e] », montrant que sa connaissance des adversaires ne lui a pas été donnée par des choses insignifiantes, mais que son expérience a atteint pour ainsi dire le faîte de la grandeur, au point qu'il n'y a aucun souvenir que ses prédécesseurs en aient obtenu une égale. Il dit en effet : « Je suis devenu puissant et je me suis élevé plus que tous ceux qui ont existé avant moi à Jérusalem [f] » ; et c'est maintenant qu'il découvre le but pour lequel, après avoir d'abord été formé à la sagesse parfaite, il est descendu jusqu'à l'expérience de telles réalités. Car, dit-il, « ma sagesse s'est tenue près de moi [g] ». Par ces paroles, il signifie : Grâce à la sagesse, j'ai exploré toute pensée de jouissance, et ma pensée s'est arrêtée au plus haut sommet de ce que j'y trouvais. En effet, ce que je voyais s'est allié à mon désir, et, par le plaisir des spectacles, mon choix s'est rassasié des objets de désir, de sorte que je n'ai rien laissé de côté de ce que l'on connaît pour en jouir : au contraire, mon lot de biens [1] a été de prendre part à ce qui procure du plaisir. Et cela me paraît ne signifier rien d'autre que : J'ai retenu en moi toute pensée de jouissance en récoltant la joie que procurent les événements comme celle que procure un bien que l'on possède. « Je n'ai tenu mon cœur à l'écart d'aucune joie, dit-il, mon cœur s'est réjoui dans toute ma peine, et cela a été mon lot pour toute la peine que je prenais [h] », et par « lot », il veut dire « acquisition ».

lévitique prive le lévite de l'héritage terrestre : pour que, comme il est écrit, il n'ait que Dieu comme *part de fortune* et qu'il conserve toujours ce bien en lui-même, sans que son âme soit attirée vers rien de matériel » (*Ep.* XVII, 7, *SC* 363, trad. Maraval). Mettre en parallèle les termes du *Lévitique* et *Eccl.* 2, 9 souligne la manière dont, pour Grégoire, le texte sapientiel est une relecture de la Loi, même si cela accroît parfois la difficulté de l'interprétation (voir *hom.* VII, 1-3, où le premier stique d'*Eccl.* 3, 5 conduit à une discussion sur le sabbat).

55 Ἐπεὶ οὖν διεξῆλθε τὴν ἐπὶ μέρους τρυφήν, ἀπ' ἀρχῆς εἰς τέλος ἐπιδραμὼν καὶ πάντα τῷ λόγῳ διεξελθὼν δι' ὧν τοῖς ἀπολαύουσιν αἱ ἡδοναὶ συναγείρονται, τὰ τῶν οἰκοδομημάτων κάλλη, τοὺς ἀμπελῶνας, τοὺς κήπους, τὰς κολυμβήθρας, τοὺς παραδείσους, τὴν κατὰ τῶν 60 ὁμοφύλων ἀρχήν, τὴν τῶν χρημάτων περιουσίαν, τὴν ἐν τοῖς συμποσίοις πρὸς τὰς θυμηδίας παρασκευήν[i], πάντα, καθὼς αὐτὸς ὀνομάζει, « τὰ ἐντρυφήματα[j] », ἐν οἷς ἀπησχολήθη αὐτοῦ ἡ σοφία τὰ τοιαῦτα διερευνωμένη καὶ εἰς ἐπίνοιαν ἄγουσα ὧν ἀπολελαυκέναι φησὶ διὰ πάσης 65 αἰσθήσεως, τῶν τε ὀφθαλμῶν τὰ πρὸς ἡδονὴν εὑρισκόντων τῆς τε ψυχῆς ἐχούσης πᾶν τὸ κατ' ἐπιθυμίαν ἀκώλυτον· τότε τὴν πρώτην ἑρμηνεύει φωνὴν ἣν ἐν 352 A. προοιμίοις τοῦ λόγου πεποίηται, μάταια εἶναι τὰ | πάντα ἀποφηνάμενος. Φησὶ γὰρ πρὸς ταῦτα βλέπων περὶ τῆς 70 ἀνθρωπίνης ζωῆς ἀποφήνασθαι ὅτι « πάντα ματαιότης[k] » ἐστὶν ὅσα ἥ τε αἴσθησις βλέπει καὶ παρὰ τῶν ἀνθρώπων εἰς εὐφροσύνην ἐπιτηδεύεται. « Ἐπέβλεψα γὰρ ἐγὼ ἐν πᾶσι τοῖς ποιήμασί μου, οἷς ἐποίησαν αἱ χεῖρές μου, καὶ ἐν παντὶ μόχθῳ μου, ᾧ ἐμόχθησα τοῦ ποιεῖν, καὶ ἰδοὺ τὰ 75 πάντα ματαιότης καὶ προαίρεσις πνεύματος, καὶ οὐκ ἔστι περισσεία ὑπὸ τὸν ἥλιον[l]. » Πᾶσα γὰρ ἡ τῶν αἰσθήσεων δύναμίς τε καὶ ἐνέργεια ὅρον ἔχει τὴν ὑφ' ἡλίῳ ζωήν, τὸ δὲ ἐπέκεινα διαβῆναι καὶ τῶν ὑπερκειμένων ἀγαθῶν ἐν περινοίᾳ γενέσθαι ἡ αἰσθητικὴ φύσις οὐ δύναται. Ταῦτα 80 οὖν πάντα καὶ τὰ τοιαῦτα κατασκεψάμενος παιδεύει τὸν βίον τὸ πρὸς μηδὲν τῶν ὧδε θαυμαστικῶς διατίθεσθαι, πλοῦτον, φιλοτιμίαν, τὴν κατὰ τῶν ὑποχειρίων ἀρχήν, θυμηδίας τε καὶ τρυφὰς καὶ συμπόσια καὶ εἴ τι ἄλλο τῶν τιμίων εἶναι νενόμισται, ἀλλ' ὁρᾶν ὅτι ἓν τέλος τῶν

i. cf. Eccl. 2, 4-8 j. Eccl. 2, 8d k. Eccl. 2, 11d l. Eccl. 2, 11

Il a donc exposé en détail la volupté, en ayant parcouru du début à la fin et exposé par son discours tout ce qui suscite les plaisirs chez ceux qui en jouissent, les beautés des maisons, les vignes, les potagers, les bassins, les jardins, la domination sur ses congénères, la surabondance des richesses, les préparatifs pour les agréments des banquets [i], tous les « délices [j] » [1], comme il les nomme lui-même ; sa sagesse y a passé son temps, les explorant et l'amenant à réfléchir à tout ce dont il dit avoir joui par toutes sortes de sensations, ses yeux trouvant ce qui conduit au plaisir et son âme possédant sans entrave tout ce qu'elle désirait. C'est alors qu'il interprète la première parole qu'il avait prononcée dans le prologue de son discours : il y affirmait que toutes choses étaient vaines. C'est, dit-il, en considérant ces réalités qu'il a donné son avis sur la vie humaine : « Tout est vanité [k] », tout ce que la sensation regarde et tout ce que les hommes font pour obtenir de la joie. « J'ai considéré tous les ouvrages que mes mains ont faits, et toute la peine que j'avais eue à les faire, et voici : tout est vanité et choix du vent, et il n'y a pas d'avantage sous le soleil [l].[2] » Car toute la puissance et la force des sensations se limitent à la vie sous le soleil : aller au delà et concevoir les biens transcendants, la nature sensible ne le peut pas. Après avoir examiné tout cela et les autres choses semblables, il enseigne donc à ne s'émerveiller pendant cette vie devant aucune de ces réalités-ci, richesses, honneurs, domination sur les inférieurs, satisfactions, voluptés, banquets et tout ce qui est réputé avoir

1. Il est notable que Grégoire s'arrête au terme ἐντρυφήματα, dont c'est le seul emploi dans la LXX ; les *Hexaples* signalent les autres traductions : par τρυφάς (attribué à Aquila) et par σπατάλας, « agréments » (attribué à Symmaque) ; cf. F. Field, *Origenis Hexaplorum* (1867), reprint Hildesheim 1964, vol. II, *ad loc.*

2. *Eccl.* 2, 11 est une reprise d'*Eccl.* 1, 17 ; voir ci-dessus, Introd., p. 25 s., sur les récurrences du texte biblique.

85 τοιούτων πάντων ἡ ματαιότης ἐστίν, ἧς περισσεία εἰς τὸ ἐφεξῆς οὐχ εὑρίσκεται.

Καθάπερ γάρ οἱ καθ' ὕδατος γράφοντες ἐνεργοῦσι μὲν διὰ τῆς χειρὸς τὴν γραφὴν τοὺς τύπους τῶν χαρακτήρων 680 M. ἐν τῷ ὑγρῷ διαγράφοντες, μένει δὲ τῶν χαραγμάτων 90 οὐδὲν ἐπὶ σχήματος, ἀλλ' ἡ τοῦ γράφειν σπουδὴ ἐν μόνῳ τῷ γράφειν ἐστίν· ἕπεται γὰρ ἀεὶ τῇ χειρὶ ἡ τοῦ ὕδατος ἐπιφάνεια τὸ κεχαραγμένον ἐπιλεαίνουσα· οὕτως πᾶσα ἡ 353 A. ἀπολαυστικὴ σπουδὴ | καὶ ἐνέργεια τοῖς γινομένοις ἐναφανίζεται. Παυσαμένης γὰρ τῆς ἐνεργείας ἐξηλείφθη 95 καὶ ἡ ἀπόλαυσις, καὶ οὐδὲν εἰς τὸ ἐφεξῆς τεταμίευται οὐδὲ ὑπελείφθη τι τοῖς ἡδομένοις ἴχνος εὐφροσύνης ἢ λείψανον, παρελθούσης τῆς κατὰ τὴν ἡδονὴν ἐνεργείας. Τοῦτό ἐστιν ὃ σημαίνει ὁ λόγος εἰπὼν ὅτι « Οὐκ ἔστι περισσεία ὑπὸ τὸν ἥλιον[m] » τοῖς τὰ τοιαῦτα πονοῦσιν ὧν 100 τὸ πέρας ματαιότης ἐστίν· ὧν καὶ ἡμεῖς ἔξω γενοίμεθα χάριτι τοῦ κυρίου ἡμῶν Ἰησοῦ Χριστοῦ, ᾧ ἡ δόξα εἰς τοὺς αἰῶνας. Ἀμήν.

m. Eccl. 2, 11e

de la valeur, et à voir qu'unique est leur terme à toutes : la vanité, à laquelle on ne peut trouver d'avantage durable.

Ainsi en effet, ceux qui écrivent sur l'eau produisent l'écriture avec leur main en traçant les traits des caractères sur la surface de l'eau, mais il ne reste aucune trace de traits imprimés, et ce n'était que l'acte d'écrire qui faisait leur empressement à écrire — car sans cesse la surface de l'eau suit la main et efface ce qui a été tracé — ; de la même façon tout empressement et toute activité procurant de la jouissance disparaissent avec elle. En effet, dès que l'activité a cessé, la jouissance elle aussi s'évanouit, et rien n'a été mis en réserve pour la suite, aucune trace ni reste de joie n'a été laissé pour ceux qui se réjouissent, une fois que l'activité dépensée à ce plaisir s'est arrêtée. C'est ce que signifie le texte en disant : « Il n'y a pas d'avantage sous le soleil [m] » pour les hommes qui peinent pour ce qui s'achève en vanité. Puissions-nous nous en tenir à l'écart, par la grâce de notre Seigneur Jésus-Christ, à qui est la gloire pour les siècles. Amen.

HOMÉLIE V

(*Eccl.* 2, 12-26)

(1) L'enseignement de cette énumération des fautes de Salomon est qu'il faut se tenir en dehors du mal. (2) Et Salomon lui-même a choisi la sagesse et le bien. (3-4) Affirmer que « les yeux du sage sont dans sa tête », c'est inviter chacun à regarder vers le Christ et les réalités d'en haut, à l'exemple de Paul élevé jusqu'au troisième ciel. (5-7) Mais viennent les objections : à quoi bon choisir le bien, si le sage connaît le même sort, la mort et l'oubli, que l'insensé ? N'y a-t-il pas à craindre aussi que les générations suivantes ne choisissent pas la sagesse ? (8) Dernière objection, celle qui concerne la nourriture et la boisson : ne sont-elles pas bonnes pour l'homme ? À cela Salomon répond que « l'homme ne vivra pas seulement de pain » et qu'ainsi le vrai bien est celui de l'âme.

ΟΜΙΛΙΑ Ε'

1. Νῦν ἡμῖν παρὰ τοῦ μεγάλου τῆς ἐκκλησίας καθηγεμόνος ἡ ἐπὶ τὰ ὑψηλότερα τῶν μαθημάτων γίνεται μυσταγωγία. Προκαθήρας γὰρ τὰς ψυχὰς διὰ τῶν προλαβόντων λόγων καὶ πάσης ἀποστήσας τῆς κατὰ τὸ
5 μάταιον ἐγγινομένης τοῖς ἀνθρώποις ἐπιθυμίας οὕτω προσάγει τῇ ἀληθείᾳ τὸν νοῦν οἷόν τι φορτίον ἐξ ὤμων τὴν ἀχθηδόνα τῶν ματαίων ἀποσεισάμενον. Τὸ δὲ τοιοῦτον ὡς ἐν δόγματι παιδευέσθω ἡ ἐκκλησία, μαθοῦσα
354 A. διὰ τῆς παρούσης διδασκαλίας ὅτι | ἀρχὴ τοῦ κατ' ἀρετὴν
10 βίου ἐστὶ τὸ τῆς κακίας ἐκτὸς γενέσθαι. Καὶ γὰρ ὁ μέγας Δαβὶδ εἰσαγωγικήν τινα πρὸς τὴν καθαρὰν πολιτείαν ὑφήγησιν ἐν ταῖς ψαλμῳδίαις ποιούμενος οὐκ ἀπὸ τῆς τελειότητος τῶν ἐν τῷ μακαρισμῷ θεωρουμένων τοῦ λόγου ἄρχεται. Οὐ γὰρ εἶπεν ἐν πρώτοις μακαριστὸν
15 εἶναι τὸν ἐν πᾶσι κατευοδούμενον, τὸν ὡμοιωμένον τῷ ξύλῳ, τὸν ἐν ταῖς διεξόδοις τῶν ὑδάτων ἐρριζωμένον, τὸν ἀειθαλῆ ἐν τοῖς ἀγαθοῖς διαμένοντα, τὸν ἐν τοῖς καθή-

1. Seul emploi du terme dans les *Homélies sur l'Ecclésiaste*. Pour désigner l'enseignement transmis par le texte biblique, Grégoire emploie dans l'homélie VII (7) un tour équivalent, où la périphrase ἡ περὶ τῶν ὄντων φιλοσοφία apparaît comme synonyme de μυσταγωγία. Le verbe μυσταγωγεῖν définit aussi l'enseignement propre au *Cantique* (*In Cant.* I, *GNO* VI, p. 22, 14-17).

HOMÉLIE V

Renoncer au mal

1. Maintenant le grand guide de l'Église nous présente la mystagogie [1] qui initie aux connaissances les plus élevées. En effet, après avoir purifié nos âmes par les paroles précédentes et après les avoir détachées de tout le désir qui porte les hommes à ce qui est vain, il conduit à la vérité l'esprit délivré, comme d'un fardeau qu'on décharge de ses épaules, du poids des réalités vaines. Que l'Église reçoive cet enseignement comme une doctrine, en ayant appris grâce à l'enseignement d'aujourd'hui que le commencement de la vie vertueuse [2], c'est de se tenir en dehors du mal. Et le grand David qui, dans ses psaumes, donne une explication qui est une introduction à la conduite pure, ne commence pas par parler de la perfection de ce que l'on contemple dans la béatitude. En effet, il n'a pas dit en premier lieu qu'était bienheureux celui qui trouve le chemin de la réussite en tout, celui qui est assimilé à un arbre dont les racines sont dans le courant des eaux et qui demeure toujours florissant dans les biens, celui qui cueille le fruit

2. Cette définition légitime la constatation faite au début de l'homélie VI (1, 13-14) : « Il reste à savoir comment mener une vie vertueuse. » Tout au long de l'homélie V sont opposés deux modes de vie antinomiques et deux hommes, le sage et l'insensé. Le choix proposé est conforme au but assigné à l'ecclésiaste : il doit conduire εἰς τὴν τῶν ἀρετῶν ἐπιθυμίαν (*In Cant.* I, *GNO* VI, p. 22, 9).

κουσι χρόνοις τὸν καρπὸν τοῦ ἰδίου βίου δρεπόμενον [a], ἀλλ' ἀρχὴν μακαρισμοῦ [b] τὴν ἀπόστασιν τῶν κακῶν ἐποιήσα-
20 το, ὡς οὐκ ἐνδεχόμενον ἄλλως ἀγαθὸν γενέσθαι, πρὶν ἀποκλύσασθαι τῆς κακίας τὸν ῥύπον. Οὕτω τοίνυν καὶ ὁ πολὺς οὗτος ἐκκλησιαστὴς ὑπεξαιρεῖ πρῶτον τῷ λόγῳ τὰ μάταια, ἵνα καθάπερ ἐπὶ σώματος κάμνοντος ταῖς καθηκούσαις ἐπιμελείαις ἐκκαθαρθέντος τοῦ ἀρρωστήμα-
25 τος αὐτομάτως τὸ ἀγαθὸν τῆς ὑγείας ἐγγένηται. Διὰ τοῦτο κατέδραμε τῷ λόγῳ τῆς ματαιότητος, εἶπεν οὐκ ἀσφαλὲς τοῦ καλοῦ κριτήριον εἶναι τὴν αἴσθησιν, ὑπ' ὄψιν ἤγαγε τὸ ἐν τοῖς σπουδαζομένοις ἀνύπαρκτον, ἐχώρισε τὴν ἐπιθυμητικὴν ἡμῶν διάθεσιν τῆς σωματικῆς ἀπολαύ-
30 σεως· καὶ οὕτως ὑποδείκνυσι τὸ ὄντως αἱρετόν, τὸ ἀληθῶς ἐπιθυμητὸν οὗ ἡ σπουδὴ πρᾶγμά ἐστιν ἐνεργόν τε καὶ ἐνυπόστατον, εἰς ἀεὶ παραμένον τοῖς μετιοῦσι, πάσης τῆς κατὰ τὸ μάταιον ἐννοίας κεχωρισμένον.

355 A. | **2.** « Ἐπέβλεψα γὰρ ἐγώ, φησί, τοῦ ἰδεῖν σοφίαν [a]. » Ὡς δ' ἂν ἀκριβῶς ἴδοιμι τὸ ποθούμενον, εἶδον πρότερον καὶ τὴν περιφορὰν καὶ τὴν ἀφροσύνην. Ἐκ γὰρ τῆς πρὸς τὸ ἀντικείμενον παραθέσεως ἀκριβεστέρα γίνεται τῶν
5 σπουδαζομένων ἡ θεωρία. Τὴν δὲ σοφίαν καὶ βουλὴν

1. a. cf. Ps. 1, 3 b. cf. Ps, 1, 1
2. a. Eccl. 2, 12a

---

1. Le traité *In inscr. Ps.* propose une définition similaire en affirmant : « Le but de la vie vertueuse, c'est la béatitude » (I, 1, *GNO* V, p. 25, 11) ; l'image de l'« arbre planté au bord des eaux », empruntée au *Ps.* 1, y illustre aussi cette définition (*ibid.*, p. 26, 28-29 ; noter cependant la différence de préposition entre notre texte, ἐν ταῖς διεξόδοις, et la LXX, παρὰ τὰς δ.). Ce psaume est une des références obligées pour marquer le

de sa propre existence au temps qui convient [a1] ; mais il a fait du renoncement au mal le commencement de la béatitude [b], disant que le bien ne peut pas être accueilli avant que la souillure du mal ne soit effacée. De même, le puissant ecclésiaste lui aussi écarte d'abord par son discours les réalités vaines, afin que, comme dans un corps souffrant dont on a chassé la maladie par les soins appropriés, le bien de la santé vienne de lui-même. C'est pourquoi il a invectivé la vanité par son discours, il a dit que la sensation n'est pas le critère sûr du bien, il a mis sous nos yeux ce qu'il y a d'inexistant dans nos préoccupations, il a séparé des jouissances physiques notre disposition à désirer. Et il montre ainsi ce qui peut être réellement choisi, ce qui est vraiment désirable, ce dont la préoccupation est chose productive et fondée, qui demeure pour toujours en ceux qui y ont part, et qui est définitivement éloignée de toute pensée tournée vers la vanité.

Définition de la sagesse

2. « Moi, j'ai regardé, dit-il, pour voir la sagesse [a]. » Mais pour voir exactement l'objet auquel j'aspirais, j'ai vu d'abord la « turbulence [2] » et la folie. Car c'est par comparaison avec la réalité contraire qu'on obtient une compréhension plus précise des objets qui nous occupent. Et il donne aussi à la

choix qui s'impose entre le bien et le mal (voir CLÉMENT D'ALEXANDRIE, *Stromate* V, 31, sur le symbole des deux voies, commun aux chrétiens et aux païens).

2. Περιφοράν est donné par un grand nombre de mss (WSEΘP), aussi la correction de JAEGER (*GNO* V, p. 355, 3), παραφοράν, ne s'impose-t-elle pas ici ; elle est due cependant au fait que pour *Eccl.* 2, 12b, les grands mss de la LXX hésitent entre περιφορά et παραφορά, comme en *hom.* II, 7, 23 pour *Eccl.* 2, 2.

ὀνομάζει λέγων· « Ὅτι τίς ἄνθρωπος ὃς ἐπελεύσεται
681 M. ὀπίσω τῆς βουλῆς τὰ ὅσα ἐποίησεν αὕτη[b]; » Διδάσκει
τοίνυν τίς ἐστιν ἡ ἀνθρωπίνη σοφία, ὅτι τὸ ἐπακολουθῆσαι τῇ ὄντως σοφίᾳ ἣν καὶ βουλὴν ὀνομάζει ποιητικὴν
10 τῶν ἀληθῶς ὄντων τε καὶ ὑφεστώτων καὶ μὴ ἐν
ματαιότητι θεωρουμένων, τοῦτο τῆς ἀνθρωπίνης σοφίας
ἐστὶ τὸ κεφάλαιον· ἡ δὲ ὄντως σοφία καὶ ἡ βουλὴ οὐδὲν
ἄλλο κατά γε τὸν ἐμὸν λόγον ἐστὶ πλὴν τῆς τοῦ παντὸς
προεπινοουμένης σοφίας. Αὕτη δέ ἐστιν ἐν ᾗ τὰ πάντα
15 ἐποίησεν ὁ θεός, καθώς φησιν ὁ προφήτης ὅτι « πάντα ἐν
σοφίᾳ ἐποίησας[c] », « Χριστὸς δὲ θεοῦ δύναμις καὶ θεοῦ
σοφία[d] », ἐν ᾗ τὰ πάντα ἐγένετο καὶ διεκοσμήθη. Εἰ οὖν
τοῦτό ἐστιν ἡ ἀνθρωπίνη σοφία τὸ ἐν περινοίᾳ τῶν
ἀληθινῶν ἔργων τῆς ὄντως σοφίας τε καὶ βουλῆς
20 γενέσθαι, ἔργον δὲ τῆς βουλῆς ἐκείνης ἤτοι τῆς σοφίας
κατά γε τὸν ἐμὸν λόγον ἡ ἀφθαρσία ἐστὶν ἥ τε τῆς ψυχῆς
μακαριότης καὶ ἡ ἀνδρεία καὶ ἡ δικαιοσύνη καὶ ἡ
φρόνησις καὶ πᾶν τὸ κατ' ἀρετὴν νοούμενον ὄνομά τε καὶ
νόημα, τάχα δι' ἀκολούθου τῇ γνώσει τῶν ἀγαθῶν
356 A. 25 προσαγό|μεθα. Ἐπειδὴ γὰρ ταῦτα εἶδον, φησί, καὶ ὥσπερ
ἐν ζυγῷ διέκρινα τὸ ὂν τοῦ μὴ ὄντος, εὗρον τὴν διαφορὰν
τῆς σοφίας καὶ τῆς ἀφροσύνης, οἵαπερ ἂν εὑρεθείη φωτὸς
ἀντεξεταζομένου πρὸς ζόφον[e].

Καί μοι δοκεῖ προσηκόντως τῷ κατὰ τὸ φῶς ὑποδείγ-
30 ματι πρὸς τὴν τοῦ καλοῦ χρήσαθαι κρίσιν. Ἐπειδὴ γὰρ

b. Eccl. 2, 12c-d c. Ps. 103, 24 d. cf. I Cor. 1, 24 e. cf. Eccl. 2, 13

1. Sur l'importance de la référence à *I Cor.* 1, 24 dans la pensée théologique de Grégoire, se reporter à la liste des occurrences de *Biblia Patristica* 5 et voir M. CANÉVET, *Herméneutique*, p. 195.

sagesse le nom de « volonté » en disant : « Car quel est l'homme qui ira à la suite de la volonté et de tout ce qu'elle a fait [b] ? » Il enseigne ainsi ce qu'est la sagesse humaine : suivre la sagesse véritable, qu'il nomme aussi volonté génératrice de ce qui est et subsiste véritablement, et ne saurait être compris dans la vanité, voilà l'essentiel de la sagesse humaine. Mais la sagesse et la volonté véritables ne sont rien d'autre, à mon avis du moins, que la sagesse qui conçoit d'avance toutes choses. Et c'est celle-là même en qui Dieu fit toutes choses, comme dit le prophète : « Tu fis tout dans la sagesse [c] » et « le Christ, puissance de Dieu et sagesse de Dieu [d] » [1], en laquelle tout fut fait et fut ordonné. S'il est donc vrai que la sagesse humaine consiste dans l'intelligence des œuvres véritables de la sagesse et de la volonté vraies, et que l'œuvre de cette volonté ou de cette sagesse, à mon avis du moins, c'est l'incorruptibilité, la béatitude de l'âme, le courage, la justice, la réflexion et tout nom et concept pensés en rapport avec la vertu, il s'ensuit peut-être que nous progressons dans la connaissance des biens. En effet, après avoir vu cela, dit-il, et avoir, comme avec une balance, distingué ce qui est de ce qui n'est pas, j'ai trouvé la différence entre la sagesse et la folie, de même qu'on pourrait trouver la différence entre la lumière et les ténèbres en opposant l'une aux autres [e2].

Et il me semble adéquat d'utiliser l'exemple de la lumière pour discerner le bien. En effet, puisque l'obs-

2. La différence entre bien et mal vient à l'appui de l'opposition entre sagesse et folie, ce qui permet à Grégoire de réintroduire dans les phrases suivantes sa conception du mal comme ce qui n'a pas d'existence propre (voir sa définition de la vanité en *hom.* I, 3, 2 s.). L'image de l'ombre et de la lumière a un prolongement en *hom.* VI, 8, 22-23, avec la citation de *II Cor.* 6, 14 : « Qu'y a-t-il de commun entre l'ombre et la lumière ? » ; Grégoire cite souvent ce verset qui atteste la radicalité de l'opposition entre bien et mal : voir *Or. cat.* 15, 5 ; *In Cant.* X (*GNO* VI, p. 298, 1-2) ; *De virg.* XVI, 2.

τὸ σκότος τῇ ἑαυτοῦ φύσει ἀνύπαρκτον — εἰ γὰρ μὴ εἴη τι τὸ ἀντιφράσσον τὴν ἡλιακὴν ἀκτῖνα, σκότος οὐκ ἔσται —, τὸ δὲ φῶς αὐτὸ ἐφ' ἑαυτοῦ ἐστιν ἐν ἰδίᾳ οὐσίᾳ κατανοούμενον, δείκνυσι τῷ ὑποδείγματι ὅτι ἡ
35 κακία καθ' ἑαυτὴν οὐχ ὑφέστηκεν, ἀλλὰ τῇ στερήσει τοῦ ἀγαθοῦ παρυφίσταται, τὸ δὲ ἀγαθὸν ἀεὶ ὡσαύτως ἔχει μόνιμόν τε καὶ πάγιον καὶ οὐδεμιᾷ τινος προηγουμένου στερήσει παρυφιστάμενον. Τὸ δὲ ἐκ τοῦ ἐναντίου τῷ ἀγαθῷ νοούμενον κατ' οὐσίαν οὐκ ἔστιν· ὃ γὰρ ἐφ'
40 ἑαυτοῦ οὐκ ἔστιν, οὐδὲ ἔστιν ὅλως· στέρησις γὰρ τοῦ ὄντος ἐστὶν ἡ κακία καὶ οὐχὶ ὕπαρξις. Ἴση τοίνυν ἡ διαφορὰ τοῦ φωτὸς πρὸς τὸ σκότος καὶ τῆς σοφίας πρὸς ἀφροσύνην ἐστίν. Ἀπὸ μέρους γὰρ ἅπαν τὸ ἀγαθὸν περιλαμβάνει τῷ τῆς σοφίας ὀνόματι καὶ τῇ ἀφροσύνῃ
45 πᾶσαν κακοῦ φύσιν συνερμηνεύει.

3. Ἀλλὰ τί κέρδος ἡμῖν ἐκ τοῦ θαυμάσαι τὸ ἀγαθόν, εἰ μή τις καὶ ἔφοδος παρὰ τοῦ διδασκάλου πρὸς τὴν τούτου κτῆσιν ὑποδειχθείη; Πῶς οὖν ἔστι καὶ ἡμᾶς ἐν τῇ τοῦ καλοῦ μετουσίᾳ γενέσθαι, ἀκούσωμεν τοῦ διδάσκοντος.
357 A. 5 « Τοῦ σοφοῦ, | φησίν, οἱ ὀφθαλμοὶ ἐν κεφαλῇ αὐτοῦ [a] »· Τί ταῦτα λέγει; Ἔστι γάρ τι ζῷον ὅλως ὃ ἔξω τῆς κεφαλῆς ἔχει τὰ τῶν ὀφθαλμῶν αἰσθητήρια, κἂν ἔνυδρον

3. a. Eccl. 2, 14a

1. Cette fixité du bien est comparable à celle qui était attribuée à la terre dans l'homélie I (*Eccl.* 1, 4b ; *hom.* I, 9, 10 s.). Le § 3, qui suit, introduit le thème du chemin vers le bien. Ainsi la dialectique du mouvement et de la stabilité caractérise-t-elle la vie spirituelle aussi bien que le cosmos (voir la formule de *V. Moys.* II, 243, *SC* 1 ter : « C'est là la plus paradoxale de toutes les choses que stabilité et mobilité soient la même chose ») ; cf. J. Daniélou, « Le problème du changement chez Grégoire de Nysse », *Arch. Philos.* 29 (1966), p. 323-347 (art. repris dans

curité par sa nature propre est inexistante – car si rien n'interceptait le rayon du soleil il n'y aurait pas d'obscurité – , mais que la lumière, elle, existe par elle-même et qu'elle est connue en une essence qui lui est propre, il montre par cet exemple que le mal n'a pas d'existence par lui-même, mais n'existe que par la privation du bien, tandis que le bien est toujours de la même manière, stable et fixe [1], et qu'il ne doit pas son existence à une quelconque privation de quelque chose qui le précéderait. Ce qui est conçu à partir du contraire du bien n'existe pas par essence. En effet, ce qui n'est pas par soi-même n'est pas du tout. Le mal est privation de l'être et n'a pas d'existence. Ainsi, c'est la même différence qui existe entre la lumière et l'obscurité qu'entre la sagesse et la folie. Par la partie, le texte embrasse sous le nom de sagesse le bien dans sa totalité, et c'est la nature du mal dans sa totalité qu'il associe dans son interprétation à la « folie ».

Les yeux fixés sur la tête

3. Mais que gagnons-nous à admirer le bien si un chemin pour l'acquérir ne nous est pas aussi suggéré par le maître ? En écoutant celui qui nous enseigne, apprenons comment il nous est possible de participer nous aussi au bien : « Les yeux du sage, dit-il, sont dans sa tête [a] [2] .» Qu'est-ce que cela veut dire ? Y a-t-il au monde un être vivant dont l'organe de la vue soit en dehors de la tête, qu'on parle de

L'être et le temps, chap. X, p. 205-226) ; A. SPIRA, « Le temps d'un homme selon Aristote et Grégoire de Nysse : stabilité et instabilité dans la pensée grecque », dans *Le temps chrétien*, p. 287-290.

2. ORIGÈNE (*Entretien avec Héraclide* 20, 14-23, *SC* 67) cite *Eccl.* 2, 14 en le rapprochant aussitôt de *I Cor.* 11, 3 ; par là il fixe déjà l'interprétation du verset telle que nous la retrouvons chez Grégoire. De même chez BASILE, *Hom. sur l'Hexaéméron* IX, 9, *SC* 26 bis, p. 486 s., et *Sur l'origine de l'homme* II, 15. Dans le *De perf.* (*GNO* VIII, 1, p. 197, 19 – 200, 3) Grégoire commente dans le même sens (regarder vers les réalités d'en haut) *I Cor.* 6, 15.

εἴπῃς κἂν χερσαῖον κἂν ἐναέριον; Ἐν πᾶσι γὰρ ὁ ὀφθαλμὸς τοῦ λοιποῦ προβέβληται σώματος καὶ τῇ
10 κεφαλῇ τῶν ἐχόντων κεφαλὴν ἐγκαθίδρυται. Πῶς οὖν ἐνταῦθα μόνου λέγει τοῦ σοφοῦ τὴν κεφαλὴν ὠμματῶσθαι; ἢ τοῦτο πάντως ὑποσημαίνει τῷ λόγῳ ὅτι ἀναλογία τίς ἐστι τῶν ἐν τῇ ψυχῇ θεωρουμένων πρὸς τὰ τοῦ σώματος μέρη; Καὶ ὥσπερ ἐπὶ τῆς σωματικῆς διαπλά-
684 M. 15 σεως τὸ προέχον τοῦ ὅλου κεφαλὴ ὀνομάζεται, οὕτω καὶ ἐπὶ τῆς ψυχῆς τὸ ἡγεμονικόν τε καὶ προτεταγμένον ἀντὶ κεφαλῆς νοεῖται· καὶ ὃν τρόπον πτέρναν τὴν τοῦ ποδὸς βάσιν προσαγορεύομεν, οὕτως ἂν εἴη τις καὶ τῆς ψυχῆς βάσις δι' ἧς ἐφάπτεται τῆς συμφυΐας τοῦ σώματος, ὅθεν
20 τὴν αἰσθητικὴν δύναμίν τε καὶ ἐνέργειαν τῷ ὑποκειμένῳ ἐνίησιν. Ὅταν τοίνυν ἡ διορατική τε καὶ θεωρητικὴ τῆς ψυχῆς δύναμις πρὸς τὰ αἰσθητὰ τὴν ἀσχολίαν ἔχῃ, εἰς τὰς πτέρνας αὐτῆς ἡ τῶν ὀφθαλμῶν φύσις ἀντιμεθίσταται, δι' ὧν τὰ κάτω βλέπει, τῶν ὑψηλῶν θεαμάτων ἀθέατος
25 μένουσα.

Εἰ δὲ γνωρίσασα τῶν ὑποκειμένων τὸ μάταιον ἀναγάγοι τὰς ὄψεις ἐπὶ τὴν ἑαυτῆς κεφαλήν, ἥτις ἐστὶν ὁ Χριστός[b], καθὼς διερμηνεύει ὁ Παῦλος, μακαριστὴ ἂν
358 A. γένοιτο τῆς ὀξυωπίας, | ἐκεῖ ἔχουσα τοὺς ὀφθαλμοὺς
30 ὅπου οὐκ ἔστιν ἡ τοῦ κακοῦ ἐπισκότησις. Παῦλος ὁ

b. cf. I Cor. 11, 3

---

1. L'analogie du corps et de l'âme fonde la théorie des sens spirituels (voir H. Rahner, « Le début d'une doctrine des cinq sens spirituels chez Origène », *RAM* 13, 1932, p. 113-145 ; Canévet, art. « Sens spirituel »). En *De an. et res.*, *PG* 46,32 A (Terrieux, § 15), Grégoire souligne qu'il n'y a pas à proprement parler de connaissance autonome par les sens ; même la connaissance sensible suppose une activité du νοῦς : « le plus vrai de tout..., c'est que c'est l'esprit qui voit et l'esprit qui entend ». — Ici,

ce qui est dans l'eau, de ce qui est sur la terre ou de ce qui est dans les airs ? Chez tous, l'œil a été placé en avant du reste du corps et il est situé sur la tête de ceux qui ont une tête. Comment le texte peut-il donc dire que la tête du sage seul a été dotée d'yeux ? ou bien veut-il absolument signifier par cette parole qu'il y a une analogie entre ce que l'on voit dans l'âme et les parties du corps [1] ? Et de même que, pour la formation du corps, on appelle tête la partie qui est placée à l'avant de l'ensemble, de même pour l'âme, le principe directeur [2] et prééminent se conçoit par comparaison avec la tête. Et de la même façon que nous appelons talon la base du pied, on pourrait aussi appeler en quelque sorte base de l'âme le point par où elle s'unit au corps, d'où elle envoie au sujet la faculté et l'activité sensibles. Ainsi lorsque la faculté de perception et de compréhension de l'âme est tout occupée des réalités sensibles, la nature des yeux se détourne vers les talons de l'âme, elle regarde le monde d'ici-bas, et elle demeure sans pouvoir contempler les spectacles élevés.

Mais si, après avoir appris la vanité des choses d'ici-bas, l'âme élevait ses regards vers sa propre tête qui est le Christ [b], comme l'interprète Paul, elle deviendrait bienheureuse grâce à sa vue pénétrante, car elle tiendrait ses yeux là où l'obscurcissement dû au mal n'est pas possible.

Grégoire semble privilégier le rôle de la vision. — L'analogie corps/âme justifie les images appliquées aux différentes parties de l'âme : « base » et « talons » de l'âme (cf. *V. Moys.* II, 22 : « Les pieds de l'âme »).

2. Le terme ἡγεμονικόν pour désigner le « principe directeur » de l'âme est d'origine stoïcienne, mais comme le remarque DANIÉLOU (*Platonisme*, p. 66), le mot était passé dans le vocabulaire commun. Pour ORIGÈNE (*Hom. sur les Nombres* X, 3), seule cette partie de l'âme est le lieu de la connaissance de Dieu. Grégoire, en *De hom. op.* 12, prend position face aux conceptions médicales de son temps et cherche à localiser ce « principe directeur ». Dans les siècles postérieurs, une telle conception de l'âme amène les développements sur la « fine pointe de l'âme » ; voir E. VON IVÁNKA, *Plato christianus*, Einsiedeln 1964, p. 315 s. (Der « apex mentis »), trad. fr., Paris 1990, p. 299 s.

μέγας καὶ εἴ τινες ἄλλοι κατ' ἐκεῖνον μεγάλοι « ἐν τῇ κεφαλῇ τοὺς ὀφθαλμοὺς » εἶχον καὶ πάντες οἱ ἐν Χριστῷ « ζῶντες καὶ κινούμενοι καὶ ὄντες[c] ». Ὡς γὰρ οὐκ ἔστι τὸν ἐν φωτὶ ὄντα σκότος ἰδεῖν, οὕτως οὐκ ἔστι τὸν ἐν
35 Χριστῷ τὸν ὀφθαλμὸν ἔχοντα πρός τι τῶν ματαίων ἐνατενίσαι. Ὁ οὖν ἐν τῇ κεφαλῇ τοὺς ὀφθαλμοὺς ἔχων — κεφαλὴν δὲ τὴν τοῦ παντὸς ἀρχὴν ἐνοήσαμεν — ἐν πάσῃ ἀρετῇ τοὺς ὀφθαλμοὺς ἔχει — Χριστὸς γάρ ἐστιν ἡ παντελὴς ἀρετή —, ἐν ἀληθείᾳ, ἐν δικαιοσύνῃ, ἐν ἀφθαρ-
40 σίᾳ ἐν παντὶ ἀγαθῷ.

4. « Τοῦ οὖν σοφοῦ οἱ ὀφθαλμοὶ ἐν κεφαλῇ αὐτοῦ, ὁ δὲ ἄφρων ἐν σκότει πορεύεται[a]. » Ὁ γὰρ μὴ ἐπὶ τὴν λυχνίαν τὸν ἑαυτοῦ λύχνον προτείνας[b], ἀλλ' ὑποβαλὼν τῇ βάσει τῆς κλίνης τὸ φέγγος ἑαυτῷ σκότος ἐποίησεν, δημιουργὸς
5 τοῦ ἀνυπάρκτου γενόμενος· μάταιον δὲ τὸ ἀνύπαρκτον. Ἴσον οὖν ἐστι κατὰ τὸ σημαινόμενον τῷ ματαίῳ τὸ σκότος. Τοῦ τοίνυν ἄφρονος ἡ ψυχὴ φιλοσώματός τις καὶ σαρκώδης γεγενημένη ἐν τῷ ταῦτα βλέπειν βλέπει οὐδέν· σκότος γάρ ἐστιν ἀληθῶς ἡ ἐν τούτοις ὀξυωπία. Ὁρᾷς
10 τοὺς δριμεῖς τούτους καὶ εὐστρόφους κατὰ τὸν βίον οὓς δικανικοὺς ὀνομάζομεν, ὅπως ἑαυτοῖς δι' ἐπινοίας τὴν

c. Act. 17, 28
4. a. Eccl. 2, 14a-b b. cf. Lc 8, 16

1. Ἐνατενίζειν (fixer les yeux sur) est à nouveau employé à la fin de l'homélie VIII (9, 16) : ainsi s'opposent les deux expressions « fixer les yeux sur des choses vaines » et « fixer les yeux sur Dieu », qui pourraient résumer la lecture que Grégoire propose de l'*Ecclésiaste*. Un tel rappel lexical confirme la division de l'œuvre en deux groupes d'homélies, I-V et VI-VIII (voir ci-dessus, Introd., p. 26-29).

2. La même expression, telle une définition, est appliquée à Dieu en *De*

Le grand Paul et tous les autres qui ont été grands comme lui, avaient les « yeux dans la tête » — ainsi que tous ceux qui « vivent, se meuvent et sont [c] » dans le Christ. De même en effet qu'il n'est pas possible que celui qui est dans la lumière voie l'obscurité, de même il n'est pas possible que celui qui a son œil dans le Christ fixe [1] l'une de ces choses vaines. Celui donc qui a les yeux dans la tête – nous entendons par tête le principe du tout – a les yeux sur toute vertu – car la plénitude de la vertu, c'est le Christ [2] – , sur la vérité, sur la justice, sur l'incorruptibilité, sur tout bien.

4. « Les yeux du sage sont dans sa tête, mais l'insensé marche dans l'obscurité [a] .» Celui qui ne met pas sa lampe sur un chandelier [b], mais la place au pied de son lit, transforme la lumière en obscurité pour lui, il devient artisan du néant ; et le néant, c'est ce qui est vain. Du point du vue de la signification, l'obscurité équivaut donc à ce qui est vain. Ainsi, l'âme de l'insensé, qui aime le corps et qui est devenue charnelle, en regardant les choses d'ici-bas ne voit rien [3] ; car la vue pénétrante pour ces choses-là, c'est vraiment de l'obscurité. Vois-tu ces hommes finauds et roués dans la vie, que nous nommons chicaneurs, vois-tu comment ils cherchent par leurs calculs

virg. XVII, 2, 16 (*SC* 119) ; de même en *V. Moys.*, Préf., 7, 8 (*SC* 1 ter) ; en *In Cant.* I (*GNO* VI, p. 36) Grégoire associe l'expression à une citation d'*Hab.* 3, 3 (« Sa vertu embrasse les cieux »).

3. Sur la vue comme sens spirituel, voir le commentaire des deux versets parallèles du *Cantique*, *Cant.* 4, 1 et 5, 12 : *In Cant.* VII (*GNO* VI, p. 216, 18 – 219, 19) et *In Cant.* XIII (*GNO* VI, p. 393, 13 – 398, 23) ; dans ce dernier texte, la vision spirituelle exige la purification de tout mal par « des eaux abondantes ». Pour ORIGÈNE (*Contre Celse* VII,39, 34-36, *SC* 150), les yeux de l'âme ont été fermés par le péché : « Les yeux de l'âme qu'ils avaient jusqu'alors plaisir à tenir ouverts sur Dieu et son Paradis, voilà ceux, je crois, qu'ils fermèrent par leur péché » (trad. Borret).

ἀδικίαν ἐξευμαρίζουσι μάρτυσι, συνηγόροις, ἐγγράφοις, τῇ τῶν δικαστῶν θεραπείᾳ, ὥστε καὶ τὸ κακὸν κατεργά-
359 A. σασθαι καὶ ἐκδῦναι τὴν τιμωρίαν; Τίς οὐ θαυμάζει | τὸ
15 ἀγχίνουν τῶν τοιούτων καὶ εὐπερίβλεπτον; Ἀλλ' ὅμως τυφλοί εἰσιν οὗτοι, εἰ πρὸς ἐκεῖνον τὸν ὀφθαλμὸν ἐξετάζοιντο τὸν τὰ ἄνω βλέποντα, τὸν τῇ κεφαλῇ τῶν ὄντων ἐγκείμενον. Τυφλοί εἰσιν ἄντικρυς οἱ τὴν πτέρναν ἑαυτῶν καλλωπίζοντες τὴν σπαρασσομένην τοῖς ὀδοῦσι
20 τοῦ ὄφεως· δι' ὧν γὰρ τὰ κάτω βλέπουσι, τὰ δήγματα τῆς ἁμαρτίας ἑαυτοῖς ἐγχαράσσουσιν. « Ὁ γὰρ ἀγαπῶν ἀδικίαν μισεῖ τὴν ἑαυτοῦ ψυχήν [c] », καὶ τὸ μακαριζόμενον αὐτῶν ἐν ἀνθρώποις πάσης ἐστὶ δυσπραγίας ἐλεεινότερον.

Πόσοι δὲ πάλιν ἐκ τοῦ ἐναντίου τῶν ἐν τῷ ὕψει
25 ἀγαθῶν ἐμφορούμενοι καὶ τῇ θεωρίᾳ τῶν ὄντως ὄντων ἀποσχολάζοντες τυφλοί τινες ἐν τοῖς ὑλικοῖς πράγμασιν εἶναι νομίζονται καὶ ἀνόητοι, οἷος καὶ ὁ Παῦλος εἶναι καυχᾶται, « μωρὸν ἑαυτὸν διὰ τὸν Χριστὸν » εἶναι λέγων· ἡ γὰρ φρόνησις αὐτοῦ καὶ ἡ σοφία πρὸς οὐδὲν τῶν ὧδε
30 σπουδαζομένων ἠσχόλητο. Διὸ λέγει· « Ἡμεῖς μωροὶ διὰ
685 M. Χριστόν [d] », ὡς ἂν εἰ ἔλεγεν· Ἡμεῖς τυφλοὶ τῷ κάτω βίῳ διὰ τὸ τὰ ἄνω βλέπειν καὶ ἐν τῇ κεφαλῇ τοὺς ὀφθαλμοὺς ἡμῶν ἔχειν. Τούτου χάριν ἄστεγος ἦν καὶ ἀτράπεζος, πένης, ἀλήτης, γυμνός, λιμῷ καὶ δίψῃ κατατρυχόμενος.
35 Ἀλλ' ὁ κάτω τοιοῦτος ἐν τοῖς ἄνω σκόπησον οἷος ἦν.
360 A. « Ἕως γὰρ τρίτου οὐρανοῦ [e] » | ὑψωθείς, ὅπου ἡ κεφαλὴ

c. Ps. 10, 5 d. I Cor. 4, 10 e. II Cor. 12, 2

1. Voir *hom.* II, 2, 15 s. et *hom.* IV, 5, 21 s. La référence à *Gen.* 3, 15 reste ici implicite.

2. Grand nombre de références pauliniennes dans tout le passage. Grégoire revient souvent à l'image de Paul élevé au troisième ciel, et cela dans les contextes les plus variés. Ici, la référence appuie surtout le contraste entre l'apparence extérieure de Paul et sa perfection spirituelle ;

l'injustice en leur faveur, avec témoins, avocats, dépositions, juges, prévenances à l'égard des juges, de sorte qu'ils peuvent faire le mal tout en échappant au châtiment ? Qui n'admire l'ingéniosité de tels hommes et leur grand savoir-faire ? Et pourtant ces hommes sont aveugles, s'ils font la comparaison avec cet œil qui regarde les réalités supérieures, celui qui est dans la tête des êtres véritables. Ils sont tout à fait aveugles, ceux qui cherchent à embellir leur talon, alors qu'il est déchiré par les dents du serpent [1]. Par là en effet, ce sont les réalités inférieures qu'ils regardent, et ils gravent en eux les morsures du péché. En effet, « qui aime l'injustice hait sa propre âme [c] », et le bonheur que les hommes y trouvent mérite plus de pitié que tout revers.

Mais à l'inverse, combien d'hommes au contraire, rassasiés des biens d'en haut et passant leur temps à la contemplation des êtres véritables, sont considérés comme aveugles dans les situations matérielles, et comme inintelligents, ainsi que Paul lui-même se glorifie de l'être, lorsqu'il dit qu'il est « fou à cause du Christ ». Car sa réflexion et sa sagesse ne s'adonnent à aucune des préoccupations de ce monde. Aussi dit-il : « Nous, nous sommes fous à cause du Christ [d] », comme s'il disait : Nous sommes aveugles pour la vie d'ici-bas, parce que nous regardons les réalités d'en haut et que nous avons nos yeux dans la tête. À cause de cela, il était sans toit, sans table, pauvre, errant, nu, brisé par la faim et la soif. Lui qui était tel ici-bas, regarde ce qu'il était lorsqu'il s'agissait des réalités d'en haut : il fut « élevé jusqu'au troisième ciel [e] » [2],

voir de même, Jean Chrysostome, *Panégyriques de s. Paul* II, 8, 5-9 (*SC* 300) : « (Dieu) le ravit jusqu'au paradis, l'éleva jusqu'au troisième ciel... En effet, tout en foulant cette terre, il se conduisait sans cesse comme s'il la parcourait en compagnie des anges... tout en étant soumis à de si grandes misères, il avait à cœur de n'être nullement inférieur à ces puissances d'en haut » (trad. Piédagnel). — La citation de *Rom.* 8, 35 va dans le même sens.

αὐτοῦ ἦν, ἐκεῖ τοὺς ὀφθαλμοὺς ἔσχεν, τοῖς ἀπορρήτοις τοῦ παραδείσου μυστηρίοις ἐναγαλλόμενος καὶ τὰ ἀθέατα βλέπων καὶ ἐντρυφῶν ἐκείνοις ὅσα ὑπὲρ αἴσθησίν ἐστι καὶ 40 διάνοιαν. Τίς οὐχ ἂν ἐλεεινὸν αὐτὸν ᾠήθη, δεσμώτην βλέπων καὶ πληγαῖς αἰκιζόμενον καὶ βύθιον ἐκ ναυαγίου διὰ πελάγους τοῖς κύμασι μετὰ τῶν δεσμῶν συμπεριφερόμενον [f]; Ἀλλ' ὅμως εἰ καὶ τὰ ἐν ἀνθρώποις τοιαῦτα, τοῦ μέντοι ἐν κεφαλῇ διὰ παντὸς τοὺς ὀφθαλμοὺς ἔχειν 45 οὐκ ἀπετράπη λέγων· « Τίς ἡμᾶς χωρίσει ἀπὸ τῆς ἀγάπης τοῦ θεοῦ τῆς ἐν Χριστῷ Ἰησοῦ; θλῖψις ἢ στενοχωρία ἢ διωγμὸς ἢ λιμὸς ἢ γυμνότης ἢ κίνδυνος ἢ μάχαιρα [g]; » ὅπερ ἴσον ἐστὶ τῷ λέγειν· Τίς μου τοὺς ὀφθαλμοὺς ἀπὸ τῆς κεφαλῆς ἐξορύξει καὶ πρὸς τὸ 50 πατούμενόν τε καὶ γήϊνον μεταστήσει; Τοῦτο δὲ καὶ ἡμῖν ἐγκελεύεται τὸ ἴσον ποιεῖν ἐν τῷ παραγγέλλειν « τὰ ἄνω φρονεῖν [h] », ὅπερ ὅμοιόν ἐστι τῷ λέγειν ἐν κεφαλῇ τοὺς ὀφθαλμοὺς ἔχειν [i].

5. Ἀλλ' εἰ μεμαθήκαμεν πῶς εἰσι τοῦ σοφοῦ οἱ ὀφθαλμοὶ ἐν κεφαλῇ αὐτοῦ, φύγωμεν τὴν ἀφροσύνην ἥτις σκότος τοῖς ἐν τῷ βίῳ τούτῳ πορευομένοις γίνεται. « Ὁ γὰρ ἄφρων, φησίν, ἐν σκότει πορεύεται [a]. » Ἄφρων δέ 5 ἐστι, καθὼς ἡ προφητεία φησίν, ὁ « ἐν τῇ καρδίᾳ λέγων μὴ εἶναι θεόν, ὃς διεφθάρη καὶ ἐβδελύχθη ἐν τοῖς *361 A.* ἐπιτηδεύμασιν [b] ». Ἡ δὲ ἀκολουθία τοῦ λόγου | θεραπεύει διὰ τῶν ἐφεξῆς εἰρημένων τοὺς μικροψύχως περὶ τὴν ζωὴν ταύτην διακειμένους, οἷς χαλεπόν τι τὸ τοῦ θανάτου νομίζεται καὶ διὰ τοῦτο κέρδος οὐδὲν τοῦ κατ' ἀρετὴν

f. cf. II Cor. 11, 23-26 g. Rom. 8, 35 h. cf. Col. 3, 2 i. Eccl. 2, 14a
5. a. Eccl. 2, 14a b. Ps. 13,1

là où se trouvait sa tête, là il tint les yeux ; comblé par les mystères indicibles du paradis, il regardait les réalités invisibles et faisait ses délices de tout ce qui est au delà de la sensation et de l'intelligence. Qui ne l'aurait pas jugé pitoyable, à le voir enchaîné, outragé de coups et ballotté au creux des flots avec ses chaînes, après un naufrage en mer [f] ? Et pourtant, même dans cette situation au milieu des hommes, il n'a pas renoncé à tenir sans cesse ses yeux dans la tête, en disant : « Qui nous séparera de l'amour de Dieu dans le Christ Jésus ? la tribulation, l'angoisse, la persécution, la faim, la nudité, le danger, le glaive [g] ? », ce qui équivaut à dire : Qui m'arrachera les yeux de la tête et les détournera vers ce que l'on foule à ses pieds et ce qui est terrestre ? On nous ordonne, à nous aussi, de faire la même chose lorsqu'on nous exhorte à « penser aux choses d'en haut [h] », ce qui équivaut à dire « avoir les yeux dans la tête [i] ».

5. Mais si nous avons appris en quel sens « les yeux du sage sont dans sa tête », fuyons la folie qui est obscurité pour ceux qui marchent en cette vie. Car « l'insensé, dit le texte, marche dans l'obscurité [a] ». Est insensé [1], comme dit la prophétie, celui « qui dit dans son cœur qu'il n'y a pas de Dieu, celui qui se détruit et s'avilit par ses occupations [b] ». Mais l'enchaînement du texte soigne, par ce qui est dit à la suite, ceux qui se comportent avec étroitesse d'âme dans cette vie : ils considèrent la mort comme quelque chose de pénible et s'ils ont la conviction qu'on ne gagne rien à vivre vertueusement et à avoir part à une vie

1. L'emploi de ἄφρων occasionne le rapprochement entre *Eccl.* 2, 14 et *Ps.* 13, 1. En adaptant le verset du psaume à la syntaxe de sa propre phrase, Grégoire utilise le singulier pour les verbes de la deuxième partie du verset, contrairement au texte de la LXX (comparer avec *hom.* II, 3, 48-50, où le même verset est cité au pluriel).

βίου τοῖς τὴν ὑψηλοτέραν μετιοῦσι ζωὴν εἶναι πεπίστευται, ὅτι ἀμφοτέροις πρὸς τὸ αὐτὸ πέρας ἡ ζωὴ καταλήγει καὶ οὐκ ἔστιν ἀποφυγὴν τοῦ θανάτου διὰ τῆς ἀστειοτέρας κατορθωθῆναι ζωῆς. Τὰς οὖν τοιαύτας ἀντιθέσεις ὡς ἐξ
15 ἰδίου προσώπου ποιούμενος πάλιν καθάπτεται τῆς ἀτοπίας τῶν προφερόντων ἐκεῖνα, ὡς ἀνεπισκέπτως ἐχόντων τῆς τῶν ὄντων φύσεως, καὶ διδάσκει τὴν διαφορὰν ἐν τίνι τὸ πλέον ἔχει ἡ ἀρετὴ τῆς κακίας, ὡς οὐχὶ διὰ τῆς τοῦ θανάτου κοινότητος ὁμοτιμίας τινὸς ἐν αὐτοῖς ἐλπιζο-
20 μένης, ἀλλὰ διὰ τῶν εἰς ὕστερον ἀναμενόντων καλῶν ἢ κακῶν τῆς διαφορᾶς εὑρισκομένης.

Ἔχει δὲ ἡ λέξις τῆς ἀντιθέσεως οὕτως· « Ἔγνων ἐγὼ ὅτι συνάντημα ἓν συναντήσεται τοῖς πᾶσιν αὐτοῖς. Καὶ εἶπα ἐγὼ ἐν καρδίᾳ μου ὡς Συνάντημα τοῦ ἄφρονος καί
25 γε ἐμοὶ συναντήσεται, καὶ ἵνα τί ἐσοφισάμην; Ἐγὼ περισσὸν ἐλάλησα ἐν καρδίᾳ μου, διότι ἄφρων ἐκ περισσεύματος λαλεῖ, ὅτι καί γε τοῦτο ματαιότης. Ὅτι οὐκ ἔστιν ἡ μνήμη τοῦ σοφοῦ μετὰ τοῦ ἄφρονος εἰς
688 M. αἰῶνα, καθότι ἤδη αἱ ἡμέραι αἱ ἐρχόμεναι τὰ πάντα
30 ἐπελήσθη· καὶ πῶς ἀποθανεῖται ὁ σοφὸς μετὰ τοῦ ἄφρονος; [c] » Οἷς ἐπάγει τὸ μίσους ἄξια νομίσαι τὰ πάντα,
362 A. περὶ | ἃ πρότερον ἐμπαθῶς εἶχε τὸ μάταιον ὡς ἀγαθὸν

c. Eccl. 2, 14-16

1. Après avoir présenté *Eccl.* 2, 4 s. comme la confession de Salomon (voir *hom.* III, 1), Grégoire choisit donc de résoudre les contradictions d'*Eccl.* 2, 16-22 en présentant ces versets comme le dialogue que Salomon tient en lui-même. Des termes rhétoriques, ἀντιθέσις (l'objection) et ἀνθυποφορά (la réponse à l'objection), sont utilisés pour marquer les limites de chaque réplique dans ce dialogue fictif. L'échange d'objections et de réponses aux objections faisait partie des exercices préparatoires dans les écoles de rhétorique ; voir HERMOGÈNE, *Progymnasmata* 11, et B. SCHOULER, *La tradition hellénique chez Libanios*, Paris 1984, p. 51-63.

plus élevée, c'est parce que la vie s'arrête à la même limite pour les uns et les autres et qu'il n'est pas possible de réussir à échapper à la mort en menant une vie plus parfaite. En faisant de telles objections comme en son nom propre [1], il s'attaque à nouveau à l'inconvenance de ceux qui avancent ces arguments sans tenir compte de la nature des êtres, et il enseigne la différence qui fait que la vertu est plus avantageuse que le mal : ce n'est pas parce que la mort est commune qu'on peut espérer être à rang égal dans le bien et dans le mal ; mais la différence se trouve dans le fait que ce sont soit des maux, soit des biens qui nous attendent pour l'avenir [2].

Mais voici la lettre de l'objection : « J'ai appris qu'un sort unique sera leur sort à tous. Et j'ai dit, moi, dans mon cœur que le sort de l'insensé sera aussi mon sort, et pourquoi ai-je pratiqué la sagesse ? J'ai dit avec excès dans mon cœur, parce qu'un insensé parle à l'excès [3], que vraiment cela aussi est vanité ; car il n'y a pas plus de souvenir éternel du sage que de l'insensé, de la même façon que déjà les jours qui viennent [4], tout a été oublié. Et comment le sage mourra-t-il comme l'insensé [c] ? » À quoi il ajoute qu'il considère que mérite la haine tout ce

2. En affirmant la différence du jugement réservé aux bons et aux méchants, Grégoire devance les contradictions du texte de *l'Ecclésiaste*. Grégoire le Thaumaturge procède de la même façon dans sa *Metaphrasis in Ecclesiasten* (*PG* 10, 993 B). Les chaînes sur *l'Ecclésiaste* se font ensuite elles aussi l'écho de cette réticence face au texte biblique : voir *Chaîne des Trois Pères, ad Eccl.* 2, 15-16, l. 154-155 (*CCSG 11*), et *Chaîne de Procope*, l. 166-178 (*CCSG* 4). Jérôme suit la même ligne interprétative dans son *Commentaire sur l'Ecclésiaste* (*CCSL* 72, p. 69, l. 269-291).

3. « Parce qu'un insensé parle à l'excès » constitue une addition de la LXX par rapport à l'hébreu. D. Lys (*L'Ecclésiaste*, p. 250) suggère qu'il pourrait s'agir d'un proverbe, repris en *Eccl.* 10, 14.

4. Pour cette expression, les mss de la LXX hésitent entre le nominatif et le datif : B et S ont le nominatif, et A le datif (d'après Rahlfs, t. II, p. 242). Il est notable que Grégoire utilise les deux possibilités (pour l'emploi du datif, voir *hom.* V, 6, 42-45).

ἀσπαζόμενος, καὶ πάντα μεμισηκέναι φησὶν ὅσα πρὸς τὴν ζωὴν ταύτην βλέπων ἐπόνησε, διότι οὐδὲν ἑαυτῷ ἀλλὰ τῷ
35 μετ' αὐτὸν πάντα ἐπόνησεν, ὃς εἰς τί χρήσεται τοῖς πεπονημένοις προγνῶναι διὰ τὴν τοῦ μέλλοντος ἀδηλίαν οὐχ οἷόν τε. Λέγει δὲ κατὰ λέξιν οὕτως· « Καὶ ἐμίσησα σὺν τὴν ζωήν, ὅτι πονηρὸν ἐπ' ἐμὲ τὸ ποίημα τὸ πεποιημένον ὑπὸ τὸν ἥλιον, ὅτι πάντα ματαιότης καὶ
40 προαίρεσις πνεύματος. Καὶ ἐμίσησα ἐγὼ σύμπαντα τὸν μόχθον μου ὃν ἐγὼ μοχθῶ ὑπὸ τὸν ἥλιον, ὅτι ἀφίω αὐτὸν τῷ ἀνθρώπῳ τῷ γινομένῳ μετ' ἐμέ· καὶ τίς οἶδεν εἰ σοφὸς ἔσται ἢ ἄφρων καὶ εἰ ἐξουσιάσεται ἐν παντὶ μόχθῳ μου ᾧ ἐμόχθησα καὶ ἐσοφισάμην ὑπὸ τὸν ἥλιον; Καί γε
45 τοῦτο ματαιότης[d]. » Ταῦτα εἰπὼν ἀλλοτρίως φησὶ καὶ πρὸς τοῦτο τῇ ψυχῇ διατεθῆναι τὸ νομίσαι μίαν εἶναι τῷ τε κατ' ἀρετὴν βεβιωκότι καὶ τῷ μηδεμίαν πρὸς τοῦτο πεποιημένῳ σπουδὴν τὴν μερίδα. Τῷ μὲν γὰρ τὸν μόχθον εἶναί φησιν ἐν σοφίᾳ καὶ γνώσει καὶ ἀνδρείᾳ, τῷ δὲ ἑτέρῳ
50 ἐν θυμῷ καὶ ἐν ἀλγήμασι τοῖς διὰ τὴν περὶ τὸν βίον σπουδὴν προσγινομένοις. Τὸ οὖν εἰς ἴσον τούτους ἀλλήλοις ἄγειν οὐ ματαιότητος μόνον ἀλλὰ καὶ πονηρίας εἶναί
363 A. φησιν. Ἔχει δὲ καὶ αὕτη ἡ λέξις οὕτως· | « Καὶ ἐπέστρεψα ἐγὼ τοῦ ἀποτάξασθαι τῇ καρδίᾳ μου ἐν παντὶ
55 μόχθῳ μου ᾧ ἐμόχθησα ὑπὸ τὸν ἥλιον, ὅτι ἔστιν ἄνθρωπος, ὅτι μόχθος αὐτοῦ ἐν σοφίᾳ καὶ ἐν γνώσει καὶ ἐν ἀνδρείᾳ, καὶ ἄνθρωπος ὃς οὐκ ἐμόχθησεν ἐν αὐτῷ δώσει αὐτῷ μερίδα αὐτοῦ. Καί γε τοῦτο ματαιότης καὶ πονηρία μεγάλη. Ὅτι γινώσκει τῷ ἀνθρώπῳ ἐν παντὶ

d. Eccl. 2, 17-19

---

1. Nous gardons le futur ἐξουσιάσεται, parallèle à ἔσται dans la proposition précédente, comme P. Alexander, contre les principaux mss. (WSGO) qui donnent le présent. La LXX a un présent, mais ponctue

pour quoi il se passionnait auparavant en chérissant comme bon ce qui était vain. Et il dit avoir de la haine pour tout ce qui lui a coûté des efforts pour cette vie, car rien de ses efforts n'a été pour lui, mais tout pour son successeur dont on ne pouvait savoir d'avance, à cause de l'incertitude propre à l'avenir, comment il utiliserait le résultat de ses efforts. Et il parle ainsi, à la lettre : « Et j'ai haï la vie parce que l'ouvrage que j'ai fait sous le soleil est mauvais pour moi, parce que tout est vanité et va au gré du vent. Et j'ai haï toute la peine que j'ai prise, celle que j'ai prise sous le soleil, parce que je la laisse à l'homme qui vient après moi. Et qui sait s'il sera sage ou insensé et s'il maîtrisera [1] toute la peine que j'ai prise et par laquelle j'ai pratiqué la sagesse sous le soleil, et vraiment cela est vanité [d] .» Après avoir dit cela, il affirme avec animosité qu'outre cela il est disposé dans son âme à penser qu'un même lot revient à celui qui a vécu selon la vertu et à celui qui ne s'en est nullement préoccupé. En effet, dit-il, la peine, pour le premier, consiste en sagesse, connaissance et courage, et pour l'autre elle consiste en colère et dans les souffrances qui surviennent avec les occupations de sa vie. Si donc les uns et les autres en arrivent au même point, ce n'est pas seulement le fait de la vanité, dit-il, mais le fait de la méchanceté. Et voici la lettre même de ce qu'il dit : « Et j'en suis venu à renoncer dans mon cœur à toute la peine que j'ai prise sous le soleil, parce qu'il y a l'homme et la peine qu'il a prise en sagesse, en connaissance et en courage, et c'est à l'homme qui n'a pas peiné à cela qu'il donnera sa part. Et vraiment cela est vanité et grande méchanceté. Car il reconnaît [2], pour l'homme, dans toute

autrement et fait de cette proposition le début d'une nouvelle phrase. Même emploi du futur ci-dessous, en V, 7, 9 et 14.

2. Les mss les plus anciens (WSE) donnent γίνωσκει, alors que les mss ΛΘP et Migne donnent γίνεται comme la LXX. Γίνεται est aussi le texte donné par les *Hexaples* et les chaînes sur l'*Ecclésiaste* ; Grégoire de Nysse est-il ici le témoin d'une autre version du texte biblique ?

60 μόχθῳ αὐτοῦ καὶ ἐν τῇ προαιρέσει καρδίας αὐτοῦ, ᾧ αὐτὸς μοχθεῖ ὑπὸ τὸν ἥλιον, ὅτι πᾶσαι αἱ ἡμέραι αὐτοῦ ἀλγημάτων καὶ θυμοῦ περισπασμὸς αὐτοῦ, καί γε ἐν νυκτὶ οὐ κοιμᾶται ἡ καρδία αὐτοῦ. Καί γε τοῦτο ματαιότης [e]. »

65 Πάλιν ἑτέραν ἀνθυποφορὰν τῶν τὸν ἀπολαυστικὸν βίον προτιμότερον κρινόντων τῆς ὑψηλοτέρας ζωῆς προφέρει τε αὐτὸς ἑαυτῷ καὶ ἀνατρέπει τὸ προφερόμενον ἐν τῷ ἰδίῳ προσώπῳ διεξιὼν ἑκάτερα, καὶ τὴν λύσιν καὶ τὴν ἀντίθεσιν. Τὸ γὰρ ἀντιτεθέν ἐστι τὸ μηδὲν ἀγαθὸν οἴεσθαι 70 δεῖν ἄλλο ἢ ὅπερ ἄν τις εἰς ἑαυτὸν καταδέξηται, τοῦτο δέ ἐστι βρῶσις καὶ πόσις, ἡ δὲ πρὸς τοῦτο ἀπάντησις τὸ μὴ ταῦτα εἶναι οἷς ὁ ἄνθρωπος τρέφεταί τε καὶ εὐφραίνεται, ἀλλὰ σοφίαν καὶ γνῶσιν· ὡς τοῦτο μὲν ἀγαθὸν εἶναι τὸ ἐν τούτοις τὴν σπουδὴν ἔχειν, τὸ δὲ διὰ σαρκὸς σπουδαζόμε- 75 νον περισπασμὸν ψυχῆς εἶναι καὶ ματαιότητα. Τὰ δὲ ῥήματα τῆς ὑψηλῆς διδασκαλίας τοῦτον ἔχει τὸν τρόπον· « Οὐκ ἔστιν ἀγαθὸν ἐν ἀνθρώπῳ, ὃ φάγεται καὶ πίεται καὶ δείξει τῇ ψυχῇ αὐτοῦ ἀγαθὸν ἐν μόχθῳ αὐτοῦ. Καί γε *364 A.* τοῦτο | εἶδον ἐγὼ ὅτι ἀπὸ χειρὸς τοῦ θεοῦ ἐστιν ὅ τί τις 80 φάγεται καί τις πίεται παρὲξ αὐτοῦ, ὅτι τῷ ἀνθρώπῳ τῷ ἀγαθῷ πρὸ προσώπου αὐτοῦ ἔδωκε σοφίαν καὶ γνῶσιν καὶ εὐφροσύνην, καὶ τῷ ἁμαρτάνοντι ἔδωκε περισπασμὸν 689 M. τοῦ προσθεῖναι καὶ συναγαγεῖν, τοῦ δοῦναι τῷ ἀγαθῷ πρὸ προσώπου τοῦ θεοῦ· ὅτι καί γε τοῦτο ματαιότης καὶ 85 προαίρεσις πνεύματος [f]. »

6. Ἡ μὲν οὖν διάνοια τῶν ἐφεξῆς γεγραμμένων καὶ ἡ κατὰ τὸ ἀκόλουθον προθεωρία αὕτη ἐστὶν ἣν δι' ὀλίγου νῦν παρεθέμεθα. Καιρὸς δ' ἂν εἴη πάλιν ἐπαναλαβεῖν τὴν

e. Eccl. 2, 20-23 f. Eccl. 2, 24-26

sa peine et dans le choix de son cœur — la peine qu'il prend sous le soleil —, que tous ses jours sont agitation de souffrances et de colère, et vraiment, la nuit son cœur ne s'endort pas. Et vraiment cela est vanité [e].»

De nouveau, il se donne à lui-même une autre réponse à l'objection de ceux qui jugent qu'une vie de jouissance mérite plus d'estime qu'une vie plus élevée et il renverse ce qui est avancé en présentant les deux opinions en son nom propre, la solution et l'objection. Ce qui est objecté, c'est qu'il ne faut considérer comme bon rien d'autre que ce qu'on reçoit pour soi-même, c'est-à-dire la nourriture et la boisson ; et la réponse à cela, c'est que l'homme ne se nourrit pas et ne se réjouit pas de ces choses-là, mais de la sagesse et de la connaissance ; et qu'il est bon de se préoccuper de ces dernières, tandis que les occupations de la chair sont agitation de l'âme et vanité. Et les termes de cet enseignement élevé sont tournés ainsi : « Il n'y a pas de bien dans l'homme que ce qu'il mangera et boira, et que ce qu'il montrera de bon pour son âme dans la peine qu'il prend. Et vraiment j'ai vu, moi, que c'est de la main de Dieu, car qui mangera et qui boira sans lui ? À l'homme qui est bon devant sa face, il a donné sagesse, connaissance et joie, et à l'homme pécheur il a donné de s'agiter pour accumuler et amasser, pour donner à qui est bon devant la face de Dieu, et vraiment cela est vanité et choix du vent [f] [1]. »

6. Tel est donc le sens de ces paroles qui se suivent, et nous venons de présenter brièvement une première étude de leur enchaînement. Mais ce serait le moment de

1. Ces versets trouvent un parallèle en *Eccl.* 3, 13, référence biblique qui marque la fin de l'homélie VIII (9, 18-20). – Pour la traduction de l'expression προαίρεσις πνεύματος, voir ci-dessus, *hom.* II, 3, 53, note *ad loc.*

λέξιν καὶ προσαρμόσαι δι' ἀκριβείας τοῖς ῥητοῖς τὰ νοήματα. « Καὶ ἔγνων καί γε ἐγὼ ὅτι συνάντημα ἓν συναντήσεται τοῖς πᾶσιν αὐτοῖς. Καὶ εἶπα ἐγὼ ὡς Συνάντημα τοῦ ἄφρονος καί γε ἐμοὶ συναντήσεται, καὶ ἵνα τί ἐσοφισάμην ;[a] » Τοῦτο δέ ἐστιν ἡ ἀντίθεσις ἣν αὐτὸς ἑαυτῷ ἀντιτίθησι λέγων · Εἰ ἕν ἐστιν ἐπ' ἀμφοτέρων τὸ τοῦ θανάτου συνάντημα καὶ οὐκ ἐξαιρεῖται τῆς τοῦ θανάτου μετουσίας ἡ ἀρετὴ τὸν ἐν σοφίᾳ γενόμενον, εἰς μάτην μοι γέγονεν ἡ περὶ τὴν σοφίαν σπουδή. Ἡ δὲ πρὸς τὰ εἰρημένα τοῦ λόγου ἀπάντησις ποία ; « Ἐγώ, φησί, τοῦτο περισσὸν ἐλάλησα ἐν τῇ καρδίᾳ μου, ὅτι ἄφρων ἐκ περισσεύματος λαλεῖ, ὅτι καί γε τοῦτο ματαιότης. Ὅτι οὐκ ἔστι μνήμη τοῦ σοφοῦ μετὰ τοῦ ἄφρονος εἰς αἰῶνα[b]. » Καταγινώσκει γὰρ ὡς περιττῶς τε καὶ μὴ ἀκολούθως τῆς ἀντιθέσεως ταύτης ὑπενεχθείσης καὶ ἄφρονα ὀνομάζει τὸν λόγον | ὃς οὐχὶ τῶν ἀποθέτων ἐστὶν οὐδὲ ἔνδοθεν ἐκ τῶν ταμιείων τῆς σοφίας προφέρεται, ἀλλ' ὥσπερ τι περίττωμα τῆς διανοίας ἐστὶν ἀφροῦ δίκην ἀποπτυόμενος. « Ἄφρων γάρ, φησίν, ἐκ περισσεύματος λαλεῖ[c] », τὸ δὲ οὕτω χρῆσθαι τῷ λόγῳ μάταιόν τε καὶ εἰς οὐδέν ἐστι πλέον, πρὸς οὐδὲν γὰρ ἕτερον τοῦ λόγου τὴν σπουδὴν ἔχοντος ἢ πεῖσαι μὴ πρὸς τὰ φαινόμενα βλέπειν. Ἐκ τῶν ὁρωμένων ποιεῖται ὁ ἀντιλέγων τὴν μάχην · καὶ γὰρ καὶ ὁ θάνατος τῶν φαινομένων ἐστίν.

Τί δήποτε λέγων ; οὐκ ἐν τούτῳ τοῦ ἐναρέτου τε καὶ τοῦ πονηροῦ βίου ἡ κρίσις γίνεται ὡς δέον μόνον τὸν πονηρὸν τεθνάναι τῷ σώματι, τὸν δὲ ἀγαθὸν μένειν τοῦ σωματικοῦ θανάτου ἀπείρατον ; Οὐκ εἰδὼς ἐν τίνι ἐστὶ τῆς ἀρετῆς τὸ ἀθάνατον καὶ τίς τῶν ἐν κακίᾳ ζώντων ὁ θάνατος. Τοῦ μὲν γὰρ σοφοῦ, φησίν, ἡ μνήμη διὰ παντὸς

6. a. Eccl. 2, 14c-15d b. Eccl. 2, 15e-16b c. Eccl. 2, 15f

reprendre la lettre du texte et d'ajuster avec précision les pensées et les mots. « Et j'ai appris, vraiment, moi aussi, qu'un sort unique sera leur sort à tous. Et j'ai dit, moi, que le sort de l'insensé sera aussi mon sort, et pourquoi ai-je pratiqué la sagesse [a] ? » C'est l'objection qu'il se fait à lui-même, en disant : S'il y a un sort unique, la mort, pour l'un et pour l'autre, et si la vertu n'évite pas au sage d'avoir part à la mort, c'est en vain que je me suis occupé de la sagesse. Et quelle est la réponse à ces paroles du discours ? « Moi, dit-il, j'ai dit avec excès dans mon cœur, parce qu'un insensé parle à l'excès, que vraiment cela est vanité. Car il n'y a pas plus de souvenir éternel du sage que de l'insensé [b] .» Il accuse en effet l'objection proposée d'être excessive et incohérente et il nomme insensé le discours qui ne fait pas partie des enseignements secrets et qui ne sort pas de l'intérieur des celliers de la sagesse, et comme un rebut de la pensée, il est rejeté à la manière de l'écume [1]. « L'insensé, dit-il, parle à l'excès [c] » ; parler ainsi est vain et n'apporte rien de plus. Car c'est ne se préoccuper de rien d'autre en parlant que de persuader les hommes de ne pas regarder les apparences. C'est d'après les réalités visibles que l'interlocuteur mène le combat ; et justement la mort fait partie de ce qui est manifeste.

Que dit-il donc ? la distinction entre la vie vertueuse et la vie dans le mal ne réside-t-elle pas en ce qu'il faut que seul le méchant meure physiquement et que l'homme de bien reste sans faire l'expérience de la mort physique ? C'est qu'il ne sait pas en quoi consiste l'immortalité de la vertu et quelle est la mort de ceux qui vivent dans le mal. En effet, dit-il, le souvenir du sage vit sans cesse et il est coextensif à toute l'éternité, tandis que même la trace du

1. Jeu sur l'homophonie de ἄφρος (écume) et de ἄφρων (insensé), difficile à transposer en français.

35 ζῇ καὶ παντὶ τῷ αἰῶνι συμπαρατείνεται, τῷ δὲ ἄφρονι συναπεσβέσθη καὶ τὸ μνημόσυνον. Περὶ γὰρ τῶν τοιούτων φησὶ καὶ ὁ προφήτης ὅτι « Ἀπώλετο τὸ μνημόσυνον αὐτῶν [d] » περιφανῶς καὶ ἐκδήλως· τοῦτο γὰρ ἡ τοῦ « ἤχου [e] » προσθήκη ἐνδείκνυται. « Οὐκ ἔστιν 40 οὖν, φησί, μνήμη τοῦ σοφοῦ μετὰ τοῦ ἄφρονος εἰς αἰῶνα [f] », ἀλλὰ τοῦ μὲν σοφοῦ ἡ ζωὴ διαιωνίζει διὰ τῆς 366 A. μνήμης, τὸν δὲ ἄφρονα | διαδέχεται λήθη· ἐν γὰρ ταῖς ἐρχομέναις ἡμέραις τὰ πάντα τοῦ ἄφρονος ἐν λήθῃ γίνεται, οὑτωσὶ λέγων τῷ ῥήματι· « Καθότι ἤδη αἱ 45 ἡμέραι αἱ ἐρχόμεναι τὰ πάντα ἐπελήσθη [g]. » Εἰ οὖν ὁ μὲν σοφὸς ζῇ τῇ σοφίᾳ, ὁ δὲ ἄφρων τῷ θανάτῳ τῆς λήθης ἐνηφανίσθη, πῶς, φησί, λέγεις ὅτι « ἀποθανεῖται ὁ σοφὸς μετὰ τοῦ ἄφρονος [h] »;

Διὰ τοῦτο τοῖς κατὰ τὴν ζωὴν ταύτην ἐσπουδασμένοις 50 αὐτῷ ἀλγύνεται καὶ ἐπαισχύνεται καὶ μισεῖν λέγει πάντα ὅσα αὐτῷ πρὸς τὴν ζωὴν ταύτην διεσπουδάσθη, ὅμοιον πάσχων ὥσπερ ἂν εἴ τις πεφαρμακωμένου μέλιτος ἀναιδῶς ἐμφορηθεὶς ἐκ λαιμαργίας, εἶτα εἰς χυμὸν αὐτῷ πονηρὸν τῆς λιχνείας μεταβληθείσης ἐν τῷ ἐμέτῳ λάβοι 55 τοῦ ἀνακεκραμένου φαρμάκου τὴν αἴσθησιν τοῦ συνεκπτυο- 692 M. μένου μετὰ τοῦ μέλιτος, καὶ διὰ τοῦτο τῇ μνήμῃ τῆς ἀηδίας μισῶν τὸ μέλι οὗ ἡ πλησμονὴ διὰ τοῦ φαρμάκου

d. Ps. 9, 7 e. Ps. 9,7 f. Eccl. 2, 16a-b g. Eccl. 2, 16c-d h. Eccl. 2, 16e

1. Grégoire choisit de marquer la différence du sort du sage et de celui de l'insensé en recourant à deux mots différents μνήμη et μνημόσυνον, le second terme ayant remplacé μνημεῖον dans la *koinè* pour désigner le « monument », l'objet chargé de garder le souvenir (sur μνημόσυνον dans la LXX, voir S. DANIEL, *Le vocabulaire du culte dans la LXX*, Paris 1966, p. 229 s.). C'est ici encore une manière de contourner la difficulté

souvenir de l'insensé est effacée [1]. Au sujet de tels hommes, le prophète dit : « La trace de leur souvenir est perdue [d] » de manière manifeste et évidente, ce que montre en effet l'addition du « fracas [e] » [2]. « Il n'y a donc pas plus, est-il dit, de souvenir éternel du sage que de l'insensé [f] », mais la vie du sage dure éternellement grâce au souvenir, alors que l'oubli succède à l'insensé. Dans les jours qui viennent tout ce qu'a fait l'insensé est dans l'oubli, ainsi qu'il est dit avec la parole : « Comme désormais les jours qui viennent, tout a été oublié [g] ». Si donc le sage vit par la sagesse alors que l'insensé est effacé par la mort de l'oubli, comment peux-tu dire, dit-il, que « le sage mourra comme l'insensé [h] » ?

C'est pourquoi il souffre et a honte de ses préoccupations de cette vie-ci, et il dit haïr [3] tout ce dont il s'est préoccupé pour cette vie-ci, car il souffre comme un homme qui se serait gorgé sans retenue de miel mélangé à un remède, par gloutonnerie ; lorsque, ensuite, la douceur s'est changée en une saveur mauvaise pour lui, il sent en vomissant le remède qui avait été mélangé au miel [4] et le rejette avec le miel ; et c'est pourquoi le souvenir de cette chose désagréable lui fait haïr le miel dont la satiété, mêlée au remède, lui a soulevé le cœur. Pour cette raison, celui

du texte biblique. BARTON (*A Commentary on the book of Ecclesiastes*, p. 82) rappelle que ce verset contredit *Prov.* 10, 7 et *Ps.* 111, 6 ; les commentateurs juifs, note LYS (*L'Ecclésiaste*, p. 254-255), se heurtaient déjà à la même difficulté.

2. En glosant l'expression μετ' ἤχους, sans correspondant dans le texte hébreu, par les deux adverbes περιφανῶς et ἐκδήλως, Grégoire néglige la connotation guerrière du stique. Voir à l'inverse l'interprétation d'ORIGÈNE, *Sel. in Ps.* 9, 12.

3. L'opposition aimer/haïr fait l'objet de tout le début de l'homélie VIII, commentant le premier stique d'*Eccl.* 3, 8.

4. Même image dans le *De hom. op.* 20, 200d-201a. L'usage du miel pour adoucir le goût de certains remèdes est bien connu dans l'Antiquité (voir LUCRÈCE, *De natura rerum* I, v. 938 s.).

τὴν ἀνατροπὴν κατειργάσατο. Τούτου χάριν ὁ μέχρι κόρου τῶν πρὸς τρυφὴν σπουδαζομένων ἑαυτὸν ἐμπλήσας
60 ἐν τῷ τῆς ἐξαγορεύσεως ἐμέτῳ καθάπερ τινὸς δηλητηρίου ποιότητα τὴν ἐπὶ τοῖς πεπραγμένοις αἰσχύνην σικχανθείς τε καὶ βδελυξάμενος μισεῖν βοᾷ τὴν ζωὴν ἐκείνην, λέγων οὑτωσὶ κατὰ τὴν λέξιν ὅτι « Καὶ ἐμίσησα σὺν τὴν ζωήν, ὅτι πονηρὸν ἐπ' ἐμὲ τὸ ποίημα τὸ
367 A. 65 πεποιημένον | ὑπὸ τὸν ἥλιον [i] ». Οὐ γὰρ ἄλλῳ τινί, φησίν, ἀλλ' ἐμαυτῷ γέγονα πονηρός, οἷς ἐποίησα ὑπὸ τὸν ἥλιον. Ἕστηκε γάρ μοι τῶν γενομένων οὐδέν, ἀλλ' οἴησις ἦν πάντα τὰ σπουδαζόμενα καὶ ὁρμὴ προαιρέσεως. « Τὰ γὰρ πάντα ματαιότης, φησί, καὶ προαίρεσις πνεύματος [j]. »
70 Καὶ ἄλλως λέγει μίσους ἀξίαν εἶναι τὴν ὧδε σπουδήν, ὅτι μὴ ἑαυτῷ τις, ἀλλὰ τῷ μεθ' ἑαυτὸν πονεῖ, ὅπερ ἂν ἐν τῇ ζωῇ ταύτῃ κατὰ σπουδὴν ἐνεργήσας τύχῃ, νεώρια, λιμένας, τὰς λαμπράς τε καὶ πολυτελεῖς τῶν ἐπάλξεών τε καὶ οἰκοδομημάτων κατασκευάς, προπύλαια καὶ πύργους
75 καὶ κολοσσῶν ἀναστήματα τάς τε κατὰ γῆν φιλεργίας, ἄλση παντοδαπὰ καὶ λειμώνων κάλλη καὶ ἀμπελῶνας μιμουμένους τὰ πελάγη τοῖς πλάτεσι καὶ εἴ τι ἄλλο τοιοῦτον πονεῖ μὲν ὅσπερ ἂν τύχῃ πονήσας, μετέχει δὲ ὁ μετ' ἐκεῖνον ἐπιδημῶν τῷ βίῳ.

7. Ἄδηλον δὲ εἰ μὴ κακίας ὕλην τὴν περιουσίαν ποιήσεται. Οὐ γὰρ πάντων ἐστὶ τὸ γνώσεως ἕνεκεν εἰς τὴν τῶν τοιούτων πεῖραν καθεῖναι τὴν αἴσθησιν. Ὅπερ ἐγώ, φησίν, ὑπὸ σοφίας πεποίηκα. Κατ' ἐξουσίαν οἷόν
5 τινα πῶλον τὴν τῆς φύσεως ὁρμὴν μικρὸν ἀφεὶς ἐπισκιρτῆσαι τοῖς κάτω πάθεσι πάλιν ἀνεστόμωσα τῇ τῶν
368 A. λογισμῶν ἡνίᾳ καὶ τῇ τοῦ νοῦ ἐξουσίᾳ | ὑπήγαγον. Τίς

i. Eccl. 2, 17a-c j. Eccl. 2, 17d

qui se rassasiait jusqu'à l'écœurement des recherches de la volupté, en vomissant son aveu, a pris en aversion et en dégoût comme une espèce de poison la honte suscitée par ses actions ; et il crie qu'il hait cette vie, disant ainsi à la lettre : « Et j'ai haï la vie, parce que l'ouvrage que j'ai fait sous le soleil était mauvais pour moi [i] .» Ce n'est pas pour un autre, mais pour moi-même, dit-il, que je suis devenu mauvais, à cause de ce que j'ai fait sous le soleil. Car il ne m'est rien resté de ce qui est arrivé et toutes mes préoccupations étaient pensée et mouvement nés de mon libre choix. Car « tout, dit-il, est vanité et choix du vent [j] ». Et il dit en d'autres termes que la préoccupation de ce monde-ci mérite la haine, car on n'y fait pas effort pour soi-même mais pour celui qui vient après soi — et cela concerne les activités et les occupations de cette vie, arsenaux, ports, les constructions brillantes et coûteuses de remparts et de demeures, propylées, tours et érections de colosses, les productions de la terre, bois sacrés de toutes sortes, beautés des prés et vignes imitant les flots dans les plaines, tout ce qui semblablement demande des efforts à celui qui fait effort, mais c'est celui qui entre dans l'existence après lui qui a part à tous ces biens.

7. Mais il n'est pas certain qu'il ne va pas considérer la surabondance de biens comme la matière du mal. Car il n'appartient pas à tous de laisser la sensation faire l'expérience de ces réalités pour obtenir la connaissance. Ce que j'ai fait, moi, par sagesse, dit-il. J'ai un peu laissé l'élan de ma nature se précipiter librement comme un poulain [1] sur les passions d'en bas, puis au contraire, je lui ai passé le mors des pensées et je l'ai soumis au pouvoir de l'intelligence. Mais qui sait, dit-il, si celui qui vient après nous

1. L'image du cheval, plus développée, se retrouve en *hom.* VIII, 4, 73-78, comme si était toujours sous-jacente l'image platonicienne de l'attelage ailé de l'âme ; voir J. Daniélou, *Platonisme*, p. 61-71.

οἶδε, φησίν, εἰ κἀκεῖνος ὅστις ποτὲ μεθ' ἡμᾶς ἐν τούτοις γενόμενος ἐξουσιάσει τῆς ἀπολαύσεως καὶ οὐκ αὐτὸς
10 μᾶλλον κυριευθήσεται, οἷόν τι ἀνδράποδον τῇ δυναστείᾳ τῆς ἡδονῆς ὑποκύψας; Διὰ τοῦτο, φησίν, « ἐμίσησα ἐγὼ σύμπαντα τὸν μόχθον μου ὃν ἐγὼ μοχθῶ ὑπὸ τὸν ἥλιον, ὅτι ἀφίω αὐτὸν τῷ ἀνθρώπῳ τῷ γενομένῳ μετ' ἐμέ. Καὶ τίς οἶδεν εἰ σοφὸς ἔσται ἢ ἄφρων καὶ εἰ ἐξουσιάσεται ἐν
15 παντὶ μόχθῳ μου ᾧ ἐμόχθησα καὶ ἐσοφισάμην ὑπὸ τὸν ἥλιον[a]; » Ταύτην γὰρ οἶμαι τοῦ ῥητοῦ τούτου εἶναι τὴν ἔννοιαν, τὸ μὴ πάθει αὐτὸν πρὸς τὸν ἀπολαυστικὸν βίον κατολισθῆσαι, ἀλλά τινι λόγῳ σοφίας ἐπὶ τοῦτο ἐλθεῖν, ἐν ἐξουσίᾳ ποιούμενον τὴν μετουσίαν καὶ οὐκ αὐτὸν ὑπὸ τῆς
20 δυναστείας ταύτης κατακρατούμενον. Τίς οὖν οἶδε, φησίν, εἰ μὴ ἐξουσιασθήσεται ὑπὸ τούτων ὁ μετ' ἐμὲ ἅπερ οὐ διὰ πάθους ἐγώ, ἀλλ' ὑπὸ σοφίας ἐμόχθησα; Δηλοῖ γὰρ διὰ τοῦ μόχθον[b] ὀνομάσαι τὴν τρυφὴν ὅτι βεβιασμένως οἷόν τινα δυσκαταγώνιστον ἆθλον τῆς ἡδονῆς τὴν μετουσίαν
25 προσήκατο. Καὶ τοῦτο οὖν, φησίν, ἐν τοῖς ματαίοις κατηριθμήσθω.

Καὶ ἄλλῳ δέ τινι λέγει τῶν ὧδε τὴν ἑαυτοῦ ψυχὴν ἀποτετάχθαι καὶ φανεροῖ τῷ λόγῳ ὃ βούλεται. Διαβέβληται γὰρ πρὸς τὸν τῆς ὀρθῆς κρίσεως ἁμαρτάνοντα, ὅταν
693 M. 30 τις βλέπων ἐναργῆ τῶν ἐναντίων βίων τὴν διαφορὰν ἐξ
369 A. ὧν ὁ μὲν περὶ τὴν ἀρετὴν πονεῖ καὶ πρὸς | οὐδὲν ἀνθρώπινον τὴν ἐπιθυμίαν κατάγει, ὁ δὲ ἕτερος κατὰ τὸ ἔμπαλιν πόνον μέν τινα τῶν ἐναρέτων οὐχ ὑπομένει, μόνοις δὲ τοῖς σωματικοῖς μόχθοις ἐγκατατρίβεται· ὅταν

7. a. Eccl. 2, 18a-19c b. cf. Eccl. 2, 20b

---

1. Le commentaire de Grégoire ne manque pas de surprendre, et il est difficile d'être convaincu par l'équivalence qu'il établit entre μόχθος et

dans cette situation maîtrisera lui aussi la jouissance et s'il ne sera pas plutôt lui-même sous son emprise, se soumettant comme un esclave à la puissance du plaisir ? C'est pourquoi, dit-il, « j'ai haï, moi, toute la peine que j'ai prise sous le soleil, parce que je la laisse à l'homme qui vient après moi. Et qui sait s'il sera sage ou insensé, et s'il maîtrisera toute la peine que j'ai prise et par laquelle j'ai pratiqué la sagesse sous le soleil [a] ? » Je crois que le sens de cette parole est qu'il ne s'est pas laissé glisser par passion vers la vie de jouissance, mais qu'il y est allé à la suite d'un raisonnement inspiré par la sagesse en y prenant part librement, sans se laisser lui-même dominer par cette puissance-là. Qui donc sait, dit-il, si mon successeur ne sera pas soumis au pouvoir des choses auxquelles j'ai pris de la peine, non pas en cédant à une passion mais par sagesse ? En donnant au délice le nom de « peine [b] » [1], il montre en effet qu'il a accepté par force de prendre part au plaisir comme à une épreuve très difficile à remporter. Que cela soit donc aussi compté, dit-il, au nombre des réalités vaines.

Mais il dit aussi que son âme a renoncé à une autre des réalités de ce monde et il montre clairement par son discours ce qu'il veut dire. Il s'est détourné de celui qui manque à la rectitude du jugement lorsqu'il a vu la différence flagrante qui existe entre des existences contraires : l'un s'efforce à la vertu et ne laisse son désir s'arrêter à rien d'humain, l'autre au contraire ne supporte pas de faire effort pour ce qui a trait à la vertu et passe son temps à ne se donner de la peine que pour son corps ; lorsque donc

τρυφή. Le terme μόχθος était déjà employé en *Eccl.* 1, 3 et apparaissait comme un synonyme de πόνος, mais après la liste des plaisirs et des richesses de Salomon, il est malaisé de lui garder une connotation négative. Jérôme (*Comm. sur l'Ecclésiaste*, *CCSL* 72, p. 270, l. 302 s.) y voit un changement radical de l'attitude de Salomon.

35 οὖν τις πρὸς τοῦτον φέρῃ τοῦ καλοῦ τὴν ψῆφον παρορῶν τὸν ἐν σοφίᾳ προέχοντα, οὐ μόνον ματαίαν, ἀλλὰ καὶ πονηρὰν τὴν ἄδικον ταύτην ἀποφαίνεται κρίσιν. Λέγει δὲ τοῖς ῥήμασιν οὕτως· « Καὶ ἐπέστρεψα, φησίν, ἐγὼ τοῦ ἀποτάξασθαι τῇ καρδίᾳ μου πρὸς τῷ ἄλλῳ μόχθῳ ᾧ
40 ἐμόχθησα ὑπὸ τὸν ἥλιον[c]. » Τί οὖν ἐστιν ὃ ἀπεταξάμην; « Ὅτι ἔστιν ἄνθρωπος, ὅτι μόχθος αὐτοῦ ἐν σοφίᾳ καὶ ἐν γνώσει καὶ ἐν ἀνδρείᾳ[d] », καὶ ἄλλος ἄνθρωπος οὐδὲν ἐν τοῖς τοιούτοις πονήσας. Πῶς οὖν τις τὴν μερίδα τῆς προτιμήσεως τῷ τοιούτῳ προσθήσει; « Καὶ ἄνθρωπος
45 γάρ, φησίν, ᾧ οὐκ ἐμόχθησεν ἐν αὐτῷ », τουτέστι τῷ μὴ μοχθήσαντι ἐν τῷ ἀγαθῷ, « δώσει αὐτῷ μερίδα αὐτοῦ », ἀντὶ τοῦ· ἐν ἀγαθοῦ μοίρᾳ τὸν τοιοῦτον βίον ὁρίσεται. Ἀλλὰ « ματαιότης, φησί, τοῦτο καὶ πονηρία μεγάλη[e] ». Πῶς γὰρ οὐκ ἔστιν πονηρία μεγάλη, ὅταν γινώσκῃ τὴν
50 ἐγκειμένην τῷ ἀνθρώπῳ περὶ τοὺς μόχθους σπουδὴν καὶ προαίρεσιν; Τοῦτο γάρ ἐστιν ἐν οἷς φησίν· « Ὅτι γινώσκει τῷ ἀνθρώπῳ ἐν παντὶ μόχθῳ αὐτοῦ καὶ ἐν τῇ προαιρέσει καρδίας αὐτοῦ, ᾧ αὐτὸς μοχθεῖ ὑπὸ τὸν ἥλιον[f]. »

55 Τί οὖν ἐστιν ὃ γινώσκει; « Ὅτι πᾶσαι, φησίν, αἱ ἡμέραι αὐτοῦ ἀλγημάτων καὶ θυμοῦ περισπασμὸς αὐτοῦ, καί γε ἐν νυκτὶ οὐ κοιμᾶται ἡ καρδία αὐτου[g]. » Τῷ ὄντι γὰρ τοῖς εἰς τὸν περισπασμὸν τοῦτον τὴν ψυχὴν |
370 A. ἀσχολοῦσιν ἐπαλγὴς μὲν ἡ ζωὴ οἷόν τισι κέντροις ταῖς
60 τῶν πλειόνων ἐπιθυμίαις τὴν καρδίαν μαστίζουσα, ἐπώδυνος δὲ ἡ περὶ τὴν πλεονεξίαν σπουδή, οὐ τοσοῦτον οἷς ἔχει εὐφραινομένη ὅσον ἀλγυνομένη τοῖς λείπουσιν· οἷς μερίζεται νυκτὶ καὶ ἡμέρᾳ ὁ πόνος καταλλήλως δι' ἑκατέρας αὐτῶν ἐνεργούμενος, τῆς μὲν ἡμέρας δαπανω-
65 μένης ἐν μόχθοις, τῆς δὲ νυκτὸς ἀποπεμπούσης τῶν

c. Eccl. 2, 20 d. Eccl. 2, 21a-b e. Eccl. 2, 21e f. Eccl. 2, 22 g. Eccl. 2, 23a-c

c'est cet homme-ci qu'on déclare bon en méprisant celui qui l'emporte en sagesse, il déclare que ce jugement injuste n'est pas seulement vain mais mauvais. Et il le dit en ces termes : « Et j'en suis venu, dit-il, à renoncer dans mon cœur au reste de la peine que j'avais prise sous le soleil [c] .» À quoi ai-je donc renoncé ? « C'est qu'il y a un homme et la peine qu'il a prise en sagesse, en connaissance et en courage [d] », et un autre homme qui n'a pas du tout fait effort pour cela. Comment donc attribuera-t-on à un tel homme la part privilégiée ? « Et c'est à un homme, dit le texte, qui n'a pas pris de peine à cela », c'est-à-dire à celui qui n'a pas pris de peine au bien, « qu'il donnera sa part », pour dire : il établira la vie d'un tel homme au rang de ce qui est bon [1]. Mais, dit-il, « cela est vanité et grand mal [e] ». Comment en effet ne serait-ce pas un grand mal pour qui connaît l'empressement et le libre choix inhérents aux hommes pour les peines qu'ils prennent ? C'est ce qui est dit dans le texte : « Il connaît pour l'homme dans toute sa peine et dans le choix de son cœur la peine qu'il prend sous le soleil [f] .»

Qu'est-ce donc qu'il connaît ? « Que tous ses jours, dit le texte, sont agitation de souffrances et de colère, et vraiment la nuit son cœur ne s'endort pas [g] .» Car, réellement, ceux qui occupent leur âme à une telle agitation mènent une vie douloureuse, leur cœur est fouetté par le désir d'accroître leurs biens comme par des aiguillons, mais vouloir s'enrichir est pénible et ne réjouit pas tant ceux qui y réussissent que cela ne fait souffrir ceux qui y échouent. Ces derniers ont en partage, nuit et jour, l'effort mis en œuvre à chacun de ces moments : le jour se dépense en peines et la nuit éloigne de leurs yeux le sommeil, car les soucis liés au gain

1. Voir ci-dessus, Introd., chap. III, sur les équivalents sémantiques du texte biblique et l'emploi de τουτέστι.

ὀμμάτων τὸν ὕπνον· αἱ γὰρ τοῦ κέρδους φροντίδες τὸν ὕπνον ἐκκρούουσιν. Ὁ οὖν πρὸς ταῦτα βλέπων πῶς οὐ καταψηφίζεται τῆς σπουδῆς ταύτης τὴν ματαιότητα ; Διὰ τοῦτο προστίθησι τοῖς προειρημένοις ὅτι « Καί γε τοῦτο
70 ματαιότης [h] ».

8. Πάλιν ἄλλης ἀντιθέσεως καθάπτεται, τὸ δὲ ἀντιτιθέμενον τοῦτό ἐστιν· Εἰ τὸ ἔξω ἡμῶν ἐν ματαίοις ἀριθμεῖς, ὦ διδάσκαλε, ὅπερ ἂν εἰς ἑαυτοὺς ἀναλάβωμεν, οὐκ ἂν εἰκότως καταγνωσθείη ὡς μάταιον. Ἀλλὰ μὴν ἥ
5 βρῶσίς τε καὶ ἡ πόσις ἐν ἡμῖν αὐτοῖς γίνεται. Οὐ τῶν ἀποβλήτων ἄρα τὸ τοιοῦτόν ἐστιν, ἀλλὰ θείαν ἄν τις εὐεργεσίαν τὴν τοιαύτην χάριν ὁρίσαιτο. Αὕτη τῆς ἀντιθέσεως ἡ διάνοια, τὰ δὲ ῥήματα τοῦτον ἔχει τὸν τρόπον· « Οὐκ ἔστιν ἀγαθόν, φησίν, ἐν ἀνθρώπῳ, ὃ
10 φάγεται καὶ πίεται καὶ δείξει τῇ ψυχῇ αὐτοῦ ἀγαθὸν ἐν μόχθῳ αὐτοῦ. Καί γε τοῦτο εἶδον ἐγὼ ὅτι ἀπὸ χειρὸς τοῦ θεοῦ ἐστιν· ὅτι τίς φάγεται καὶ τίς πίεται πάρεξ
371 A. αὐτοῦ ; [a] » | Ταῦτα ὁ τῆς λαιμαργίας συνήγορος ἀνθυποφέρει τῷ διδασκάλῳ. Τί δὲ πρὸς ταῦτα ὁ τῆς σοφίας
15 ὑφηγητὴς « τῷ ἀνθρώπῳ φησὶ τῷ ἀγαθῷ [b] » ; Ἡ δὲ τοῦ
696 M. ἀγαθοῦ προσθήκη πάντως καὶ τὴν ἀντιδιαστολὴν ἐνεδείξατο, ὥστε δῆλον εἶναι τὸ τῇ ἀγαθότητι ἐκ τοῦ ἐναντίου νοούμενον.

Τῷ οὖν ἀνθρώπῳ οὐ τῷ βοσκηματώδει, τῷ τῇ γαστρὶ
20 ἑαυτοῦ ἐπικεκυφότι, τῷ λαιμὸν ἀντὶ λογισμοῦ κεκτημένῳ, ἀλλὰ τῷ ἀγαθῷ τῷ κατ' εἰκόνα [c] τοῦ μόνου ἀγαθοῦ ζῶντι οὐ ταύτην ἐνομοθέτησεν ὁ θεὸς τὴν τροφὴν περὶ ἣν ἡ κτηνώδης κέχηνε φύσις, ἀλλ' « ἔδωκεν αὐτῷ, φησίν, ἀντὶ τροφῆς σοφίαν καὶ γνῶσιν καὶ εὐφροσύνην [d] ».

h. Eccl. 2, 23d
8. a. Eccl. 2, 24-25 b. Eccl. 2, 26a c. cf. Gen. 1, 26 d. cf. Eccl. 2, 26b-c.

repoussent le sommeil. En voyant cela, comment ne pas condamner la vanité de cette préoccupation ? C'est pourquoi il ajoute à ce qui vient d'être dit : « Et vraiment cela est vanité [h] .»

Nourriture terrestre et nourriture spirituelle

8. De nouveau il s'attache à une autre objection, et voici ce qui est objecté : Si tu comptes au nombre des choses vaines, ô maître, ce qui nous est extérieur, on ne devrait sans doute pas accuser d'être vain ce que nous pouvons recevoir en nous. Et il est bien vrai que la nourriture et la boisson passent en nous-mêmes ; or de telles choses ne font pas partie de ce qu'on doit rejeter et on pourrait définir cette grâce-là comme un bienfait divin. Tel est le sens de l'objection, et elle est exprimée de la manière suivante : « Il n'y a pas de bien dans l'homme, dit-il, que ce qu'il mangera et boira, et que ce qu'il montrera de bon pour son âme dans la peine qu'il prend. Et vraiment moi, j'ai vu que c'est de la main de Dieu, car qui mange et qui boit sans lui [a] ? » Voilà ce que l'avocat de la gloutonnerie oppose au maître. Que dit donc là contre le guide de la sagesse à « l'homme bon [b] » ? L'addition de « bon » montre tout à fait la distinction apportée, de sorte que la conception de la bonté à partir de son contraire est évidente.

Pour l'homme donc — non pas pour l'homme bestial, celui qui se tient penché sur son estomac, celui qui possède, au lieu du raisonnement, un gosier, mais pour l'homme qui vit à l'image [c] du seul bien —, Dieu n'a pas institué cette nourriture qui fait ouvrir la bouche à la nature bestiale ; mais « il lui a donné pour nourriture, dit le texte, sagesse, connaissance et bonheur [d] » [1]. Comment

1. L'opposition nourriture du corps/nourriture spirituelle est reprise dans l'homélie VIII (2, 138 s.) et soulignée par la citation de *Jn* 6, 55 ; sur la référence à l'eucharistie, voir ci-dessus, Introd., chap. VI.

25 Πῶς γὰρ ἄν τις τὴν ἀγαθότητα διὰ τῶν τῆς σαρκὸς ἐδωδίμων αὐξήσειεν; « Οὐκ ἐπ' ἄρτῳ μόνῳ ζήσεται ὁ ἄνθρωπος [e] », οὗτος τοῦ ἀληθινοῦ λόγου ὁ λόγος, οὐ τρέφεται ἄρτῳ ἡ ἀρετή, οὐ διὰ κρεῶν ἡ τῆς ψυχῆς δύναμις εὐεκτεῖ καὶ πιαίνεται. Ἄλλοις ἐδέσμασιν ὁ 30 ὑψηλὸς βίος τρέφεται καὶ ἁδρύνεται· τροφὴ τοῦ ἀγαθοῦ ἡ σωφροσύνη, ἄρτος ἡ σοφία, ὄψον ἡ δικαιοσύνη, ποτὸν ἡ ἀπάθεια, ἡδονὴ οὐχ ἡ τοῦ σώματος, ὁποία ἡ περὶ τὸ καταθύμιον σχέσις, ἀλλ' ἧς ὄνομά τε καὶ ἔργον ἡ εὐφροσύνη [f] ἐστίν· διὰ τοῦτο γὰρ καὶ ὠνόμασε τῇ 35 προσηγορίᾳ ταύτῃ τὴν ἐν τῇ ψυχῇ πρὸς τὸ καλὸν γινομένην διάθεσιν, ὅτι ἐκ τοῦ εὖ φρονεῖν ἡ τοιαύτη παραγίνεται τῇ διανοίᾳ κατάστασις. Χρὴ τοίνυν καὶ *372 A.* ἐνταῦθα μαθεῖν ἅπερ | καὶ παρὰ τοῦ ἀποστόλου ἠκούσαμεν ὅτι « Οὐκ ἔστιν ἡ βασιλεία τοῦ θεοῦ βρῶσις καὶ 40 πόσις, ἀλλὰ δικαιοσύνη [g] » καὶ ἀπάθεια καὶ μακαριότης. Ἃ δὲ τῆς σωματικῆς ἀπολαύσεως ἕνεκεν παρὰ τῶν ἀνθρώπων σπουδάζεται, ἁμαρτωλῶν ἐστι σπουδὴ καὶ περισπασμὸς ψυχῆς ἀπὸ τῶν ἄνω πρὸς τὰ κάτω κατασπωμένης, ἧς πᾶν τὸ διάστημα τῆς ἐν τῷ βίῳ τούτῳ 45 διαγωγῆς εἰς τὴν περὶ τοῦ προσθεῖναι καὶ συναγαγεῖν σπουδὴν ἀναλίσκεται. Ὁ οὖν τοῦτο τὸ ἀγαθὸν ἐν τῷ προσώπῳ τοῦ θεοῦ κρίνων ἀγνοεῖ ἐν τῷ ματαίῳ τὸ ἀγαθὸν ὁριζόμενος. Ταῦτα εἶπον ἐγὼ τῇ ἐμαυτοῦ φωνῇ, ἐπισφραγίσει δὲ τὴν διάνοιαν ταύτην ἡ τῶν θείων 50 ῥημάτων παράθεσις· φησὶ γάρ· « Τῷ ἁμαρτωλῷ ἔδωκε

e. Matth. 4, 4 f. cf. Eccl. 2, 26c g. Rom. 14, 17

---

1. Même si, dans ce passage, Grégoire ne semble pas exclure l'emploi de ἡδονή pour l'âme, il l'oppose à εὐφροσύνη. Après avoir employé deux autres termes de même suffixe (σωφροσύνη, δικαιοσύνη), ce qui est

en effet pourrait-on accroître la bonté en alimentant la chair ? « L'homme ne vivra pas seulement de pain [e] », telle est la parole du Verbe véritable, la vertu ne se nourrit pas de pain, les viandes ne rendent pas vigoureux ni n'engraissent la force de l'âme. Ce sont d'autres mets qui nourrissent et font croître la vie sublime. La nourriture de l'homme bon, c'est la tempérance, son pain la sagesse, son aliment la justice, sa boisson l'impassibilité ; et son plaisir n'est pas celui du corps qui est une disposition pour ce qui plaît, mais le plaisir [1] dont le « bonheur [f] » est le nom et le produit. Voici pourquoi, en effet, le texte a donné cette appellation à la disposition qui habite l'âme tournée vers le bien : c'est de la « réflexion bonne » que naît une telle disposition de la pensée. Ainsi, il nous faut apprendre même dans ces paroles-ci ce que nous entendons dire par l'Apôtre : « Le royaume de Dieu n'est pas affaire de nourriture et de boisson, mais de justice [g] », d'absence de passions et de félicité.

Et ce dont se préoccupent les hommes pour la jouissance du corps, c'est préoccupation de pécheurs, agitation d'une âme qui s'éloigne des choses d'en haut et se laisse attirer par les choses d'en bas ; et tout l'intervalle de temps que dure sa vie est dépensé à s'occuper d'accumuler et d'amasser. Celui donc qui juge devant la face de Dieu que c'est cela le bien ignore qu'il définit le bien par ce qui est vain. J'ai dit cela avec ma propre voix, mais le rapprochement avec les paroles divines authentifiera de leur sceau cette idée. Le texte dit en effet : « À l'homme pécheur il a

peut-être le signe de sa sensibilité à la similitude des suffixes, il met en valeur le mot εὐφροσύνη et il ajoute dans la phrase suivante le rappel de son étymologie. Sur ces effets phoniques, comparer par ex. avec Platon, *Timée* 80 b 7 (ἡδονὴν μὲν τοῖς ἄφροσιν, εὐφροσύνην δὲ τοῖς εὔφροσιν). — Preuve d'un certain flottement du vocabulaire, le traité *In inscr. Ps.* (I, 2, *GNO* V, p. 28, 11-13) distingue explicitement les deux termes en réservant l'εὐφροσύνη à l'âme.

περισπασμὸν τοῦ προσθεῖναι καὶ συναγαγεῖν, τοῦ δοῦναι τῷ ἀγαθῷ πρὸ προσώπου τοῦ θεοῦ· ὅτι καί γε τοῦτο ματαιότης καὶ προαίρεσις πνεύματος [h]. » Ὅσα τοίνυν ἐκ τῆς παραλλήλου ταύτης συνεξετάσεως τοῦ τε καλοῦ καὶ
55 τοῦ χείρονος διὰ τῆς νῦν μεμαθήκαμεν ἀναγνώσεως, γένοιτο ἡμῖν βοήθεια πρὸς ἀποφυγὴν μὲν τῶν κατεγνωσμένων, ἐφόδιον δὲ τῶν πρὸς τὸ κρεῖττον κατορθουμένων, ἐν Χριστῷ Ἰησοῦ τῷ κυρίῳ ἡμῶν, ᾧ ἡ δόξα εἰς τοὺς αἰῶνας. Ἀμήν.

h. Eccl. 2, 26d-g

donné de s'agiter pour accumuler et amasser, pour donner à l'homme bon devant la face de Dieu. Parce que vraiment cela est vanité et choix du vent [h] .» Puisse tout ce que nous avons appris par la lecture d'aujourd'hui, avec cette recherche parallèle du bien et du mal, être pour nous une aide : un moyen d'échapper à ce qui a été condamné et un viatique pour nous diriger vers le bien, dans le Christ Jésus notre Seigneur, à qui est la gloire pour les siècles. Amen.

HOMÉLIE VI

(*Eccl.* 3, 1-4)

(1) Après la condamnation de tout ce qui est vain, il convient de définir la manière de mener une vie conforme à la vertu. (2-3) Cela suppose une définition du temps et la connaissance du moment favorable (*kairos*) pour chaque action et chaque étape de la vie. (4-5) Il y a d'abord un « moment pour enfanter » et un « moment pour mourir » ; la naissance et la mort ne dépendent pas de nous, mais nous sommes libres de choisir le bien. (6) L'image du cultivateur, qui « arrache » et « plante » au bon moment, illustre ce que doit être la vie droite. (7-8) Pour vaincre la guerre qui nous habite, il faut nous guérir des passions, et l'image de la médecine comme la métaphore de la construction et de la destruction de maisons sont autant d'enseignements sur la manière dont nous devons repousser tout ce qui enlaidit l'âme. (9-10) La vie présente nous donne beaucoup d'occasions d'affliction, mais « l'espérance ne trompe pas » et la joie est promise à ceux qui rectifient leur vie. La joie appelle la danse, et aux tristesses de cette vie corporelle succédera le repos dans le sein d'Abraham.

ΟΜΙΛΙΑ Ϛʹ

1. « Τοῖς πᾶσιν ὁ χρόνος καὶ καιρὸς τῷ παντὶ
373 A. πράγματι | ὑπὸ τὸν οὐρανόν [a] »· αὕτη τῶν προκειμένων
ἡμῖν λογίων εἰς θεωρίαν ἀρχή. Ἔστι δὲ καὶ ὁ πόνος τῆς
ἐξετάσεως οὐ μικρὸς καὶ τὸ ἐκ τοῦ πόνου κέρδος τοῦ
5 πόνου ἄξιον. Τάχα γὰρ ὁ σκοπὸς τῶν ἐν τοῖς πρώτοις τοῦ
βιβλίου θεωρηθέντων ἡμῖν ἐν τούτῳ μάλιστα φανεροῦται
τῷ μέρει, ὡς προϊὼν ἐπιδείξει διὰ τῆς ἀκολουθίας ὁ
λόγος. Κατεγνώσθη τὰ πάντα ἐν τοῖς προλαβοῦσι λόγοις
ὡς μάταια ὅσα κατὰ τὸν ἀνθρώπινον βίον ἐπ' οὐδενὶ
10 ψυχικῷ κέρδει σπουδάζεται. Ὑπεδείχθη τὸ ἀγαθὸν πρὸς
ὃ χρὴ διὰ τῶν τῇ κεφαλῇ ἐγκειμένων ὀμμάτων βλέπειν [b],
τοῖς δὲ τὴν σωματικὴν προϊσχομένοις ἀπόλαυσιν ἀντε-
τέθη ἡ κατὰ σοφίαν τροφή. Λείπει τὸ γνῶναι πῶς ἄν τις
697 M. κατ' ἀρετὴν βιῴη καθάπερ τινὰ τέχνην καὶ ἔφοδον πρὸς
15 τὴν τοῦ βίου κατόρθωσιν διὰ τοῦ λόγου λαβών. Ταῦτα

1. a. Eccl. 3, 1 b. cf. Eccl. 2, 14a

1. L'expression rappelle le début de la première homélie (I, 1, 1-2 ; image de la palestre en I, 1, 13 s.) ; placés ainsi au début du commentaire

HOMÉLIE VI

Dualité de notre vie

1. « Il y a un temps pour tout et un moment pour toute chose sous le ciel [a] .» C'est le commencement des paroles proposées à notre étude. Si l'effort que nous coûte notre recherche n'est pas petit, le gain qui résultera de notre effort vaut bien cet effort [1]. Peut-être en effet le but de ce qui a été étudié au début du livre nous apparaît-il particulièrement dans cette partie, comme le montrera la progression du texte dans son enchaînement. On a condamné comme vaines, dans les paroles précédentes, toutes les préoccupations de la vie humaine qui ne sont d'aucun gain pour l'âme. On a fait entrevoir le bien vers lequel il faut regarder avec les yeux qui sont dans la tête [b] et, à ceux qui se proposent une jouissance corporelle, l'on a opposé la nourriture de la sagesse [2]. Il reste à savoir comment mener une vie vertueuse en recevant du texte un art et une voie, pour ainsi dire, pour rectifier sa vie. Et c'est ce que la recherche proposée par ces paroles nous promet dans le

d'*Eccl.* 3, ces mots, ainsi que l'allusion au « but » du livre, suggèrent, au delà de la division en homélies, une division de l'ensemble du texte en deux parties (voir ci-dessus, Introd., chap. III, p. 26-29).

2. L'opposition ψυχικός/σωματικός sert surtout à annoncer le rappel philosophique de la division des êtres (VI, 1, 23 s.).

οὖν ἐστιν ἃ ἐπαγγέλλεται ἡμῖν ἐν προοιμίοις ἡ προκειμένη τῶν λογίων ἐξέτασις, ἐν οἷς ἀποφαίνεται ὅτι « Τοῖς πᾶσιν ὁ χρόνος καὶ καιρὸς τῷ παντὶ πράγματι ὑπὸ τὸν οὐρανόν [c] ». Εἰ γάρ τις τῷ βάθει τῆς διανοίας ἐγκύψειε,
20 πολλὴν ἂν εὕροι φιλοσοφίαν ἐμπεριειλημμένην τοῖς ῥήμασι θεωρητικήν τε καὶ συμβουλευτικὴν τῶν συμφερόντων. Καὶ ὡς ἂν γένοιτό τις ἡμῖν δι' ὀλίγων ἔφοδος πρὸς τὴν τοῦ ῥητοῦ θεωρίαν, οὑτωσὶ τὸν λόγον διαληψόμεθα· τῶν
374 A. ὄντων τὸ μέν ἐστιν ὑλικόν | τε καὶ αἰσθητόν, τὸ δὲ νοητόν
25 τε καὶ ἄϋλον. Τούτων τὸ μὲν ἀσώματον ὑπέρκειται τῆς αἰσθητικῆς καταλήψεως, ὃ τότε γνωσόμεθα, ὅταν τὰς αἰσθήσεις ἀποδυσώμεθα· τῆς δὲ ὑλικῆς φύσεως ἡ αἴσθησις τὴν ἀντίληψιν ἔχουσα διαβῆναι τὸ οὐράνιον σῶμα καὶ εἰς τὰ ἐπέκεινα τῶν φαινομένων διαδῦναι φύσιν οὐκ ἔχει.
30 Οὗ χάριν περὶ τῶν γηΐνων τε καὶ ὑπουρανίων ὁ λόγος ἡμῖν διαλέγεται ὅπως ἂν ἀπταίστως ἐν τούτῳ διαβιῴημεν. Ὑλικὸς οὗτος ὁ βίος, διὰ σαρκὸς ἡ ζωή, ἐπισκοτεῖται δέ πως ὑπὸ τῶν κατ' αἴσθησιν προφαινομένων ἡ τοῦ καλοῦ θεωρία. Ἐπιστήμης οὖν τινος πρὸς

c. Eccl. 3, 1

1. Le terme προοίμιον a ici le sens précis de début d'un texte poétique, ce qui est un des sens les plus anciens du terme, repris par ARISTOTE (*Rhétorique* III, 14, 1415a). Le mot continue à être employé dans le même sens, mais appliqué à des textes en prose, dans les commentaires byzantins. Voir M. COSTANTINI et J. LALLOT, « Le προοίμιον est-il un poème ? », dans *Le texte et ses représentations, Études de littérature ancienne*, t. 3, Paris 1987, p. 13-27 ; et G. DORIVAL, « Le commentaire sur les Psaumes de Nicétas David. Une œuvre inconnue dans un manuscrit de la bibliothèque de Leyde », *REB* 39 (1981), p. 251-300. Du point de vue de l'exégèse du texte biblique, G. VON RAD définit bien *Eccl.* 3, 1-8 comme un poème didactique (*Israël et la sagesse*, p. 162-168).

2. Le terme φιλοσοφία caractérise à plusieurs reprises l'enseignement d'*Eccl.* 3 (voir *hom.* VII, 5, 68 ; 7, 2 ; 8, 2). À la large étude d'A.-M. MALINGREY sur l'évolution du terme (*Philosophia*, Paris 1961 ; sur le mot

prologue [1], où il est déclaré : « Il y a un temps pour tout et un moment pour toute chose sous le ciel [c] .» Tout homme en effet qui pénétrerait dans la profondeur de cette pensée trouverait qu'il y a, comprise dans ces mots, beaucoup de philosophie [2] qui nous porte à la contemplation et nous conseille ce qui est utile. Et pour qu'il y ait, en peu de mots, un accès à l'étude de ce qui est dit, voici comment nous comprendrons le texte : parmi les êtres [3], il y a ce qui est matériel et sensible, et ce qui est intelligible et immatériel. Parmi ces derniers l'incorporel se trouve au-dessus de la saisie sensible, et nous le connaîtrons lorsque nous nous serons dépouillés de nos sensations [4] ; et la sensation qui perçoit la nature matérielle ne peut pas, par sa nature, franchir le corps céleste et pénétrer jusqu'à ce qui est au-delà des phénomènes. Si le texte nous parle des réalités qui sont « sur la terre » et « sous le ciel » [5], c'est pour nous apprendre à passer cette vie-ci sans faux pas. Cette vie-ci est matérielle, l'existence se passe dans la chair, et la contemplation du beau est en quelque manière obscurcie par les phénomènes sensibles. Nous avons donc

chez les Pères cappadociens, p. 207-261), on peut ajouter les réflexions sur φιλοσοφία chez Philon de V. NIKIPROWETZKY (*Le commentaire de l'Écriture chez Philon d'Alexandrie*, Leyde 1977, p. 97-116) ; selon lui, le mot opère chez Philon la synthèse de plusieurs significations, mais il renvoie en particulier à une réflexion sur la division du savoir.

3. Grégoire use fréquemment de ce rappel des divisions de l'être ; il constitue ici la mineure d'un raisonnement de forme syllogistique. Autres exemples : *Or. cat.* 37,1 et 39,2 ; *De an. et res.*, *PG* 46, 60 A-B ; 124 B (Terrieux, § 42 et § 105) ; *In Cant.* VI (*GNO* VI, p. 173, 7 – 174, 20). — Voir ci-dessus, Introd., chap. V.

4. L'image due à l'emploi du verbe ἀποδύω suggère un rapprochement avec le thème, cher à Grégoire, des tuniques de peau ; le même vocabulaire de la connaissance se retrouve dans le commentaire de *Cant.* 5, 3 : « J'ai ôté ma tunique » (*In Cant.* X, *GNO* VI, p. 327, 9 – 329, 14).

5. L'adjectif ὑπουράνιος fait écho à *Eccl.* 1, 13c et à la répétition des expressions « sous le soleil » et « sous le ciel » dans les trois chapitres (voir *Eccl.* 1, 3.9.13.14 ; 2,3.11.17-22).

35 τὴν τοῦ καλοῦ κρίσιν ἐπιδεόμεθα, ἵνα καθάπερ ἐπὶ τῶν κατασκευασμάτων κανών τις ᾖ ἐπὶ στάθμη διευθύνων πᾶν τὸ γινόμενον. Τοῦτο οὖν ἡμῖν ὑπὸ τοῦ λόγου προδείκνυται, δι' οὗ πρὸς τὸ δέον ἡ ζωὴ κατευθύνεται.

2. Δύο γὰρ εἶναί φησι τοῦ καλοῦ κριτήρια παρὰ τὸν βίον ἐφ' ἑκάστῳ τῶν ἐν τῇ ζωῇ ταύτῃ σπουδαζομένων, τὸ σύμμετρόν τε καὶ τὸ εὔκαιρον. Καὶ τοῦτο δογματίζει νῦν λέγων· « Τοῖς πᾶσιν ὁ χρόνος καὶ καιρὸς τῷ παντὶ 5 πράγματι [a]. » Νοητέον δὲ ἀντὶ τοῦ χρόνου τὸ μέτρον, διότι παντὶ τῷ γινομένῳ συμπαρατείνεται χρόνος. Ταῦτα τοίνυν τοῦ καλοῦ τὰ κριτήρια. Εἰ μὲν καὶ καθόλου πρὸς 375 A. πᾶσαν ἀρετῆς κατόρθω|σιν ἐπιτηδείως ἔχει, οὔπω διϊσχυρίζομαι ἕως ἂν ὁ λόγος προϊὼν ἐπιδείξῃ. Ὅτι μέντοι τὸ 10 πλεῖον τῆς τεταγμένης ζωῆς τῇ τοιαύτῃ κατορθοῦται παρατηρήσει, παντὸς ἂν εἴη κατανοῆσαι. Τίς γὰρ οὐκ οἶδεν ὅτι καὶ ἡ ἀρετὴ μέτρον ἐστὶ τῇ μεσότητι τῶν παραθεωρουμένων μετρούμενον; Οὐ γὰρ ἂν γένοιτο ἀρετὴ ἢ ἐλλιπὴς τοῦ καθήκοντος μέτρου ἢ ὑπερπίπτουσα, 15 οἷον ἐπὶ τῆς ἀνδρείας, ἧς τὸ μὲν ἐλλεῖπον δειλία, τὸ δὲ

2. a. Eccl. 3, 1

1. Les deux adjectifs σύμμετρος et εὔκαιρος, ainsi que les substantifs correspondants, également employés par Grégoire dans l'homélie VI, appartiennent au vocabulaire stoïcien : voir V. GOLDSCHMIDT, *Le système stoïcien et l'idée de temps*, p. 202-210. La théorie stoïcienne de l'« instant opportun » prend place dans une réflexion sur le bonheur ; mais la connaissance de l'« instant opportun » exige de passer par le κατόρθωμα, le « devoir parfait » (*ibid.*, p. 142). Ainsi dans la tradition stoïcienne comme chez Grégoire, physique et éthique sont indissociables (voir ci-dessus, Introd., chap. V). Cependant, cette notion n'est pas étrangère à la pensée biblique, ainsi que le rappelle G. VON RAD (*Israël et la sagesse*, p. 162 s.), en évoquant la notion de « temps favorable » présente

besoin d'une science pour juger du beau, afin que, comme pour les objets fabriqués, il y ait une règle qui aligne au cordeau tout ce qui existe. C'est donc ce qui nous est proposé par le texte : le moyen de diriger droitement notre existence vers ce qui convient.

Temps et mesure

2. Il y a, selon le texte, deux critères du beau dans la vie pour chacune des occupations de cette vie : la juste mesure et le moment favorable [1]. Il nous l'enseigne [2] en disant : « Il y a un temps pour tout et un moment pour toute chose [a]. » Par « temps » il faut comprendre la « mesure », parce que le temps est coextensif [3] à tout ce qui existe. Tels sont donc les critères du beau. Je ne soutiens pas encore fermement que cela convient parfaitement pour une pleine réussite de la vertu, tant que la progression du texte ne l'a pas montré. Cependant, n'importe qui pourrait concevoir que la plus grande partie de l'existence qui nous est impartie est promise à la réussite si l'on observe cela. En effet, qui ne sait que la vertu elle aussi est une mesure mesurée par le juste milieu entre les choses que l'on compare ? Car il ne pourrait y avoir de vertu en deçà de la mesure convenable ni au-delà — pour prendre l'exemple du courage, son

tout au long de l'Ancien Testament, et particulièrement dans les textes sapientiaux.

2. Avec l'emploi du verbe δογματίζω, est attesté le souci de Grégoire de réduire l'écart entre un enseignement théologique rationnel et le texte biblique. Voir sur ce point les conclusions de M. CANÉVET, « Exégèse et théologie », p. 144-165. BASILE formulait déjà avec force cette affirmation à propos du récit de la création du soleil et de la lune : « Partout, au récit, la doctrine théologique se trouve mystérieusement mêlée » (*Hom. sur l'Hexaéméron* VI, 2, *SC* 26 bis, p. 332-333.

3. Utilisation du vocabulaire de l'étendue pour mener la réflexion sur le temps ; voir ci-dessus, Introd., p. 59-63. Les instruments d'architecte précédemment nommés préparaient ce langage métaphorique.

ὑπερβάλλον θράσος γίνεται. Οὗ χάριν καί τινες τῆς ἔξω σοφίας, κλέπται τάχα τῶν ἡμετέρων γενόμενοι, διελόμενοι τὴν σημαινομένην ἐν τῷ ῥητῷ τούτῳ διάνοιαν, ὁ μὲν τὸ μηδὲν ἐλλείπειν ἐν ἀποφθέγματι συνεβούλευσεν, ὁ δὲ
20 τὸ ὑπερβάλλειν ἐκώλυσεν· ὁ μὲν γὰρ τὸ « Μέτρον ἄριστον » ἀπεφήνατο, ὁ δὲ τὸ « Μηδὲν ἄγαν » ἐνομοθέτησεν. Δείκνυται δὲ δι' ἑκατέρων ὅτι καὶ τὸ μὴ ἐφικέσθαι τοῦ ἐπιζητουμένου κατ' ἀρετὴν μέτρου τῶν κατεγνωσμένων ἐστὶ καὶ τὸ ὑπερβάλλειν τὴν συμμετρίαν ἀπόβλη-
25 τον.

Ἀλλὰ καὶ περὶ τοῦ κατὰ τὴν εὐκαιρίαν μέρους ὁ αὐτὸς ἂν ἡμῖν ἀποδοθείη λόγος ὅτι οὔτε τὸ προλαμβάνον τὴν εὐκαιρίαν οὔτε τὸ ἐφυστερίζον ἐν ἀγαθοῦ κρίνεται μοίρᾳ.
700 M. Τί ὤνησε τὸν γεωπόνον ἐπισπεύσαντα τὴν τῶν ἀσταχύων
376 A. 30 τομήν, πρὶν ἀδρυνθῆναι καθ' ὥραν τὰ | λήϊα, ἢ ὑπερθέμενον τὴν περὶ τὸν ἄμητον σπουδήν, ἕως οὗ περιρρυείη τῇ καλάμῃ τὰ σπέρματα ; Ἐν οὐθετέρῳ γὰρ ἐνεργὸς ἐπ' ἀγαθῷ γίνεται ἡ σπουδή, καθ' ἑκάτερον τοῦ καιροῦ τὴν ὠφέλειαν ἐν τῇ ἀκαιρίᾳ τῆς τομῆς ἀπολλύοντος. Ὃ δὲ ἐπὶ
35 μέρους εἴρηται, καὶ ἐν παντὶ δυνατόν ἐστι κατανοῆσαι. Οἶδε γὰρ τὸ ἴσον καὶ ἡ ναυτιλία, εἴτε τις προλάβοι τὴν εὐκαιρίαν εἴτε ἐφυστερίσειεν. Τί δ' ἄν τις τὰ τῆς ἰατρικῆς λέγοι, παρ' ὅσον ἐστὶν εἰς βλάβην ὑπερβολή τε καὶ

1. L'expression est courante chez les Pères et sert autant à rendre hommage à la pensée grecque et à s'y référer (voir par ex. BASILE, *Hom. sur l'Hexaéméron* I, 2, p. 92-93) qu'à accuser, comme ici, les auteurs profanes d'avoir « volé » l'enseignement de Moïse. CLÉMENT D'ALEXANDRIE a longuement élaboré la théorie du « larcin » des Grecs (voir par ex. *Stromate* V, 89-141). Notons que Grégoire prend soin de nuancer la tradition dont il se fait l'écho (τάχα). — La question du larcin des Grecs a été étudiée par A.J. DROGE, *Homer or Moses ? Early Christian Interpretations of the History of culture*, Tübingen 1989.

2. Avant d'être appliqué aux paroles des moines et ermites d'Égypte, ἀπόφθεγμα fait partie du vocabulaire utilisé par les commentateurs anciens pour désigner les inscriptions et maximes delphiques attribuées

défaut est lâcheté, son excès témérité. C'est pourquoi même des hommes d'une sagesse étrangère [1] — mais ils ont peut-être volé nos biens — ont morcelé la pensée signifiée dans cette parole, l'un conseillant dans un apophtegme [2] qu'il n'y ait rien en défaut, et l'autre interdisant l'excès. Le premier a déclaré : « La meilleure chose, c'est la mesure », et l'autre a érigé en loi le « Rien de trop ». Ces deux préceptes montrent que ne pas atteindre la mesure requise par la vertu est chose coupable, et que dépasser la juste mesure est à rejeter.

Mais nous pourrions produire le même discours concernant la part qui se rapporte au moment favorable en disant que ni ce qui précède le moment favorable ni ce qui vient plus tard n'est jugé comme faisant partie du bien. À quoi bon, pour celui qui peine au travail de la terre, se hâter de couper les épis avant que les blés ne soient mûrs en leur saison, ou à quoi bon remettre de s'occuper de la moisson jusqu'au jour où les grains se détachent de l'épi ? Ni dans un cas ni dans l'autre en effet l'empressement ne concourt au bien, mais au contraire, dans les deux cas, le moment choisi ruine l'utilité de l'action, puisque ce n'est pas le moment opportun pour moissonner. Et ce que l'on vient de dire d'un cas particulier peut aussi se concevoir dans tous les cas. La navigation aussi connaît une situation semblable, suivant que l'on saisit le moment favorable ou que l'on tarde. Et que dire de la médecine, sachant combien l'excès comme le défaut dans le choix du moment

aux Sept Sages, au même titre que les mots ἐπίγραμμα, γρᾶμμα, ῥῆμα, παράγγελμα, πρόγραμμα (liste donnée par J. DEFRADAS, *Les thèmes de la propagande delphique*, Paris 1954, p. 269). De manière plus courante, le terme peut être appliqué à toute formule brève, γνώμη à l'allure de proverbe ; voir la manière dont ARISTOTE s'en rapporte aux apophtegmes lacédémoniens (*Rhétorique* II, 1389a, 1394b, 1412a). CLÉMENT D'ALEX. (*Stromate* V, 22, *SC* 278) explique l'intérêt de ces témoignages de sagesse : « Certainement les apophtegmes aussi de ceux qu'on appelle les Sages de la Grèce font apparaître en peu de mots un sens important .»

ἔλλειψις τοῦ τῇ θεραπείᾳ καθήκοντος καιροῦ καὶ μέτρου;
40 Ἀλλὰ ταῦτα μὲν ἐᾶσαι χρή, τοῦ ἐφεξῆς λόγου ἐν αὐταῖς ταῖς τοῦ ἐκκλησιαστοῦ φωναῖς σαφέστερον φανερουμένου τοῖς ὑποδείγμασιν.

3. Ἀλλ' οὗ χάριν ταῦτα ἡμῖν προτεθεώρηται; ὅτι οὔτε τὸ ἄμετρον ἀγαθόν ἐστιν οὔτε τὸ ἄκαιρον, ἀλλ' ἐκεῖνο καλόν τε καὶ αἱρετὸν ὃ δι' ἀμφοτέρων ἔχει τὸ τέλειον. Εἰ γὰρ μόνον τὸ ἓν ἐξ αὐτῶν σπουδασθείη, παροφθείη δὲ τὸ
5 λειπόμενον, ἀνόνητον ἔσται καὶ τὸ κατορθωθὲν ἐν τῷ λείποντι. Οὐκοῦν καθάπερ δύο ποσὶν ἐνεργούντων ἡμῶν τὴν κίνησιν, εἴ τι συμβαίη περὶ τὸν ἕτερον, ἄχρηστός ἐστι καὶ ὁ ἀπαθὴς πρὸς τὸν δρόμον διὰ τὴν τοῦ συνεργοῦντος ἀσθένειαν, οὕτως εἰ λείποι τῷ καιρῷ τὸ μέτρον ἢ τῷ
10 μέτρῳ ἡ εὐκαιρία, τῷ λείποντι πάντως καὶ τὸ παρὸν συνηχρείωται. Ἀλλὰ καὶ ἐν τῷ καιρῷ ἡ συμμετρία καὶ ἐν τῷ μέτρῳ ἡ εὐκαιρία τὸ χρήσιμον ἔχει. Χρόνος οὖν ἀντὶ
377 A. τοῦ μέτρου ἡμῖν νενόηται, διότι παντὸς | τοῦ καθ' ἕκαστον μέτρου ὁ χρόνος μέτρον ἐστίν. Τὰ γὰρ γινόμενα
15 ἐν χρόνῳ γίνεται πάντως, καὶ τῇ παρατάσει ἑκάστου τῶν γινομένων καὶ τὸ διάστημα τοῦ χρόνου συμπαρατείνεται, ὀλίγον ἐν τῷ ἐλάττονι καὶ ἐν τῷ πλείονι πλεῖον.

Ὁ χρόνος μέτρον κυήσεως, μέτρον τῆς τῶν ἀσταχύων αὐξήσεως, μέτρον τῆς τῶν καρπῶν τελειώσεως, μέτρον
20 ναυτιλίας, μέτρον πορείας, μέτρον τῆς καθ' ἕκαστον

1. Après avoir lui-même illustré par des exemples l'affirmation d'*Eccl.* 3, 1, Grégoire souligne l'articulation de la première proposition dans sa généralité et de la série des affirmations qui suivent, commentées dans les homélies VI à VIII.

2. Problème textuel : P. ALEXANDER (*GNO* V, p. 377, 1) écrit μετρουμένου en prenant pour référence l'expression πάντων τῶν μετρουμένων μέτρον ὁ χρόνος ἐστίν, employée plus loin, et qui apparaît comme une sorte de doublet de cette première définition du temps. Mais

et de la mesure convenables pour les soins y sont nuisibles ? Mais il faut laisser ce point, car la suite du texte, dans les paroles mêmes de l'ecclésiaste, le manifeste plus clairement grâce aux exemples pris [1].

3. Pourquoi cela a-t-il été proposé d'abord à notre étude ? C'est que n'est bon ni ce qui est sans mesure ni ce qui est inopportun ; au contraire est bon et vaut d'être choisi ce qui possède la perfection grâce à ces deux qualités. Car si l'on ne se préoccupe que de l'une d'elles et que soit dédaignée celle qui manque, même celle qui a été menée à la perfection restera sans profit, en raison de celle qui fait défaut. C'est donc comme pour les pieds : nous ne produisons le mouvement qu'avec les deux et, s'il arrive un accident à l'un des deux, même celui qui est indemne ne sert pas à marcher, à cause de la faiblesse de l'autre qui agit avec lui ; de la même façon, si la mesure fait défaut au moment qui convient, ou le moment favorable à la mesure, la qualité que l'on a est forcément aussi inutile que celle qui fait défaut. Au contraire, c'est au moment qui convient que la mesure trouve son utilité, et le moment favorable dans la mesure. Nous avons donc compris le « temps » au sens de « mesure », parce que la temps est la mesure de la mesure propre à chaque chose [2]. Ce qui est, en effet, est de toute façon dans le temps, et l'intervalle du temps aussi est coextensif à l'étendue de chaque chose : il est petit pour quelque chose de plus petit et plus important pour quelque chose de plus important.

Le temps est mesure de la grossesse, mesure de la croissance des épis, mesure du mûrissement des récoltes, mesure de la navigation, mesure de la marche, mesure de

la répétition de μέτρον, que nous conservons d'après les mss, fait sens et donne une définition proche de la conception aristotélicienne du temps, mesure du mouvement : « Voici en effet ce qu'est le temps : le nombre du mouvement selon l'antérieur et le postérieur » (*Physique* IV, 219b, trad. Carteron, 1952).

ἡλικίας, βρέφους, παιδίου, μειρακίου, παιδός, ἐφήβου, ἀνδρός, μεσήλικος, τελείου, παρήλικος, πρεσβύτου, γέροντος. Ἐπειδὴ τοίνυν οὐχ ἓν τὸ ἐκ τοῦ χρόνου μέτρον πᾶσι τοῖς γινομένοις ἐστίν — οὐδὲ γάρ ἐστι δυνατὸν
25 γενέσθαι πάντα ἀλλήλοις ἰσόμετρα διὰ τὴν τῶν ὑποκειμένων διαφοράν —, κοινὸν δέ, καθὼς εἴρηται, πάντων τῶν μετρουμένων μέτρον ὁ χρόνος ἐστὶν ἐν ἑαυτῷ περιέχων τὰ πάντα, τούτου χάριν οὐχὶ μέτρον εἶπε τοῖς πᾶσι διὰ τὸ πολλὴν εἶναι τῶν μετρουμένων τὴν περὶ τὸ πλεῖόν τε καὶ
30 ἔλαττον ἀνισότητα, ἀλλὰ χρόνον εἶπε τοῖς πᾶσι τὸ γενικὸν μέτρον [a], ᾧ πᾶν τὸ γινόμενον παραμετρεῖται. Ὥσπερ γὰρ ἐπὶ τῆς ἀνθρωπίνης ἡλικίας τὸ μὲν προβεβηκὸς ἀσθενεῖ, τὸ δὲ μήπω καθεστηκὸς ἀτακτεῖ, ἄριστον δὲ τὸ μέσον τῶν δύο, ᾧπερ ἂν τὰς ἑκατέρωθεν ἀηδίας
35 ἐκφεύγῃ, ἐν ᾧ δείκνυται τῆς μὲν νεότητος κεχωρισμένη τῆς ἀταξίας ἡ δύναμις, τοῦ δὲ γήρως διεζευγμένη τῆς
378 A. ἀδρανείας ἡ φρόνησις, ὥστε εἶναι | δύναμιν φρονήσει συγκεκραμένην, ἐπ' ἴσης φεύγουσαν τήν τε τοῦ γήρως ἀδρανείαν καὶ τὸ θρασὺ τῆς νεότητος· οὕτως ὁ χρόνον
40 ὁρίζων τοῖς πᾶσι [b] καθ' ἑκάτερον χωρίζει τῷ λόγῳ τὴν ἐξ
701 M. ἀμετρίας κακίαν, τό τε ὑπὲρ χρόνον ἀτιμάζων καὶ τὸ ἐλλεῖπον ἀποπεμπόμενος.

3. a. cf. Eccl. 3, 1a b. cf. Eccl. 3, 1a

1. Une énumération de onze termes pour définir les âges de la vie : il est rare que la liste soit si longue (comparer par ex. avec les termes utilisés ci-dessous en 9, 35-40). Mais il est notable que Grégoire se démarque tout à fait des spéculations arithmétiques définissant les étapes de l'existence : huit âges de la vie selon Hippocrate, ou dix périodes de sept années selon Solon, ainsi que le rapportent PHILON (*De op. mundi* 104) et CLÉMENT D'ALEXANDRIE (*Stromate* VI, 144) ; selon PHILON, le nombre 7 marque les étapes de la maturation (*ibid.* 102-103).

chaque âge de la vie [1] — nourrisson, petit enfant, adolescent, enfant, éphèbe, adulte, homme dans la force de l'âge [2], homme mûr, homme sur le déclin, vieil homme, vieillard. La mesure donnée par le temps n'est donc pas la même pour tout ce qui existe — car il n'est pas possible que toutes choses aient la même mesure les unes par rapport aux autres, à cause de la différence de ce qui les constitue —, mais, comme il a été dit, le temps, qui contient en lui toutes choses, est la mesure commune de tout ce qui est mesuré, et si le texte ne dit pas qu'il est la mesure de toutes choses, c'est parce qu'il y a une grande inégalité, en supériorité ou en infériorité, entre les choses mesurées ; mais il dit que la mesure générique de toutes choses, c'est le temps [a], d'après lequel est mesuré tout ce qui existe. Il en est en effet comme du développement humain : le temps déjà écoulé est cause de faiblesse, tandis que celui qui n'est pas encore passé est cause de désordre, et l'âge le plus parfait est le juste milieu entre les deux, lorsqu'on échappe aux désagréments des deux : la force de la jeunesse s'y montre, mais séparée du désordre, ainsi que la sagesse du grand âge, mais disjointe de la débilité, de sorte que la force est tempérée par la sagesse, échappant également à la débilité de la vieillesse et à la témérité de la jeunesse. De la même façon, celui qui définit un « temps pour tout [b] », distingue pour chaque chose, avec cette parole, le mal né de l'absence de mesure, en méprisant l'excès de temps tout comme il en rejette le défaut.

2. Les deux adjectifs composés παρῆλιξ et μεσῆλιξ sont des termes post-classiques ; tous deux sont employés comme synonymes par Grégoire en *De mort.* (*GNO* IX, p. 46, 15 pour παρῆλιξ et p. 64, 10 pour μεσῆλιξ) pour désigner la maturité de la vie humaine. Ici, séparés dans l'énumération par τέλειος, ils semblent désigner deux périodes différentes.

4. Ἀλλὰ καιρὸς ἂν εἴη καὶ αὐτὴν ἡμῖν δι' ἀκολούθου προτεθῆναι τῶν θεοπνεύστων λογίων τὴν θεωρίαν· « Καιρός, φησί, τοῦ τεκεῖν καὶ καιρὸς τοῦ ἀποθανεῖν[a]. » Καλῶς ἐν πρώτοις τὴν ἀναγκαίαν ταύτην συζυγίαν τῷ 5 λόγῳ συνέζευξε συνάπτων τῇ γενέσει τὸν θάνατον· ἕπεται γὰρ κατ' ἀνάγκην τῷ τόκῳ ὁ θάνατος καὶ πᾶσα γένεσις εἰς φθορὰν διαλύεται· ἵνα διὰ τοῦ συνημμένως δειχθῆναι τὸν θάνατόν τε καὶ τὴν γένεσιν οἱονεὶ κέντρῳ τινὶ τῇ τοῦ θανάτου μνήμῃ τοὺς ἐμβαθύνοντας τῇ κατὰ 10 σάρκα ζωῇ καὶ τὴν παροῦσαν ἀγαπῶντας διαγωγὴν διυπνίσῃ καὶ πρὸς τὴν φροντίδα τῶν μελλόντων διαναστήσῃ. Ταῦτα φιλοσοφεῖ κατὰ τὸ λεληθὸς ἐν ταῖς πρώταις τῶν βιβλίων ἐπιγραφαῖς καὶ ὁ φίλος τῷ θεῷ Μωϋσῆς, εὐθὺς τῇ Γενέσει συμπαραγράψας τὴν Ἔξοδον, 15 ὡς τοὺς ἐντυγχάνοντας τοῖς ἐπιγεγραμμένοις καὶ δι' αὐτῆς τῆς τῶν βιβλίων τάξεως τὰ καθ' ἑαυτοὺς παιδευθῆναι· οὐ γὰρ ἔστι γένεσιν ἀκούσαντα μὴ καὶ ἔξοδον εὐθὺς ἐννοῆσαι.

Ὃ δὴ καὶ ἐνταῦθα νενοηκὼς ὁ μέγας ἐκκλησιαστὴς 20 ἐπιδείκνυται, τῇ γενέσει σύστοιχον ἀποδείξας τὸν θάνατον. « Καιρὸς γάρ, φησί, τοῦ τεκεῖν καὶ καιρὸς τοῦ 379 A. ἀποθανεῖν[b]. » Ἦλθεν ὁ καιρὸς καὶ ἐτέχθην, | ἥξει ὁ καιρὸς καὶ τεθνήξομαι. Εἰ πρὸς τοῦτο πάντες ἐβλέπομεν, οὐκ ἂν τὴν σύντομον τοῦ βίου πορείαν καταλιπόντες

4. a. Eccl. 3, 2a b. Eccl. 3, 2a

1. Pour souligner l'originalité de l'interprétation nysséenne de ce verset, comparer avec l'utilisation qu'en fait BASILE dans une homélie sur le baptême : en inversant l'ordre des infinitifs dans le verset, Basile montre que pour la renaissance spirituelle, la mort précède nécessaire-

Enfanter et mourir

4. Mais ce serait le moment que nous soit présentée, en suivant (le texte), la signification même contenue dans les paroles inspirées : « Moment pour enfanter, est-il dit, et moment pour mourir [a]. » C'est à juste titre qu'il a commencé par marquer dans le discours cette nécessaire conjonction de termes, en joignant la mort et la génération [1] — car la mort suit nécessairement l'enfantement et toute génération se dissout en corruption. Son but, en montrant comme étroitement jointes la mort et la génération, est de faire sortir de leur sommeil, comme avec un aiguillon, par le souvenir de la mort, ceux qui s'enfoncent dans la vie de la chair et qui chérissent leur mode de vie présent, et de les faire se lever et se soucier de l'avenir. C'est ce qu'enseigne implicitement Moïse, l'ami de Dieu, dans les premiers titres des Livres, lorsqu'il écrit l'*Exode* aussitôt après la *Genèse*, afin que ceux qui fréquentent ces écrits soient instruits de ce qui les concerne par l'ordre même des livres. Car il n'est pas possible qu'en ayant entendu parler de genèse, on n'ait pas en même temps à la pensée l'exode [2].

C'est bien ce qu'a manifestement pensé ici même le grand ecclésiaste lorsqu'il a montré l'affinité de la mort et de la génération. « Moment pour enfanter et moment pour mourir [b] », dit-il en effet. Le moment est venu et j'ai été enfanté, le moment viendra et je mourrai. Si nous y prêtions tous attention, nous ne délaisserions pas le trajet

ment la vie, contrairement à ce qui se passe pour la vie biologique (*hom.* XIII, *Exhortation au saint baptême*, *PG* 31, 424-444 ; commentaire d'*Eccl.* 3, 1 en 424 A-B).

2. Même évocation des titres de livres bibliques en *V. Moys.* II, 106 (*SC* 1 ter) : « À peine nés, la loi de la vie nous pousse vers la sortie .» Voir déjà PHILON, *De op. mundi* 12.

25 κύκλῳ μετὰ τῶν ἀσεβῶν περιῆμεν[c], τὴν περιοδικὴν τοῦ βίου πλάνην ἑκουσίως πλανώμενοι ἐν δυναστείαις καὶ περιφανείαις καὶ πλούτοις, δι' ὧν ταῖς πολυοδίαις τοῦ βίου τούτου ἐναμηχανοῦντες οὐκέτι τοῦ λαβυρίνθου τῆς ζωῆς ταύτης τὴν ἔξοδον ἐξευρίσκομεν, δι' ὧν δοκοῦμεν
30 σπουδάζειν, διὰ τούτων ἑαυτοῖς τὰ σημεῖα τῆς ἀπλανοῦς ὁδοιπορίας συγχέοντες. Ὡς μακάριοί γε τῶν ἀνθρώπων ἐκεῖνοι οἳ τὰς περιοδικὰς τῆς ζωῆς ἀπάτας καταλιπόντες ἐπὶ τὴν σύντομον τῆς ἀρετῆς ὁδὸν ἑαυτοὺς ἄγουσιν. Αὕτη δέ ἐστι τὸ πρὸς μηδὲν τῶν τῇδε τὴν ψυχὴν ἐπιστρέφειν,
35 ἀλλὰ συντετάσθαι τῇ σπουδῇ πρὸς τὸ διὰ πίστεως ἐν ἐλπίσι προκείμενον.

5. Πάλιν δὲ τὸ ῥηθὲν ἐξετάσωμεν. « Καιρός, φησί, τοῦ τεκεῖν καὶ καιρὸς τοῦ ἀποθανεῖν[a]. » Εἴθε κἀμοὶ γένοιτο ἐν καιρῷ τε ὁ τόκος καὶ ὁ εὔκαιρος θάνατος. Οὐ γὰρ ἄν τις εἴποι τὴν ἀκούσιον ταύτην ὠδῖνα καὶ τὸν αὐτόματον
5 θάνατον παρὰ τοῦ ἐκκλησιαστοῦ νῦν ὡς ἐν ἀρετῆς κατορθώσει προδείκνυσθαι· οὔτε γὰρ ἐπὶ τῷ θελήματι τῆς γυναικὸς ἡ ὠδὶς οὔτε ἐπὶ τῇ προαιρέσει τῶν τελευτώντων ὁ θάνατος. Ὃ δὲ ἐφ' ἡμῖν οὐκ ἔστιν, οὔτε ἀρετὴν ἄν τις οὔτε κακίαν ὁρίσαιτο. Οὐκοῦν νοῆσαι

c. cf. Ps. 11, 9
5. a. Eccl. 3, 2a

---

1. La citation partielle du *Ps.* 11, 9 situe du côté du mal le mouvement circulaire de l'errance. Tout le passage oppose deux séries d'images : celle du chemin, qui n'exclut pas les erreurs ou les impasses, ainsi qu'en témoigne le terme πολυοδία, et celle du mouvement circulaire (περίειμι et περιοδικός). Grégoire utilise ailleurs l'image de la meule pour marquer le caractère mortifère du mouvement circulaire : « Ne ressemblons-nous pas aux bêtes qui peinent au moulin ? Nous parcourons en rond, les yeux

direct de la vie pour tourner en rond avec les impies [c] [1], en nous égarant de plein gré dans l'égarement toujours répété de la vie, dans l'exercice du pouvoir, de la notoriété et des richesses ; car à cause de cela nous sommes embarrassés de la multiplicité des chemins de cette vie et nous ne trouvons plus la sortie du labyrinthe de cette existence [2] ; à cause de cela, qui décide de notre empressement, nous brouillons entre elles les marques du trajet sur lequel on ne s'égare pas. Bienheureux, oh oui, ceux des hommes qui ont délaissé les illusions toujours répétées de l'existence et avancent par le chemin direct de la vertu ! Il consiste à ne tourner son âme vers rien de ce qui est ici-bas, et à tendre au contraire avec empressement vers ce qui nous est proposé par la foi en espérance.

5. Mais examinons à nouveau ce qui est énoncé. « Moment pour enfanter et moment pour mourir [a] », dit le texte. Puissent-ils arriver pour moi aussi, l'enfantement au bon moment et la mort au moment favorable ! Car personne n'irait dire que cet enfantement qui ne dépend pas de nous, et la mort qui vient d'elle-même sont maintenant mis en avant par l'ecclésiaste comme une réussite due à la vertu. L'enfantement ne dépend pas de la volonté de la femme ni la mort du choix des mourants. Et ce qui ne dépend pas de nous, on ne saurait le définir comme vertu ou vice. Il convient donc de comprendre ce qu'est l'enfan-

voilés, la meule de cette vie, passant sans cesse par les même choses, et retournant aux même choses ? » (*In Flacillam*, *GNO* IX, p. 485, 6-9).

2. Ici simple métaphore, l'expression est explicitée en *Or. cat.* 35, 3-4 : « Par labyrinthe, j'entends au figuré la prison sans issue de la mort, où avait été enfermé l'infortuné genre humain » ; dans le contexte de l'*Or. cat.*, l'image illustre la nécessité de l'Incarnation. Le réseau de ces images renvoie à celle de la caverne platonicienne, dont J. DANIÉLOU a montré la récurrence dans l'œuvre de Grégoire (« Le symbole de la caverne »).

10 προσήκει τὸν τόκον τὸν εὔκαιρον καὶ τὸν ἐν καιρῷ γινόμενον θάνατον.

Ἐμοὶ δοκεῖ τόκος ὥριμος καὶ οὐκ ἀμβλωθρίδιος εἶναι, *380 A.* ὅταν, | καθώς φησιν Ἡσαΐας, ἐκ τοῦ θείου τις φόβου κυοφορήσας διὰ τῶν τῆς ψυχῆς ὠδίνων [b] τὴν ἰδίαν 15 σωτηρίαν γεννήσῃ· ἑαυτῶν γὰρ τρόπον τινὰ πατέρες γινόμεθα, ὅταν διὰ τῆς ἀγαθῆς προαιρέσεως ἑαυτοὺς 704 M. πλάσωμέν τε καὶ γεννήσωμεν καὶ εἰς φῶς προαγάγωμεν. Τοῦτο δὲ ποιοῦμεν διὰ τοῦ δέξασθαι ἐν ἑαυτοῖς τὸν θεόν, τέκνα θεοῦ [c] καὶ τέκνα δυνάμεως [d] καὶ υἱοὶ ὑψίστου [e] 20 γενόμενοι. Καὶ πάλιν ἑαυτοὺς ἀμβλίσκομεν καὶ ἀτελεσφορήτους τε καὶ ὑπηνεμίους ἀπεργαζόμεθα, ὅταν μὴ μορφωθῇ ἐν ἡμῖν, καθώς φησιν ὁ ἀπόστολος, ἡ τοῦ Χριστοῦ μορφή [f]. Δεῖ γὰρ εἶναι, φησίν, ἄρτιον τὸν τοῦ θεοῦ ἄνθρωπον [g]. Ἄρτιος δὲ πάντως ἐκεῖνός ἐστιν, ᾧ 25 τελείως ὁ τῆς φύσεως συμπεπλήρωται λόγος. Οὐκοῦν εἰ μέν τις δι' ἀρετῆς τέκνον θεοῦ ἑαυτὸν ἐποίησε λαβὼν ἐξουσίαν τῆς εὐγενείας ταύτης, ἔγνω οὗτος τὸν καιρὸν τῆς ἀγαθῆς ὠδῖνος καὶ χαίρει κατὰ τὸ εὐαγγέλιον εἰκότως « ὅτι ἐγεννήθη ἄνθρωπος εἰς τὸν κόσμον [h] ». Ὁ 30 δὲ γενόμενος τέκνον ὀργῆς [i] καὶ υἱὸς ἀπωλείας [j] καὶ σκότους ἔκγονος, γέννημα ἐχίδνης [k], ἔκγονον κακὸν [l] καὶ τὰ ἄλλα πάντα δι' ὧν ὁ πονηρὸς διαβάλλεται τόκος, οὐκ

b. cf. Is. 26, 17 c. cf. Jn 1, 12 d. cf. Jug. 18, 2 e. cf. Lc 6, 35 f. cf. Gal. 4, 19 g. cf. II Tim. 3, 17 h. Jn 16, 21 i. cf. Éphés. 2, 3 j. cf. Jn 17, 12 k. cf. Matth. 3, 7 l. cf. Prov. 30, 11

1. L'image de la « matrice » dans le *Ps.* 57,4 est l'occasion d'un développement parallèle sur avortement et naissance en *In inscr. Ps.* II, 15 (*GNO* V, p. 164, 14-24) et en *De perf.* (*GNO* VIII, 1 p. 205, 22-24).

tement au moment favorable et ce qu'est la mort au bon moment.

Il me semble qu'un enfantement arrive à son terme sans avortement [1] chaque fois que, comme le dit Isaïe [2], quelqu'un est gros de la crainte de Dieu et engendre son propre salut dans les douleurs de l'enfantement [b] de l'âme. Car, en quelque façon, nous devenons nos propres pères [3] chaque fois que, en choisissant le bien, nous nous façonnons, nous nous engendrons et nous avançons vers la lumière. Et nous le faisons en accueillant Dieu en nous-mêmes, en devenant enfants de Dieu [c], enfants de la puissance [d] et fils du Très-Haut [e]. Et au contraire, nous nous avortons nous-mêmes et nous ne nous produisons qu'inachevés et pleins de vent chaque fois que n'a pas été formée en nous, comme le dit l'Apôtre, la forme du Christ [f]. Car il faut, dit-il, que l'homme de Dieu soit bien proportionné [g]. Or est tout à fait bien proportionné celui en qui l'ordre de la nature est pleinement accompli. Donc tout homme qui s'est fait enfant de Dieu grâce à la vertu, en accueillant la liberté que donne cette noble naissance, connaît le moment du bon enfantement et se réjouit à bon droit, selon l'Évangile, « parce qu'un homme a été mis au monde [h] ». Mais celui qui est devenu enfant de la colère [i], fils de perdition [j], rejeton des ténèbres, engeance de vipère [k], mauvais rejeton [l] et tout le reste par quoi on dénigre un mauvais enfantement, celui-là ne connaît pas le moment qui fait naître à la vie. Car il est unique, le

2. *Is.* 26, 17 selon la LXX : malgré la précision « comme le dit Isaïe », l'expression n'est qu'une citation très approximative du verset, dont le contexte est bien celui de l'enfantement ; il est de même difficile de donner une référence scripturaire précise pour les expressions néo-testamentaires utilisées dans la suite du paragraphe et données comme synonymes les unes des autres.

3. À peine atténuée par τρόπον τινά, l'expression confirme l'existence d'une liberté inaliénable en tout homme qui choisit le bien – elle se retrouve en *V. Moys.* II, 3 et en *Or. cat.* 39, 1.

ἔγνω τὸν ζωογονοῦντα καιρόν· εἷς γὰρ καιρὸς ὁ εἰς ζωὴν τίκτων καὶ οὐ πολλοί. Οὗ ὁ διαμαρτὼν ἐν τῇ ἀκαιρίᾳ τοῦ
35 τόκου τῇ ἀπωλείᾳ ἑαυτὸν ὤδινε καὶ τῷ θανάτῳ τὴν ψυχὴν ἐμαιεύσατο.

381 A. | Εἰ δὲ φανερόν ἐστι πῶς ἐν καιρῷ τικτόμεθα, δῆλον ἂν εἴη πῶς καὶ ἐν καιρῷ ἀποθνήσκομεν, οἷον πᾶς τῷ ἁγίῳ Παύλῳ καιρὸς τοῦ ἀγαθοῦ θανάτου εὔκαιρος ἦν. Βοᾷ γὰρ
40 ἐν τοῖς ἰδίοις λόγοις, ἔνορκον τρόπον τινὰ ποιούμενος, ἐν οἷς φησιν ὅτι « Καθ' ἡμέραν ἀποθνήσκω, νὴ τὴν ὑμετέραν καύχησιν [m] », καὶ τό « Ἕνεκα σοῦ θανατούμεθα πᾶσαν ἡμέραν [n] », καί « Αὐτοὶ ἐν ἑαυτοῖς τὸ ἀπόκριμα τοῦ θανάτου ἐσχήκαμεν [o] ». Πάντως δὲ οὐχ ἄδηλον πῶς
45 ἀποθήσκει καθ' ἡμέραν ὁ Παῦλος ὁ μηδέποτε τῇ ἁμαρτίᾳ ζῶν, ὁ ἀεὶ τὰ μέλη τῆς σαρκὸς νεκρῶν [p] καὶ τὴν νέκρωσιν τοῦ σώματος τοῦ Χριστοῦ ἐν ἑαυτῷ περιφέρων [q], ὁ πάντοτε Χριστῷ συσταυρούμενος, ὁ μηδέποτε ἑαυτῷ ζῶν, ἀλλὰ ζῶντα ἔχων ἐν ἑαυτῷ τὸν Χριστόν [r]. Οὗτος ἂν
50 εἴη, κατά γε τὴν ἐμὴν κρίσιν, ὁ εὔκαιρος θάνατος, ὁ τῆς ἀληθοῦς ζωῆς γινόμενος πρόξενος. « Ἐγὼ γάρ, φησίν, ἀποκτενῶ καὶ ζῆν ποιήσω [s] », ὡς πεπεῖσθαι ἀληθῶς θεοῦ δῶρον εἶναι τὸ νεκρωθῆναι τῇ ἁμαρτίᾳ καὶ ζωοποιηθῆναι τῷ πνεύματι [t]· διὰ γὰρ τοῦ ἀποκτεῖναι ζωοποιεῖν ἐπαγ-
55 γέλλεται ἡ θεία φωνή.

m. I Cor. 15, 31 n. Rom. 8, 36 o. II Cor. 1, 9 p. cf. Col. 3, 5 q. cf. II Cor. 4, 10 r. cf. Gal. 2, 19-20 s. Deut. 32, 39 t. cf. I Pierre 3, 18

1. Après avoir accumulé les références pauliniennes, Grégoire souligne le caractère personnel de son interprétation : en faisant de la vie entière une préparation à la mort, il se sépare en effet d'une tradition qui insistait surtout sur la mort au péché et aux plaisirs ; ce pourrait être en particulier un point de rupture avec le commentaire origénien de l'*Épître aux*

moment qui enfante pour la vie, et non multiple. Aussi, celui qui se trompe dans le mauvais moment pour l'enfantement se met au monde lui-même dans les douleurs pour sa perte et accouche de son âme pour la mort.

Si la façon d'enfanter au bon moment est manifeste, la façon de mourir au bon moment pourrait être évidente elle aussi, attendu que, pour saint Paul, tout moment était le moment favorable pour une bonne mort. Il le proclame en effet dans ses propres paroles, s'engageant en quelque sorte par serment quand il dit : « Chaque jour je meurs, oui, pour votre fierté [m] ! », et encore : « À cause de toi on nous met à mort chaque jour [n] », et : « Nous avons porté en nous-mêmes notre arrêt de mort [o] ». Et la façon dont meurt chaque jour Paul ne fait aucun doute : il ne vit jamais pour le péché, il mortifie sans cesse ses membres de chair [p] et porte en lui la mort du corps du Christ [q], il est partout crucifié avec le Christ, il ne vit jamais pour lui-même, mais il a le Christ qui vit en lui [r]. Telle serait, selon mon jugement du moins [1], la mort au moment favorable, celle qui introduit à la vie véritable. Car, dit l'Écriture, « Moi, je tuerai et je ferai vivre [s] », pour que nous soyons vraiment convaincus que le don de Dieu, c'est d'être morts au péché et d'être vivifiés par l'Esprit [t]. C'est pourquoi la parole divine proclame qu'elle fait vivre en tuant.

Romains, centré sur les différents sens de la notion de « loi » (voir M. Harl, « Origène et l'interprétation de l'*Épître aux Romains*. Étude du chapitre IX de la *Philocalie* », dans *Épektasis*, p. 305-316). Grégoire est plus proche ici de la tradition monastique de la préparation à la mort ; M. Alexandre note cependant la diversité d'interprétations de *I Cor.* 15, 31 dans cette tradition (« À propos de la mort d'Antoine (Ath., *V. Ant.* 89-93). L'heure de la mort dans la littérature monastique », dans *Le temps chrétien*, p. 263-282). Sur cette même attitude chez les stoïciens, voir P. Hadot, art. « Exercices spirituels », dans *Exercices spirituels et philosophie antique*, p. 13-58.

6. Ὅμοιον δὲ τοῖς εἰρημένοις καὶ τὸ ἑπόμενον· « Καιρός, φησί, τοῦ φυτεῦσαι καὶ καιρὸς τοῦ ἐκτῖλαι τὸ
382 *A.* πεφυτευμένον[a]. » Οἴδαμεν | τίς ἡμῶν ὁ γεωργὸς καὶ ἡμεῖς τίνος γεώργιον. Τὸ μὲν γὰρ παρὰ τοῦ Χριστοῦ, τὸ
5 δὲ παρὰ τοῦ δούλου τοῦ Χριστοῦ μεμαθήκαμεν Παύλου. Ὁ μὲν γὰρ κύριός φησιν ὅτι « Ὁ πατήρ μου ὁ γεωργός ἐστιν[b] », ὁ δὲ ἀπόστολος πρὸς ἡμᾶς λέγει ὅτι « Θεοῦ γεώργιόν ἐστε[c] ». Ὁ οὖν μέγας γεωργὸς τὰ ἀγαθὰ φυτεύειν μόνον ἐπίσταται — « ἐφύτευσε γὰρ ὁ θεὸς παρά-
10 δεισον ἐν Ἐδὲμ κατὰ ἀνατολάς[d] » —, τὰ δὲ ἐναντία τοῖς ἀγαθοῖς ἀποτίλλει· « πᾶσα γὰρ φυτεία ἣν οὐκ ἐφύτευσεν ὁ πατήρ μου ὁ οὐράνιος ἐκριζωθήσεται[e]. » Οὐκοῦν ἡ φαρισαϊκὴ κακία τε καὶ ἀπιστία καὶ ἡ πρὸς τὰ γινόμενα
705 M. παρὰ τοῦ κυρίου θαύματα ἀγνωμοσύνη ταῦτα τὰ φυτά
15 ἐστι τὰ ἐκτιλλόμενα. Χρὴ γὰρ ἐπικρατῆσαι τὸ κήρυγμα τῆς σωτηρίας, χρὴ « κηρυχθῆναι τὸ εὐαγγέλιον ἐν ὅλῳ τῷ κόσμῳ[f] », χρὴ « πᾶσαν γλῶσσαν ἐξομολογήσασθαι ὅτι κύριος Ἰησοῦς Χριστὸς εἰς δόξαν θεοῦ πατρός[g] ». Ἐπεὶ

6. a. Eccl. 3, 2b b. Jn 15, 1 c. I. Cor. 3, 9 d. Gen. 2, 8 e. Matth. 15, 13 f. Matth. 26, 13 g. Phil. 2, 11

---

1. Par le jeu des références néo-testamentaires, Grégoire va peu à peu amener la distinction du bon grain et de l'ivraie (l. 21 s.), habituelle pour désigner les membres de l'Église opposés aux hérétiques. Le commentaire que Basile donne de *Gen.* 1, 11 (« Que la terre fasse pousser une pâture d'herbe ») va dans le même sens : l'ivraie est « l'image de ceux qui corrompent les préceptes du Seigneur et... se mêlent au corps sain de l'Église » (*Hom. sur l'Hexaéméron* V, 5, *SC* 26 bis, p. 298-299).

2. Alors que le commentaire d'*Eccl.* 3, 2 s'organise à partir de l'image du cultivateur et du travail de plantation, Grégoire cite le verset de la *Genèse*, la présence du verbe φυτεύειν dans les deux versets justifiant le rapprochement. Dans l'homélie III (III, 9 sur *Eccl.* 2, 5), Grégoire a joué sur l'opposition du singulier et du pluriel pour l'emploi du terme παράδεισος ; et il connaît aussi le sens étymologique du mot Éden, traduit par τρυφή (délice), qu'il rappelle en *De hom. op.* 19, 197 a-b, fidèle en cela

Planter et arracher 6. Le verset qui suit est lui aussi semblable à ce qui vient d'être dit : « Moment pour planter, dit le texte, et moment pour arracher ce qui a été planté [a].» Nous savons qui parmi nous est le cultivateur et de qui nous sommes le champ cultivé [1]. La première chose, nous l'avons apprise du Christ, et l'autre, du serviteur du Christ, Paul. En effet le Seigneur dit : « Mon Père est le cultivateur [b] », et l'Apôtre nous dit : « Vous êtes le champ cultivé de Dieu [c] ». Donc le cultivateur tout-puissant ne sait que planter le bien — car « Dieu a planté un jardin en Éden, au levant [d] » [2] — , et il arrache ce qui est contraire au bien : « Tout plant que n'a pas planté mon Père céleste sera déraciné [e].» C'est donc que la méchanceté des pharisiens, leur manque de foi et leur méconnaissance des merveilles accomplies par le Seigneur sont ces plants qu'on arrache. Il faut en effet que l'annonce du salut l'emporte, il faut que « l'Évangile soit proclamé dans le monde entier [f] », il faut que « toute langue confesse que Jésus Christ est le Seigneur, à la gloire de Dieu le Père [g] » [3]. Donc, puisqu'il

à l'exégèse philonienne : « La vertu a été appelée par figure jardin (παράδεισος), et le lieu propre au jardin, c'est l'Éden, c'est-à-dire la vie délicate (τρυφή) » (PHILON, *Leg. all.* I, 43-47 et 63-64, *OPA* 2). — Localisation géographique ou signification allégorique de l'Éden : M. ALEXANDRE a montré toutes les discussions suscitées dans les premiers siècles par la question du « site du paradis » (« Entre ciel et terre : les premiers débats sur le site du paradis », dans *Peuples et pays mythiques. Actes du Ve Colloque du Centre de Recherches Mythologiques de l'Université de Paris X (Chantilly, 18-20 Sept. 1986) réunis par F. Jouan et B. Deforge*, Paris 1987, p. 187-224). ORIGÈNE, quant à lui, refuse l'interprétation littérale du verset : « Qui se trouvera assez sot pour penser que Dieu, comme un jardinier, 'a planté des arbres dans le paradis, dans l'Éden, vers le levant'... ? » (*Traité des principes* IV, 3, 1, trad. Harl).

3. La citation de la fin de l'hymne aux Philippiens oriente nettement l'interprétation d'*Eccl.* 3, 2 dans le sens ecclésiologique. La référence à *Phil.* 2 joue un rôle important dans la lutte contre Eunome ; commentaire de l'ensemble de l'hymne en *Adv. Apol.* (*GNO* III, 1, p. 159-162).

οὖν ταῦτα γενέσθαι χρὴ πάντως, ἡ νῦν ἐπικρατοῦσά τινων
20 ἀπιστία οὐκ ἔστιν ἐκ τῆς τοῦ πατρὸς φυτείας, ἀλλὰ τοῦ
παρασπείροντος τὰ ζιζάνια ἢ τοῦ παραφυτεύοντος τῷ
δεσποτικῷ ἀμπελῶνι τὴν σοδομιτικὴν κληματίδα[h].
Ὅπερ οὖν ἐκεῖ ἐν τῷ εὐαγγελίῳ παρὰ τῆς δεσποτικῆς
φωνῆς ἐπαιδεύθημεν, τοῦτο νῦν καὶ ἐν τῷ αἰνίγματι τοῦ
25 ἐκκλησιαστοῦ ἐδιδάχθημεν, ὅτι ὁ αὐτὸς καιρός ἐστι τό
383 A. τε σωτήριον τῆς | πίστεως φυτὸν παραδέξασθαι καὶ
τὸ τῆς ἀπιστίας ἀποτῖλαι ζιζάνιον.

Ὃ δὲ ἐπὶ μέρους περὶ τοῦ κατὰ τὴν πίστιν κατορθώματος εἴρηται, τοῦτο καὶ ἐπὶ πάσης ἀρετῆς ἀκολούθως ἄν
30 τις νοήσειε. Καιρὸς τοῦ φυτεῦσαι τὴν σωφροσύνην καὶ
ἐκτῖλαι τὸ τῆς ἀκολασίας φυτόν. Οὕτω καὶ δικαιοσύνης
φυτευθείσης ἀπορριζοῦται τὸ ἄδικον βλάστημα, καὶ τὸ
τῆς ταπεινοφροσύνης φυτὸν τὸν τῦφον ἀνέτρεψεν ἥ τε
ἀγάπη βλαστήσασα τὸ πονηρὸν τοῦ μίσους δένδρον
35 ἐξήρανεν. Ὥσπερ οὖν καὶ ἐκ τοῦ ἐναντίου γίνεται· ἡ
ἀδικία πληθυνομένη τὴν ἀγάπην κατέψυξε, καὶ τὰ ἄλλα
πάντα κατὰ τὸν αὐτὸν τρόπον, ἵνα μὴ τὰ καθ' ἕκαστον
λέγοντες διατρίβωμεν, ὁμοίως νοοῦντες οὐ σφαλησόμεθα.

7. Πάλιν ὁ ἐφεξῆς λόγος σύμφωνος τοῖς προεξητασμένοις ἐστί. « Καιρὸς γάρ, φησί, τοῦ ἀποκτεῖναι καὶ
καιρὸς τοῦ ἰάσασθαι[a]. » Τοῦτο δὲ σαφῶς ἐν τῷ προφητικῷ ῥητῷ προηρμήνευται ὃ ἐκ προσώπου τοῦ θεοῦ φησιν
5 ὅτι « Ἐγὼ ἀποκτενῶ καὶ ζῆν ποιήσω[b] ». Ἐὰν γὰρ μὴ
ἀποκτείνωμεν ἐν ἑαυτοῖς τὴν ἔχθραν, οὐκ ἰασόμεθα τὴν

h. cf. Deut. 32, 32
7. a. Eccl. 3, 3 b. Deut. 32, 39

---

1. W. Jaeger (voir *GNO* V, p. 382) estime que cette expression est une indication pour dater les homélies. Voir ci-dessus, Introd., p. 17.

faut absolument qu'il en soit ainsi, le manque de foi qui s'empare aujourd'hui de certains [1] ne vient pas de la plantation du Père, mais de celui qui sème l'ivraie ou de celui qui plante le sarment de Sodome [h] dans la vigne du Maître. Et donc, ce dont nous avons été instruits alors dans l'Évangile par la voix du Maître, cela nous a été enseigné maintenant en énigme [2] par l'ecclésiaste : c'est le même moment qui est donné pour accueillir le plant salvateur de la foi et pour arracher l'ivraie de l'incroyance.

Ce qui vient d'être dit en particulier à propos de la rectitude de la foi, on pourrait également le penser, selon un enchaînement logique, pour toute vertu : il y a un moment pour planter la sagesse et pour arracher le plant du désordre. De la même façon aussi, une fois la justice plantée, le germe d'injustice est arraché, le plant de l'humilité a ruiné la fatuité et l'amour qui a germé a desséché le mauvais arbre de la haine. Et il en va de même dans le cas contraire : l'injustice, en s'accroissant, a refroidi l'amour, et pour tout le reste, pour ne pas passer notre temps à dire les choses une à une nous pourrons penser pareillement, sans risque d'erreur, qu'il en est de même.

Tuer et guérir

7. De nouveau, la parole qui suit s'accorde à celles qui ont été examinées précédemment. « Moment pour tuer, est-il dit, et moment pour guérir [a] .» Cela a été clairement interprété d'avance par la parole prophétique qui dit au nom de Dieu : « Moi, je tuerai et je ferai vivre [b] ». En effet, si nous ne tuons pas en nous-mêmes la haine, nous ne guérirons pas la dispo-

2. Conformément à l'économie de la Révélation, le texte sapientiel reste obscur ; dans l'homélie II (6, 29-40), Grégoire a commenté de la même façon le terme παραβολή d'*Eccl.* 1, 17b.

ἀγαπητικὴν διάθεσιν τὴν ἐν ἡμῖν διὰ τοῦ μίσους νοσήσασαν. Οὕτω καὶ τὰ λοιπὰ πάντα ὅσα ἐπὶ κακῷ καθ' ἡμῶν ζῇ, λέγω δὴ τὴν κακὴν τῶν παθημάτων παράταξιν καὶ
10 τὸν ἐμφύλιον τοῦτον πόλεμον τὸν καθ' ἡμῶν διὰ τῶν ἡδονῶν στρατευόμενον καὶ αἰχμαλωτίζοντα ἡμᾶς τῷ |
384 A. νόμῳ τῆς ἁμαρτίας, καιρός ἐστι τοῦ ἀποκτεῖναι. Ὁ γὰρ τῶν τοιούτων φόνος ἴασις γίνεται τοῦ διὰ τῆς ἁμαρτίας ἐξασθενήσαντος.
15 Φασὶν οἱ ἰατροὶ τὰς ἕλμινθας καὶ ἄλλα τινὰ τοιαῦτα θηρία ἔσωθεν ἐκ κακοχυμίας ἐνζωογονεῖσθαι τοῖς σπλάγχνοις, ὧν ἡ ζωὴ νόσος τῷ σώματι γίνεται· εἰ δὲ ἐκεῖνα διά τινος φαρμακοποσίας ἀναιρεθείη, πάλιν εἰς ὑγείαν ὁ κάμνων ἀναρρωσθήσεται. Ἀναλογεῖ τὰ τοιαῦτα
20 τοῦ σώματος πάθη πρὸς τὰ τῆς ψυχῆς ἀρρωστήματα. Ὅταν ὁ θυμὸς ἔνδοθεν ἐκμυζῶν ἢ διὰ τῆς μνησικακίας τῆς ψυχῆς τὸν τόνον καὶ τοὺς λογισμοὺς ἐκνευρίζων ἢ τὸ τοῦ φθόνου θηρίον ἢ εἴ τι ἄλλο τοιοῦτον κακὸν ἡ κακὴ δίαιτα ζωογονήσῃ, ὁ αἰσθόμενος ὅτι θηρίον τρέφει
25 ἔνδοθεν αὐτῷ ἡ ψυχὴ εὐκαίρως χρήσεται τῷ ἀναιρετικῷ τῶν παθῶν φαρμάκῳ. Τοῦτο δέ ἐστιν ἡ ἐκ τοῦ εὐαγγελίου διδασκαλία, ὥστε ἐκείνων φονοκτονηθέντων ἐπιγενέσθαι τῷ πεπονηκότι τὴν ἴασιν.

1. Même expression en *De perf.* (*GNO* VIII, 1, p. 184) ; dans le *De an. et res.* (*PG* 46, 92 B), elle évoque la lutte que se livrent dans l'âme le souvenir et l'espoir.

2. Sur le rôle de l'analogie et des comparaisons médicales, voir ci-dessus, Introd., chap. IV, p. 43-47.

sition à l'amour qui a été rendue malade en nous par la haine. Et de même tous les autres maux qui vivent en vue de nous faire du mal, je veux dire bien sûr la mauvaise disposition qu'engendrent les passions et cette guerre intestine [1] que les plaisirs mènent contre nous, nous asservissant à la loi du péché, il y a un moment pour les tuer. Car le meurtre de tels maux est la guérison de celui qui s'est affaibli à cause du péché.

Les médecins disent que les vers et autres bestioles semblables sont engendrés à l'intérieur des entrailles à cause d'un mauvais suc, et que leur vie est une maladie pour le corps. Mais si on les fait disparaître grâce à l'absorption de quelque médicament, le malade reprendra force et recouvrera la santé. Pareilles souffrances du corps sont analogues aux faiblesses de l'âme [2]. Chaque fois que la colère épuise de l'intérieur ou énerve, à cause de la rancune, la tension et les raisonnements de l'âme [3], ou qu'un mauvais régime de vie fait naître la bête de l'envie ou tout autre mal semblable, celui qui perçoit que son âme nourrit au dedans de lui une bête aura recours, au moment opportun, au médicament qui fait disparaître les souffrances. Tel est l'enseignement de l'Évangile, pour qu'une fois ces maux mis à mort, la guérison survienne chez celui qui a souffert.

3. L'image de la « tension de l'âme » est fréquente dans les textes stoïciens ; voir par ex. CHRYSIPPE, *SVF* III, 473 (les trois termes y sont utilisés pour montrer que le *tonos* est la caractéristique de la partie rationelle de l'âme). P. HADOT rapproche cette « tension » de la place importante faite par les stoïciens aux « exercices spirituels » (art. « Exercices spirituels », dans *Exercices spirituels et philosophie antique*, spécialement p. 15-29).

8. « Καιρὸς τοῦ καθελεῖν καὶ καιρὸς τοῦ οἰκοδομῆσαι [a]. » Ταῦτα καὶ ἐν τοῖς πρὸς τὸν προφήτην Ἱερεμίαν
708 M. παρὰ τοῦ θεοῦ ῥηθεῖσιν ἔστι μαθεῖν, ᾧ δέδοται θεόθεν ἡ δύναμις εἰς τὸ πρότερον « καθαιρεῖν καὶ ἐκριζοῦν καὶ
5 κατασκάπτειν καὶ τότε ἀνορθοῦν καὶ ἀνοικοδομεῖν καὶ
385 A. καταφυτεύειν [b] ». Χρὴ | γὰρ πρότερον ἐν ἡμῖν ἐρειπωθῆναι τὰ τῆς κακίας οἰκοδομήματα καὶ τότε καιρόν τε καὶ εὐρυχωρίαν εὑρεῖν πρὸς τὴν τοῦ ναοῦ τοῦ θεοῦ [c] κατασκευὴν τοῦ ἐν ταῖς ψυχαῖς οἰκοδομουμένου, οὗ ἡ ὕλη
10 ἀρετὴ γίνεται. « Εἴ τις γὰρ ἐποικοδομεῖ ἐπὶ τὸν θεμέλιον τοῦτον χρυσίον καὶ ἀργύριον καὶ λίθους τιμίους [d] », ταῦτα ἡ ἀρετὴ ὀνομάζεται· « ξύλῳ δὲ καὶ χόρτῳ καὶ καλάμῃ [e] » ἡ τῆς κακίας ἑρμηνεύεται φύσις, ἥτις εἰς οὐδὲν ἄλλο ἢ εἰς πυρὸς δαπάνην παρασκευάζεται. Ὅταν οὖν ἐκ χόρτου καὶ
15 καλάμης τὰ οἰκοδομήματα ᾖ, τουτέστιν ἐξ ἀδικίας τε καὶ ὑπερηφανίας καὶ τῆς λοιπῆς τοῦ βίου κακίας, πρότερον ταῦτα εἰς ἀφανισμὸν ἀγαγεῖν ὁ λόγος διακελεύεται, εἶθ' οὕτω τὸ χρυσίον τῆς ἀρετῆς ὕλην τῆς κατασκευῆς τοῦ πνευματικοῦ οἴκου ποιήσασθαι. Οὐ γὰρ ἔστι τῇ καλάμῃ
20 συμφυῆναι τὸν ἄργυρον ἢ τῷ χόρτῳ τὸ χρυσίον προσλιπανθῆναι ἢ τὸν μαργαρίτην τῷ ξύλῳ, ἀλλ' εἰ μέλλοι τοῦτο εἶναι, χρὴ πάντως ἀφανισθῆναι τὸ ἕτερον. « Τίς γὰρ κοινωνία φωτὶ πρὸς σκότος [f] ; » Οὐκοῦν καθαιρεθήτω πρότερον τὰ τοῦ σκότους ἔργα καὶ τότε κατασκευασθήσε-
25 ται τὰ φωτεινὰ τοῦ βίου οἰκοδομήματα.

8. a. Eccl. 3, 3b b. Jér. 1, 10 c. cf. I Cor. 3, 16 d. I Cor. 3, 12 e. I Cor. 3, 12 f. II Cor. 6, 14

---

1. Le verset de *Jér.* 1, 10 (texte de la LXX) est adapté par Grégoire au verset de l'*Ecclésiaste* qu'il commente ; en effet, il garde seulement quatre des infinitifs du texte de Jérémie (ἐκριζοῦν, κατασκάπτειν, ἀνοικοδομεῖν, καταφυτεύειν), auxquels il mêle καθαιρεῖν, qui rappelle

Détruire et bâtir **8.** « Moment pour détruire et moment pour bâtir [a].» C'est ce qu'on peut aussi apprendre dans les paroles adressées par Dieu au prophète Jérémie [1], à qui a été donné de la part de Dieu le pouvoir d'abord de « détruire, de déraciner et de ruiner, puis de redresser, de construire et de planter [b] ». Il faut en effet que soient ruinées d'abord en nous les demeures du mal et qu'on trouve alors un moment et un lieu spacieux pour la construction du temple de Dieu [c] qui est édifié dans nos âmes, et dont la matière est la vertu. « Bâtir sur ce fondement en or, en argent et en pierres précieuses [d] », c'est ce qu'on nomme la vertu. La nature du mal est signifiée « par le bois, le foin et la paille [e] », et elle n'est vouée à rien d'autre qu'à être consumée par le feu. Chaque fois donc que les demeures sont faites de foin et de paille, c'est-à-dire d'injustice, d'orgueil et de ce qu'il y a encore de mal dans l'existence, le texte ordonne que ces matériaux soient d'abord menés à la destruction et qu'ensuite on fabrique l'or de la vertu, matériau pour la construction de la demeure spirituelle. Car il n'est pas possible que l'argent croisse avec la paille, ni que l'or prolifère avec le foin ou la perle avec le bois, et si l'on veut que l'un soit, il faut absolument éliminer l'autre. « Quoi de commun, en effet, entre la lumière et l'obscurité [f] ? [2] » Qu'on détruise donc d'abord les œuvres des ténèbres et alors seront édifiées les demeures lumineuses de la vie.

directement le verset de l'*Ecclésiaste*, et ἀνορθοῦν dont le champ sémantique est approprié à la ligne éthique du commentaire. On pourra comparer avec la manière dont ORIGÈNE (*Hom. sur Jérémie* I, 6-7) passe d'abord par le sens historique du verset pour parvenir à la même idée du mal à extirper de l'âme humaine.

2. Importance du verset pour Grégoire : il rappelle la radicalité de l'opposition entre le bien et le mal, la vie et la mort (voir *Biblia Patristica* 5, *ad loc.*).

9. « Καιρὸς τοῦ κλαῦσαι καὶ καιρὸς τοῦ γελάσαι[a]. » Σαφηνίζεται οὗτος ὁ λόγος τῇ εὐαγγελικῇ φωνῇ τῇ ἐκ
386 A. προσώπου | τοῦ κυρίου γεγενημένῃ, ἥ φησιν ὅτι « Μακάριοι οἱ πενθοῦντες, ὅτι αὐτοὶ παρακληθήσονται[b] ». Νῦν
5 οὖν ἐστιν ὁ τοῦ κλαῦσαι καιρός, ὁ δὲ τοῦ γελάσαι δι' ἐλπίδος ἀπόκειται[c]· ἡ γὰρ παροῦσα κατήφεια τῆς ἐλπιζομένης εὐφροσύνης μήτηρ γενήσεται. Τίς δὲ οὐκ ἂν ἐν θρήνοις καὶ σκυθρωπότητι πάντα τὸν βίον ἑαυτοῦ δαπανήσειεν, εἴπερ αἴσθησιν λάβοι αὐτὸς ἑαυτοῦ καὶ
10 γνοίη τὰ καθ' ἑαυτὸν ἅ τε εἶχεν ἅ τε ἀπώλεσεν καὶ ἐν οἷς ἦν τὸ κατ' ἀρχὰς ἡ φύσις καὶ ἐν τίσιν ἐπὶ τοῦ παρόντος ἐστίν ; Τότε θάνατος οὐκ ἦν, νόσος ἀπῆν, τὸ ἐμὸν καὶ τὸ σόν, τὰ πονηρὰ ταῦτα ῥήματα, τῆς ζωῆς τῶν πρώτων ἐξώριστο. Ὡς γὰρ κοινὸς ὁ ἥλιος καὶ ὁ ἀὴρ κοινὸς καὶ
15 πρὸ πάντων τοῦ θεοῦ ἡ χάρις καὶ ἡ εὐλογία κοινή, οὕτως ἐν ἴσῳ καὶ ἡ παντὸς ἀγαθοῦ μετουσία κατ' ἐξουσίαν προέκειτο, καὶ ἡ νόσος τῆς πλεονεξίας οὐκ ἐγνωρίζετο, καὶ τὸ πρὸς τὸ ἐλαττοῦσθαι μῖσος κατὰ τῶν ὑπερεχόντων οὐκ ἦν — οὐδὲ γὰρ ὅλως τὸ ὑπερέχον ἦν — καὶ μυρία
20 ἐπὶ τούτοις ἄλλα ἃ οὐδ' ἂν παραστῆσαί τις δυνηθείη τῷ λόγῳ παμπληθὲς τῶν εἰρημένων κατὰ τὸ μεγαλεῖον προέχοντα, λέγω δὴ τὴν πρὸς ἀγγέλους ὁμοτιμίαν, τὴν ἐπὶ θεοῦ παρρησίαν, τὴν τῶν ὑπερκοσμίων ἀγαθῶν θεωρίαν, τὸ τῷ ἀφράστῳ κάλλει τῆς μακαρίας φύσεως
25 καὶ ἡμᾶς ὡραΐζεσθαι, δεικνύντας ἐν ἑαυτοῖς τὴν θείαν
387 A. εἰκόνα[d] τῇ | ὥρᾳ τῆς ψυχῆς ἐπιστίλβουσαν.

Τὰ δὲ ἀντ' ἐκείνων, οἷα ὁ πονηρὸς τῶν παθημάτων ἑσμός, ἡ κακὴ τῶν λυπηρῶν σφηκιά, τί ἄν τις πρῶτον

9. a. Eccl. 3, 4a b. Matth. 5, 4 c. cf. Col. 1, 5 d. cf. Gen. 1, 26

1. La citation de *Matthieu* 5, 4 invite à rapprocher la fin de l'homélie VI de l'*oratio* III du *De beat.* (*GNO* VII, 2, p. 98-109) : Grégoire y évoque deux causes de larmes, la tristesse suscitée par les péchés commis

Pleurer et rire

9. « Moment pour pleurer et moment pour rire [a] .» Ce texte est éclairé par la parole de l'Évangile prononcée par le Seigneur en personne et qui dit : « Heureux ceux qui sont dans le deuil, car ils seront consolés [b] ! [1] » Maintenant donc, c'est le moment de pleurer, tandis que le moment de rire demeure en espérance [c]. Car l'affliction présente deviendra mère de la joie espérée. Qui ne passerait toute sa vie en chants de deuil et dans une humeur sombre, s'il percevait ce qu'il est et s'il connaissait ce qui le concerne : ce qu'il a eu, ce qu'il a perdu, en quoi consistait sa nature au commencement et en quoi elle consiste à présent ? Alors, la mort n'était pas, la maladie était absente, « le mien » et « le tien », ces mots pervers, étaient bannis de la vie des premiers hommes. De même en effet que le soleil était commun, que l'air était commun, et que, avant tout, la grâce de Dieu et sa bénédiction étaient communes, de même, c'est de manière égale qu'on avait part librement à tous les biens et qu'on ne connaissait pas la maladie de l'avidité ; la haine de qui était inférieur n'existait pas contre qui était supérieur — c'est qu'il n'y avait même pas du tout de « supérieur » —, et mille autres choses encore qu'on ne pourrait faire tenir dans le discours, tant elles l'emportent en importance sur ce qui a été dit, je veux parler de l'égalité d'honneur avec les anges, de la liberté de parole devant Dieu [2], de la contemplation des biens supra-terrestres et du fait d'être parés nous aussi de la beauté indicible de la nature bienheureuse et de montrer en nous l'image divine [d] resplendissant de la beauté de l'âme.

Quant à ce qui est contraire à ces biens, comme le méchant essaim des souffrances, le mauvais guêpier des

et la nostalgie née de la perte du bien véritable. Les deux textes s'achèvent sur le rappel de la parabole de Lazare et du Riche.

2. Fondamentales pour définir la dignité de l'homme créé à l'image de Dieu, l'« isangélie » (voir M. AUBINEAU, Introd. à *De virg.*, p. 206-207) et la *parrhèsia* font partie des biens paradisiaques. Sur la *parrhèsia*, voir *Or. cat.* 6, 10 ; *De or. dom.* V (*GNO* VII, 2, p. 68).

εἴποι τῶν τοῦ βίου κακῶν; Πάντα ὁμοτίμως ἔχει πρὸς
30 ἄλληλα, πάντα προτερεύει ταῖς τῶν κακῶν ἐξοχαῖς, πάντα τῶν ἴσων θρήνων ἀφορμὴ γίνεται. Τί μᾶλλον γάρ τις θρηνήσει τῆς ἀθλιότητος; Πόθεν πλέον τὴν φύσιν
709 M. ἀπολοφυρεῖται, τὸ ὠκύμορον τῆς ζωῆς, τὸ ἐπίπονον, τὸ ἀπὸ δακρύων ἄρχεσθαι καὶ καταλήγειν εἰς δάκρυον, τὴν
35 ἐλεεινὴν νηπιότητα, τὴν ἐν τῷ γήρᾳ παράνοιαν, τὸ ἀστατοῦν τῆς νεότητος, τὸ πολύμοχθον τῶν τῇ ἡλικίᾳ καθεστηκότων, τοῦ γάμου τὸ φορτικόν, τῆς ἀγαμίας τὸ ἔρημον, τῆς πολυπαιδίας τὸ ἐπαχθές, τῆς ἀπαιδίας τὸ ἄρριζον, τοῦ πλούτου τὸ ἐπίφθονον, τῆς πενίας τὸ
40 ἐπώδυνον; Καὶ σιωπῶ τὰς πολυτρόπους τῶν νοσημάτων διαφοράς, τὰς λώβας, τοὺς ἀκρωτηριασμούς, τὰς σήψεις, τὰς τῶν αἰσθητηρίων πηρώσεις, τὰς ἐκ δαιμόνων παραφοράς, πάντα ὅσα ἡ φύσις ἐν ἑαυτῇ περιέχει, ἃ τῇ δυνάμει ἕκαστος τῶν ἀνθρώπων ἐστὶν ἔχων ἐν τῇ φύσει
45 τὰ πάθη. Τὴν δὲ τῶν ἐρώτων μανίαν καὶ τὸν δυσώδη βόρβορον εἰς ὃν καταστρέφεται ἡ τοιαύτη λύσσα παρίημι· καὶ τὴν συνεζευγμένην τῇ τροφῇ διὰ τῆς ἀποποιήσεως ἀηδίαν οὐ λέγω, ὡς ἂν μὴ δόξαιμι διὰ πάντων στηλιτεύειν τῷ λόγῳ τὸν βίον, κοπροποιόν τινα τὴν φύσιν
388 A. 50 ἡμῶν | ἀποδεικνύων.

Ταῦτα ἀφεὶς πάντα καὶ τὰ τοιαῦτα ἐκεῖνο μάλιστά φημι δακρύων ἄξιον εἶναι τοῖς αἰσθανομένοις τὸ εἰδέναι πάντας ὅτι τῆς σκιοειδοῦς ταύτης παραδραμούσης ζωῆς

1. Les âges de la vie comme les différents états de vie sont, ici, tous connotés négativement (voir de même la comparaison de la vie à une toile d'araignée en *In inscr. Ps.* I, 7, *GNO* V, p. 49, 20-23). Le jeu d'antithèses souligne que les contraires se rejoignent. Grégoire semble donc bien loin ici de l'éloge inconditionnel de la virginité opposé à la critique radicale du mariage ; voir *De virg.* III et IV (ce traité, daté de 371, est antérieur aux *Hom. sur l'Ecclésiaste*). L'emploi du terme négatif ἀγαμία est l'indice de

chagrins, lequel des maux de la vie nommer d'abord ? Tous se valent les uns par rapport aux autres, tous ont le premier rang pour l'ampleur des maux qu'ils suscitent, tous sont source de lamentations égales. Car de quoi se lamentera-t-on davantage que du malheur ? Par où déplorer davantage notre nature, la vie éphémère, le labeur, le fait de commencer par les larmes et de finir dans les larmes, la petite enfance pitoyable, la folie de la vieillesse, l'instabilité de la jeunesse, les chagrins innombrables de ceux qui arrivent à la force de l'âge, le fardeau du mariage, le désert du célibat, la charge de nombreux enfants, le déracinement dû à l'absence d'enfants, l'envie suscitée par la richesse, la douleur du dénuement [1] ? Et je tais les multiples formes de maladies, mutilations, amputations, gangrène, privation de l'usage des sens, égarements dus aux démons, tout ce que la nature porte en elle-même — et chaque homme les possède en puissance en lui-même, car les passions sont dans sa nature. La folie des désirs et le bourbier fétide [2] vers lequel se tourne une telle fureur, je les passe sous silence ; et l'aversion liée à la nourriture à cause de ce qu'on élimine, je ne la dis pas, pour ne pas paraître flétrir publiquement par mon discours la vie humaine dans tous ses aspects, en présentant notre nature comme productrice de fumier.

Je laisse donc tout cela et les sujets semblables de côté, et je préfère dire que pour ceux qui se rendent compte, il vaut mieux pleurer sur ce que tous savent : une fois par-

ce changement de perspective. Pour BASILE, *Ep.* 2, 2, tous les genres de vie peuvent comporter une insatisfaction. Sur le débat entre mariage et virginité, voir l'ensemble de textes rassemblés par C. MUNIER (*Mariage et virginité dans l'Église ancienne, Ier-IIIe siècles*, Berne 1987). Pour le IVe s., voir Jean Chrysostome et Ambroise.

2. Voir M. AUBINEAU, « Le thème du bourbier dans la littérature grecque profane et chrétienne », *RecSR* 47 (1959), p. 185-214.

μένει ἡμᾶς « φοβερά τις ἐκδοχὴ κρίσεως καὶ πυρὸς ζῆλος
55 ἐσθίειν μέλλοντος τοὺς ὑπεναντίους[e] ». Ὁ οὖν ταῦτα καὶ τὰ τοιαῦτα λογιζόμενος ἆρ' οὐκ ἀεὶ τῷ θρήνῳ συζήσεται; Οὐκοῦν καιρὸς ἂν εἴη νῦν ταῦτα τῷ λογισμῷ λαμβάνειν. Ἐκ γὰρ τοῦ σκυθρωπῶς πρὸς τὴν παροῦσαν ἔχειν ζωὴν τὸ μηδὲν πλημμελεῖν ἐν ταύτῃ κατὰ τὸ εἰκὸς προσγε-
60 νήσεται. Τούτου δὲ κατορθωθέντος ἡ ἐπαγγελθεῖσα τῆς εὐφροσύνης χάρις δι' ἐλπίδος ἡμῖν ἀποκείσεται[f]. « Ἡ δὲ ἐλπὶς οὐ καταισχύνει[g] », καθώς φησιν ὁ ἀπόστολος.

10. Τὸ δὲ ἐπαγόμενον οἷον ἐπανάληψις τοῦ προειρημένου ἐστίν. Εἰπὼν γὰρ τοῦ δακρύου καὶ τοῦ γέλωτος τὴν εὐκαιρίαν ἐπήγαγε· « Καιρὸς τοῦ κόψασθαι καὶ καιρὸς τοῦ ὀρχήσασθαι[a] », ὅπερ οὐδὲν ἄλλο ἢ ἐπίτασις
5 ἑκατέρου τῶν μνημονευθέντων ἐστίν. Ὁ γὰρ ἐμπαθής τε καὶ ἐνδιάθετος θρῆνος κοπετὸς ὑπὸ τῆς γραφῆς ὀνομάζεται. Ὡσαύτως δὲ καὶ ἡ ὄρχησις σημαίνει τὴν τῆς εὐφροσύνης ἐπίτασιν, καθὼς ἐν τῷ εὐαγγελίῳ τὸ τοιοῦτον ἐμάθομεν, ἐν οἷς φησιν· « Ηὐλήσαμεν ὑμῖν καὶ οὐκ
10 ὠρχήσασθε, ἐθρηνήσαμεν καὶ οὐκ ἐκόψασθε[b]. » Οὕτω
389 A. φησὶν | ἡ ἱστορία κοπετὸν μὲν ἐπὶ τῇ μεταστάσει τοῦ Μωυσέως τοῖς Ἰσραηλίταις γενέσθαι, ὀρχήσασθαι δὲ τὸν

e. Hébr. 10, 27 f. cf. Col. 1, 5 g. Rom. 5, 5
10. a. Eccl. 3, 4b b. Matth. 11, 17

1. Voir *Deut.* 34, 6 : « Personne n'a vu son tombeau jusqu'à ce jour .» Toute une littérature s'est développée autour de la mort mystérieuse de Moïse : *Targum du Deutéronome, ad loc.* (*SC* 271, p. 300 s.) ; *Antiquités Bibliques* 19 (*SC* 229) ; *Testament de Moïse* XI, 5-8, où, dans un dialogue avec ce dernier, Josué lui dit ses inquiétudes : « Quel lieu va te recevoir ?

courue cette vie qui ressemble à une ombre, il nous reste « une attente craintive du jugement et le courroux du feu qui va dévorer les rebelles [e] ». Celui donc qui aura réfléchi à tout cela et aux sujets semblables ne passera-t-il pas toute sa vie à se lamenter ? Ce serait donc le moment maintenant de raisonner sur ces sujets. En effet, si l'on est dans de sombres dispositions à l'égard de la vie présente, il en résultera vraisemblablement qu'on s'abstiendra de toute faute durant cette vie. Et une fois notre comportement rectifié, la grâce de la joie qui nous a été annoncée nous sera réservée en espérance [f], et « l'espérance ne trompe pas [g] », comme le dit l'Apôtre.

Se frapper la poitrine et danser

10. Ce qui suit est comme une reprise de ce qui a déjà été dit. En effet, après avoir parlé de l'opportunité des larmes et du rire, le texte poursuit : « Moment pour se frapper la poitrine et moment pour danser [a] », ce qui n'est rien d'autre qu'exprimer l'intensité des deux attitudes qu'on vient de rappeler. La lamentation intérieure qui naît de la souffrance est nommée par l'Écriture « coup sur la poitrine » ; et de la même manière, la danse signifie l'intensité de la joie, comme nous avons appris la même chose dans l'Évangile, dans les paroles : « Nous avons joué de la flûte et vous n'avez pas dansé, nous avons entonné des chants de deuil, et vous ne vous êtes pas frappé la poitrine [b] .» L'histoire dit de même qu'on s'est frappé la poitrine lorsque Moïse a été enlevé aux Israélites [1]

Ou quel tombeau sera ta sépulture ? ... En effet, tous ceux qui meurent en leur temps ont leur sépulture dans leur pays ; or ta sépulture est de l'orient du soleil jusqu'à son couchant, et du midi jusqu'aux limites de l'Aquilon : le monde entier est ton sépulcre » (trad. Laperrousaz, *Écrits intertestamentaires* éd. par Dupont-Sommer et Philonenko, Paris 1987, p. 1013 s.).

Δαβὶδ[c] τῆς κιβωτοῦ προπομπεύοντα, ὅτε αὐτὴν ἐκ τῶν ἀλλοφύλων ἀνεκομίσατο, μὴ ἐν τῷ συνήθει δεικνύμενον
15 σχήματι. Ὑποφθέγγεσθαι γὰρ αὐτόν τί φησι τῶν ἐναρμονίων μελῶν ἐν τῷ μουσικῷ ὀργάνῳ ἀνακρουόμενον, συγκινεῖσθαι δὲ πρὸς τὸν ῥυθμὸν τῷ ποδὶ καὶ τῇ ἐνρύθμῳ κινήσει τοῦ σώματος τὴν ἔνδον δημοσιεύειν διάθεσιν.

Ἐπειδὴ τοίνυν διπλοῦς μὲν ὁ ἄνθρωπος, ἐκ ψυχῆς
20 λέγω καὶ σώματος, διπλῆ δὲ καὶ ἡ ζωὴ καταλλήλως ἐν ἑκατέρῳ τῶν ἐν ἡμῖν ἐνεργουμένη, καλὸν ἂν εἴη τῇ σωματικῇ ζωῇ κοπτομένους — πολλαὶ δὲ τῶν θρήνων κατὰ τὸν βίον τοῦτον αἱ ἀφορμαί — τῇ ψυχῇ παρασκευάζειν τὴν ἐναρμόνιον ὄρχησιν. Ὅσῳ γὰρ πλέον καταστυγ-
712 M. 25 νάζεται διὰ κατηφείας ὁ βίος, τοσούτῳ μᾶλλον αἱ τῆς εὐφροσύνης ἀφορμαὶ τῇ ψυχῇ συναθροίζονται. Στυγνὸν ἡ ἐγκράτεια, κατηφὲς ἡ ταπεινότης, θρῆνος τὸ ζημιοῦσθαι, πένθους ὑπόθεσις τὸ μὴ τὸ ἴσον πρὸς τοὺς κρατοῦντας ἔχειν, ἀλλ' « ὁ ταπεινῶν ἑαυτὸν ὑψωθήσε-
30 ται[d] » καὶ ὁ ἐναθλῶν τῇ πενίᾳ στεφανωθήσεται καὶ ὁ τοῖς ἕλκεσι βρύων καὶ διὰ πάντων θρήνου ἄξιον τὸν ἑαυτοῦ βίον ἐπιδεικνύμενος τῷ κόλπῳ τοῦ πατριάρχου ἐναναπαύσεται[e], ἐν ᾧ καὶ ἡμεῖς γενοίμεθα ἐλέει τοῦ σῴζοντος ἡμᾶς Ἰησοῦ Χριστοῦ, ᾧ ἡ δόξα εἰς τοὺς αἰῶνας. Ἀμήν.

c. cf. II Sam. 6, 16 d. Lc 14, 11 e. cf. Lc 16, 22

---

1. La danse de David est par excellence la danse sacrée (voir en contraste l'interprétation d'*Eccl.* 2, 8 en *hom.* IV, 4). Voir É. BERTAUD, art. « Danse religieuse », *DSp.* 3 (1957), col. 21-29 pour la période patristique. Sur le rôle de la danse dans la liturgie, voir S. GIET, « À propos des danses liturgiques », *RecSR* 27 (1953), p. 131-133.

2. L'emploi de κατήφεια (déjà en *hom.* VI, 9, 6) et, tout au long du commentaire d'*Eccl.* 3, 4a, la réflexion de Grégoire sur l'opposition de la

et que David a dansé [c] en accompagnant solennellement l'arche [1], après l'avoir ramenée de chez les nations étrangères — et David se montra alors avec une apparence qui ne lui était pas habituelle. Le texte dit en effet qu'il murmurait des chants harmonieux, en frappant sur son instrument de musique, qu'il se déplaçait en rythme et que, par ce mouvement rythmé du corps, il manifestait publiquement sa disposition intérieure.

Or, puisque l'homme est double, je veux dire composé d'une âme et d'un corps et que double est aussi la vie agissant d'une manière proportionnée dans chacune des deux parties qui sont en nous, il serait beau que ceux qui se frappent la poitrine dans leur vie corporelle — et nombreuses sont les sources de lamentations dans cette vie-là ! — préparent pour leur âme la danse harmonieuse. En effet, plus l'existence connaît l'abattement [2] dans le découragement, plus les sources de joie s'accumulent pour l'âme. Triste est la tempérance, décourageante l'humilité, cause de lamentation le fait d'être puni, sujet de deuil le fait de n'être pas l'égal des puissants, mais « celui qui s'abaisse sera élevé [d] », celui qui endure le dénuement sera couronné, et celui qui est couvert de blessures et dont la vie mérite manifestement en tout qu'il se lamente reposera dans le sein du patriarche [e] [3]. Puissions-nous y être nous aussi par la miséricorde de notre Sauveur Jésus-Christ, à qui soit la gloire pour les siècles des siècles. Amen.

joie et de la tristesse, ainsi que la citation de *Lc* 14, 11 sont peut-être la marque d'une allusion à *Jac.* 4, 9 : « Reconnaissez votre misère, prenez le deuil, pleurez ; que votre rire se change en deuil et votre joie en abattement (εἰς κατήφειαν) ! Humiliez-vous devant le Seigneur et il vous élèvera .»

3. L'image finale du repos dans le sein d'Abraham peut paraître stéréotypée (voir de même *In Melet.*, *GNO* IX, p. 452, 1), mais M. Alexandre a montré l'importance particulière de la parabole de Lazare et du Riche dans l'œuvre de Grégoire (« L'interprétation de *Luc* 16, 19-31, chez Grégoire de Nysse », dans *Épektasis*, p. 425-441).

HOMÉLIE VII

(*Eccl.* 3, 5-7)

(1-3) Le texte suggère qu'il y a un « moment pour lancer des pierres » et un « moment pour rassembler des pierres » ; puisqu'aucune loi ne correspond à cette seconde affirmation, il faut refuser le sens littéral du verset et en chercher le sens spirituel. Si la Loi permet de lancer des pierres contre celui qui ne respecte pas le sabbat, le vrai sabbat est l'inactivité, le repos qui consiste à s'abstenir de faire le mal. (4-6) Les trois oppositions suivantes, embrasser et s'abstenir de l'embrassement, chercher et perdre, garder et rejeter sont une autre manière d'affirmer l'attachement au bien et le mépris de la richesse. Les exemples de l'Ancien et du Nouveau Testament attestent le lien entre trouver et perdre, perdre son âme et la trouver. (7) Si l'expression « moment pour déchirer et moment pour coudre » dit d'abord la même dualité, elle est aussi une manière d'accuser ceux qui divisent l'Église par leurs hérésies et d'inviter au contraire à travailler à son unité. (8) « Parler et se taire » au moment opportun se rapporte d'abord aux comportements utiles dans l'assemblée chrétienne, mais marque plus encore les limites du discours humain sur Dieu ; le silence devant les œuvres de Dieu peut se comparer au vertige de celui qui se trouve sur le sommet d'une montagne.

390 A.

ΟΜΙΛΙΑ Ζ'

1. « Καιρὸς τοῦ βαλεῖν λίθους καὶ καιρὸς τοῦ συναγαγεῖν λίθους[a]. » Ηὔξησεν ἤδη, δι' ὧν ἐδίδαξε, τὴν τῶν ἀκουόντων ἰσχὺν ὁ τῆς ἐκκλησιαστικῆς δυνάμεως ταξιάρχης, ὥστε καὶ βαλεῖν δύνασθαι τοὺς ἀντιτεταγμένους 5 καὶ τὰς εἰς τὸ βαλεῖν παρασκευὰς συμπορίζεσθαι. Ἃ γὰρ προεπαιδεύθημεν, δι' ὧν πᾶσιν ἐφαρμόζειν τὸ ἐκ τοῦ χρόνου μέτρον καὶ τὴν ἐπὶ παντὶ εὐκαιρίαν ποιεῖσθαι τοῦ καλοῦ κριτήριον μεμαθήκαμεν, εἰς ταύτην ἡμᾶς ἄγει τὴν δύναμιν ὡς τονωθῆναί τε ἡμῶν τῆς ψυχῆς τὸν βραχίονα 10 καὶ κατὰ σκοποῦ πέμπειν τοὺς ἀναιρετικοὺς τοῦ ἐχθροῦ λίθους καὶ πάλιν ἀνακαλεῖσθαι τούτους οἷς ἂν τὸν πολέμιον βάλωμεν εἰς τὸ ἀεὶ ἔχειν διὰ τῶν αὐτῶν κατακοντίζειν τὸν ἀντικείμενον. Οἱ μὲν οὖν πρὸς τὸ γράμμα βλέποντες μόνον καὶ τῇ προχείρῳ παριστάμενοι

1. a. Eccl. 3, 5a

1. L'expression est à rapprocher de celles qu'emploie Grégoire au début des deux premières homélies pour expliquer le nom « ecclésiaste » (voir I, 2, 27 et II, 1, 23). L'emploi d'un vocabulaire militaire pour parler du Christ et de l'Église se retrouve dans les éloges de martyrs et dans ceux des évêques Basile et Mélèce (voir M. Alexandre, « Les nouveaux martyrs », p. 44-70).

2. Grégoire fait allusion au début de l'homélie VI (VI, 1-3).

3. Le même adjectif est appliqué plus loin aux « raisonnements qui détruisent le mal » (*hom.* VII, 3, 16-17) ; en comparant à des pierres les « opinions hérétiques », la *Vie de Moïse* (II, 161) suggère que le choix de l'adjectif ἀναιρετικός vise à nous rappeler αἱρετικός, par un jeu de mots qui redonne place à l'interprétation ecclésiologique du texte.

4. Sans doute Grégoire vise-t-il ici, comme le suggère P. Alexander (*GNO* V, p. 390), l'exégèse antiochienne et son goût de l'interprétation littérale de l'Écriture. À propos d'Eustathe d'Antioche cependant, M.

HOMÉLIE VII

Lancer et rassembler des pierres

1. « Moment pour lancer des pierres et moment pour rassembler des pierres [a] .» Le commandant de la puissance ecclésiastique [1] a déjà fait croître par son enseignement la force des auditeurs, de sorte qu'ils peuvent frapper leurs opposants et se procurent des matériaux pour les atteindre. En effet, ce qui nous a été enseigné précédemment [2] — grâce à quoi nous avons appris à adapter à toutes choses la mesure donnée par le temps et à considérer comme critère du beau le moment opportun propre à chaque chose — nous fait accéder à une puissance telle que le bras de nos âmes est fortifié et qu'il envoie au but les pierres qui détruisent l'adversaire [3] ; et ces pierres qui nous permettent de frapper l'ennemi sont à nouveau mentionnées, afin que nous puissions pour toujours, avec les mêmes pierres, abattre l'adversaire. Certains donc [4], considérant seulement la lettre et s'en tenant à une

SPANNEUT (« Eustathe d'Antioche exégète », *Studia Patristica* VII, *TU* 92 [1966], p. 549-559) montre que le respect de la lettre était une manière de s'opposer aux excès de l'allégorie chez Origène ; ainsi Eustathe reproche-t-il à Origène de passer sous silence la réalité historique de la lapidation du Christ dans son commentaire de *Jn* 10, 31 (voir p. 557). — Plus largement, Grégoire veut définir la place à acorder à l'interprétation littérale ; à la suite d'ORIGÈNE (voir *Traité des principes* IV, 3, 1-3 ; *Hom. sur l'Exode* VII, 1, 23 [*SC* 321] : « Je pense que la Loi, si on la prend selon la lettre, est bien amère »), il est réticent à l'égard de la lettre (ψιλῷ τῷ γράμματι, *hom.* VII, 2, 91), fidèle à l'affirmation de Paul : « La lettre tue, et l'esprit vivifie » (*II Cor.* 3, 6). Voir *In Cant.*, Prol. (*GNO* VI, p. 6, 12 s. et p. 11-12), où Grégoire cite des exemples de textes prophétiques impossibles à prendre à la lettre. Mais dans le cas d'*Eccl.* 3, 5a, c'est la nouveauté du texte sapientiel qui mène à l'exégèse spirituelle.

15 διανοίᾳ τῶν εἰρημένων τὸν Μωυσέως νόμον ἴσως τοῖς παροῦσι ῥητοῖς ἐφαρμόσουσιν ἐφ' ὧν προστάσσει ὁ νόμος
391 A. | βάλλειν λίθους [b], εἴ τι παρανομοῦντες εὑρίσκοιντο· οἷα δὴ καὶ δι' αὐτῆς μεμαθήκαμεν τῆς ἱστορίας ἐπί τε τῶν εἰς τὸ σάββατον ἐξαμαρτόντων [c] καὶ τοῦ τὰ ἱερὰ κεκλοφότος
20 καὶ ἐπὶ τῶν ἄλλων πλημμελημάτων οἷς τὴν διὰ τῶν λίθων τιμωρίαν ὁ νόμος ἐπέταξεν. Ἐγὼ δὲ εἰ μὴ καὶ τὸ συναγαγεῖν λίθους εὔκαιρον ὁ ἐκκλησιαστὴς ἐποιεῖτο, περὶ οὗ νόμος οὐδεὶς ἐγκελεύεται οὔτε τις ἐξ ἱστορίας πρᾶξις ὑφηγεῖται τὸ ὅμοιον, συνεθέμην ἂν τοῖς διὰ τοῦ
25 νόμου τὸ ῥητὸν ἑρμηνεύουσιν ὡς τότε ὄντος καιροῦ τοῦ βαλεῖν λίθους, ὅταν τις ἢ παρανομήσῃ τὸ σάββατον ἤ τι τῶν ἀνατεθέντων ὑφέληται. Νυνὶ δὲ ἡ προσθήκη τοῦ δεῖν πάλιν συναγαγεῖν τοὺς λίθους, ὅπερ οὐδενὶ νόμῳ διώρισται, εἰς ἄλλην ἡμᾶς ἄγει διάνοιαν, ὡς ἂν μάθοιμεν ποῖον
30 τοῦτο τὸ γένος λίθων ἐστίν, ὃ μετὰ τὴν βολὴν πάλιν κτῆμα τοῦ προεμένου γίνεσθαι χρή.

2. Ἐπειδὰν γὰρ βάλωμεν κατὰ καιρὸν τοὺς λίθους, πάλιν συνάγειν αὐτοὺς ἐν καιρῷ διδασκόμεθα. Ἐμοὶ μὲν οὖν δοκεῖ μηδὲ τὸν νόμον οὑτωσὶ ψιλῶς ἐκλαμβάνειν κατὰ τὴν πρόχειρον ἔννοιαν. Τί γὰρ θεοπρεπές τε καὶ μέγα τῇ
392 A. 5 ψιλῇ διανοίᾳ | τῶν γεγραμμένων ἐμφαίνεται; Εἰ φρυγανιζόμενός τις ἑάλω κατὰ τὸ σάββατον [a], διὰ τοῦτο καταλευσθῆναι τὸν ἄνθρωπον ἔδει, μηδεμιᾶς ἀδικίας ἐν τῷ πλημμελήματι φαινομένης; Τί γὰρ ἠδίκει τινὰ κάρφη κατὰ τὸ συμβὰν διερριμμένα κατὰ τὴν ἔρημον πρὸς τὴν

b. cf. Nombr. 15, 35 c. cf. Nombr. 15, 32-36
2. a. cf. Nombr. 15, 32

compréhension immédiate de ce qui a été dit, adapteront peut-être la loi de Moïse à ces mots-ci, du fait que la Loi ordonne de lancer des pierres [b] contre ceux qui seraient convaincus de transgression de la Loi. C'est là ce que nous avons appris par le récit historique lui-même, s'agissant de ceux qui enfreignent le jour du sabbat [c], de celui qui pille les offrandes et des autres manquements pour lesquels la Loi ordonnait le châtiment par lapidation. Et pour ma part, si l'ecclésiaste n'avait pas aussi considéré le fait de rassembler des pierres comme opportun — sur ce point, aucune loi ne donne d'ordre et aucune action dans le récit historique ne laisse entendre quoi que ce soit de semblable —, j'aurais été d'accord avec ceux qui interprètent cette parole par référence à la Loi en disant que le moment de lancer des pierres, c'est chaque fois que quelqu'un transgresse la loi du sabbat ou dérobe quelque offrande. Mais en réalité l'addition selon laquelle il faut de nouveau rassembler les pierres — ce qui n'a été prescrit par aucune loi — nous conduit à une autre réflexion pour apprendre quel est ce genre de pierres qui, une fois lancées, doivent revenir en la possession de celui qui les a jetées.

Refus du sens littéral

2. Chaque fois que nous lançons les pierres au moment opportun, le texte nous apprend à les rassembler en retour au moment opportun. Je crois donc qu'il n'est pas bon non plus de comprendre la Loi de manière si littérale, au sens obvie. En effet, que ressort-il de grand et de digne de Dieu, si l'on comprend au sens littéral ce qui est écrit ? Si quelqu'un était pris en train de ramasser du bois pendant le sabbat [a], était-ce une raison pour qu'il faille le lapider, alors qu'il n'y avait aucune injustice manifeste dans ce manquement ? En quoi en effet cet homme commettait-il une injustice en rassemblant des brindilles éparpillées au hasard dans le

713 M. 10 τοῦ πυρὸς χρείαν συγκομιζόμενος; Οὐ γὰρ τὸ ἀλλότριον ἀφαιρεῖσθαι κατηγορεῖται ὥστε δοκεῖν εὐλόγως τὴν ἀδικίαν κολάζεσθαι, ἀλλὰ τὸ κοινῇ πᾶσι προκείμενον αἴτιον αὐτῷ γίνεται τῆς τῶν λίθων βολῆς. Ἀλλ' ὅτι ἐν σαββάτῳ τοῦτο ἐποίησε, διὰ τοῦτο ὡς κακουργῶν 15 κατακρίνεται.

Τίς οὐκ οἶδεν ὅτι τῶν γινομένων ἕκαστον τῇ ἰδίᾳ κρίνεται φύσει, εἴτε κακὸν εἴτε μὴ τοιοῦτόν ἐστιν, ὁ δὲ χρόνος καθ' ὃν ἐνεργεῖται ἡ πρᾶξις ἔξωθεν τῆς τοῦ γινομένου φύσεως θεωρεῖται; Τί γὰρ κοινὸν ἔχει τὸ 20 χρονικὸν διάστημα πρὸς τὸ ἐκ προαιρέσεως ἡμετέρας ἀποτελούμενον; Ἐὰν ἔρηταί τις ἡμᾶς τί ἡμέρα ἐστί, τὸ ὑπὲρ γῆς εἶναι τὸν ἥλιον πάντως ἀποκρινούμεθα καὶ μέτρον αὐτῆς ὄρθρον καὶ ἑσπέραν ποιούμεθα. Ὁ δὲ τοιοῦτος λόγος τῆς ἡμέρας οὐ μιᾷ τινι μόνῃ τῶν κατὰ τὴν 25 ἑβδομαδικὴν περίοδον ἀνακυκλουμένων ἐφαρμοσθήσεται, ἀλλὰ καὶ πρώτης καὶ δευτέρας καὶ μέχρι τῆς ἑβδόμης ὁ αὐτός ἐστι λόγος καὶ οὐδὲν ἡ τοῦ σαββάτου ἡμέρα παρὰ 393 A. τὰς λοιπὰς κατὰ τὸ εἶναι ἡμέρα παρήλλακται. | Ἐὰν δέ τις τὴν τοῦ ἁμαρτήματος ἐξετάσῃ διάνοιαν, τὸ μὴ δεῖν τι 30 κατὰ τοῦ πέλας ποιεῖν πάντως ἐροῦμεν, οἷον « Οὐ μοιχεύσεις, οὐ φονεύσεις, οὐ κλέψεις [b] » καὶ τὰ λοιπά, ὧν

b. Ex. 20, 13-15

1. Grégoire poursuit ainsi la réflexion sur le temps amorcée au début de l'homélie VI. L'expression χρονικὸν διάστημα, qui peut sembler tautologique, nous rappelle en fait que διάστημα a un sens tantôt temporel tantôt spatial (voir BALTHASAR, *Présence et pensée*, p. 1-10). En *In inscr. Ps.* II, 11 (*GNO* V, p. 115, 10-25), on retrouve l'expression pour souligner que l'ordre des psaumes est sans rapport avec l'« histoire », la chronologie de la vie de David, mais est dû à l'inspiration de l'Esprit. Du côté de l'homme, le sabbat et les interdits qui lui sont liés ne mettent en

désert pour pouvoir faire du feu ? Il n'est pas accusé d'avoir enlevé le bien d'autrui, ce qui légitimerait qu'il soit châtié pour son injustice, mais c'est ce qui est à la disposition de tous qui fait qu'on lui lance des pierres. Pour avoir agi ainsi pendant le sabbat, il est condamné comme un malfaiteur.

Qui ne sait qu'on juge pour chaque acte commis, selon sa nature propre, s'il est mauvais ou non, et que l'on considère indépendamment l'un de l'autre la nature de l'acte et le temps dans lequel il s'accomplit ? En effet, qu'y a-t-il de commun entre l'intervalle de temps écoulé [1] et l'acte issu de notre libre choix ? Si quelqu'un nous demande ce qu'est un jour, nous répondons bien que c'est le fait que le soleil soit au-dessus de la terre et que nous prenons pour mesure du jour l'aube et le soir [2]. Une telle définition du jour ne sera pas adaptée seulement à l'un des jours qui reviennent au cours du cycle hebdomadaire, mais elle est la même pour le premier, le deuxième, et jusqu'au septième jour — et le jour du sabbat ne subit aucune modification par rapport aux autres pour ce qui est d'être un jour. Mais si l'on cherche à comprendre ce qu'est la faute, nous dirons bien que c'est ce qu'il ne faut pas faire à son prochain, comme : « Tu ne commettras pas l'adultère, tu ne tueras pas, tu ne voleras pas [b] », et les autres comman-

cause que l'exercice de la liberté, et non l'écoulement du temps — il s'agit donc d'une question d'anthropologie et non de physique.

2. La réponse donnée est très proche de la définition du jour donnée par Basile, *Hom. sur l'Hexaéméron* VI, 8, *SC* 26 bis, p. 368-369. En fixant pour mesure du jour le matin et le soir, Basile recourt aussi au concept de διάστημα (*ibid.* II, 8, p. 176 s.), pris comme synonyme de αἰών. Mais là où Grégoire insiste sur l'identité des jours les uns avec les autres, sur l'unité de la semaine (voir *In sext. Ps.*, *GNO* V, p. 188, 18 – 189, 22) et déplace la question sur le plan moral, Basile s'attarde aux spéculations liées au symbolisme des nombres sept et huit (comparer avec Philon, *De op. mundi* 15-16 et 89-128 et *De decalogo* 102-105).

γενικός τις καὶ περιληπτικός ἐστι νόμος τὰ καθ' ἕκαστον ἐν ἑαυτῷ περιέχων καὶ ὁ περὶ τοῦ « ἀγαπῆσαι τὸν πλησίον ὡς ἑαυτόν [c] ». Ταῦτα δὲ κατὰ πᾶσαν ἡμέραν ἐπ'
35 ἴσης κατορθούμενά τε καὶ παρανομούμενα ἢ καλὰ πάντως ἐστὶν ἢ ἐκ τοῦ ἐναντίου νοούμενα. Οὐκ ἂν δέ τις ὃ σήμερον κακὸν ἐκρίθη γενόμενον, εἴτε φόνος εἴη τὸ πλημμέλημα εἴτε τι ἄλλο τῶν ἀπειρημένων, τὸ αὐτὸ τοῦτο τῇ ἐφεξῆς καλὸν εἶναι νομίσειεν. Εἰ οὖν τὸ κακὸν
40 ἀεὶ τοιοῦτόν ἐστιν, ἐν ᾧπερ ἂν χρόνῳ τύχῃ τολμώμενον, καὶ τῶν ἀνευθύνων πάντως οὐδὲν ἂν γένοιτο παρὰ τὸν χρόνον ὑπεύθυνον. Εἰ τοίνυν τὸ πρὸ τοῦ σαββάτου φρυγανίζεσθαι καὶ πῦρ ἀνάπτειν ἔξω ἀδικίας ἐστὶ καὶ κολάσεως, πῶς τὸ αὐτὸ τοῦτο τῇ ἐπιούσῃ ἡμέρᾳ
45 πλημμέλημα γίνεται;

Ἀλλ' οἶδα τὸ σάββατον τῆς ἀναπαύσεως [d], οἶδα τὸν τῆς ἀπραξίας νόμον, ὃς οὐχὶ πεδήσας τὸν ἄνθρωπον τῆς φυσικῆς ἐνεργείας ἄπρακτον εἶναι διακελεύεται. Ἦ γὰρ ἂν καὶ ἀδύνατα κελεύοι ἀπρακτεῖν προστάσσων ἡμῖν, οἷς
50 καὶ δίχα τῶν λοιπῶν ἔργων αὐτὸ τὸ τῆς ζωῆς εἶδος ἔργον ἐστίν; Τίς γὰρ οὐκ οἶδεν ὅτι ἔργον ἐστὶν ὀφθαλμῶν μὲν ἡ
394 A. ὄψις, ἀκοῆς δὲ ἡ κατὰ φύσιν | ἐνέργεια, μυκτήρων δὲ ἡ ὄσφρησις, στόματος ἡ τοῦ ἀέρος ὁλκή, γλώσσης ὁ λόγος,

c. Lév. 19, 18 d. cf. Ex. 20, 8-11

1. Conformément à son acception dans la langue des grammairiens, l'adjectif περιληπτικός fait de la « loi » un singulier collectif. Grégoire va passer progressivement de ces considérations sur la pluralité des commandements à l'affirmation : « La Loi vient de Dieu » (VII, 2, 74), elle est donc unique.

dements pour lesquels il y a une loi générique et englobante [1], contenant en elle-même ce qui se rapporte à chacun ainsi que la loi d'« aimer son prochain comme soi-même [c] ». Ces choses-là, les bonnes actions tout comme les transgressions de chaque jour, ou bien sont tout à fait bonnes ou bien vont dans le sens contraire. Mais personne n'irait penser que ce qui a été jugé mauvais un jour, que le manquement soit un meurtre ou l'une ou l'autre des interdictions énumérées, cela même est bon le lendemain. Si donc ce qui est mauvais est toujours tel, quel que soit le temps dans lequel on ose le faire, absolument rien parmi les choses injustifiées ne saurait obtenir de justification sous le rapport du temps. Si donc le fait de ramasser du bois et de préparer un feu avant le sabbat est extérieur à l'injustice et au châtiment, comment la même action devient-elle un manquement le jour suivant ?

C'est que je connais le sabbat qui ordonne le repos [d], je connais la loi de l'inactivité qui, sans entraver l'homme, ordonne qu'il ne se serve pas de l'énergie propre à sa nature [2]. Serait-ce alors qu'elle ordonne même l'impossible en nous enjoignant d'être inactifs, nous dont la vie dans sa spécificité même, sans même considérer les autres actes, est acte ? Qui ne sait en effet que la vue est l'acte des yeux, qu'il y a une activité conforme à la nature de l'ouïe, que celle des narines, c'est l'odorat, celle de la bouche, l'aspiration de l'air, celle de la langue, la parole, que les dents

2. Passage sans transition à l'exégèse spirituelle. L'expression τὸ σάββατον τῆς ἀναπαύσεως est pléonastique, mais nous renvoie peut-être aux hésitations de la LXX. Elle utilise en effet ἀνάπαυσις, καταπαύω, pour traduire la notion de sabbat ; voir *Gen.* 2, 1 : « (Dieu) se reposa (κατέπαυσεν) le septième jour... » Mais en *Ex.* 16, 23, le mot « sabbat » est transcrit en grec et redoublé par le mot ἀνάπαυσις : σάββατα ἀνάπαυσις ἁγία τῷ κυρίῳ αὔριον (« demain, c'est le sabbat, repos saint pour le Seigneur », *Bible d'Alexandrie, Exode*, Paris 1989, p. 186). Dans le N.T., le mot est employé tantôt au singulier, tantôt au pluriel par référence au rite religieux.

ὀδοῦσιν ἡ τῆς τροφῆς ὑπηρεσία, σπλάγχνοις ἡ πέψις,
55 ποσὶν ἡ κίνησις, χερσὶν ἐκεῖνα πρὸς ἃ πέφυκεν ἡμῖν
ἐνεργεῖν ταῦτα τὰ μέλη; Πῶς οὖν ἐστι δυνατὸν
κυρωθῆναι τὸν τῆς ἀπραξίας νόμον, οὐ παραδεχομένης
τὴν ἀργίαν τῆς φύσεως; Πῶς πείσω τὸν ὀφθαλμὸν μὴ
ὁρᾶν ἐν σαββάτῳ, οὗ φύσις ἐστὶ τὸ πάντως τι βλέπειν;
60 Πῶς τὴν ἀκουστικὴν ἐπίσχω ἐνέργειαν; Πῶς πεισθήσε-
ταί μοι ἡ ὄσφρησις τὴν ἀντιληπτικὴν τῶν ἀτμῶν αἴσθησιν
ἀποθέσθαι κατὰ τὸ σάββατον; Πῶς δὲ οὐκ ἐνεργήσει τὰ
σπλάγχνα τὴν ἰδίαν ἐνέργειαν τῷ νόμῳ δουλεύοντα, ὥστε
ἄπεπτον τὴν τροφὴν ἐμμεῖναι τῷ σώματι, ἵνα ἀργὴν δείξῃ
65 τὴν φύσιν κατὰ τὸ σάββατον; Εἰ δὴ τὰ λοιπὰ τοῦ
σώματος ἡμῶν οὐ δύναται δέξασθαι τὸν τῆς ἀργίας νόμον
— οὐδὲ γὰρ ὅλως ἐν τῷ ζῆν ἔσται μὴ ἐνεργοῦντα —, οὐκ
716 M. ἔστι πάντως τὸ μὴ παρανομηθῆναι τὸ σάββατον, κἂν
ἀκίνητος ἡ χεὶρ ἢ ὁ ποῦς ἐπὶ τοῦ αὐτοῦ σχήματός τε καὶ
70 τόπου μένῃ. Ἐπεὶ οὖν οὐχὶ μέρει τινί, ἀλλ' ὅλῳ κεῖται τῷ
ἀνθρώπῳ ὁ νόμος, οὐ μᾶλλον ἀπρακτοῦντες δι' ἑνὸς τῶν
μελῶν νόμον φυλάξομεν ἢ τοῖς λοιποῖς αἰσθητηρίοις κατὰ
φύσιν ἐνεργοῦντες τὸ προσταχθὲν παραλύσομεν.

Ἀλλὰ μὴν θεόθεν ὁ νόμος, οὐδὲν δὲ τῶν παρὰ τοῦ θεοῦ
395 A. 75 | προστασσομένων τοιοῦτον οἷον ἢ παρὰ φύσιν εἶναι ἢ
ἔξω τοῦ κατ' ἀρετὴν δείκνυσθαι λόγου, ἡ δὲ ἄλογος ἀργία
ἀρετὴ οὐκ ἔστιν. Ζητεῖν ἄρα προσήκει τί βούλεται τὸ
παράγγελμα τῆς τοῦ σαββάτου ἀργίας. Φημὶ τοίνυν ἐγὼ
πάσης νομοθεσίας τῆς θεόθεν γεγενημένης ἕνα σκοπὸν
80 εἶναι τὸ καθαρεύειν τῶν τῆς κακίας ἔργων τοὺς δεξαμέ-

nous servent pour la nourriture, que grâce aux entrailles nous digérons, grâce aux pieds nous nous déplaçons, grâce aux mains nous faisons toutes les actions auxquelles ces membres nous portent naturellement ? Comment donc est-il possible que la loi de l'inactivité soit souveraine alors que la nature n'admet pas l'oisiveté ? Comment persuaderai-je l'œil de ne pas voir pendant le sabbat, alors que sa nature est justement de regarder ? Comment empêcherai-je l'activité qui me fait entendre ? Comment convaincrai-je mon odorat d'éloigner de lui par respect du sabbat la sensation qui reçoit les exhalaisons ? Comment mes entrailles n'exerceront-elles pas leur activité propre, parce qu'elles s'assujettiraient à la loi, de sorte que la nourriture resterait sans être digérée dans mon corps pour bien montrer que la nature est inactive pendant le sabbat ? Certes, si les autres parties de notre corps ne peuvent pas admettre la loi de l'inactivité — et en effet elles ne pourront pas du tout rester en vie sans activité —, c'est qu'il est absolument impossible de ne pas transgresser le sabbat, même si sans faire un mouvement, la main ou le pied restent dans la même position et à la même place. Puisque donc la loi s'applique à l'homme tout entier et non à l'une ou l'autre partie, nous n'observerons pas davantage une loi en laissant un de nos membres inactif que nous ne mettrons fin à ce qui est prescrit en agissant selon notre nature avec nos autres sens.

Mais en vérité la Loi vient de Dieu, et aucun des ordres venant de Dieu n'est tel qu'il soit contre nature ou qu'il puisse être désigné comme extérieur à la raison conforme à la vertu — et l'inactivité sans raison n'est pas la vertu. Il convient alors de chercher ce que veut dire le commandement de l'inactivité pendant le sabbat. Or pour ma part, j'affirme que le seul but de toute législation venant de Dieu est de purifier des œuvres du mal ceux qui ont accueilli la Loi, et toute loi détournant de ce qui est interdit ordonne

νους τὸν νόμον, καὶ πᾶς νόμος ὁ τὰ ἀπειρημένα κωλύων σαββατίζειν ἀπὸ τῶν πονηρῶν ἔργων διακελεύεται. Τοῦτο αἱ πλάκες, τοῦτο ἡ λευϊτικὴ παρατήρησις, τοῦτο ἡ ἐν τῷ Δευτερονομίῳ ἀκρίβεια, τὸ ἀργοὺς ἡμᾶς καὶ ἀπράκτους 85 ἐκείνων εἶναι ὧν τὸ ἔργον κακία ἐστίν. Εἰ μὲν οὖν οὕτω τις ἐκλαμβάνοι τὸν νόμον ὡς ἀργὸν ἐν κακίᾳ εἶναι τὸν ἄνθρωπον, κἀγὼ συντίθεμαι τὸν σοφὸν ἐκκλησιαστὴν κατὰ τοῦ ξύλα ἑαυτῷ συνάγοντος καιρὸν ὁρίζειν εἰς τὸ βάλλειν λίθους[e] δι' ὧν κωλύεται ἡ συλλογὴ τῶν τῆς 90 κακίας φρυγάνων τῶν εἰς πυρὸς ὕλην συναγομένων· εἰ δὲ ψιλῷ τις παραμένοι τῷ γράμματι, οὐκ οἶδα ὅπως τὸ θεοπρεπὲς ἐν τῷ νόμῳ λογίσαιτο.

3. Οὐκοῦν νοητέον τοὺς λίθους τίνες εἰσὶν οἱ κατὰ τοῦ τοιούτου βαλλόμενοι, ἵνα μὴ εἰς τέλος ἀφίκοιτο ἡ περὶ τὸν φρυγανισμὸν σπουδή. Τί δὲ τὰ ξύλα δι' ὧν τὸ πῦρ *396 A.* ἐκκαυθή|σεται τῷ συνειλοχότι; Πάντως δὲ οὐκ ἄδηλα 5 ταῦτα τῷ καὶ ὁπωσοῦν μυστικῶν ἐπαΐοντι λόγων. Εἰ γὰρ καλῶς ὁ ἀπόστολος ξύλα καὶ καλάμην καὶ χόρτον[a] τὴν πονηρὰν οἰκοδομὴν ὀνομάζει, διότι τὰ τοιαῦτα οἰκοδομήματα ἐν τῷ τῆς κρίσεως καιρῷ πῦρ γίνεται, καὶ τὸ ἄχυρόν[b] φησιν ἡ τοῦ εὐαγγελίου φωνὴ πυρὶ ἑτοιμάζεσθαι

e. cf. Eccl. 3, 5a
3. a. cf. I Cor. 3, 12 b. cf. Matth. 3, 12

1. Cette définition négative du sabbat se démarque des réflexions liturgiques et eschatologiques des Pères des premiers siècles. Seul le gnostique valentinien Ptolémée affirme : « (Ainsi le Sauveur) nous demande d'observer le sabbat, car il veut que nous nous reposions à l'égard des œuvres mauvaises » (*Lettre à Flora* 5, 12, *SC* 24). Basile de Césarée, quant à lui, lie le repos du sabbat à la promesse eschatologique de la rémission des péchés (*Sur l'origine de l'homme* II, 8-10). — Sur les différentes interprétations du sabbat, voir W. Rordorf, *Sabbat et dimanche dans l'Église ancienne*, Neuchâtel 1972.

de respecter le sabbat en se tenant éloigné des œuvres mauvaises [1]. C'est le rôle des tables de la Loi, celui du code lévitique, celui, minutieux, du Deutéronome : ils nous invitent à être inactifs et inefficaces par rapport à ce dont l'accomplissement est un mal. Si donc on comprend la Loi comme le fait que l'homme doit s'abstenir de faire le mal, je conclus moi aussi que le sage ecclésiaste définit un moment opportun pour jeter des pierres [e] contre celui qui ramasse des morceaux de bois dans son propre intérêt et pour empêcher grâce à elles que soient rassemblées les broussailles du mal réunies comme matériau pour le feu. Mais si on prend la Loi littéralement, je ne sais pas comment on peut rendre raison de ce qui convient à Dieu dans la Loi.

Le sens spirituel

3. Il faut donc chercher à comprendre quelles sont les pierres lancées contre un tel homme, pour éviter que l'empressement mis à ramasser du bois n'atteigne son but. Que sont donc ces morceaux de bois grâce auxquels le feu sera allumé par celui qui les a rassemblés ? C'est tout à fait évident pour qui prête un tant soit peu l'oreille aux paroles mystiques. En effet, si l'Apôtre a raison d'appeler la mauvaise bâtisse bois, paille et foin [a] [2], parce que de tels bâtiments deviennent feu au moment du jugement, si la parole de l'Évangile dit aussi que la bale [b] est préparée pour le feu et montre

2. Allusion biblique déjà présente en *hom.* VI, 8 et rapprochée ici des images évangéliques attendues. Grégoire utilise souvent ce verset (par ex. *De virg.* XIV, 1 ; *In Cant.* IV (*GNO* VI, p. 124, 7-11) ; VII (*ibid.*, p. 207-208) : l'énumération paulinienne est étroitement associée pour lui à l'opposition entre demeure charnelle, terrestre, et demeure spirituelle. — Matériaux périssables comme le péché : comparer ORIGÈNE, *Traité des principes* II, 10, 4 (« nos péchés, que l'apôtre Paul a appelés 'bois, foin, et paille' ») et voir H. CROUZEL, « L'exégèse origénienne de *I Cor.* 3, 11-15 et la purification eschatologique », *Épektasis*, p. 273-283.

10 καὶ τὴν ἄκαρπον κληματίδα μόνῳ εὔθετον τῷ πυρὶ [c] ἀπεφήνατο, δῆλον ἂν εἴη ὅτι ξύλα ἐστὶν εἰς πυρὸς παρασκευὴν συναγόμενα τὰ μάταια τοῦ βίου ἐπιτηδεύματα καὶ οὗτός ἐστιν ὁ ἐν καιρῷ τοῖς λίθοις βαλλόμενος ὅνπερ τὸν εἰς τὰ κακὰ ῥέποντα λογισμόν τις νοήσας οὐκ 15 ἂν ἁμάρτοι τοῦ δέοντος.

Χρὴ δὲ πάντως νοεῖν ὅτι οἱ ἀναιρετικοὶ τῆς κακίας λογισμοὶ οὗτοί εἰσιν οἱ λίθοι οἱ εὐστόχως ὑπὸ τοῦ ἐκκλησιαστοῦ σφενδονώμενοι, οὓς ἀεὶ καὶ πέμπεσθαι χρὴ καὶ συνάγεσθαι· πέμπεσθαι μὲν εἰς καθαίρεσιν τοῦ κατὰ 20 τῆς ἡμετέρας ζωῆς ὑψουμένου, συνάγεσθαι δὲ εἰς τὸ ἀεὶ πλήρη τὸν τῆς ψυχῆς εἶναι κόλπον τῶν τοιούτων παρασκευῶν ὥστε πρόχειρον εἶναι κατὰ τοῦ ἐχθροῦ τὴν βολήν, εἴποτε ἄλλως τὴν καθ' ἡμῶν ἐπιβουλὴν ἐννοήσειεν. Πόθεν οὖν συναγάγωμεν λίθους οἷς τὸν ἐχθρὸν 25 καταλεύσομεν; Ἤκουσα τῆς προφητείας εἰπούσης· « Λίθοι ἅγιοι κυλίονται ἐπὶ τῆς γῆς [d]. » Οὗτοι δ' ἂν εἶεν οἱ 397 A. ἀπὸ τῆς θεοπνεύστου γραφῆς εἰς | ἡμᾶς κατιόντες λόγοι οὓς χρὴ συνάγειν ἐν τῷ τῆς ψυχῆς κόλπῳ, ἵν' ἐν καιρῷ 717 M. κατὰ τῶν λυπούντων χρησώμεθα, ὧν ἡ βολὴ καὶ ἀναιρεῖ 30 τὸν πολέμιον καὶ τῆς τοῦ βάλλοντος δεξιᾶς οὐ χωρίζεται. Ὁ γὰρ τῷ λίθῳ τῆς σωφροσύνης καταβαλὼν τὸν ἀκόλαστον λογισμὸν τὸν διὰ τῶν ἡδονῶν τὰς τοῦ πυρὸς ὕλας φρυγανιζόμενον κἀκεῖνον τῇ βολῇ κατηγωνίσατο καὶ διὰ χειρὸς ἀεὶ φέρει τὸ ὅπλον. Οὕτως καὶ ἡ δικαιοσύνη 35 λίθος κατὰ τῆς ἀδικίας γίνεται κἀκείνην ἀναιρεῖ καὶ ἐν τῷ κόλπῳ τοῦ προεμένου φυλάσσεται. Κατὰ τὸν αὐτὸν τρόπον πάντα τὰ πρὸς τὸ κρεῖττον νοούμενα ἀναιρετικὰ τῶν χειρόνων γίνεται καὶ τοῦ κατορθοῦντος τὴν ἀρετὴν

c. cf. Matth. 3, 10 d. Zach. 9, 16

que le sarment qui ne donne pas de fruit est seulement bon pour le feu [c], nul doute que les vaines occupations de la vie sont les morceaux de bois rassemblés pour préparer le feu ; et celui contre lequel on lance des pierres au moment opportun est le raisonnement qui incline au mal : qui le comprendrait ainsi ne se tromperait pas sur le sens approprié.

Et il faut bien penser que les pierres projetées droit au but par l'ecclésiaste, ce sont les raisonnements qui détruisent le mal — des pierres qu'il faut sans cesse envoyer et rassembler : envoyer pour la destruction de ce qui est un obstacle dressé contre notre vie, rassembler pour que le fond de notre âme soit toujours rempli de ressources telles que le projectile à lancer contre l'ennemi soit à portée de main, si jamais il ourdissait par ailleurs un complot contre nous. D'où pouvons-nous donc rassembler les pierres pour lapider l'ennemi ? J'ai entendu la prophétie qui dit : « Des pierres saintes sont roulées sur la terre [d]. » Ce pourrait être les paroles de l'Écriture inspirée qui descendent vers nous [1] : il nous faut les rassembler au fond de notre âme pour nous en servir au moment opportun contre ce qui nous afflige ; le projectile détruit l'ennemi sans se séparer de la main droite de celui qui le lance. En effet, celui qui a lapidé avec la pierre de la tempérance le raisonnement déréglé — c'est celui qui ramasse, avec les plaisirs qu'il prend, du bois pour le feu — l'a abattu avec ce coup sans cesser de tenir son arme dans la main. Ainsi, la justice devient pierre contre l'injustice, et elle la détruit tout en restant au fond de celui qui l'a jetée. De la même manière, les réflexions dirigées vers le bien deviennent destructrices du mal sans se séparer de celui qui mène une vie

1. Exemple d'utilisation polysémique d'un même verset : *Zach.* 9, 16 évoque en *In Cant.* VII (*GNO* VI, p. 202) la construction du temple spirituel.

οὐ χωρίζεται. Οὕτως ἔστιν, κατά γε τὸν ἡμέτερον λόγον,
40 ἐν καιρῷ βαλεῖν τούς λίθους καὶ ἐν καιρῷ συναγαγεῖν λίθους ὥστε καὶ ἀεὶ πέμπειν τὰς ἀγαθὰς βολὰς ἐπὶ τὸ καταλεύειν τὰ χείρονα καὶ μηδέποτε ἡμᾶς ἐπιλείπειν τῶν τοιούτων ὅπλων τὴν ἀφθονίαν.

4. Ἡ δὲ ἐφεξῆς κατὰ τὸ ἀκόλουθον ἐγκειμένη ῥῆσις περιλήψεώς τινος καιρὸν καὶ ἀκαιρίαν ὁρίζεται· ἔχει δὲ ἡ λέξις οὕτως· « Καιρὸς τοῦ περιλαβεῖν καὶ καιρὸς τοῦ μακρυνθῆναι ἀπὸ περιλήψεως[a]. » Ταῦτα δὲ οὐκ ἂν ἄλλως
5 γένοιτο ἡμῖν καταφανῆ τὰ νοήματα μὴ τῆς λέξεως
398 A. πρότερον διὰ τῆς γραφῆς νοηθείσης, | ὥστε γενέσθαι δῆλον ἡμῖν ἐπὶ τίνος οἶδεν ὁ θεόπνευστος λόγος τῇ φωνῇ κεχρῆσθαι τῆς περιλήψεως. Ὁ μὲν οὖν μέγας Δαβὶδ διὰ ψαλμῳδίας ἡμῖν ἐμβοᾷ λέγων· « Κυκλώσατε Σιὼν καὶ
10 περιλάβετε αὐτήν[b] », αὐτὸς δὲ οὗτος ὁ Σολομών, ὅτε τὴν ἐνδιάθετον ἐποίει συζυγίαν τοῦ ἐρωτικῶς πρὸς τὴν Σοφίαν διατεθέντος, τά τε ἄλλα φησὶ δι' ὧν γίνεται ἡμῖν ἡ πρὸς τὴν ἀρετὴν συνάφεια καὶ τοῦτο ἐπάγει· « Τίμησον αὐτήν, ἵνα σε περιλάβῃ[c]. » Εἰ οὖν Δαβὶδ μὲν τὴν Σιὼν

4. a. Eccl. 3, 5b b. Ps. 47, 13 c. Prov. 4, 8

1. Grégoire ne manque pas de souligner l'*akolouthia* des Écritures et montre sa manière de regrouper les différentes propositions en *Eccl.* 3, 2-8. Voir ci-dessus, Introd., chap. III.

2. J.-R. POUCHET a signalé l'importance de l'expression ἐρωτικὴ διάθεσις, d'origine platonicienne, dans l'œuvre de Grégoire (« Une lettre spirituelle de Grégoire de Nysse identifiée : l'*Epistula* 124 du corpus basilien », *VC* 42 [1988], p. 28-46). Faut-il cependant s'intéresser exclusivement à l'expression nominale et en tirer des conclusions sur la datation des œuvres ? Le tour participial utilisé ici en est bien proche ; Grégoire lui substitue plus loin ἀγαπητικὴ διάθεσις (VII, 4, 39). L'alternance du vocabulaire d'ἔρως et d'ἀγάπη dans cette page donne

vertueuse. C'est de cette façon qu'il est possible, du moins d'après notre raisonnement, de lancer des pierres au moment opportun et de rassembler les pierres au moment opportun, en sorte que nous fassions toujours de bons lancers de pierres pour lapider le mal, sans que jamais ne nous fasse défaut l'abondance de telles armes.

Embrasser et s'abstenir de l'embrassement

4. La parole qui vient aussitôt à la suite définit le moment qui convient et celui qui ne convient pas pour l'embrassement ; en voici la lettre : « Moment pour embrasser et moment pour s'abstenir de l'embrassement [a].» Ces pensées ne seraient pas bien claires pour nous sans le texte précédemment médité grâce à l'Écriture [1]; alors le sens dans lequel la parole inspirée a coutume d'employer le mot « embrassement » devient pour nous évident. Le grand David nous clame dans ses psaumes : « Entourez Sion et embrassez-la [b].» Et Salomon lui-même, dont il s'agit ici, lorsqu'il célébrait l'union établie en celui qui a des dispositions amoureuses [2] à l'égard de la Sagesse, entre autres paroles qui nous permettent de faire le rapprochement avec la vertu, ajoute aussi : « Honore-la, afin qu'elle t'embrasse [c] » [3]. Donc si

raison à E.R. Dodds affirmant que les deux termes sont interchangeables chez Origène et Grégoire (*Païens et chrétiens*, p. 105).

3. Dépendance probable de l'exégèse origénienne : Leanza signale en effet qu'Origène commente *Eccl.* 3, 5 en faisant le rapprochement avec *Prov.* 4, 8 (*L'esegesi di Origene*, p. 52-55). Parallèlement, Grégoire associe ce même verset de *Prov.* à l'interprétation de *Cant.* 1 (*In Cant.* I, *GNO* VI, p. 21, 6 s.), comme Origène le faisait déjà (*Hom. sur le Cantique* I, 2 et II, 1). — Le sens de περιλαμβάνειν dans le *Ps.* 47, 13 est adapté au contexte, alors que Grégoire y perçoit par ailleurs, de façon plus littérale, l'image du rempart de Sion (*In inscr. Ps.* II, 12, *GNO* V, p. 129, 5-8).

15 ἡμᾶς περιλαμβάνειν διακελεύεται, Σολομὼν δὲ τοὺς τετιμηκότας τὴν Σοφίαν παρ' αὐτῆς εἶπε περιλαμβάνεσθαι, τάχα τῆς προσηκούσης ἐννοίας οὐχ ἁμαρτάνομεν μαθόντες τὸ πρᾶγμα οὗ εὔκαιρός ἐστιν ἡ περίληψις. Τὸ γὰρ Σιὼν ὄρος ἐστὶ τῆς Ἱεροσολύμων Ἄκρας ὑπερ-
20 φαινόμενον. Ὁ οὖν ταύτην σε περιλαμβάνειν προτρεπόμενος τῇ ὑψηλῇ πολιτείᾳ συμφυῆναι παρακελεύεται, ὥστε εἰς αὐτὴν φθάσαι τῶν ἀρετῶν τὴν ἀκρόπολιν ἣν τῷ ὀνόματι Σιὼν παραδηλοῖ δι' αἰνίγματος· ὁ δὲ τῇ Σοφίᾳ σε
399 A. συνοικίζων | τὴν παρ' ἐκείνης ἐσομένην περίληψίν σοι
25 εὐαγγελίζεται. Οὐκοῦν καιρός ἐστι τὴν Σιὼν περιλαμβάνειν καὶ ὑπὸ τῆς Σοφίας περιλαμβάνεσθαι, τοῦ μὲν ὀνόματος Σιὼν τὸ ὑψηλὸν τῆς πολιτείας ἐνδεικνυμένου, τῆς δὲ Σοφίας πᾶσαν ἀπὸ μέρους τὴν ἀρετὴν δι' ἑαυτῆς σημαινούσης.

30 Εἰ τοίνυν ἐγνώκαμεν διὰ τῶν εἰρημένων τὸ τῆς περιλήψεως εὔκαιρον, διὰ τῶν αὐτῶν ἐδιδάχθημεν τίνων ὁ χωρισμὸς τῆς συμφυΐας ἐστὶ λυσιτελέστερος. « Καιρὸς γάρ, φησί, τοῦ μακρυνθῆναι ἀπὸ περιλήψεως[d]. » Ὁ πρὸς τὴν ἀρετὴν οἰκειωθεὶς τῆς πρὸς τὴν κακίαν σχέσεως
35 ἠλλοτρίωται. « Τίς γὰρ κοινωνία φωτὶ πρὸς σκότος ἢ Χριστῷ πρὸς Βελιάρ ;[e] » ἢ πῶς δυνατόν ἐστι δυσὶ κυρίοις ἐναντίοις δουλεύοντα[f] εὔνουν ἀμφοτέροις γενέσθαι ; Ἡ γὰρ τοῦ ἑνὸς ἀγάπη μῖσος τοῦ ἑτέρου ἐποίησεν. Ὅταν οὖν ἡ ἀγαπητικὴ διάθεσις περιφυῇ τῷ καλῷ — τοῦτο δέ ἐστι

d. Eccl. 3, 5b e. II Cor. 6, 14-15 f. cf. Matth. 6, 24

1. Dans sa description de Jérusalem, Flavius Josèphe mentionne deux collines de Jérusalem, « l'agora d'en haut » et « l'autre colline, appelée Acra, (qui) porte la ville basse comme sur une double bosse » ; il évoque ensuite le nivellement de l'Acra « à l'époque où régnaient les Asmonéens... pour que de ce côté-là on pût voir au-delà se dresser le Temple » (*Guerre des Juifs* V, 136-175, trad. Pelletier, *CUF*). La des-

David nous ordonne d'embrasser Sion et si Salomon dit que ceux qui ont honoré la Sagesse sont embrassés par elle, nous ne nous écartons peut-être pas du sens qui convient en apprenant ce qu'il est opportun d'embrasser. En effet, le mont Sion est ce qui apparaît au-dessus de l'Acra [1] à Jérusalem. Donc celui qui te pousse à embrasser Sion t'invite à t'unir au mode de vie sublime de sorte que tu atteignes l'acropole même des vertus [2], que le nom de Sion désigne en énigme. Et celui qui te fait habiter avec la Sagesse t'annonce cette bonne nouvelle : elle t'embrassera. Il y a donc un moment pour embrasser Sion et pour être embrassé par la Sagesse, le nom de Sion [3] désignant la sublimité du mode de vie, et la Sagesse signifiant par elle-même la vertu tout entière, dont elle est une partie.

Si donc nous avons appris par ce qui a été dit le moment opportun pour embrasser, ces mêmes paroles nous ont enseigné de quoi il est plus utile de se séparer que de se rapprocher. « Moment pour s'abstenir de l'embrassement [d] », dit en effet le texte. Celui qui s'est allié à la vertu est devenu étranger à la relation avec le mal. Car « qu'y a-t-il de commun entre la lumière et l'obscurité, entre le Christ et Béliar [e] ? », ou bien comment est-il possible, en servant deux maîtres [f] qui sont l'opposé l'un de l'autre, d'être favorable aux deux ? Car l'amour porté à l'un produit la haine de l'autre. Donc, chaque fois que la

cription de Fl. Josèphe est un document en faveur d'une localisation de la citadelle séleucide sur la colline du sud-est de la ville.

2. D'origine platonicienne (*Rép.* VIII, 560 b, « l'acropole de l'âme »), l'image est souvent utilisée par PHILON, en particulier dans son développement allégorique sur les cinq villes de *Gen.* 19 assimilées aux cinq sens (*De Abrahamo* 147-150) ; la vue, le sens le plus spirituel, est « comme une acropole », la plus proche de l'âme. Chez Grégoire, même image en *De beat.* III (*GNO* VII, 2, p. 106, 9).

3. Grégoire se fait l'écho de l'étymologie traditionnelle du nom Sion : voir ORIGÈNE, *Comm. sur Jean* XIII, 81 ; HILAIRE, *In Ps. 124* ; JÉRÔME, *Liber interpretationis Hebraicorum nominum* (*CCL* 72, p. 108, 25).

720 M. 40 τὸ εὔκαιρον —, ἐπηκολούθησε πάντως ἡ πρὸς τὸ ἀντικείμενον ἀλλοτρίωσις. Εἰ ἀληθῶς τὴν σωφροσύνην ἠγάπησας, ἐμίσησας πάντως τὸ ἀντικείμενον. Εἰ πρὸς τὴν καθαρότητα βλέπεις ἐρωτικῶς, ἐβδελύξω δηλονότι τὴν τοῦ βορβόρου δυσωδίαν. Εἰ τῷ ἀγαθῷ προσεκολλήθης,
45 ἐμακρύνθης πάντως τῆς τοῦ πονηροῦ προσκολλήσεως. Εἰ δὲ καὶ πρὸς τὴν τοῦ πλούτου περιβολὴν ἄγοι τις τὸ τῆς περιλήψεως σημαινόμενον, δείκνυσι καὶ οὗτος ὁ λόγος
400 A. ποῖον πλοῦτον ἀγαθόν ἐστι προσπεριβάλλεσθαι | καὶ ποίων κτημάτων περιβολὴν ἀποπέμπεσθαι. Οἶδα θησαυ-
50 ρὸν σπουδαζόμενον τὸν κεκρυμμένον ἐν τῷ ἀγρῷ [g], οὐχὶ τὸν πᾶσι φαινόμενον. Οἶδα πάλιν πλοῦτον ἀτιμαζόμενον, οὐ τὸν ἐλπιζόμενον, ἀλλὰ τὸν τοῖς ὀφθαλμοῖς προφαινόμενον. Διδάσκει τοῦτο ἡ τοῦ ἀποστόλου φωνὴ λέγουσα· « Μὴ σκοπούντων ἡμῶν τὰ βλεπόμενα, ἀλλὰ τὰ μὴ
55 βλεπόμενα· τὰ γὰρ βλεπόμενα πρόσκαιρα, τὰ δὲ μὴ βλεπόμενα αἰώνια [h]. » Εἰ ταῦτα νενοήκαμεν, καὶ τὸν ἐφεξῆς λόγον διὰ τούτων νενοηκότες ἐσόμεθα.

5. « Καιρὸς γάρ, φησί, τοῦ ζητῆσαι καὶ καιρὸς τοῦ ἀπολέσαι [a]. » Ὁ γὰρ νοήσας διὰ τῶν ἐξετασθέντων τίνων προσήκει μακρύνειν ἑαυτὸν ἀπὸ τῆς περιλήψεως καὶ τίσι συνάπτεσθαι γνοίη ἂν τί τε προσήκει ζητεῖν καὶ τίνων ἡ
5 ἀπώλεια κέρδος ἐστίν. « Καιρὸς γάρ, φησί, τοῦ ζητῆσαι καὶ καιρὸς τοῦ ἀπολέσαι [a]. » Τί τοίνυν ἐστὶν ὅ με ζητῆσαι χρὴ ὥστε ἐπιτυχεῖν τοῦ καιροῦ τοῦ καθήκοντος ; Ἀλλὰ τί

g. cf. Matth. 13, 44 h. II Cor. 4, 18
5. a. Eccl. 3, 6a

1. Développement similaire sur le trésor caché en *De beat.* I (*GNO* VII, 2, p. 78-79).
2. *II Cor.* 4, 18 : le verset, ici comme dans *In Cant.* XIV (*GNO* VI, p. 411), est directement lié à l'opposition entre sens corporels et sens

disposition amoureuse unit au bien — et c'est ce qui est opportun —, il s'ensuit de façon certaine qu'on devient étranger à son contraire. Si tu as aimé vraiment la tempérance, tu as très certainement haï son contraire. Si tu regardes amoureusement la pureté, de toute évidence tu as éprouvé du dégoût pour l'odeur fétide du bourbier. Si tu es attaché au bien, tu es très certainement éloigné de l'attachement au mal. Et si quelqu'un rapporte le sens du mot « embrassement » également au fait d'étreindre la richesse, cette parole aussi montre le genre de richesse qu'il est bon d'accroître et le genre de possessions dont il faut repousser l'étreinte. Je sais que le trésor objet de notre préoccupation est celui qui est caché dans le champ [g] [1] et non celui que tout le monde peut voir. Je sais à l'inverse que la richesse à mépriser n'est pas celle qui est espérée, mais celle qui apparaît aux regards. Tel est l'enseignement de la parole de l'Apôtre qui dit : « Nous ne regardons pas ce qui est visible mais ce qui est invisible, car les réalités visibles sont d'un moment, et les invisibles sont de toujours [h] [2]. » Si nous avons compris cela, cela va nous permettre aussi de comprendre la suite du texte.

Chercher et perdre

5. « Moment pour chercher, et moment pour perdre [a] », dit le texte. Celui qui a compris grâce aux recherches précédentes ce qu'il faut s'abstenir d'embrasser et ce à quoi il faut s'attacher, pourrait savoir ce qu'il faut chercher et ce dont la perte est un gain [3]. « Moment pour chercher, dit le texte, et moment pour perdre [a].» Qu'y a-t-il donc que je doive chercher de façon à trouver le moment convenable ? Mais

spirituels. À l'inverse, *Sag.* 13, 5, dans les homélies I et VIII (I, 6, 11-14 et VIII, 8, 53-54), met l'accent sur l'accès à l'invisible par le visible : c'est dans ce même sens aussi qu'ORIGÈNE interprète *II Cor.* 4, 18 dans sa polémique avec Celse (*Contre Celse* III, 47 et VII, 46).

3. L'opposition ἀπώλεια/κέρδος renvoie peut-être ici à l'opposition κέρδος/ζημία *en Phil.* 3, 7.

μὲν ζητεῖσθαι δέον ἡ προφητεία δείκνυσι λέγουσα· « Ζητήσατε τὸν κύριον καὶ κραταιώθητε[b] »· καὶ πάλιν·
10 « Ζητήσατε τὸν κύριον καὶ ἐν τῷ εὑρίσκειν αὐτὸν ἐπικαλέσασθε[c] », καί· « Εὐφρανθήτω καρδία ζητούντων τὸν κύριον[d] ». Ἔγνων τοίνυν διὰ τῶν εἰρημένων ὅπερ ζητῆσαι χρή, οὗ ἡ εὕρεσίς ἐστιν αὐτὸ τὸ ἀεὶ ζητεῖν. Οὐ
401 A. γὰρ | ἄλλο τί ἐστι τὸ ζητεῖν καὶ ἄλλο τὸ εὑρίσκειν, ἀλλὰ
15 τὸ ἐκ τοῦ ζητῆσαι κέρδος αὐτὸ τὸ ζητῆσαί ἐστι. Βούλει καὶ τὴν εὐκαιρίαν μαθεῖν τίς ὁ καιρὸς τοῦ ζητεῖν τὸν κύριον; Συντόμως λέγω· ὁ βίος ὅλος. Ἐπὶ τούτου γὰρ μόνου εἷς καιρὸς τῆς σπουδῆς ἐστιν ἡ ζωὴ πᾶσα. Οὐ γὰρ ἀποτεταγμένῳ τινὶ καιρῷ καὶ χρόνῳ ἀφωρισμένῳ τὸ
20 ζητεῖν τὸν κύριον ἀγαθόν ἐστιν, ἀλλὰ τὸ μηδὲ ὅλως διαλείπειν ἀεὶ ζητοῦντα τοῦτό ἐστιν ἡ ἀληθὴς εὐκαιρία. « Οἱ γὰρ ὀφθαλμοί μου, φησί, διὰ παντὸς πρὸς τὸν κύριον[e]. » Ὁρᾷς πῶς ἐπιμελῶς ἐρευνᾷ ὁ ὀφθαλμὸς τὸ ζητούμενον, οὐδεμίαν ἄνεσιν ἑαυτῷ διδοὺς οὐδέ τι διά-
25 λειμμα τῆς τοῦ ζητουμένου κατανοήσεως; Τῇ γὰρ τοῦ « διὰ παντὸς » προσθήκῃ τὸ διηνεκές τε καὶ ἀδιάλειπτον τῆς σπουδῆς ἐνεδείξατο.

Ὡσαύτως δὲ νοήσωμεν καὶ τὸν τοῦ ἀπολέσαι καιρόν, κέρδος εἶναι κρίνοντες τὸ ἀπολέσαι ἐκεῖνο οὗ ἡ ὕπαρξις
30 ζημία τῷ ἔχοντι γίνεται. Κακὸν κτῆμα ἡ φιλαργυρία· οὐκοῦν ἀπολέσωμεν. Πονηρὸν ἀπόθετον ἡ μνησικακία· οὐκοῦν προώμεθα. Ὀλέθριον κτῆμα ἡ ἀκόλαστος ἐπιθυμία· τούτου μάλιστα πρὸ τῶν ἄλλων πτωχεύσωμεν, ἵνα διὰ τῆς τοιαύτης πτωχείας τὴν βασιλείαν κερδήσωμεν.
35 « Μακάριοι γὰρ οἱ πτωχοὶ τῷ πνεύματι[f] », δηλαδὴ οἱ τοῦ
721 M. τοιούτου πλούτου πενόμενοι καὶ τὰ ἄλλα πάντα τὰ πονηρὰ τοῦ διαβόλου κειμήλια. Μακαριώτερον μὲν τὸ
402 A. μηδὲ τὴν ἀρχήν τινα κτήσασθαι, ἵνα | καθόλου ἀκτήμονες

b. Ps. 104, 4 c. Is. 55, 6 d. Ps. 104, 3 e. Ps. 24, 15 f. Matth. 5, 3

la parole du prophète désigne ce qui doit être cherché : « Cherchez le Seigneur et soyez fortifiés [b] » ; et encore : « Cherchez le Seigneur et lorsque vous le trouvez, invoquez-le [c] » ; et : « Que se réjouisse le cœur de ceux qui cherchent le Seigneur [d] .» Je sais donc par ces paroles ce que je dois chercher : le trouver, c'est le fait même de chercher sans cesse. Car chercher n'est pas une chose et trouver une autre, mais le gain né de la recherche, c'est la recherche même. Veux-tu apprendre aussi le moment opportun pour chercher le Seigneur ? Je le dis en peu de mots : la vie entière. Car le seul moment pour ne se préoccuper que de cela, c'est toute l'existence. En effet, ce n'est pas pour un moment déterminé ni pour un temps défini qu'il est bon de chercher le Seigneur : ne pas s'arrêter du tout de le chercher sans cesse, voilà le moment véritablement opportun. « Mes yeux, est-il dit, sont sans cesse tournés vers le Seigneur [e] .» Vois-tu comment l'œil scrute avec soin ce qu'il cherche, sans se donner aucune relâche, aucun temps d'arrêt dans l'observation de ce qu'il cherche ? Car l'addition « sans cesse » indique un zèle continu et sans trêve.

De la même façon, comprenons aussi le « moment de perdre », en jugeant que c'est un gain de perdre ce dont l'existence est une peine pour celui qui le détient. Mauvaise possession que l'amour de l'argent [1] : perdons-la donc. Méchante ressource que la rancune : renvoyons-la. Mortelle possession que le désir déréglé : soyons pauvres de ce désir-là plus que des autres, afin de gagner le royaume par cette pauvreté-là. « Bienheureux les pauvres en esprit [f] », de toute évidence ceux qui sont dénués d'une telle richesse et le sont aussi de tous les autres trésors mauvais du diable. Il y a plus de béatitude à ne pas même commencer à faire d'acquisition pour être totalement

1. Voir *hom.* IV, 2, 2-3. Allusion à *I Tim.* 6, 10.

τῶν μολυνόντων γενώμεθα, καλὸν δὲ οὐχ ἧττον τῷ
40 προληφθέντι τῇ πονηρᾷ κτήσει τὸ ἀπολέσαι τὰ τοιαῦτα
κτήματα καὶ εἰς ἀφανισμὸν ἀγαγεῖν. Ἀλλὰ τὸ μὲν μηδὲ
ὅλως ποτὲ σχεῖν τῶν τοιούτων τὴν μετουσίαν κρεῖττον ἢ
κατὰ τὴν ἀνθρωπίνην φύσιν ἐστί, τὸ δὲ λαβόντα ἐξαφανί-
σαι τούτου καὶ ἡ τῶν ἀνθρώπων δύναμις τὴν ἰσχὺν ἔχει.
45 Διὸ τὸ μηδὲν ἐσχηκέναι τῶν τοῦ ἀντικειμένου κτημάτων
μόνου τοῦ κυρίου ἐστὶ τοῦ συμμετασχόντος ἡμῖν τῶν
αὐτῶν παθημάτων « χωρὶς ἁμαρτίας [g] ». « Ἔρχεται γάρ,
φησίν, ὁ ἄρχων τοῦ κόσμου τούτου καὶ ἐν ἐμοὶ εὑρίσκει
τῶν ἰδίων οὐδέν [h]. »

50 Τὸ δὲ δι' ἐπιμελοῦς μεταμελείας ἑαυτὸν ἐκκαθῆραι,
τοῦτο καὶ ἐπ' ἀνθρώπων τῶν δι' ἀρετῆς ἑαυτοὺς λαμπρυ-
νόντων ἔστιν ἰδεῖν. Ἀπώλεσεν ὁ Παῦλος τὸ πονηρὸν
κτῆμα τῆς ἀπιστίας διὰ τοῦ ἐνεργοῦντος ἐν αὐτῷ τῆς
προφητείας τὴν χάριν, πλήρης τοῦ θησαυροῦ ἐγένετο ὃν
55 ἐζήτησεν. Ἀπώλεσεν ὁ Ἠσαΐας ἐν τῷ καθαρσίῳ τοῦ
θείου ἄνθρακος [i] πᾶν ῥυπαρὸν καὶ ῥῆμα καὶ νόημα· διὰ
τοῦτο ἐπληρώθη τοῦ ἁγίου πνεύματος. Ἀπόλλυσι πᾶς ἐν
τῇ μεταλήψει τοῦ κρείττονος πᾶν τὸ πρὸς τὸ ἐναντίον
νοούμενον. Οὕτως ὁ σώφρων τὴν ἀκολασίαν ἀπόλλυσι,
60 τὴν ἀδικίαν ὁ δίκαιος, τὴν ὑπερηφανίαν ὁ μέτριος, ὁ
εὔνους τὸν φθόνον, ὁ ἀγαπητικὸς τὴν ἀπέχθειαν. Ὥσπερ
γὰρ ὁ ἐν τῷ εὐαγγελίῳ τυφλὸς [j] εὗρεν ὃ μὴ εἶχεν, ἐκ τοῦ
ἀπολέσαι ὃ εἶχε· τῆς γὰρ τυφλότητος ἀφαιρεθείσης ἡ τοῦ
403 A. | φωτὸς ἀντεισῆλθεν αὐγή· καὶ ἐπὶ τοῦ λεπροῦ [k] τοῦ
65 πάθους ἀφανισθέντος ἡ τῆς ὑγείας ἐπανέρχεται χάρις, καὶ
ἐπὶ τῶν ἐκ θανάτου ἀνισταμένων ἡ νεκρότης τῇ παρουσίᾳ
τῆς ζωῆς ὑπεχώρησεν· οὕτως καὶ ἐπὶ τῆς προκειμένης

g. Hébr. 4, 15 h. Jn 14, 30 i. cf. Is. 6, 6 j. cf. Mc 8, 22-26
k. cf. Mc 1, 40-45 ; Lc 5, 12-16

dépourvus de ce qui nous salit, mais il n'est pas moins bon pour celui qui s'est d'abord laissé prendre à l'acquisition mauvaise de perdre de telles possessions et de les mener à la destruction. Et si n'avoir jamais eu part à de telles choses dépasse les possibilités de la nature humaine, il est dans les capacités humaines d'avoir la force de les détruire une fois acquises. C'est pourquoi n'avoir aucune des possessions de l'adversaire n'est possible qu'au Seigneur, lui qui a pris part avec nous aux mêmes souffrances que nous, mais « sans péché [g] ». « Car il vient, le prince de ce monde, dit-il, et en moi il ne trouve rien de ce qui lui appartient [h] .»

Mais la purification par un repentir attentif peut se voir même chez les hommes qui brillent par leur vertu. Paul a perdu la possession mauvaise de l'incrédulité en rendant active en lui la grâce de la prophétie, et il est devenu plein du trésor qu'il cherchait. Isaïe a détruit, grâce à la braise [i] purificatrice donnée par Dieu, toute souillure de parole et de pensée ; c'est pourquoi il a été rempli de l'Esprit Saint. Tout homme qui participe au bien ruine toute pensée dirigée dans le sens opposé. Ainsi l'homme tempérant ruine le dérèglement, le juste l'injustice, l'homme mesuré l'excès, l'homme bienveillant l'envie, l'homme aimant la haine. C'est ainsi que l'aveugle de l'Évangile [j] a trouvé ce qu'il n'avait pas en perdant ce qu'il avait : lorsque la cécité lui a été enlevée, la source de la lumière l'a remplacée. Pour le lépreux [k], une fois son mal détruit, c'est la grâce de la santé qui survient, et pour ceux qui se relèvent de la mort, l'état de mort cède la place à l'avènement de la vie [1].

1. Succession d'allusions aux récits évangéliques, aucun indice ne permettant de préciser de façon sûre les références — sinon que, comme le note M. Canévet, l'absence du verbe καθαρίζειν exclut peut-être la référence à *Matth.* 8, 1-4 (*Herméneutique*, p. 147).

ἡμῖν φιλοσοφίας οὐκ ἔστι τι τῶν ὑψηλῶν κτήσασθαι μὴ τὴν περὶ τὰ γήϊνά τε καὶ ταπεινὰ σπουδὴν ἀπολέσαντας.
70 Ἐν γὰρ τῷ ταῦτα εὑρίσκειν ἀπόλλυται ἡμῖν τὰ προτιμότερα, καὶ τὸ ἔμπαλιν ἡ τούτων ἀπώλεια τῆς τῶν τιμίων εὑρέσεως πρόξενος γίνεται. Ταῦτα παρὰ τῆς τοῦ κυρίου φωνῆς μεμαθήκαμεν· « Ὁ εὑρὼν τὴν ψυχὴν αὐτοῦ ἀπολέσει αὐτήν, καὶ ὁ ἀπολέσας τὴν ψυχὴν αὐτοῦ ἕνεκεν
75 ἐμοῦ εὑρήσει αὐτήν [l]. » Τὸ γὰρ ἐν τοῖς κατὰ τὴν ὕλην σπουδαζομένοις τὴν ψυχὴν εὑρεθῆναι αἴτιον γίνεται τοῦ ἐν τοῖς ἀληθινοῖς ἀγαθοῖς αὐτὴν μὴ εὑρεθῆναι, καὶ τὸ ἔμπαλιν ἡ τούτων στέρησις καὶ ἀπώλεια τῶν ἐλπιζομένων ὕπαρξις γίνεται. « Τί γὰρ ὠφελεῖται ἄνθρωπος, ἐὰν
80 τὸν κόσμον ὅλον κερδήσῃ, τὴν δὲ ψυχὴν αὐτοῦ ζημιωθῇ [m] ; » « Καιρός, φησί, τοῦ ζητῆσαι καὶ καιρὸς τοῦ ἀπολέσαι [n]. » Εἰ τοίνυν ἔγνωμεν τί ἐστι τὸ ζητούμενον κέρδος, ὃ διὰ τοῦ ἀπολέσαι τὰ κακῶς κτηθέντα εὑρίσκεται, τὸ μὲν ζητήσωμεν, τὸ δὲ ἀπολέσωμεν· τὰ καλὰ
85 ζητήσωμεν, τὰ κακὰ ἀπολέσωμεν.

6. Καλῶς δὲ καὶ προσφυῶς τοῖς προεξητασμένοις καὶ ἡ ἀκολουθία τῶν γεγραμμένων ἐπάγεται. Φησὶ γάρ·
404 A. « Καιρὸς τοῦ | φυλάξαι καὶ καιρὸς τοῦ ἐκβαλεῖν [a]. » Τί φυλάξαι ; δηλονότι τὸ εὑρεθὲν ἡμῖν ἐκ τῆς ζητήσεως. Τί
5 ἐκβαλεῖν ; ἐκεῖνο πάντως οὗ ἡ ἀπώλεια λυσιτελεῖν ἐνο-
724 M. μίσθη. Ἐγένετό σοι νόημα δεξιόν, εἰσῆλθεν ἐπιθυμία τοῦ ἰδεῖν τὸν θεόν, « ἐδίψησεν ἡ ψυχή σου πρὸς τὸν θεὸν τὸν ἰσχυρὸν τὸν ζῶντα [b] », πόθος ἐγένετό σοι τοῦ « ἐν ταῖς αὐλαῖς τοῦ κυρίου [c] » γενέσθαι· αὐλαὶ δ' ἂν εἶεν τοῦ
10 κυρίου, κατά γε τὸν ἐμὸν λόγον, αἱ ἀρεταί, αἷς ἐναυλίζεται ὁ λόγος καὶ πᾶς ὁ τῷ λόγῳ ἑπόμενος. Ταῦτα

l. Matth. 10, 39 m. Matth. 16, 26 n. Eccl. 3, 6a
6. a. Eccl. 3, 6b b. Ps. 41, 3 c. Ps. 83, 2-3

De la même façon aussi en ce qui concerne notre présente réflexion, il n'est pas possible d'acquérir quelqu'une des réalités sublimes sans avoir perdu la préoccupation des basses réalités terrestres. Car lorsqu'on trouve ces dernières, ce qui est plus précieux qu'elles est perdu pour nous, et à l'inverse, leur perte introduit à la découverte de ce qui a du prix. C'est ce que nous avons appris par la parole du Seigneur : « Celui qui aura trouvé son âme la perdra, et celui qui aura perdu son âme à cause de moi la trouvera [l].» En effet, trouver son âme en se préoccupant des choses matérielles fait qu'on ne la trouve pas dans les biens véritables et, inversement, être privé de ces choses-là et les perdre donne existence à ce qu'on espère. « En effet à quoi bon pour l'homme gagner le monde entier s'il le paie de son âme [m] ? » « Moment pour chercher et moment pour perdre [n] », dit notre texte. Si donc nous savons quel gain nous cherchons — celui que l'on trouve en perdant ce qui a été mal acquis —, cherchons l'un, perdons l'autre ; cherchons le bien, perdons le mal.

Garder et rejeter

6. La suite du texte, elle aussi, s'ajoute de façon bien appropriée à ce que nous venons d'examiner. Elle dit en effet : « Moment pour garder et moment pour rejeter [a] .» Garder quoi ? selon toute évidence, ce que nous avons trouvé par notre recherche. Rejeter quoi ? ce dont la perte a été jugée utile, bien sûr. Une pensée droite est née en toi, le souhait de voir Dieu est entré en toi, « ton âme a eu soif de Dieu, le fort et le vivant [b] », le désir est né en toi d'être « dans les parvis du Seigneur [c] » ; et les parvis du Seigneur, à mon avis du moins, pourraient bien être les vertus [1], dans lesquelles séjournent la raison et tout homme qui suit la

1. Allégorie d'allure philonienne. Comparer avec *De congressu* 116-117.

φύλαξον, ὡς μὴ διαρρυῆναί σοι τὸν πλοῦτον τῶν καθαρῶν τῆς διανοίας κτημάτων. Παρεισδύεταί τις λογισμὸς ἐναντίος, οἷόν τις λαθραῖος κλέπτης ἀφανισμὸν τῶν
15 καθαρῶν νοημάτων ποιούμενος· ἐκβλητέος οὗτος καὶ ἀποπεμπτέος τῆς διανοίας. Ἐν γὰρ τῷ ἐκεῖνον ἀπώσασθαι δι' ἀσφαλείας ἡμῖν ὁ τῶν ἀγαθῶν θησαυρὸς φυλαχθήσεται. Εἰ δὲ μὴ ἐκβληθείη ὁ λυμαινόμενος, κέρδος οὐδὲν ἔσται τῆς κτήσεως, ἐν τῇ τῶν τοιχωρύχων ἐπιβουλῇ
20 τῆς εὐπορίας ὑπορρεούσης. Ἐπεὶ οὖν ἐδιδάχθημεν τὸν καιρὸν τοῦ ζητεῖν, « πᾶς δὲ ὁ ζητῶν εὑρίσκει[d] », ὅπως ἂν τὸ εὑρεθὲν παραμείνειεν, ἀκριβῆ τινα τῷ θησαυρῷ τὴν φρουρὰν ἐπιστήσωμεν.

« Πάσῃ φυλακῇ, φησί, τήρει σὴν καρδίαν[e] » μετὰ τὸ
25 εὑρεῖν τὸ ζητούμενον· μεῖζον γὰρ τοῦ εὑρεῖν τὸ φυλάξαι τὴν εὑρεθεῖσαν χάριν· οἷον εὗρεν ὁ προσελθὼν τῇ πίστει
405 A. τὴν διὰ τοῦ λουτροῦ καθαρότητα, | ἀλλὰ μείζων ὁ πόνος ἐν τῷ φυλάξαι ὃ ἔλαβεν ἢ ἐν τῷ εὑρεῖν ὃ οὐκ εἶχεν. Ὥσπερ οὖν εἴπομεν μὴ χρόνῳ τινὶ τὴν τοῦ ζητεῖν
30 εὐκαιρίαν περιορίζεσθαι, ἀλλὰ πάντα τὸν βίον ἕνα καιρὸν εἶναι τῆς ἀγαθῆς ἐκείνης ζητήσεως, οὕτως καὶ τὸν τῆς φυλακῆς καιρὸν πάσῃ τῇ ζωῇ μετρεῖσθαι ἀποφαινόμεθα, τὴν αὐτὴν φωνὴν τῆς προφητείας καὶ νῦν παραθέμενοι τὴν λέγουσαν· « Οἱ ὀφθαλμοί μου διὰ παντὸς πρὸς τὸν

d. Matth. 7, 8 e. Prov. 4, 23

---

1. Le mot τοιχωρύχος suggère une allusion à la péricope évangélique de *Matth.* 6, 19-21, où le verbe διορύσσειν est employé deux fois.

2. Avec *Prov.* 4, 23, Grégoire introduit le thème spirituel de la « garde du cœur » (de même *De inst. christ.*, *GNO* VIII, 1, p. 55, 12). À rapprocher de *Deut.* 15, 9 (« Fais attention à toi-même ») et de *Job* 2, 6 (« garde ton âme »), souvent utilisés par Origène. Ces quelques versets, mis en rapport par les Pères avec le « Connais-toi toi-même » socratique

raison. « Garde » cela, afin que ne t'échappe pas la richesse faite des possessions pures de la pensée. Un raisonnement contraire s'insinue-t-il comme un voleur, détruisant subrepticement les pensées pures, il faut le chasser et le renvoyer de la pensée. Car en le repoussant, nous garderons en toute sécurité le trésor des biens. Mais si le raisonnement qui fait notre ruine n'est pas chassé, nous n'aurons aucun gain de ce que nous acquérons, puisque l'abondance sera dilapidée à cause des manœuvres de ceux qui percent les murs [1]. Puisque donc on nous a enseigné ce qu'était le moment de chercher, puisque « tout homme qui cherche trouve [d] », sachons monter une garde vigilante autour du trésor, afin que ce qui a été trouvé puisse nous rester.

« Garde ton cœur avec grand soin [e] », est-il dit, une fois que tu as trouvé ce que tu cherchais [2]. Car il y a une chose plus grande que trouver : c'est garder la grâce qui a été trouvée. Par exemple, celui qui est venu à la foi a trouvé la pureté grâce au bain du baptême [3], mais il aura plus de peine à garder ce qu'il a reçu qu'il n'en a eu à trouver ce qu'il n'avait pas. De même donc que nous avons dit que le moment opportun pour chercher n'était pas délimité par une certaine durée de temps, mais que la vie entière était le seul moment opportun pour cette bonne recherche, de même aussi affirmons-nous que le moment opportun pour garder ce qui a été trouvé est mesuré par la vie entière, en alléguant encore maintenant la même parole de la prophétie qui dit : « Mes yeux sont sans cesse tournés vers le

marquent un point de rencontre de la sagesse chrétienne et de la sagesse grecque ; voir COURCELLE, *Connais-toi toi-même*, p. 101-111 ; P. HADOT, art. « Exercices spirituels antiques et 'philosophie chrétienne' », dans *Exercices spirituels*, p. 65-67.

3. Seule allusion au baptême dans ces Homélies. Voir ci-dessus, Introd., chap. VI.

35 κύριον, ὅτι αὐτὸς ἐκσπάσει ἐκ παγίδος τοὺς πόδας μου[f]. » Ἐν τούτῳ γάρ ἐστι τὸ ἄσυλον τὴν ἀγαθὴν κτῆσιν ἡμῖν φυλάσσεσθαι ἐν τῷ τὸν θεὸν φύλακα τῶν ἡμετέρων ποιήσασθαι. Ὅταν γὰρ « οἱ ὀφθαλμοί μου ὦσι διὰ παντὸς πρὸς τὸν κύριον », τότε ἄπρακτοι γίνονται τοῦ ἀντικειμέ-
40 νου αἱ παγίδες δι' ὧν ἐκεῖνος τῶν ἐν τῇ ψυχῇ τιμίων τὴν ἐπιβουλὴν τεχνάζεται. « Μὴ δῷς, φησίν, εἰς σάλον τὸν πόδα σου, καὶ οὐ νυστάξει ὁ φυλάσσων σε[g]. » Οὐκοῦν ἀκόλουθος ἡ παροῦσα ῥῆσις τῷ προάγοντι λόγῳ. Ἐκεῖνος ἐκέλευσε ζητεῖν ἵνα εὕρωμεν, οὗτος φυλάττειν συμβου-
45 λεύει ἵνα μὴ ἀπολέσωμεν. Ὁ δὲ τοῦ φυλάττειν τὰ ἀγαθὰ τρόπος ἐστὶν ἐν τῷ ἐκβαλεῖν τὰ ἐκ τοῦ ἐναντίου νοούμενα· ὥσπερ ἐπὶ τῆς πολεμουμένης πόλεως ἀσφαλεστέρα γίνεται ἡ φρουρὰ τῶν προδοτῶν ἐκβληθέντων, ἕως δ' ἂν ἐντὸς ὦσι, μᾶλλον ἐπιβουλεύουσι τῶν φανερῶν
50 ἐχθρῶν οἱ λανθάνοντες. « Καιρὸς γάρ, φησίν, τοῦ φυλάσσειν καὶ καιρὸς τοῦ ἐκβάλλειν[h]. »

406 A. | **7.** Ἡ δὲ ἐφεξῆς ἀκολουθία τοῦ λόγου εἰς μείζονά τινα τὴν περὶ τῶν ὄντων φιλοσοφίαν τὴν ψυχὴν ἄγει. Δείκνυσι γὰρ ὅτι συνεχές ἐστι τὸ πᾶν ἑαυτῷ καὶ οὐκ ἔχει τινὰ λύσιν ἡ ἁρμονία τῶν ὄντων, ἀλλά τίς ἐστι σύμπνοια
5 τῶν πάντων πρὸς ἄλληλα. Καὶ οὐκ ἀπέσχισται τὸ πᾶν τῆς πρὸς ἑαυτὸ συναφείας, ἀλλ' ἐν τῷ εἶναι μένει τὰ πάντα τῇ τοῦ ὄντως ὄντος δυνάμει περικρατούμενα. Τὸ

f. Ps. 24,15 g. Ps. 120, 3 h. Eccl. 3, 6b

1. Les termes συνεχές, ἁρμονία, συμπνοία et συναφεία renvoient à la pensée stoïcienne. J. DANIÉLOU (« 'Conspiratio' chez Grégoire de Nysse », dans *L'homme devant Dieu, Mélanges offerts au Père de Lubac*, I, Paris

Seigneur, parce qu'il arrachera mes pieds du filet [f].» Et si nous gardons de manière inviolable le bien que nous possédons, c'est que nous avons fait de Dieu le gardien de nos biens. Lorsque « mes yeux sont sans cesse tournés vers le Seigneur », alors deviennent inefficaces les filets avec lesquels l'ennemi trame un complot contre les biens précieux de mon âme. « Ne laisse pas ton pied chanceler, dit le psaume, et celui qui te garde ne dormira pas [g].» La parole que nous examinons maintenant fait donc logiquement suite à la précédente. Cette dernière nous a invités à chercher pour trouver, celle-ci nous conseille de garder pour ne pas perdre. Mais la manière de garder les biens consiste à rejeter ce qui est conçu dans le sens contraire. C'est comme pour une ville en proie à la guerre : la garde y est plus sûre lorsque les traîtres ont été chassés, mais tant qu'ils sont à l'intérieur, les ennemis cachés conspirent mieux que les ennemis déclarés. « Moment pour garder, est-il dit, et moment pour rejeter [h]. »

Déchirer et coudre

7. La suite immédiate du texte conduit logiquement l'âme vers une réflexion philosophique plus importante concernant les êtres. Elle montre en effet que l'univers est continu à lui-même, que l'harmonie des êtres ne se relâche pas, mais qu'il y a une sorte de conspiration mutuelle de toutes choses. L'univers n'est pas interrompu dans sa cohésion propre, mais toutes choses demeurent dans l'être, gouvernées par la puissance de l'être véritable [1]. Et l'être

1963, p. 295-308) a montré comment Grégoire reprenait cette conception du cosmos (et du microcosme humain, le vocabulaire se retrouvant aussi dans des textes médicaux) tout « en la dégageant de son contexte moniste » (p. 298).

725 M. δὲ ὄντως ὂν ἡ αὐτοαγαθότης ἐστὶν ἢ εἴ τι ὑπὲρ τοῦτό τις ἐπινοεῖ σημαντικὸν τῆς ἀφράστου φύσεως ὄνομα. Πῶς δ'
10 ἄν τις εὕροι ἐκείνου ὄνομα ὅπερ « ὑπὲρ πᾶν ὄνομα[a] » εἶναί φησιν ἡ θεία τοῦ ἀποστόλου φωνή; πλὴν ὅτιπερ ἂν εὑρεθῇ ὄνομα ἑρμηνευτικὸν τῆς ἀνεκφωνήτου δυνάμεώς τε καὶ φύσεως, ἀγαθόν ἐστι πάντως τὸ σημαινόμενον. Τοῦτο τοίνυν τὸ ἀγαθὸν ἤτοι ὑπὲρ τὸ ἀγαθὸν αὐτό τε ὡς
15 ἀληθῶς ἔστι καὶ δι' ἑαυτοῦ τοῖς οὖσι δέδωκέ τε καὶ δίδωσι τήν τε τοῦ γενέσθαι δύναμιν καὶ τὴν ἐν τῷ εἶναι διαμονήν, πᾶν δὲ τὸ ἔξω αὐτοῦ θεωρούμενον ἀνυπαρξία ἐστί· τὸ γὰρ ἔξω τοῦ ὄντος ἐν τῷ εἶναι οὐκ ἔστιν.

407 A. Ἐπεὶ οὖν ἀντιθεωρεῖται | τῇ ἀρετῇ ἡ κακία, θεὸς δὲ ἡ
20 παντελὴς ἀρετή, ἔξω ἄρα τοῦ θεοῦ ἡ κακία ἧς ἡ φύσις οὐκ ἐν τῷ αὐτήν τι εἶναι, ἀλλ' ἐν τῷ ἀγαθὴν μὴ εἶναι καταλαμβάνεται· τῷ γὰρ ἔξω τοῦ ἀγαθοῦ νοήματι ὄνομα τὴν κακίαν ἐθέμεθα. Οὕτως οὖν ἀντιθεωρεῖται τῷ ἀγαθῷ ἡ κακία, ὡς ἀντιδιαιρεῖται τὸ μὴ ὂν τῷ ὄντι. Ἐπεὶ οὖν τῷ
25 αὐτεξουσίῳ τῆς ὁρμῆς τοῦ ἀγαθοῦ ἀπερρύημεν, ὥσπερ οἱ ἐν φωτὶ μύσαντες σκότος λέγονται βλέπειν — ἐν γὰρ τῷ μηδὲν βλέπειν ἐστὶ τὸ σκότος βλέπειν —, τότε ἡ ἀνύπαρκτος τῆς κακίας φύσις ἐν τοῖς ἀπορρυεῖσι τοῦ ἀγαθοῦ οὐσιώθη, ἥτις ἕως τότε ἐστὶν ἕως ἂν ἡμεῖς ἔξω
30 τοῦ ἀγαθοῦ ὦμεν. Εἰ δὲ πάλιν ἡμῶν ἡ αὐτεξούσιος τοῦ

7. a. Phil. 2, 9

1. Terme visiblement calqué sur les tournures de PLATON qui expriment les Idées platoniciennes (voir *Hip. Maj.* 286 d ; *Crat.* 439 b − 440 c). On trouve l'adjectif αὐτοαγαθός chez Plotin et le substantif abstrait chez Proclus : voir le dictionnaire *LSJ ad loc.* — En *In Cant.* I (*GNO* VI, p. 36, 7-9), Grégoire commente d'une manière analogue *Hab.* 3, 3 : ...ἡ ἀρετὴ αὐτοῦ, ἥτις ἐστὶν αὐτοσοφία καὶ αὐτοδικαιοσύνη καὶ αὐτοαλήθεια.

véritable, c'est la bonté en elle-même [1] ou tout ce que l'on peut concevoir au-delà pour signifier le nom de la nature inexprimable. Et comment trouver ce nom qui est « au-dessus de tout nom [a] », selon la divine parole de l'Apôtre [2] ? si ce n'est que tout nom que l'on pourrait trouver pour signifier la puissance et la nature indicibles signifie absolument le bien. Ainsi, ce bien, qui est assurément au-delà du bien, existe lui-même en vérité et il a donné par lui-même et donne encore aux êtres la possibilité d'exister et la permanence dans l'être [3] ; mais tout ce que l'on considère en dehors de lui est inexistence. En effet, ce qui est en dehors de ce qui est n'est pas dans l'être.

Puisque donc le mal est connu par opposition à la vertu et que la vertu accomplie, c'est Dieu, en dehors de Dieu c'est donc le mal, dont la nature n'est pas d'être quelque chose, mais de ne pas être bon. En effet, c'est au concept de ce qui est en dehors du bien que nous avons appliqué le nom de mal ; le mal est connu par opposition au bien, comme ce qui n'est pas se distingue de ce qui est. Puisque nous nous sommes donc détachés du bien par l'élan de notre libre arbitre, comme ceux qui ont les yeux fermés dans la lumière voient, dit-on, l'obscurité — en effet, voir l'obscurité, c'est ne rien voir —, la nature inexistante du mal a alors reçu consistance dans ceux qui se sont détachés du bien, et elle la garde aussi longtemps que nous sommes en dehors du bien. Mais si au contraire le libre mouvement

2. Tout le début du paragraphe (on notera l'expression au comparatif εἰς μείζονα...φιλοσοφίαν) et la citation de *Phil.* 2, 9 marquent un changement du niveau d'interprétation du texte de *l'Ecclésiaste* : du plan moral, passage à la question de la connaissance de Dieu.

3. La permanence dans le bien (ἡ ἐν τῷ ἀγαθῷ διαμονή, *In Cant.* XV, *GNO* VI, p. 458, 13), ou, comme ici, la « permanence dans l'être » a pour conséquence l'ὑπομονή, la vertu de patience.

θελήματος κίνησις ἀπορραγείη τῆς πρὸς τὸ ἀνύπαρκτον σχέσεως καὶ συμφυείη τῷ ὄντι, ἐκείνη μὲν τὸ ἐν ἐμοὶ εἶναι μηκέτι ἔχουσα οὐδὲ τὸ εἶναι ὅλως ἕξει· κακὸν γὰρ ἔξω προαιρέσεως ἐφ' ἑαυτοῦ κείμενον οὐκ ἔστιν· ἐγὼ δὲ
35 τῷ ἀληθῶς ὄντι ἐμαυτὸν προσκολλήσας τε καὶ προσράψας ἐν τῷ ὄντι μενῶ ὃς ἀεί τε ἦν καὶ εἰς ἀεὶ ἔσται καὶ νῦν ἔστι. Ταῦτά μοι δοκεῖ τὰ νοήματα « ὁ τοῦ ῥῆξαι καιρὸς »
408 A. καὶ « ὁ τοῦ ῥάψαι καιρὸς[b] » ὑποτίθεσθαι, ἵνα | ἀπορραγέντες ἐκείνου ᾧ κακῶς συνεφύημεν προσκολληθῶμεν
40 ἐκείνῳ οὗ ἀγαθὴ ἡ προσκόλλησις. « Ἐμοὶ γάρ, φησί, τὸ προσκολλᾶσθαι τῷ θεῷ ἀγαθόν ἐστι, τίθεσθαι ἐν τῷ κυρίῳ τὴν ἐλπίδα μου[c]. » Εἴποι δ' ἄν τις καὶ πρὸς ἄλλα πολλὰ τὴν συμβουλὴν ταύτην χρησίμως ἔχειν, οἷον « Ἐξάρατε τὸν πονηρὸν ἐξ ὑμῶν αὐτῶν[d] ». Ταῦτα
45 κελεύει ὁ θεῖος ἀπόστολος, τὸν ἐπὶ τῇ παρανόμῳ μίξει κατεγνωσμένον τοῦ κοινοῦ τῆς ἐκκλησίας πληρώματος ἀπορραγῆναι κελεύων, ὡς ἂν μὴ μικρά, φησί, ζύμη τῆς τοῦ κατεγνωσμένου κακίας ὅλον τὸ φύραμα τῆς ἐκκλησιαστικῆς εὐχῆς ἀχρειώσειεν[e]. Τὸν δὲ ἀπορραγέντα διὰ
50 τῆς ἁμαρτίας πάλιν προσράπτει διὰ τῆς μετανοίας λέγων ἵνα « μὴ τῇ περισσοτέρᾳ λύπῃ καταποθῇ ὁ τοιοῦτος[f] ».

b. cf. Eccl. 3, 7a c. Ps. 72, 28 d. I Cor. 5, 13 e. cf. I Cor. 5, 6 f. II Cor. 2, 7

1. Grégoire accole à l'image d'*Eccl.* 3, 7a le verbe προσκολλᾶσθαι emprunté au *Ps.* 72, 28 cité quelques lignes plus loin. M. AUBINEAU (Note à *De virg.* XV, 1, *SC* 119, p. 446) a noté la coloration paulinienne du verbe. La manière dont Grégoire introduit *Ps.* 72, 28 rappelle en effet *Rom.* 12, 9 (κολλώμενοι τῷ ἀγαθῷ) ; comparer *In Cant.* XV, *GNO* VI, p. 461, 11-16 (rapprochement entre *Ps.* 72, 28 et *Rom.* 8, 35).

de notre vouloir s'est arraché à la relation avec l'inexistant et s'est uni au bien, cette disposition, du moment qu'elle n'a plus de réalité en moi, n'aura même plus du tout de réalité. En effet le mal n'a pas en lui-même de réalité en dehors de notre libre choix. Mais moi, qui me suis attaché [1] et me suis cousu à ce qui est véritablement, je demeure dans l'être qui était depuis toujours, qui sera pour toujours et qui est maintenant. Voilà les pensées que me semble suggérer « le moment pour déchirer » et « le moment pour coudre [b] », afin que, arrachés à ce à quoi nous avons été unis de manière mauvaise, nous soyons attachés à ce à quoi il est bon de s'attacher [2]. « Pour moi, est-il dit, il est bon de m'attacher à Dieu, de mettre mon espoir dans le Seigneur [c].» On peut dire que ce conseil est utile aussi dans bien d'autres cas, par exemple : « Ôtez le méchant du milieu de vous [d]. » C'est ce qu'ordonne le divin Apôtre lorsqu'il ordonne que soit arraché du plérôme commun de l'Église celui qui a été reconnu coupable d'une union contre la loi, afin que, dit l'Apôtre, un peu du levain de la malice du coupable ne rende pas inutile toute la pâte de la prière de l'Église [e]. Mais celui qui en a été arraché par le péché, il l'y recoud par le repentir en disant : afin « qu'un tel homme ne sombre pas dans une tristesse excessive [f] » [3].

2. Interprétation proche de celle d'*Eccl.* 3, 2b (*hom.* VI, 6). Mais la différence avec l'interprétation origénienne est notable : ORIGÈNE retrouve dans le verset la marque de l'opposition entre l'Ancien et le Nouveau Testament (*fr.* 79[r] cité par S. LEANZA, *L'esegesi di Origene*, chap. 1 ; le fragment est une des scolies d'Origène dans la chaîne de Procope ; voir l'édition de la *Chaîne de Procope*, *CCSG* 4, p.29-30).

3. Voir ci-dessus, Introd., chap. VI. — L'enchaînement des citations scripturaires dans le passage montre comment à partir d'un exemple relevant de la morale (*I Cor.* 5, 13), Grégoire oriente ensuite sa réflexion vers le cas des hérétiques et de ceux qui reniaient la foi, comme l'atteste la référence à la tradition. Les correspondances des évêques comme Cyprien ou Basile, mais aussi les lettres de Grégoire lui-même (voir *Ep.* XIX) donnent une portée concrète à ses commentaires.

Οὕτως οἶδεν εὐκαίρως τε ἀπορρῆξαι τὸ σπιλωθὲν μέρος τοῦ τῆς ἐκκλησίας χιτῶνος[g] καὶ πάλιν εὐκαίρως προσράψαι, ὅταν διὰ τῆς μετανοίας ἐκπλυθῇ τοῦ μολύσματος.
55 Καὶ πολλὰ τοιαῦτα ἔστιν ἰδεῖν ἔν τε τοῖς ἀρχαιοτέροις τῶν διηγημάτων καὶ ἐν τῷ καθ' ἡμᾶς βίῳ ὅσα ἐν ταῖς ἐκκλησίαις οἰκονομικῶς ἐπιτελεῖται. Οἴδατε γὰρ τίνων ἀπορρηγνύμεθα καὶ τίσιν ἀεὶ προσραπτόμεθα· τῆς γὰρ αἱρέσεως ἀποσχιζόμενοι τῇ εὐσεβείᾳ διὰ παντὸς ἐνραπτό-
409 A. 60 μεθα, τότε | ἄρρηκτον βλέποντες τὸν τῆς ἐκκλησίας
728 M. χιτῶνα ὅταν ἀπορραγῇ τῆς πρὸς τὴν αἵρεσιν κοινωνίας. Ἀλλ' εἴτε κατὰ τὴν προεξετασθεῖσαν ἡμῖν θεωρίαν φιλοσοφεῖ περὶ τῶν ὄντων ὁ λόγος εἴτε τὰ τοιαῦτα διὰ τῆς συμβουλῆς ταύτης παιδεύει, κατὰ πάντα τὸ ἐπωφελές
65 τε καὶ χρήσιμον περιέχει ἡ ῥῆσις ἡ ἐν καιρῷ τε ἀπορρηγνῦσα ὧν πονηρὰ ἡ συνάφεια καὶ κατὰ καιρὸν πάλιν συνάπτουσα ὧν ἐπωφελής ἐστιν ἡ ἕνωσις.

8. Ἡμεῖς δὲ πρὸς τὰ ἐφεξῆς τοῦ λόγου προέλθωμεν δι' οὗ μοι δοκεῖ μᾶλλον ὁ κατὰ τὴν ὑψηλοτέραν φιλοσοφίαν θεωρηθεὶς λόγος οἰκείως πρὸς τὸ ῥητὸν ἔχειν. Προτέτακται γὰρ ὁ τοῦ σιγᾶν καιρὸς καὶ μετὰ τὴν σιγὴν ἔδωκε τὸν
5 τοῦ λέγειν καιρόν[a]. Πότε οὖν καὶ περὶ τίνων τὸ σιγᾶν ἐστιν ἄμεινον; Εἴποι μὲν ἄν τις τῶν πρὸς τὸ ἦθος

g. cf. Jude 23
8. a. cf. Eccl. 3, 7b

1. Les deux mots σπιλωθέν et χιτών peuvent suggérer de voir ici une allusion à *Jude* 23 (P. Alexander, *GNO* V, p. 409). — Sur les interprétations patristiques de la « tunique de l'Église », voir M. Aubineau, « Dossier patristique sur Jean XIX, 23-24 ». L'image est revivifiée dans le contexte de la lutte contre les hérésies ; un texte de Sévérien de

De la même façon, il sait au moment opportun arracher la partie souillée de la tunique de l'Église [g] et inversement la recoudre au moment opportun, chaque fois qu'elle a été lavée de sa tache grâce au repentir [1]. Et il est possible de voir, dans les plus anciens des récits autant que dans nos vies, de nombreux exemples semblables de ce qui s'accomplit selon l'économie dans les Églises. Vous savez en effet à quoi nous sommes arrachés et à quoi nous sommes toujours recousus. C'est en nous séparant de l'hérésie que nous sommes sans cesse recousus à la piété, et c'est quand elle est arrachée à la communion avec l'hérésie que nous voyons la tunique de l'Église sans déchirure. Mais que le discours, conformément à la réflexion menée précédemment, soit une réflexion philosophique sur les êtres ou qu'il nous enseigne de semblables choses en recourant à ce conseil, de toute manière elle contient quelque chose d'avantageux et d'utile [2], la parole qui déchire au moment opportun ce dont l'assemblage est mauvais, et ajuste au contraire au moment opportun ce dont l'union est avantageuse.

Parler et se taire

8. Mais abordons la suite du discours dans lequel l'interprétation suivant une philosophie plus sublime est, me semble-t-il, davantage appropriée au texte. Car c'est le moment de se taire qui a été prescrit et, après le silence, il a donné le moment de parler [a]. Quand donc et sur quels sujets vaut-il mieux se taire ? Un homme attentif à la morale dirait que le silence

GABALA (*De mundi creatione* VI, 7), cité par Aubineau (p. 24), rapproche *Jn* 19, 23-24 et *Gen.* 3, 7 pour mettre en valeur l'opposition déchirer/coudre, sans toutefois citer *Eccl.* 3, 7.

2. Il est remarquable qu'à la fin de ce développement proposant une lecture actualisante du verset biblique, Grégoire revienne à l'argument de l'utilité de l'Écriture (ὠφελεία). Sur l'élaboration de cet argument appuyé sur *II Tim.* 3, 16, voir ORIGÈNE, *Traité des principes* IV, 3, 4, et Grégoire lui-même, *C. Eun.* III, 5.

βλεπόντων πολλαχῇ τὴν σιωπὴν εὐσχημονεστέραν εἶναι τοῦ λόγου, οἷον καθὼς διακρίνει τῆς σιωπῆς τε καὶ τοῦ λόγου τὴν εὐκαιρίαν ὁ Παῦλος, ποτὲ μὲν νομοθετῶν τὸ
10 σιγᾶν, ποτὲ δὲ ἐπιτρέπων τὸ λέγειν. « Πᾶς λόγος σαπρὸς ἐκ τοῦ στόματος ὑμῶν μὴ ἐκπορευέσθω [b] » — οὗτος σιωπῆς ὁ νόμος —, « ἀλλ' εἴ τις ἀγαθὸς πρὸς οἰκοδομὴν τῆς πίστεως, ἵνα δῷ χάριν τοῖς ἀκούουσιν [c] » — οὗτος ὁ τοῦ λέγειν καιρός. « Αἱ γυναῖκες ἐν ταῖς ἐκκλησίαις
15 σιγάτωσαν [d] » — πάλιν ἔδωκε τῇ σιγῇ τὸν καιρόν· « εἰ δέ
410 A. τι μαθεῖν | θέλουσιν », ὧν ἀγνοοῦσιν, « ἐν οἴκῳ τοὺς ἰδίους ἄνδρας ἐπερωτάτωσαν [e] » — πάλιν ὑπέδειξε τοῦ λόγου τὴν εὐκαιρίαν. « Μὴ ψεύδεσθε εἰς ἀλλήλους [f] » — καὶ αὕτη σιωπῆς εὐκαιρία· « λαλείτω ἀλήθειαν ἕκαστος
20 μετὰ τοῦ πλησίον αὐτοῦ [g] » — πάλιν ἡ ἐξουσία τοῦ λόγου. Καὶ πολλὰ τοιαῦτα ἔστιν εἰπεῖν καὶ ἐκ τῆς ἀρχαιοτέρας γραφῆς· « Ἐν τῷ συστῆναι τὸν ἁμαρτωλὸν ἐναντίον μου ἐκωφώθην καὶ ἐταπεινώθην καὶ ἐσίγησα ἐξ ἀγαθῶν [h] », καὶ « Ὡσεὶ κωφὸς οὐκ ἤκουον καὶ ὡσεὶ
25 ἄλαλος οὐκ ἀνοίγων τὸ στόμα αὐτοῦ [i] », καὶ « Ἐν τῷ συστῆναι τὸν ἁμαρτωλὸν [j] » ἄφωνος γίνεται ὁ πρὸς τὴν ἀντίδοσιν τοῦ κακοῦ μένων ἀκίνητος, ἐν οἷς δὲ προσήκει τῷ λόγῳ χρήσασθαι « ἀνοίγει ἐν παραβολαῖς τὸ στόμα, φθέγγεται προβλήματα [k] », πληροῖ τὸ στόμα αἰνέσεως [l],
30 κάλαμον ποιεῖ τὴν γλῶσσαν [m]. Ἀλλὰ τί χρή, μυρίων

b. Éphés. 4, 29 c. cf. Éphés. 4, 29 d. I Cor. 14, 34 e. I Cor. 14, 35 f. Col. 3, 9 g. Éphés. 4, 25 h. Ps. 38, 2-3 i. Ps. 37, 14 j. Ps. 38, 2 k. Ps. 77, 2 l. cf. Ps. 70, 8 m. cf. Ps. 44, 2

---

1. Grégoire interrompt la citation de *I Cor.* 14, 35 pour ajouter la relative ; le champ des emplois de ἀγνοεῖν est très large, mais une telle addition modifie peut-être la signification de l'injonction de Paul

est souvent plus décent que la parole, comme par exemple lorsque Paul discerne le moment opportun pour le silence et pour la parole, tantôt en érigeant en loi le silence, tantôt en permettant de parler. « Que ne sorte de votre bouche aucune parole pernicieuse [b] » — c'est le commandement du silence —, « mais quelque parole bonne à l'édification de la foi, afin qu'elle apporte une grâce à ceux qui l'entendent [c] » — c'est le moment de parler. « Que les femmes se taisent dans les assemblées [d] » — de nouveau il a donné au silence son moment. « Mais si elles veulent apprendre quelque chose » de ce que qu'elles ignorent [1], « qu'elles interrogent leur mari à la maison [e] » — de nouveau il a montré le moment opportun pour la parole. « Ne mentez pas les uns aux autres [f] » — c'est le moment opportun pour le silence ; « Que chacun dise la vérité à son prochain [g] » — de nouveau la liberté de parler. Et on pourrait trouver bien d'autres exemples semblables dans l'Ancien Testament aussi [2]. « Quand le pécheur se tint devant moi, je devins sourd, je m'abaissai et je gardai le silence sur mes bonnes actions [h] » ; et : « Comme un sourd je n'entendais pas, comme un muet je n'ouvrais pas la bouche [i] .» Et « quand le pécheur se tient là [j] », il est sans voix, celui qui demeure immobile face au mal qu'on lui fait en retour ; mais dans les cas où il convient de recourir à la parole, « il ouvre la bouche en paraboles, il murmure des questions [k] », il emplit sa bouche de louange [l], il fait de sa langue un roseau [m]. Mais à quoi bon, puisqu'il y a foule

(comparer par ex. avec la traduction de la *TOB* : « si elles désirent s'instruire sur quelque détail... »).

2. En juxtaposant des versets du Nouveau puis de l'Ancien Testament pour en souligner le sens moral, Grégoire procède à la manière d'Origène et des *Testimonia* des premiers siècles. Ici les rapprochements ne sont pas légitimés par la récurrence d'un même mot, mais par des analogies de situation. – *Éphés*. 4, 25, qui sert de transition entre les exemples du N.T. et de l'A.T., est en fait une citation de *Zach*. 8, 16.

ὄντων ἐν τῇ γραφῇ τῶν ὑποδειγμάτων, λεπτουργεῖν ἐν τοῖς ὁμολογουμένοις τὸν λόγον; Ὃ δέ μοι πρὸ τούτων ἐπὶ νοῦν ἦλθεν, ὡς συμφωνούσης τῆς περὶ τοῦ σιγᾶν τε καὶ λαλεῖν εὐκαιρίας τῇ ἀποδοθείσῃ περὶ τοῦ ῥήγματος καὶ
35 τῆς ῥαφῆς[n] θεωρίᾳ, τοῦτο βούλομαι πάλιν ἐπαναλαβὼν δι' ὀλίγων εἰπεῖν.

Ἐκεῖ τε γὰρ τὴν κακῶς τῷ ἐναντίῳ προσφυεῖσαν ψυχὴν ἀπορρήξας ὁ λόγος εἰς γνῶσιν ἤγαγε τοῦ ὄντως
411 A. ὄντος διὰ τῆς | προσκολλήσεως, ὅπερ ὑπὲρ λόγον εἶναι ὁ
40 προλαβὼν ἀποδέδωκε λόγος, ἐνταῦθά τε διὰ τοῦτό μοι δοκεῖ τὸ σιγᾶν προτετάχθαι, τοῦτ' ἔστι διότι τὸ ὑπὲρ πᾶν ἐκεῖνο νόημά τε καὶ ὄνομα[o] ὃ ἡ τοῦ κακοῦ ἀπορραγεῖσα ψυχὴ καὶ ζητεῖ διὰ παντὸς καὶ ἐνραφῆναι τῷ εὑρεθέντι
729 M. ἐφίεται, τοῦτο πάσης ἑρμηνευτικῆς φωνῆς ἐστιν ὑψηλότε-
45 ρον· ὅπερ ὁ φιλονεικῶν ὑπὸ τὴν τοῦ λόγου σημασίαν καθέλκειν λανθάνει πλημμελῶν εἰς τὸ θεῖον· τὸ γὰρ ὑπὲρ πᾶν εἶναι πεπιστευμένον καὶ ὑπὲρ λόγον πάντως ἐστίν. Ὁ δὲ λόγῳ διαλαμβάνειν ἐπιχειρῶν τὸ ἀόριστον οὐκέτι δίδωσι τὸ ὑπὲρ πᾶν εἶναι ἐκεῖνο ᾧ ἀντεξάγει τὸν ἴδιον
50 λόγον, τοιοῦτόν τι καὶ τοσοῦτον εἶναι οἰόμενος οἷον καὶ ὅσον εἰπεῖν ὁ λόγος ἐχώρησεν, οὐκ εἰδὼς ὅτι ἐν τῷ πεπεῖσθαι ὑπὲρ γνῶσιν εἶναι τὸ θεῖον ἐν τούτῳ ἡ θεοπρεπὴς περὶ τοῦ ὄντως ὄντος φυλάσσεται ἔννοια. Διὰ τί; ὅτι πᾶν τὸ ἐν τῇ κτίσει ὂν πρὸς τὸ συγγενὲς ἐκ
55 φύσεως βλέπει καὶ οὐδὲν τῶν ὄντων ἔξω ἑαυτοῦ γενόμε-

n. cf. Eccl. 3, 7a o. cf. Phil. 2, 9

---

1. Présenté par Grégoire comme une interprétation personnelle d'*Eccl.* 3, 7, le passage affirme l'inaccessibilité de Dieu par la connaissance humaine, ce que suggérait déjà l'exégèse d'*Eccl.* 1, 8 (*hom.* I, 12). Selon M. CANÉVET (*Herméneutique*, p. 27-64), cela correspond à une première étape de la conception nysséenne de la connaissance de Dieu, des œuvres comme la *Vie de Moïse* et les *Homélies sur le Cantique* affirmant au contraire la possibilité d'une progression infinie.

d'exemples dans l'Écriture, détailler encore dans mon discours des points sur lesquels il y a accord ? Avant cela il m'est venu à l'esprit que le moment opportun pour se taire et pour parler concordait avec la manière dont nous avons expliqué le moment opportun pour déchirer et pour coudre [n], et je veux à présent y revenir et en parler brièvement [1].

Là en effet, le discours, après avoir déchiré l'âme liée de façon mauvaise à l'ennemi, l'a conduite et attachée à la connaissance de l'être réel que le discours a d'avance défini comme au-delà du discours ; et ici, voici pourquoi, me semble-t-il, il est ordonné de se taire : ce concept et ce nom au-dessus de tout [o], que l'âme déchirée et séparée du mal cherche sans cesse et auquel elle veut être cousue lorsqu'elle l'a trouvé, est plus sublime que toute parole interprétative ; et celui qui s'acharne à rabaisser l'être véritable à une signification discursive commet sans le savoir une faute à l'égard du divin. Car ce que l'on croit par la foi être au-dessus de tout est aussi très certainement au-dessus du discours. Or celui qui entreprend de comprendre l'infini par le discours ne le considère plus comme l'au-delà de tout, s'il l'assaille avec son propre discours, en s'imaginant que l'infini est tel que son discours est capable de l'exprimer quantitativement et qualitativement, sans savoir qu'il faut être convaincu que le divin transcende la connaissance, si l'on veut conserver une notion de l'être réel qui soit digne de Dieu. Pourquoi ? parce que tout ce qui est dans la création regarde vers ce qui a avec lui une parenté de nature [2] et parce qu'aucun

2. La συγγένεια est étroitement liée à l'affirmation de *Gen.* 1, 26 ; la notion renvoie à la pensée stoïcienne, mais elle est devenue une notion commune à la pensée grecque (voir É. des Places, *Syngeneia. La parenté de l'homme avec Dieu d'Homère à la patristique*, Paris 1964) ; sur ce thème chez Grégoire, voir Balthasar, *Présence et pensée*, p. 61 et 84 s.

νον ἐν τῷ εἶναι μένει, οὐ πῦρ ἐν ὕδατι, οὐκ ἐν πυρὶ τὸ ὕδωρ, οὐκ ἐν τῷ βυθῷ τὸ χερσαῖον, οὐκ ἐν τῇ χέρσῳ τὸ ἔνυδρον, οὐκ ἐν ἀέρι τὸ ἔγγειον, οὐκ ἐν γῇ πάλιν τὸ ἐναέριον· ἀλλ' ἐν τοῖς ἰδίοις ἕκαστον μένον ὅροις τῆς
60 φύσεως ἕως τότε ἐστὶν ἕως ἂν ἐντὸς τῶν ἰδίων ὅρων μένῃ. Εἰ δὲ ἔξω ἑαυτοῦ γένοιτο, ἐκτὸς καὶ τοῦ εἶναι
412 A. γενήσεται. | Καὶ ὥσπερ τῶν αἰσθητηρίων ἡ δύναμις ταῖς κατὰ φύσιν ἐνεργείαις παραμένουσα μεταβῆναι πρὸς τὴν παρακειμένην οὐ δύναται — οὔτε γὰρ <ὁ> ὀφθαλμὸς τὰ
65 τῆς ἀκοῆς ἐνεργεῖ, οὔτε ἡ ἀφὴ διαλέγεται, οὔτε ἡ ἀκοὴ γεύεται, οὔτε ἡ γλῶσσα τὰ τῆς ὄψεως ἢ τὰ τῆς ἀκοῆς ἐνεργεῖ, ἀλλ' ἕκαστον ὅρον ἔχει τῆς ἰδίας δυνάμεως τὴν κατὰ φύσιν ἐνέργειαν —, οὕτω καὶ πᾶσα ἡ κτίσις ἔξω ἑαυτῆς γενέσθαι διὰ τῆς καταληπτικῆς θεωρίας οὐ
70 δύναται, ἀλλ' ἐν ἑαυτῇ μένει ἀεὶ καὶ ὅπερ ἂν ἴδῃ, ἑαυτὴν βλέπει· κἂν οἰηθῇ τι ὑπὲρ ἑαυτὴν βλέπειν, τὸ ἐκτὸς ἑαυτῆς ἰδεῖν φύσιν οὐκ ἔχει. Οἷον τὴν διαστηματικὴν ἔννοιαν ἐν τῇ τῶν ὄντων θεωρίᾳ παρελθεῖν βιάζεται, ἀλλ' οὐ παρέρχεται. Παντὶ γὰρ τῷ εὑρισκομένῳ νοήματι
75 συνθεωρεῖ πάντως τὸ συγκαταλαμβανόμενον τῇ ὑποστάσει τοῦ νοουμένου διάστημα· τὸ δὲ διάστημα οὐδὲν ἄλλο ἢ κτίσις ἐστίν.

Ἐκεῖνο δὲ τὸ ἀγαθὸν ὃ ζητεῖν τε καὶ φυλάττειν [p] ἐμάθομεν καὶ ᾧ συνάπτεσθαι καὶ προσκολλᾶσθαι συνε-

p. cf. Eccl. 3, 6

---

1. Dans la première homélie (I, 9, 26 s.), la réflexion sur les éléments a déjà mis en évidence la notion de limite propre à chaque réalité.

des êtres, s'il est en dehors de lui-même, ne demeure dans l'être, ni le feu dans l'eau, ni l'eau dans le feu, ni la terre ferme dans l'abîme marin, ni l'humide dans le sec, le terrestre dans l'air ou à l'inverse l'aérien dans la terre. Mais lorsque chacun demeure dans les limites propres de sa nature, il existe aussi longtemps qu'il demeure dans ses limites propres. Sort-il de son être propre, il sortira aussi de l'être [1]. Et c'est comme pour la capacité des sens qui se tient dans l'énergie naturelle de chacun d'eux sans se transférer à celle du sens voisin — en effet l'œil n'a pas l'activité de l'ouïe, le toucher ne parle pas, l'ouïe ne goûte pas, la langue n'a pas l'activité de la vue ni de l'ouïe, mais chaque sens a pour limite de sa capacité propre son activité naturelle. De la même manière aussi la création tout entière ne peut pas se trouver en dehors d'elle-même et avoir une compréhension globale (d'elle-même), mais elle demeure sans cesse en elle-même et, quoi qu'elle voie, c'est elle-même qu'elle regarde ; et si elle songe à regarder au-dessus d'elle-même, il n'est pas dans sa nature de voir ce qui lui est extérieur. Ainsi, elle est contrainte de dépasser l'idée propre à l'intervalle en contemplant les êtres, mais elle ne la dépasse pas. En effet, en même temps que tout concept qu'elle découvre, elle contemple très certainement l'intervalle appréhendé en même temps que l'être subsistant qu'elle conçoit. Et l'intervalle, ce n'est rien d'autre que la création [2].

Mais ce bien que nous avons appris à « chercher » et à « garder [p] » et auquel il nous est conseillé d'être fixés et

2. La phrase sonne comme une définition et relie étroitement les deux notions. — Sur le concept de διάστημα, voir ci-dessus, Introd. p. 59 s. J. Daniélou, *L'être et le temps*, p. 109, voit dans le passage une manière d'exprimer les limites de la création.

80 βουλεύθημεν ἄνω ὃν τῆς κτίσεως ἄνω ἐστὶ τῆς καταλήψεως. Ἡ γὰρ ἡμετέρα διάνοια τῇ διαστηματικῇ παρατάσει ἐνδιοδεύουσα πῶς ἂν καταλάβοι τὴν ἀδιάστατον φύσιν ; Ἄνεισιν διὰ τοῦ χρόνου κατὰ ἀνάλυσιν ἀεὶ διερευ-
413 A. νωμένη τὰ τῶν | εὑρισκομένων πρεσβύτερα. Καὶ τὰ μὲν
85 γινωσκόμενα πάντα διὰ τῆς πολυπραγμοσύνης παρέδραμε, τὴν δὲ τοῦ αἰῶνος ἔννοιαν παραδραμεῖν οὐδεμίαν μηχανὴν ἐξευρίσκει, ὅπως ἂν ἔξω ἑαυτὴν στήσειε καὶ ὑπερθείη τοῦ προθεωρουμένου τῶν ὄντων αἰῶνος. Ἀλλ' ὥσπερ ὁ ἐπί τινος εὑρεθεὶς ἀκρωρείας — ὑποκείσθω δὲ
90 πέτρα τις εἶναι λεία καὶ ἀπότομος, κάτωθεν ἐν ὀρθίῳ τε καὶ περιεξεσμένῳ τῷ σχήματι εἰς ἄπειρον μῆκος ἀνατεινομένη καὶ ἄνωθεν ἐπὶ τοῦ ὕψους τὴν ἄκραν ἐκείνην ἀνέχουσα τὴν ἐν τῇ προβολῇ τῆς ὀφρύος εἴς τι βάθος ἀχανὲς κατακύπτουσαν —, ὅπερ οὖν εἰκὸς παθεῖν
95 τὸν ἄκρῳ τῷ ποδὶ τῆς ἐπινευούσης τῷ βάθει ῥαχίας ἐπιψαύοντα καὶ οὐδεμίαν ἔτι οὔτε τῷ ποδὶ βάσιν οὔτε τῇ χειρὶ ἀντίληψιν ἐξευρίσκοντα, τοῦτό μοι καὶ ἡ ψυχὴ
414 A. παρελθοῦσα τὸ ἐν τοῖς | διαστηματικοῖς νοήμασι βάσιμον ἐν τῇ ζητήσει τῆς προαιωνίου τε καὶ ἀδιαστάτου φύσεως
100 πάσχει. Οὐκ ἔχουσά τι οὗ περιδράξηται, οὐ τόπον, οὐ χρόνον, οὐ μέτρον, οὐκ ἄλλο τι τοιοῦτον οὐδὲν ὃ δέχεται τῆς διανοίας ἡμῶν τὴν ἐπίβασιν, ἀλλὰ πανταχόθεν τῶν
732 M. ἀλήπτων ἀπολισθαίνουσα ἰλιγγιᾷ τε καὶ ἀμηχανεῖ καὶ πάλιν πρὸς τὸ συγγενὲς ἐπιστρέφεται, ἀγαπῶσα τοσοῦτον
105 μόνον γνῶναι περὶ τοῦ ὑπερκειμένου ὅσον πεισθῆναι ὅτι

1. Même image de l'ascension vertigineuse en *De beat.* VI (*GNO* VII, 2, p. 137). Voir J. Daniélou, *Platonisme*, p. 130-131 et M. Canévet, *Herméneutique*, p. 312-313, sur le symbolisme de l'image. La *Vie de Moïse* garde l'image de la montagne : « C'est en effet une montagne escarpée et d'accès vraiment difficile que la connaissance de Dieu (θεολογία) » (II, 158, *SC* 1 ter).

attachés, est au-dessus de ce que nous appréhendons parce qu'il est au-dessus de la création. Comment en effet notre pensée, qui chemine dans l'espace de l'intervalle, pourrait-elle saisir la nature qui n'est pas comprise dans l'intervalle ? Elle s'avance avec le temps en scrutant sans cesse analytiquement les plus anciennes de ses découvertes. Et elle parcourt avec grande attention tout ce qui est connu, mais elle ne trouve pour parcourir la pensée de l'éternité aucun moyen qui lui permette de se tenir hors d'elle-même et de s'établir au-dessus de la durée des êtres, qu'elle a contemplée d'abord. Il en est comme de celui qui se trouve sur le sommet d'une montagne [1] : supposons qu'il y ait au-dessous de lui un rocher lisse et coupé à pic, qui s'étende vers le bas sur une longueur infinie, d'une forme droite et polie, et qui d'en haut supporte à son sommet cette pointe qui, avec l'avancée de l'escarpement, penche vers l'abîme béant ; le sentiment naturel de celui qui, du bout du pied, effleure la roche qui s'incline vers l'abîme, et qui ne trouve plus aucun support pour son pied ni aucune prise pour sa main, c'est celui qu'à mon avis éprouve l'âme qui, dépassant ce qui est accessible par les concepts propres à l'intervalle, cherche la nature qui a précédé le temps et qui n'est pas comprise dans l'intervalle : n'ayant rien à empoigner, ni lieu, ni temps, ni mesure, ni rien d'autre qui soit capable de recevoir la marche de notre pensée [2], mais glissant de tous côtés sans trouver de prise, elle est saisie de vertige, désemparée, et se tourne de nouveau vers ce qui est de la même origine qu'elle, et elle se contente, quant à ce qui est au-dessus d'elle, d'en connaître juste assez pour être convaincue qu'il y a autre

2. Accumulation de termes négatifs, procédé habituel chez Grégoire chaque fois qu'il veut souligner le caractère apophatique du discours sur Dieu (voir *De beat.* III, *GNO* VII, 2, p. 104, 15-19 ; *In Cant.* V, *GNO* VI, p. 139, 1 s.).

ἄλλο τι παρὰ τὴν τῶν γινωσκομένων φύσιν ἐστί. Διὰ
τοῦτο ὅταν ἔλθῃ εἰς τὰ ὑπὲρ λόγον ὁ λόγος, γίνεται τότε
« καιρὸς τοῦ σιγᾶν[q] » καὶ τῆς ἀφράστου ἐκείνης δυνάμεως ἀνερμήνευτον ἐν τῷ ἀπορρήτῳ τῆς συνειδήσεως
110 ἔχειν τὸ θαῦμα, εἰδότα ὅτι καὶ οἱ μεγάλοι <προφῆται> τὰ
ἔργα τοῦ θεοῦ καὶ οὐ τὸν θεὸν ἐλάλουν λέγοντες· « Τίς
λαλήσει τὰς δυναστείας τοῦ κυρίου[r] ; » καί « Διηγήσομαι
πάντα τὰ ἔργα σου[s] », καί « Γενεὰ καὶ γενεὰ ἐπαινέσει τὰ
ἔργα σου[t] ». Ταῦτα λαλοῦσι καὶ περὶ τούτων διεξέρχον-
115 ται καὶ τὴν τῶν γεγονότων ἐξαγόρευσιν τῇ φωνῇ
ἐπιτρέπουσιν.

Ὅταν δὲ περὶ αὐτοῦ τοῦ ὑπερανεστῶτος πάσης ἐννοίας
ὁ λόγος ᾖ, σιωπὴν ἄντικρυς δι' ὧν λέγουσι νομοθετοῦσι. |
415 A. Λέγουσι γὰρ ὅτι « Τῆς μεγαλοπρεπείας τῆς δόξης τῆς
120 ἁγιωσύνης αὐτοῦ οὐκ ἔστι πέρας[u] ». Ὢ τοῦ θαύματος.
Πῶς ἐφοβήθη τῇ τῆς θείας φύσεως θεωρίᾳ προσεγγίσαι ὁ
λόγος ὅς γε οὐδὲ τῶν ἔξωθέν τινος ἐπιθεωρουμένων τὸ
θαῦμα κατέλαβεν. Οὐ γὰρ εἶπεν ὅτι τῆς οὐσίας τοῦ θεοῦ
πέρας οὐκ ἔστι, τολμηρὸν κρίνων ὅλως τὸ καὶ εἰς ἔννοιαν
125 τοῦτο λαβεῖν, ἀλλὰ τὴν ἐπιθεωρουμένην τῇ δόξῃ μεγαλοπρέπειαν θαυμάζει τῷ λόγῳ. Πάλιν δὲ οὐδὲ αὐτῆς τῆς
οὐσίας τὴν δόξαν ἰδεῖν ἠδυνήθη, ἀλλὰ τῆς ἁγιωσύνης
αὐτοῦ τὴν δόξαν ἐξεπλάγη κατανοήσας. Πόσον τοίνυν
ἀπέσχε τοῦ τὴν φύσιν ἥτις ἐστὶ περιεργάσασθαι, ὅς γε τὸ

q. Eccl. 3, 7b r. Ps. 105, 2 s. Ps. 9, 2 ; 117, 17 t. Ps. 144, 4
u. Ps. 144, 5.3

1. Grégoire aborde par le biais de l'exégèse une des questions centrales de sa lutte contre Eunome et de sa réflexion trinitaire, la distinction de

chose que la nature des choses connues. Aussi, lorsque le discours va vers ce qui est au-delà du discours, est-ce « le moment de se taire [q] » et de garder dans le secret de la conscience, sans pouvoir l'interpréter, l'émerveillement devant cette puissance indicible, en sachant que même les grands prophètes disaient les œuvres de Dieu sans dire Dieu, avec ces paroles : « Qui dira les puissances du Seigneur [r] ? » et : « Je raconterai toutes tes œuvres [s] », et : « Un âge après l'autre louera tes œuvres [t] .» Ce sont les œuvres qu'ils disent, ils font des développements à leur sujet et ils confient à leur voix la proclamation de ce qui existe.

Mais lorsque leur discours porte sur cela même qui se tient au-dessus de toute pensée, c'est à l'inverse le silence qu'ils érigent en loi, par ce qu'ils disent [1]. Ils disent en effet : « La grandeur de la gloire de sa sainteté n'a pas de limite [u] .» Ô merveille ! Comme il a craint de s'approcher de la contemplation de la nature divine, le discours qui en vérité n'a même pas compris la merveille de ce qui est contemplé de l'extérieur ! Il n'a pas dit qu'il n'y a pas de limite à l'essence de Dieu, jugeant totalement audacieux le fait d'arriver même à cette idée, mais il s'émerveille dans son discours de la grandeur glorieuse qu'il contemple. À l'inverse, il n'a pas pu voir la gloire de l'essence elle-même et il est frappé de stupeur en concevant la gloire de sa sainteté ! Il s'est donc abstenu, ô combien ! de spéculer sur

l '« essence » et des « énergies » en Dieu : voir *Ad Eustathium*, *GNO* III, 1, p. 6-10, et *Ad Ablabium*, *GNO* III, 1, p. 55 ; Th. ZIEGLER, *Les petits traités trinitaires*, III, 2 (« οὐσία et ἐνεργεία : le problème de la connaissance de Dieu »), p. 268-284. — Il est notable que le même *Ps*. 144 est utilisé par Grégoire ici, dans un contexte où est affirmée l'inaccessibilité de Dieu, et au début de l'*oratio* VIII sur le *Cantique* (*GNO* VI, p. 245-247), où il évoque au contraire l'ascension sans fin de celui qui contemple Dieu « de commencement en commencement ».

130 ἔσχατον τῶν προφαινομένων θαυμάσαι οὐκ ἤρκεσεν; Οὔτε γὰρ τὴν ἁγιωσύνην αὐτοῦ ἐθαύμασεν οὔτε τὴν δόξαν τῆς ἁγιωσύνης, ἀλλὰ τὴν μεγαλοπρέπειαν μόνην τῆς δόξης τῆς ἁγιωσύνης θαυμάσαι προθέμενος καὶ περὶ τὸ ταύτης θαῦμα ἠτόνησεν· οὐ γὰρ διέλαβε τῇ διανοίᾳ
135 τοῦ θαυμαζομένου τὸ πέρας. Διό φησι· « Τῆς μεγαλοπρεπείας τῆς δόξης τῆς ἁγιωσύνης αὐτοῦ οὐκ ἔστιν πέρας [v]. »

Οὐκοῦν ἐν τοῖς περὶ θεοῦ λόγοις, ὅταν μὲν περὶ τῆς οὐσίας ἡ ζήτησις ᾖ, « καιρὸς τοῦ σιγᾶν [w] », ὅταν δὲ περί τινος ἀγαθῆς ἐνεργείας ἧς ἡ γνῶσις καὶ μέχρις ἡμῶν
140 καταβαίνει, τότε λαλεῖν τὰς δυναστείας, ἐξαγγέλλειν τὰ θαύματα, διηγεῖσθαι τὰ ἔργα, μέχρις τούτου κεχρῆσθαι τῷ λόγῳ, ἐν δὲ τοῖς ὑπερέκεινα μὴ ἐφιέναι τῇ κτίσει τοὺς
416 A. ἰδίους ὅρους ἐκβαίνειν, ἀλλ' ἀγαπᾶν εἰ ἑαυτὴν | εἰδείη. Οὔπω γὰρ ἔγνω, κατά γε τὸν ἐμὸν λόγον, ἑαυτὴν ἡ
145 κτίσις, οὐδὲ κατέλαβεν τίς ψυχῆς ἡ οὐσία, τίς σώματος ἡ φύσις, πόθεν τὰ ὄντα, πῶς αἱ ἐξ ἀλλήλων γενέσεις, πῶς τὸ μὴ ὂν οὐσιοῦται, πῶς τὸ ὂν εἰς τὸ μὴ ὂν ἀναλύεται, τίς ἡ ἐκ τῶν ἐναντίων κατὰ τὸν κόσμον τοῦτον εὐαρμοστία. Εἰ οὖν ἑαυτὴν ἡ κτίσις οὐκ οἶδε, τὰ ὑπὲρ ἑαυτὴν πῶς
150 διηγήσεται; Οὐκοῦν καιρὸς τοῦ ταῦτα σιγᾶν· κρείττων γὰρ ἐν τούτοις ἡ σιωπή. « Καιρὸς δὲ τοῦ λαλεῖν », δι' ὧν ὁ βίος ἡμῖν πρὸς ἀρετὴν ἐπιδίδωσιν, ἐν Χριστῷ Ἰησοῦ τῷ κυρίῳ ἡμῶν, ᾧ ἡ δόξα καὶ τὸ κράτος εἰς τοὺς αἰῶνας. Ἀμήν.

v. Ps. 144, 5.3 w. Eccl. 3, 7a

1. La mention κατά γε τὸν ἐμὸν λόγον souligne qu'avec cette affirmation, Grégoire touche au point le plus important de son interpré-

ce qu'est la nature (divine), celui qui n'est pas parvenu à s'émerveiller de ses manifestations ultimes ! Car il ne s'émerveille ni de sa sainteté ni de la gloire de la sainteté, mais s'étant proposé seulement de s'émerveiller de la grandeur de la gloire de la sainteté, il est sans force même pour s'en émerveiller ! C'est qu'il n'a pas compris par la pensée la limite de ce dont il s'émerveille. Aussi dit-il : « La grandeur de gloire de sa sainteté n'a pas de limite [v] .»

Ainsi donc, dans les discours sur Dieu, la recherche porte-t-elle sur l'essence, c'est « le moment de se taire [w] », mais porte-t-elle sur quelque énergie bonne dont la connaissance descend même jusqu'à nous, c'est alors le moment de « dire ses puissances », de « proclamer ses merveilles », de « raconter ses œuvres », c'est le moment de recourir jusqu'à ce point au discours ; mais pour ce qui est au-delà il ne faut pas permettre à la création de franchir ses limites propres, mais se contenter de ce qu'elle se connaisse elle-même. Car, à mon avis du moins [1], la création ne se connaît pas encore elle-même, elle n'a pas non plus compris ce qu'est l'essence de l'âme, ce qu'est la nature du corps, l'origine des êtres, comment ils naissent les uns des autres, comment ce qui n'est pas reçoit consistance, comment ce qui est se dissout en ce qui n'est pas, et quel est le bon accord des contraires dans ce monde. Si donc la création ne se connaît pas elle-même, comment racontera-t-elle ce qui est au-dessus d'elle ? C'est donc « le moment de le taire », car sur ces sujets mieux vaut le silence. Mais c'est le « moment de dire » par quels moyens notre existence progresse vers la vertu, dans le Christ Jésus notre Seigneur, à qui sont la gloire et la puissance pour les siècles. Amen.

tation de l'*Ecclésiaste* : nécessité et limites de la physique ; voir ci-dessus, Introd., chap. V.

HOMÉLIE VIII

(*Eccl.* 3, 8-13)

(1-3) « Moment pour aimer et moment pour haïr » : la définition des deux termes est donnée à partir de la distinction du sensible et de l'intelligible. Seul l'amour du Christ nous rend semblables à lui et nous fait devenir « bonne odeur du Christ ». La haine au contraire doit viser « l'inventeur du mal » et tous les chemins de ténèbres et de péché. (4-6) Les images de guerre et de ruse montrent ce qu'est le « moment pour la guerre » et le « moment pour la paix ». Mais pour mener la guerre contre le mal, seules conviennent les armes de la foi et de l'espérance décrites par l'Apôtre. Et le Seigneur des armées a aussi pour nom paix. (7-9) Au terme de ces réflexions revient la question initiale : Quel avantage l'homme retire-t-il de toutes ses activités d'ici-bas ? Il s'avance nu pour le jugement. L'image finale du banquet où les convives doivent apprendre le bon usage des objets qui leur sont présentés montre à la fois la générosité du maître du banquet et la responsabilité de l'homme. C'est le royaume éternel qui est promis à ceux qui fixent les yeux sur Dieu.

733 M.

ΟΜΙΛΙΑ Η′

1. « Καιρὸς τοῦ φιλῆσαι καὶ καιρὸς τοῦ μισῆσαι[a]. » Τίς ἄρα οὕτως ἔσται τὴν ἀκοὴν κεκαθαρμένος ὥστε καθαρῶς δέξασθαι τὸν περὶ τοῦ φιλῆσαι λόγον, μηδὲν τῆς ῥυπαρᾶς φιλίας ἑαυτῷ συνεισφέροντα ; Τάχα καὶ τὰ
417 A. 5 ἡμέτερα ὦτα χρῄζει τῶν | δακτύλων τοῦ Ἰησοῦ[b], ἵνα διὰ τῆς θείας ἐπαφῆς τοῦ ἀληθινοῦ λόγου ἐλευθερωθῇ παντὸς ῥύπου τοῦ τὴν ἀκοὴν ἐμφράσσοντος ἡ ἀκουστικὴ τῆς ψυχῆς ἡμῶν δύναμις, ὥστε καὶ συνιέναι τὴν ἐπαινετὴν φιλίαν καὶ τῇ ψυχῇ παραδέξασθαι τίς ὁ καιρὸς τοῦ
10 φιλῆσαι καὶ τίς ὁ καιρὸς τοῦ μισῆσαι. Οὐκ οἶμαι τοῦτον ἄλλον εἶναι καιρὸν πλὴν τοῦ συμφέροντος. Ἡ γὰρ ἀφ' ἑκατέρου τούτων ὠφέλεια, κατά γε τὴν ἐμὴν κρίσιν, ἡ εὐκαιρία τῆς χρήσεως ἀμφοτέρων ἐστίν, ὡς εἴ γε ἔξω τοῦ λυσιτελοῦντος γένοιτο, ἔξω ἂν εἴη καὶ τοῦ καιροῦ τὸ
15 γινόμενον.

2. Πρότερον δέ, οἶμαι, χρὴ νοῆσαι τῶν δύο τούτων ῥημάτων τὸ σημαινόμενον, τοῦ φιλῆσαι λέγω καὶ τοῦ μισῆσαι, ἵν' οὕτως καὶ τὴν εὔκαιρον αὐτῶν χρῆσιν τῷ

1. a. Eccl. 3, 8a b. cf. Mc 7, 33

HOMÉLIE VIII

Aimer et haïr

1. « Moment pour aimer et moment pour haïr [a] .» Qui aura donc l'ouïe assez purifiée pour accueillir de façon pure la parole concernant l'amour, sans rien apporter avec lui d'un amour souillé ? Peut-être nos oreilles aussi ont-elles besoin des doigts de Jésus [b], afin que, grâce au toucher divin du Verbe véritable, la capacité d'écoute de notre âme soit libérée de toute souillure obstruant l'audition ; de la sorte, nous pourrons prêter attention à l'amour digne de louange et accueillir avec notre âme ce qu'est le « moment pour aimer » et ce qu'est le « moment pour haïr ». Je ne crois pas qu'il s'agisse d'un autre moment que de celui qui est avantageux. Car ce qui fait l'intérêt de chacun de ces deux moments, selon mon jugement du moins, c'est l'usage de chacun au moment opportun, car ce qui se produirait en dehors de ce qui est utile serait aussi en dehors du moment opportun [1].

2. Mais d'abord, je crois, il faut réfléchir à la signification de ces deux mots, je veux dire aimer et haïr, afin que de cette façon nous concevions rationnellement l'uti-

1. Voir le début de l'homélie VI, commentaire d'*Eccl.* 3, 1.

λόγῳ κατανοήσωμεν. Φίλτρον ἐστὶν ἡ ἐνδιάθετος περὶ τὸ
5 καταθύμιον σχέσις δι' ἡδονῆς καὶ προσπαθείας ἐνεργουμένη, μῖσος δὲ ἡ πρὸς τὸ ἀηδὲς ἀλλοτρίωσις καὶ ἡ τοῦ λυποῦντος ἀποστροφή. Ἔστι δὲ τούτων ἑκατέρᾳ τῶν διαθέσεων καὶ λυσιτελῶς καὶ ἐπὶ τῶν ἐναντίων χρήσασθαι, καὶ ὡς ἐπίπαν πᾶς ὁ κατ' ἀρετὴν καὶ κακίαν βίος
10 ἐντεῦθεν τὴν ἀρχὴν ἔχει. Ὅπου γὰρ ἂν τῇ ἀγάπῃ ῥέψωμεν, ἐκεῖνο ταῖς ψυχαῖς οἰκειούμεθα, καὶ πρὸς ὅπερ ἂν μισητικῶς διατεθῶμεν, τούτου ἀλλοτριούμεθα. Εἴτε γὰρ πρὸς τὸ καλὸν εἴτε πρὸς τὸ κακὸν ἡ τῆς ψυχῆς γένοιτο σχέσις, κατακιρνᾶταί πως τῇ ψυχῇ τὸ ἀγαπώμε-
418 A. 15 νον. Ὅ τι δ' ἂν ᾖ | καὶ οὗπερ ἂν παρεμπέσῃ διὰ μέσου τὸ μῖσος, τούτου τὸν χωρισμὸν κατειργάσατο, εἴτε τοῦ καλοῦ εἴτε τοῦ χείρονος. Οὐκοῦν ἐπισκεπτέον ἂν εἴη τί μὲν ἀγαπητόν, τί δὲ μισητόν ἐστι τῇ φύσει, ὡς ἂν ἐν καιρῷ τῇ τοιαύτῃ τῆς ψυχῆς διαθέσει χρησάμενοι τῶν τε κακῶν
20 ἀλλότριοι διὰ τοῦ μίσους γενοίμεθα καὶ τῇ φύσει τῶν ἀγαθῶν συγκραθείημεν.

Καὶ εἴθε τοῦτο πρὸ πάντων ἡ τῶν ἀνθρώπων ἐπαιδεύετο φύσις, τὴν τοῦ καλοῦ λέγω καὶ μὴ τοιούτου διάκρι-

1. Le choix de φιλτρόν, terme non marqué philosophiquement, montre la volonté de Grégoire de donner la définition la plus large possible de l'amour comme disposition naturelle en l'homme ; voir de même la manière dont Aristote traite de l'amitié, φιλία (*Éthique à Nicomaque* VIII, 1-2 ; sur l'histoire de la notion, cf. J.-C. Fraisse, *Philia. La notion d'amitié dans la philosophie antique. Essai sur un problème perdu et retrouvé*, Paris 1974). Grégoire donne de l'*agapè* une définition très proche en *De an. et res.*, *PG* 46, 93 C (cf. Terrieux, § 76) : « L'amour est l'attachement intérieur à l'égard de ce qui est désirable. » Origène consacre une partie du Prologue du *Commentaire sur le Cantique* à analyser les différentes sortes d'amour (Prol., 2, *SC* 375) : les termes de la traduction latine qui nous est parvenue sont *amor, cupido, caritas* et *dilectio* ; en mettant en parallèle *Cant.* 5, 8 et *I Jn* 4, 7-8, il affirme que dans les Écritures les trois termes sont équivalents. Grégoire privilégie le terme ἀγάπη en *In Cant.* IV (*GNO* VI, p. 119, 12 – 123, 11). Partant ici

lisation opportune à en faire. L'affection [1], c'est un attachement intérieur à ce qui est désirable, qui se traduit par un plaisir et une inclination ; la haine, c'est l'hostilité à l'égard ce qui est désagréable et la répulsion pour ce qui afflige. Et il est possible de se servir de chacune de ces deux dispositions utilement ; mais aussi à l'opposé, et en général, c'est de là que toute vie vertueuse ou mauvaise prend son origine. En effet, là où nous inclinons par amour, notre âme devient familière de cet objet, et ce pour quoi nous éprouvons de la haine, nous y devenons hostiles. Que l'attachement de l'âme la porte vers le beau ou vers le mal, l'objet de l'amour est en quelque façon mêlé [2] à l'âme. Mais que, dans quelque circonstance, la haine survienne, elle opère notre séparation soit du bien, soit du mal. Il faudrait donc examiner ce qui est aimable et ce qui est haïssable par nature et comment, l'âme ainsi disposée au moment opportun, nous deviendrions par la haine hostiles aux choses mauvaises et serions mêlés à la nature des choses bonnes.

Ah ! si la nature humaine était éduquée avant tout à cela, je veux dire au discernement [3] du bien et de ce qui ne

du terme φιλτρόν, il emploie plus loin (l. 92-93) l'expression καθαρὰ φιλία pour lui donner un sens univoque.

2. Le vocabulaire du mélange (κατακεράννυμι, συγκεράννυμι et ἀνάκρασις) redouble ici celui de l'οἰκειότης, ce qui est encore le champ philosophique de la connaturalité (συγγενεία) et de la participation, toutes notions empruntées à la pensée grecque. Sur κρᾶσις et ses composés, voir J.-R. BOUCHET, « Le vocabulaire de l'union et du rapport des natures chez Grégoire de Nysse », *Revue thomiste* 68 (1968), p. 533-582 (en particulier, p. 547-549).

3. Le discernement *(diakrisis)* est à l'œuvre, dans la tradition exégétique de Philon et des Pères, dès le récit de la chute, à propos des deux arbres du paradis ; voir PHILON, *De op. mundi* 154. Grégoire, en *De hom. op.* 20, établit une distinction entre γνῶσις et διάκρισις en se référant aussi à *Hébr.* 5, 14 : « ... l'arbre dont le fruit est la connaissance mêlée du bien et du mal fait partie des choses défendues » (200 a).

σιν[a]. Οὐ γὰρ ἂν ἔσχεν πάροδον κατὰ τῆς ζωῆς ἡμῶν τὰ
25 πάθη, εἰ ἐξ ἀρχῆς τὸ καλὸν ἐγνωρίζομεν. Νυνὶ δὲ τὴν
ἄλογον αἴσθησιν τοῦ καλοῦ κριτήριον παρὰ τὴν πρώτην
ποιούμενοι συντρεφόμεθα τῇ κατ' ἀρχὰς ἐγγινομένῃ περὶ
τῶν ὄντων κρίσει καὶ τούτου χάριν δυσαποσπάστως
ἔχομεν τῶν τῇ αἰσθήσει νομισθέντων εἶναι καλῶν,
30 βεβαίαν ἑαυτοῖς τὴν περὶ ταῦτα σχέσιν τῇ συντροφίᾳ
ποιήσαντες. Καλὸν φαίνεται τοῖς ἀνθρώποις ὃ τοῖς
ὀφθαλμοῖς τινα ἡδονὴν διὰ τῆς εὐχροίας ἐντίθησιν, εἴτε ἐν
736 M. τῇ ἀψύχῳ ὕλῃ εἴτε ἐν τοῖς ἐμψύχοις θεάμασι. Καλὸν τῇ
ἀκοῇ τὸ μελῴδημα, καὶ ἐν τοῖς χυμοῖς τε καὶ ἐν τοῖς
35 ἀτμοῖς τὸ τοιόνδε καλὸν ὁρίζεται τὸ μὲν ἡ γεῦσις, τὸ δὲ ἡ
ὄσφρησις. Τὸ δὲ πάντων βαρύτατόν τε καὶ ἀλογώτατόν
ἐστιν ἡ ἁφὴ δι' ἧς ἡ ἀκόλαστος ἡδονὴ ἐν τῇ τοῦ καλοῦ
ψήφῳ προτερεύει τῇ φύσει. Ἐπεὶ οὖν αἱ μὲν αἰσθήσεις
419 A. ἡμῖν εὐθὺς γινομένοις συναποτίκτονται καὶ ταύ|ταις παρὰ
40 τὴν πρώτην ζωὴν συντρεφόμεθα, πολλὴ δέ ἐστι τῇ
αἰσθητικῇ δυνάμει πρὸς τὴν ἄλογον ζωὴν ἡ οἰκείωσις·
πάντα γὰρ τὰ τοιαῦτα καὶ ἐν τοῖς ἀλόγοις ὁρᾶται· ὁ δὲ
νοῦς ἐμποδίζεταί πως πρὸς τὴν οἰκείαν ἐνέργειαν ὑπὸ τῆς
νηπιότητος μήπω χωρούμενος, ἀλλ' ἐκθλίβεται τρόπον
45 τινὰ τῇ ἐπικρατήσει τῆς ἀλογωτέρας αἰσθήσεως· διὰ
τοῦτο ἡ πεπλανημένη τε καὶ διημαρτημένη τῆς ἀγαπη-

2. a. cf. Hébr. 5, 14

1. Dans cette liste des sens, l'attention se fixe ici sur le toucher (sur la question de la hiérarchie des sens spirituels, voir M. CANÉVET, art. « Sens spirituels »). Nommer le toucher « le plus irrationnel de tous les sens » fait justice à l'usage contradictoire qui peut en être fait : « le pire responsable de tous les péchés » (*De or. dom.* V, *GNO* VII, 2, p. 68,3) peut devenir

l'est pas [a] ! Car les passions n'auraient pas fait leur entrée dans notre vie si nous connaissions le bien dès le début. Mais en réalité, en faisant de prime abord de la sensation irrationnelle le critère du beau, nous sommes nourris par le jugement que nous avons porté dès le début sur les êtres et à cause de cela nous tenons indéfectiblement aux choses que la sensation a considérées comme bonnes, et nous leur sommes fermement attachés puisque nous en avons été nourris. Les hommes tiennent pour beau ce qui produit un certain plaisir des yeux à cause de ses belles couleurs, qu'il s'agisse de la matière inanimée ou des spectacles animés. Le chant est beau pour l'ouïe et, pour les saveurs comme pour les odeurs, c'est tantôt le goût, tantôt l'odorat qui définit le beau qui lui correspond. Et le plus lourd et le plus irrationnel de tous les sens, c'est le toucher [1], par lequel le plaisir déréglé est le premier à juger du beau pour notre nature. Ainsi donc, les sensations sont enfantées [2] en même temps que nous dès notre naissance, nous en sommes nourris dès la première partie de notre vie, et grande est la familiarité de notre faculté sensible avec la vie irrationnelle : tout cela en effet se voit aussi chez les êtres irrationnels. L'intelligence est en quelque sorte entravée alors qu'elle ne tend pas encore, parce que c'est la petite enfance, vers l'activité qui lui est propre et elle est d'une certaine façon écrasée par la domination de la sensation irrationnelle. C'est pourquoi l'usage dévoyé et fautif de la

la première étape de la connaissance (*In Cant.* XI, *GNO* VI, p. 324, 9 s., à propos de *Cant.* 5, 2), mais aussi le « toucher divin » évoqué au début de l'homélie (VIII, 1, 5). Sur le toucher chez ORIGÈNE, voir *Entretien avec Héraclide* 19 ; *Hom. sur le Lév.* I, 4, 24 (*SC* 286). — Le νοῦς, créé selon PHILON avant l'αἴσθησις (*Leg. all.* I, 24 s.), contrôle les différents sens, comme l'illustre la métaphore de la ville et de ses portes en *De hom. op.* 10 (métaphore déjà développée par Philon dans le *De Abrahamo*).

2. Emploi de συναποτίκτω pour marquer que le péché nous accompagne dès la naissance (de même *In sext. Ps.*, *GNO* V, p. 189, 12-13).

τικῆς διαθέσεως χρῆσις ἀρχὴ καὶ ὑπόθεσις τοῦ κατὰ κακίαν γίνεται βίου.

Ἐπειδὴ γὰρ διπλῆ τίς ἐστιν ἡμῖν ἡ φύσις τῷ νοητῷ τε
50 καὶ αἰσθητῷ συγκεκραμένη, διπλῆ κατὰ τὸ ἀκόλουθόν ἐστιν ἡμῖν καὶ ἡ ζωὴ ἑκατέρῳ τῶν ἐν ἡμῖν καταλλήλως ἐγγινομένη, σωματικὴ μὲν τῷ αἰσθητῷ μέρει, τῷ δὲ ἑτέρῳ νοητὴ καὶ ἀσώματος. Ὡσαύτως δὲ καὶ τὸ καλόν τε καὶ μὴ τοιοῦτον οὐ τὸ αὐτό ἐστιν ἑκατέρῳ τῷ τῆς ζωῆς
55 ἡμῶν εἴδει, ἀλλὰ νοητὸν μὲν τῷ νοητῷ, τῷ δὲ αἰσθητῷ τε καὶ σωματικῷ μέρει τοιοῦτον οἷον ἡ αἴσθησις βούλεται. Ἐπεὶ οὖν ἡ μὲν αἴσθησις ἅμα τῇ πρώτῃ γενέσει συμφύεται, ὁ δὲ νοῦς ἀναμένει τὴν εἰς τὸ σύμμετρον τῆς ἡλικίας ἀναδρομήν, ὥστε δυνηθῆναι κατ' ὀλίγον ἐμφανῆ-
60 ναι τῷ ὑποκειμένῳ, τούτου χάριν δυναστεύεται ὑπὸ τῆς αἰσθήσεως ὅλης οὔσης ὁ κατὰ μικρὸν ἐγγινόμενος νοῦς καὶ κατὰ κράτος ἀεὶ τῷ πλεονάζοντι πρὸς τὸ ὑπακούειν αὐτῇ συνεθίζεται, ἐκεῖνο καλὸν ἢ φαῦλον κρίνων ὅπερ ἂν ἢ προέληται ἢ ἀποβάλῃ ἡ αἴσθησις. Διὰ τοῦτο χαλεπή τε
420 A. 65 καὶ | δυσκατόρθωτος ἡμῖν ἡ τοῦ ἀληθῶς ἀγαθοῦ κατανόησις γίνεται ὅτι προειλήμμεθα τοῖς αἰσθητικοῖς κριτηρίοις, ἐν τῷ εὐφραίνοντί τε καὶ ἥδοντι τὸ καλὸν ὁριζόμενοι. Ὥσπερ γὰρ οὐκ ἔστι πρὸς τὰ ἐν οὐρανῷ κάλλη βλέπειν, ὁμίχλης τὸν ὑπὲρ κεφαλῆς ἀέρα διαλαβούσης,
70 οὕτως οὐδὲ ὁ τῆς ψυχῆς ὀφθαλμὸς πρὸς τὴν ἀρετὴν καθορᾷ, οἷον ἀχλύϊ τινὶ πρὸς τὴν ὄψιν διὰ τῆς ἡδονῆς

1. La distinction entre φύσις et ζωή (ce dernier terme incluant la dimension temporelle) oriente le rappel de la dualité humaine vers la différenciation de deux modes d'être qui sont aussi deux modes de connaissance (de même en *De an. et res.*, *PG* 46, 60 A-B).

disposition à aimer devient le commencement et le fondement de la vie dans le mal.

Puisque notre nature est double, constituée d'un mélange d'intelligible et de sensible, double en conséquence est aussi notre vie [1], d'une manière proportionnée à chacune des deux parts qui sont en nous, corporelle pour la partie sensible, intelligible et incorporelle pour l'autre partie. Et de la même façon, le bien et ce qui ne l'est pas ne sont pas la même chose pour chacun des deux aspects de notre vie, mais il y a un bien intelligible pour la partie intelligible et, pour la partie sensible et corporelle, un bien tel que le veulent les sens. Puisque donc les sens naissent avec la première naissance, mais que l'intelligence attend que soit atteint l'âge adéquat pour pouvoir se manifester progressivement dans le sujet, les sens, entièrement développés, dominent pour cette raison l'intelligence qui vient à l'existence peu à peu, et c'est toujours par force qu'elle s'habitue à ce qui la dépasse et qu'elle lui obéit, jugeant ceci bon ou mauvais selon que les sens le choisissent ou le rejettent. Voici pourquoi la connaissance du bien véritable devient pour nous pénible et difficile à obtenir : ayant été d'abord déterminés par les critères sensibles, nous définissons le bien par ce qui nous réjouit et nous est agréable. De même en effet qu'il n'est pas possible de regarder les beautés du ciel lorsqu'une nuée fait écran à l'air qui est au-dessus de notre tête, de même l'œil de l'âme ne peut pas non plus tourner son regard vers la vertu, car il est émoussé à cause du plaisir comme par quelque buée [2] qui

2. Déjà employé chez Homère et les auteurs tragiques, ἀχλύς désigne métaphoriquement la chassie qui trouble la vue. Même image en *De beat.* VI (*GNO* VII, 2, p. 144) ; dans le même sens, emploi du terme médical λήμη en *In Cant.* XIII (*GNO* VI, p. 395, 9-12). Seuls les jeunes enfants sont encore indemnes de « toute maladie des yeux de l'âme » (*De inf.*, *GNO* III, 2, p. 82-83).

ἀμβλυνόμενος. Ἐπεὶ οὖν ἡ μὲν αἴσθησις πρὸς τὴν ἡδονὴν βλέπει, ὁ δὲ νοῦς διὰ τῆς ἡδονῆς πρὸς τὴν ἀρετὴν ὁρᾶν ἐμποδίζεται, αὕτη γίνεται ἡ τῆς κακίας ἀρχή, διότι τὴν
75 ἄλογον περὶ τοῦ καλοῦ κρίσιν καὶ ὁ νοῦς ὑπὸ τῆς αἰσθήσεως δυναστευθεὶς ἐπεψήφισε, κἂν εἴπῃ ὁ ὀφθαλμὸς ἐν τῇ εὐχροίᾳ τοῦ φαινομένου τὸ καλὸν εἶναι, συνεπιρρέπει τούτῳ καὶ ἡ διάνοια· καὶ ἐπὶ τῶν λοιπῶν δὲ ὡσαύτως τὸ εὐφραῖνον τὴν αἴσθησιν τὴν τοῦ καλοῦ ψῆφον ἠνέγκα-
80 το. Εἰ δέ πως οἷόν τε ἦν ἐξ ἀρχῆς ἡμῖν τὴν ἀληθῆ περὶ τοῦ καλοῦ κρίσιν ἐγγίνεσθαι, τοῦ νοῦ τὸ ἀγαθὸν ἐφ' ἑαυτοῦ δοκιμάζοντος, οὐκ ἂν τῇ ἀλόγῳ αἰσθήσει δεδουλωμένοι κτηνώδεις γινόμενοι κατεδουλούμεθα.

Ὡς ἂν οὖν ἡ τοιαύτη σύγχυσις ἐν ἡμῖν διακριθείη καὶ
85 τὸ τῇ φύσει ἀγαπητὸν καὶ τὸ ὡς ἑτέρως ἔχον ἀπλανῶς ἐπιγνωσθείη, ταῦτά φησι νῦν ὁ ἐκκλησιαστὴς ἐν τῷ λόγῳ ὅτι « Καιρός ἐστι τοῦ φιλῆσαι καὶ καιρὸς τοῦ μισῆσαι [b] ».
421 A. Δι' ὧν διακρίνει τὴν τῶν πραγμάτων φύσιν, δεικνὺς τί |
737 M. τὸ συμφερόντως φιλούμενον καὶ τί τὸ μισούμενον. Λέγει
90 ἡ νεότης τοῖς τῆς ἡλικίας πάθεσι ζέουσα καιρὸν εἶναι αὐτῇ τοῦ φιλῆσαι ταῦτα ἃ τῇ νεότητι φίλα ἐστίν. Ἀλλ' ἀντιβοᾷ ὁ ἐκκλησιαστὴς τῇ νεότητι ἄλλον τῆς καθαρᾶς φιλίας καιρὸν ὁριζόμενος· μηδὲ γὰρ εἶναι τοῦτο φιλίαν τὴν διημαρτημένην τῆς ψυχῆς περὶ τὰ ἄτοπα σχέσιν.

b. Eccl. 3, 8a

1. Comme le « discernement » est lié au thème des deux arbres du paradis, la « confusion » est liée à l'épisode de la tour de Babel. PHILON (*De confusione* 183-198) rappelle le sens philosophique de la notion en l'associant à l'idée de mélange : ce qui ressemble à la confusion, c'est le mélange (μῖξις), comme disent nos anciens écrivains, et la combinaison (κρᾶσις) ; la confusion est le nom qui convient le mieux pour désigner les maux et les vices (184 et 198).

trouble la vue. Puisque donc les sens regardent vers le plaisir et que l'intelligence, à cause du plaisir, est empêchée de regarder vers la vertu — c'est là le commencement du mal —, pour cette raison l'intelligence elle aussi, une fois dominée par les sens, donne son suffrage au jugement irrationnel au sujet du beau ; et si l'œil, se fiant à la belle couleur de ce qui apparaît, affirme que c'est beau, la pensée elle aussi se range à cet avis. Et pour le reste il en est de même : ce qui réjouit les sens décide de ce qui est beau. Mais s'il était de quelque manière possible que nous ayons, dès le début, un jugement vrai concernant le beau, l'intelligence estimant d'elle-même ce qui est bien, nous ne serions pas asservis aux sens irrationnels et assujettis comme des bêtes.

Comment donc discerner ce qui est ainsi confondu en nous et reconnaître sans erreur ce qui est aimable par nature et son contraire [1], c'est ce que nous dit à présent l'ecclésiaste avec cette parole : « Moment pour aimer et moment pour haïr [b] . » Par là il discerne la nature des choses en montrant ce qu'il est utile d'aimer et ce qu'il est utile de haïr. La jeunesse, bouillonnante des passions de son âge [2], dit que c'est le moment pour elle d'aimer ce qu'aime la jeunesse. Mais l'ecclésiaste répond, à voix forte, à la jeunesse, en établissant que le moment opportun pour l'amour pur [3] est autre ; car, dit-il, ce n'est pas même de l'amour, l'attachement fautif de l'âme aux choses inconve-

2. Lieu commun de la pensée antique. Voir par ex. ARISTOTE, *Rhétorique* II, 12-14, sur l'opposition des différents âges (jeunesse, vieillesse et maturité) ; de même PHILON, *De virtutibus* 36 ; dans la littérature monastique, ATHANASE, *Vie d'Antoine* 5. Sur l'idéal de l'enfant-vieillard, voir M. AUBINEAU, Appendice IV, *ad De virg.* XXIII, 6, *SC* 119, p. 575-577.

3. L'expression apparaît comme une paraphrase du stique biblique. Sur φιλτρόν, voir ci-dessus, p. 392-393, n. 1.

95 Ὥσπερ γὰρ εὐοδουμένης ἐν ὑγείᾳ τῆς φύσεως ἐν καιρῷ προσγίνεται τὸ δίψος τῷ σώματι, οἷς δὲ τὸ δῆγμα τῆς διψάδος ἐχίδνης τὴν τοιαύτην διάθεσιν ἐνεποίησεν, οὐκ ἄν τις εἴποι κατὰ καιρὸν ἐνεργεῖσθαι τὴν δίψαν — οὐ γὰρ φυσικὴ ὄρεξις ἐπὶ τούτων, ἀλλὰ πάθος ἡ δίψα γίνεται —,
100 οὕτως καὶ τὸ ῥυπαρὸν τῆς νεότητος φίλτρον οὐ φίλτρον, ἀλλὰ νόσος ἐστὶ τῷ διακαεῖ τε καὶ ἰώδει τῆς ἡλικίας δήγματι ἐγγινομένη. Οὐ πᾶσα τοίνυν φιλία τὸ εὔκαιρον ἔχει, ἀλλ' ἡ περὶ τὸ μόνον ἀγαπητὸν γινομένη. Ἀλλ' οὐκ ἔστι σαφῆ τὴν περὶ τούτων γνῶσιν λαβεῖν μὴ οὑτωσὶ
105 διελόμενον ἐν τῇ θεωρίᾳ τὸν λόγον.

Τῶν ἀγαθῶν ὅσα παρὰ τῶν ἀνθρώπων σπουδάζεται τὰ μὲν ὄντως τοιαῦτά ἐστιν οἷα καὶ ὀνομάζεται, τὰ δὲ ψευδώνυμον τὴν ἐπωνυμίαν ἔχει. Ὅσα γὰρ οὐχὶ πρόσκαιρον δίδωσι τὴν ἀπόλαυσιν οὐδέ τινι δοκοῦντα καλὰ
110 ἑτέροις ἄχρηστα γίνεται, ἀλλὰ πάντοτε καὶ διὰ πάντων
422 A. καὶ ἐν πᾶσίν ἐστιν ἀγαθὰ οἷς ἂν ἐγγένηται, | ταῦτα ὡς ἀληθῶς ἐστιν ἀγαθά, ἀεὶ ὡσαύτως ἔχοντα καὶ τὴν τοῦ χείρονος ἐπιμιξίαν οὐ προσδεχόμενα· ἅπερ τοῖς ἀκριβῶς ἐξετάζουσι περὶ μόνην τὴν θείαν τε καὶ ἀΐδιον θεωρεῖται
115 φύσιν. Τὰ δὲ ἄλλα πάντα ὅσα τῇ αἰσθήσει καλά ἐστι διὰ τῆς κατὰ τὴν οἴησιν ἀπάτης καλὰ φαινόμενα οὔτε ἔστι τῇ φύσει οὔτε ὑφέστηκεν, ἀλλὰ τῆς ῥοώδους καὶ παροδικῆς ὄντα φύσεως δι' ἀπάτης τινὸς καὶ ματαίας προλήψεως ὡς κατ' ἀλήθειαν ὄντα τοῖς ἀπαιδεύτοις νομίζεται. Οἱ οὖν

1. Effet stylistique des trois mots de même racine. Avec l'opposition ψευδώνυμον/ἐπωνυμία s'articule la double question de l'origine du langage et de celle de l'erreur. Voir les textes rassemblés par BARATIN-DESBORDES, *L'analyse linguistique*, p. 77-141. Les mêmes questions alimentent aussi la réflexion de Grégoire sur le langage appliqué à Dieu (voir M. CANÉVET, *Herméneutique*, chap. I).

2. Οἴησις relève de l'opinion chez PLATON (*Phèdre* 244 c et *Théètète*

nantes. Lorsque la nature est sur la voie prospère de la santé, le corps a soif au moment qui convient, mais lorsqu'une telle disposition est produite par la morsure du serpent dipsade, on ne peut pas dire que la soif se manifeste au bon moment ; car chez ces hommes, la soif n'est pas un appétit naturel mais une souffrance. De la même manière, l'affection impure qui est celle de la jeunesse n'est pas de l'affection, mais une maladie survenant sous l'effet de la morsure ardente et empoisonnée du jeune âge. Ainsi, n'importe quel amour n'est pas opportun, mais seulement celui qui naît à l'endroit de cela seul qui est aimable. Mais il n'est pas possible que la raison puisse obtenir une connaissance claire de ces choses, si elle n'a pas établi par la réflexion les distinctions que voici.

Parmi tous les biens auxquels on s'empresse parmi les hommes, les uns sont réellement tels qu'on les nomme, mais les autres sont nommés d'un faux nom [1]. Ceux qui ne donnent pas une jouissance momentanée, qui ne sont pas beaux pour un tel, inutiles pour d'autres, et qui au contraire sont toujours bons, partout et pour tous ceux qui les possèdent, ceux-là sont véritablement bons, ils sont toujours tels et ne supportent pas le mélange avec le mal. Ces biens-là, pour ceux qui examinent rigoureusement les choses, se contemplent seulement dans la nature divine et éternelle. Tous les autres biens, qui ont une beauté sensible, beaux en apparence selon une opinion trompeuse [2], ne le sont pas par nature et ne le restent pas ; mais malgré leur nature passagère et transitoire, ils sont, par suite d'une tromperie et d'un vain préjugé, considérés comme des biens véritables par les hommes sans éducation. Ceux donc

92 a) ; elle est donc source d'erreur. Dans la littérature spirituelle le mot s'est spécialisé pour désigner une « puissance trompeuse », dépendant de l'image, de la φαντασία.

120 τῶν ἀστάτων περιεχόμενοι τῶν ἀεὶ ἑστώτων οὐκ ἐπορέγονται. Ἔοικε τοίνυν οἷον ἐπί τινος ὑψηλῆς σκοπιᾶς ἑστὼς ὁ ἐκκλησιαστὴς ἐμϐοᾶν τῇ ἀνθρωπίνῃ φύσει, δι' ὧν λέγει· « Καιρὸς τοῦ φιλῆσαι καὶ καιρὸς τοῦ μισῆσαι [c] », ὅτι ἄλλα ἐστὶ τὰ ὄντως ἀγαθὰ ἃ καὶ αὐτά ἐστι
125 καλὰ καὶ τοὺς μετέχοντας τοιούτους ποιεῖ. Οἷον γὰρ ἂν ᾖ τῇ φύσει τὸ μετεχόμενον, πρὸς τοῦτο ἀνάγκη καὶ τὸ μετέχον συμμετατίθεσθαι. Οἷον εὔπνουν γίνεται τὸ στόμα τοῦ λαβόντος τι τῶν εὐπνοούντων ἀρωμάτων διὰ τοῦ στόματος καὶ δυσῶδες πάλιν τοῦ σκορόδων ἐντραγόντος
130 ἤ τινος ἄλλου τῶν δυσωδεστέρων. Οὐκοῦν ἐπειδὴ δυσώδης μὲν πᾶς ῥύπος τῆς ἁμαρτίας, ἐκ δὲ τοῦ ἐναντίου ἡ ἀρετὴ « Χριστοῦ ἐστιν εὐωδία [d] », ἡ δὲ ἀγαπητικὴ σχέσις τὴν πρὸς τὸ ἀγαπώμενον ἀνάκρασιν φυσικῶς
423 A. κατεργάζεται· ὅπερ ἂν οὖν | διὰ τῆς φιλίας ἑλώμεθα,
135 ἐκεῖνο γινόμεθα, ἢ εὐωδία Χριστοῦ ἢ δυσωδία. Ὁ γὰρ τὸ καλὸν ἀγαπήσας καλὸς καὶ αὐτὸς ἔσται, τῆς ἀγαθότητος
740 M. τοῦ ἐν αὐτῷ γενομένου πρὸς ἑαυτὴν τὸν δεξάμενον μεταποιούσης. Διὰ τοῦτο ἐδώδιμον ἡμῖν ἑαυτὸν προτίθησιν ὁ ἀεὶ ὤν, ἵνα ἀναλαβόντες αὐτὸν ἐν ἑαυτοῖς ἐκεῖνο
140 γενώμεθα ὅπερ ἐκεῖνός ἐστι· φησὶ γὰρ ὅτι « Ἡ σάρξ μου ἀληθῶς ἐστι βρῶσις, καὶ τὸ αἷμά μου ἀληθῶς ἐστι πόσις [e] ». Ὁ οὖν ταύτην ἀγαπῶν τὴν σάρκα οὐκ ἔσται φιλόσαρκος, καὶ ὁ πρὸς τοῦτο τὸ αἷμα διατεθεὶς τοῦ

c. Eccl. 3, 8a d. II Cor. 2, 15 e. Jn 6, 55

---

1. Lieu élevé favorable à la contemplation, comme la montagne de l'homélie VII (8, 88 s.), comme Sion en *In Cant.* VII (*GNO* VI, p. 214, 2-5) ; l'ecclésiaste apparaît ici comme l'initié ou le guetteur (cf. *De virg.* IV, 3, 10-11) ; voir J. Daniélou, *Platonisme*, p. 121-124. J. Daniélou (« Le symbole de la caverne ») a montré comment Grégoire associait les deux symboles, au départ opposés, de la caverne et du lieu élevé en adaptant l'image de la caverne à celle de la grotte de la Nativité (*Sermon sur la Nativité*, *PG* 46, 1141 D).

qui sont attachés aux réalités instables ne tendent pas vers celles qui sont toujours stables. Debout, pour ainsi dire, sur un observatoire élevé [1], l'ecclésiaste semble donc crier [2] à la nature humaine et lui dire par les mots : « Moment pour aimer et moment pour haïr [c] », qu'autres sont les biens véritables, qui sont beaux eux-mêmes et rendent tels ceux qui y ont part. En effet, s'agissant des réalités auxquelles on participe par nature, ce qui y participe est aussi, nécessairement, transformé en y accédant. Par exemple, l'haleine de celui qui a pris dans sa bouche quelque aromate de bonne odeur devient odorante et, à l'inverse malodorante, l'haleine de celui qui a ingurgité de l'ail ou quelque autre chose plus malodorante encore. Puisque donc toute souillure du péché est malodorante et que la vertu au contraire est « la bonne odeur du Christ [d] » [3], l'attachement amoureux opère naturellement le mélange avec ce qui est aimé. Nous devenons donc ce que nous choisissons par amour, « bonne odeur du Christ », ou mauvaise odeur. En effet, celui qui aime le beau sera beau lui aussi, car la bonté de ce qui naît en lui transforme en ce qu'elle est celui qui l'a accueillie. Si celui qui est toujours s'offre à nous en nourriture, c'est pour que, l'ayant reçu en nous-mêmes, nous devenions ce qu'il est. Il dit en effet : « Ma chair est vraiment une nourriture et mon sang est vraiment une boisson [e] .» Celui qui aime cette chair ne sera donc pas épris de la chair et celui qui est

2. Βοᾶν et ses composés (ἐμβοᾶν, ἀντιβοᾶν) appliqués à l'ecclésiaste, puis aux saints, qualifient aussi l'activité de prédication de Basile : ἐπ' ἐκκλησίαις βοῶν (*In Basil.*, *GNO* X, 1, p. 116).

3. La référence à *II Cor.* 2, 15 tient une place importante dans l'*In Cant.*, en lien avec l'exégèse des versets évoquant des parfums. Associé ici à l'image de la nourriture, le verset sert pour ainsi dire de relais entre *Eccl.* 3, 7 et *Jn* 6, 55 qui introduit peu après l'allusion à l'eucharistie ; voir ci-dessus, Introd., chap. VI, p. 74-75.

αἰσθητοῦ αἵματος καθαρεύσει. Ἡ γὰρ τοῦ λόγου σὰρξ καὶ
145 τὸ τῇ σαρκὶ ταύτῃ ἐγκείμενον αἷμα οὐ μίαν τινὰ χάριν
ἔχει, ἀλλ' ἡδύ τε γίνεται τοῖς γευομένοις καὶ ὀρεκτὸν τοῖς
ἐπιθυμοῦσι καὶ τοῖς ἀγαπῶσιν ἐράσμιον. Εἰ δέ τις τρέψειε
πρὸς τὰ μὴ ὑφεστῶτα τὸ φίλτρον, οἷα τῇ φύσει ταῦτά
ἐστιν ἀνάγκη πᾶσα τοιοῦτον γενέσθαι καὶ τὸν ἐν ἐκείνοις
150 γενόμενον.

Ἐπεὶ οὖν ἐν τοῖς οὖσι τὸ μέν τι ἀληθές ἐστι, τὸ δὲ
μάταιον, γνῶναι προσήκει τὸ μάταιον, ἵνα διὰ τῆς
ἀντιπαραθέσεως τὴν τῶν ἀληθῶς ὄντων φύσιν νοήσωμεν.
Οὕτω γὰρ ποιοῦσι πάντες οἱ ἅγιοι οἱ τοὺς ἀποσφαλέντας
155 τῆς εὐθείας ὁδοῦ καὶ διὰ τῆς πεπλανημένης ὁδοιποροῦν-
τας πρὸς τὴν ὁδὸν ἀφ' ἧς ἐξετράπησαν ἐπανάγοντες,
ἐμβοῶντες πόρρωθεν ὅτι Φύγε τὴν ὁδόν ἐν ᾗ πορεύῃ· |
424 A. λησταὶ γὰρ κατ' αὐτὴν καὶ λωποδύται καὶ φονέων
ἐνέδραι, ἵνα μαθὼν ὁ ὁδίτης τὸν κίνδυνον ἐκτραπῇ τῆς
160 ὀλεθρίας ὁδοῦ· ἡ δὲ ἀναχώρησις ἐκείνης ὁδηγία τῆς
σῳζούσης γίνεται. Οὕτως καὶ ὁ μέγας ἐκκλησιαστὴς
ἄνωθεν ἐμβοᾷ τῇ ἀνθρωπίνῃ φύσει τῇ « ἐν ἀβάτῳ
πλανωμένῃ καὶ οὐχ ὁδῷ[f] », καθώς φησιν ὁ προφήτης,

f. Ps. 106, 40

1. La présence des trois adjectifs, si elle marque une gradation allant de la nature au sentiment, montre aussi l'éclectisme philosophique de Grégoire, ὄρεξις renvoyant plutôt aux analyses aristotéliciennes de l'appétit (*Éthique à Nicomaque* III, 3, 18 et III, 12, 6-7), ἐράσμιον étant utilisé par Plotin lorsqu'il définit ce qui rend l'âme « aimable » (*Enn.* I, 6, 5) ; les adjectifs ἡδύς et γλυκύς caractérisent le goût et l'odeur des fruits spirituels en *In Cant.* IX (*GNO* VI, p. 261 s.).

2. Le thème du rôle de modèle des saints est développé en *In Basil.* (*GNO* X, 1, p. 109-134) ; voir M. Harl, « Les modèles d'un temps idéal dans quelques récits de vie des Pères cappadociens », dans *Le temps chrétien*, p. 220-241. Cette attention accordée à l'exemple des saints est concrétisée à la même période par la place faite dans les mentalités et les rites au culte des saints et des martyrs (pour l'Occident, voir P. Brown, *Le culte des saints. Son essor et sa fonction dans la chrétienté latine*, trad. A. Rousselle, Paris 1984).

disposé à recevoir ce sang sera purifié du sang sensible. Car la chair du Verbe et le sang qui est dans cette chair n'ont pas une grâce unique, mais ils deviennent à la fois agréables à ceux qui y goûtent, enviables pour ceux qui les désirent et séduisants pour ceux qui les aiment [1]. Mais si quelqu'un a tourné son affection vers les choses inconsistantes, il devient nécessairement lui aussi, puisqu'il se tient en elles, semblable à ce qu'elles sont par nature.

Donc, puisque dans les êtres une partie est vraie, une autre est vaine, il convient de connaître ce qui est vain afin que, par confrontation, nous connaissions la nature des êtres véritables. C'est bien ainsi que font tous les saints [2] en ramenant sur le chemin dont ils s'étaient détournés ceux qui avaient quitté le droit chemin et avançaient par un chemin d'erreur, et en leur criant de loin : Fuis le chemin sur lequel tu marches, car on y trouve des brigands, des pillards et des embuscades meurtrières, afin que le voyageur [3], ayant appris le danger, se détourne du chemin de mort. Et se retirer [4] de ce chemin-là conduit au chemin qui sauve. De la même façon, le grand ecclésiaste lui aussi s'adresse de loin avec des cris à la nature humaine « qui s'égare dans un lieu impraticable et ce qui n'est pas un chemin [f] », comme dit le prophète, et il veut dire

3. Le terme d'ὁδίτης est rare et appartient à la langue poétique depuis Homère et les Tragiques : il désigne par ex. Philoctète chez Sophocle (*Philoctète* 147). Le choix du mot n'est peut-être pas étranger ici au souci de dramatiser l'exemple.

4. Avec le mot ἀναχώρησις, la métaphore et la réalité concrète semblent ici se rejoindre. Se retirer au désert comme Antoine n'est pas en effet le seul modèle de l'anachorèse, comme le montre la *lettre* II de Basile : « Or se retirer du monde (κόσμου δὲ ἀναχώρησις), ce n'est pas en sortir corporellement, mais briser les liens de sympathie qui unissent l'âme au corps... » (trad. Courtonne, *CUF*). E.R. Dodds (*Païens et chrétiens*, chap. I) souligne que la question du retrait du monde était commune aux païens et aux chrétiens dans les premiers siècles.

ταῦτα ἄντικρυς δι' ὧν φθέγγεται λέγων· Τί πλανᾶσθε διὰ
165 τοῦ βίου, ὦ ἄνθρωποι; Τί ἀγαπᾶτε τὰ μάταια καὶ φιλεῖτε
τὰ ἀνυπόστατα καὶ προστετήκατε τῇ διαθέσει τούτοις ὧν
οὐκ ἔστιν ὑπόστασις; Ἄλλη ἐστὶν ὁδὸς ἀπλανής τε καὶ
σωτήριος. Ἐκείνην φιλήσατε, ἐν ἐκείνῃ διὰ τῆς ἀγάπης
ὁδοιπορήσατε, ἧς τὸ ὄνομα ἀλήθειά ἐστι καὶ ζωὴ καὶ
170 φῶς [g] καὶ ἀφθαρσία καὶ τὰ τοιαῦτα. Αὕτη δὲ ἡ ὁδὸς δι' ἧς
νῦν τρέχετε μίσους καὶ ἀποστροφῆς ἀξία· ἀφεγγὴς γάρ
ἐστι καὶ σκότῳ διειλημμένη, εἰς κρημνοὺς δὲ ἄγει καὶ
βάραθρα καὶ θηριώδεις τόπους καὶ ληστῶν ἐνέδρας. Ὁ
τοίνυν εἰπὼν ὅτι « καιρὸς τοῦ φιλῆσαι » τὸ φιλητὸν ὡς
175 ἀληθῶς καὶ ἀγαπητὸν ἐνεδείξατο, καὶ ὁ τῷ μίσει τὸν
καιρὸν προσγράψας ὧν χρὴ τὴν ἀποστροφὴν ἔχειν
ἐδίδαξεν.

Οὐκοῦν μαθόντες τὸ ἀγαπητὸν τῇ φύσει τούτου διὰ
425 A. τῆς ἀγάπης περιεχώμεθα, μηδαμοῦ | παρατραπέντες ὑπὸ
180 τῆς περὶ τὸ καλὸν ἀκρισίας, ἐν τούτοις τὸ φίλτρον
δαπανήσαντες ἐν οἷς ἀπαγορεύει καὶ ὁ μέγας Δαβὶδ
λέγων· « Υἱοὶ ἀνθρώπων, ἕως πότε βαρυκάρδιοι; Ἵνα τί
ἀγαπᾶτε ματαιότητα καὶ ζητεῖτε ψεῦδος [h]; » Ἓν γὰρ
μόνον ἀγαπητὸν τῇ φύσει τὸ ἀληθῶς ὄν, περὶ οὗ φησι καὶ
185 ἡ δεκάλογος νομοθεσία ὅτι « Ἀγαπήσεις κύριον τὸν θεόν
σου ἐξ ὅλης τῆς καρδίας σου καὶ ἐξ ὅλης τῆς ψυχῆς σου
καὶ ἐξ ὅλης τῆς διανοίας σου [i] »· καὶ ἓν πάλιν μισητὸν τῇ
ἀληθείᾳ ὁ τῆς κακίας εὑρετής, ὁ τῆς ζωῆς ἡμῶν

g. cf. Jn 14, 6 ; 12, 46 h. Ps. 4, 3 i. Deut. 6, 5

1. Voir *hom.* II, 1.

2. L'expression δεκάλογος νομοθεσία semble annoncer une citation de *Deut.* 6, 5. Mais le commandement de l'A.T., formulé aussi en *Lév.* 19, 18, est repris avec quelques modifications dans les évangiles synoptiques (*Matth.* 22, 37 ; *Mc* 12, 30 ; *Lc* 10, 27) ; on a là, peut-on supposer, un des

clairement par là : Pourquoi errez-vous au long de cette vie, hommes ? Pourquoi aimez-vous ce qui est vain, pourquoi chérissez-vous ce qui est sans fondement et vous êtes-vous épuisés à vous attacher à ces choses sans subsistence ? Il y a un autre chemin sur lequel on ne s'égare pas et qui sauve. Aimez ce chemin-là, avancez-y, avec amour, son nom est vérité, vie, lumière [g], incorruptibilité, et les noms semblables [1]. Mais le chemin sur lequel vous courez maintenant, celui-ci mérite la haine et la répulsion ; en effet il est sans clarté et coupé par l'obscurité, il conduit à des précipices, au gouffre, à des lieux sauvages et des repaires de brigands. Ainsi lui qui a parlé d'un « moment pour aimer » a montré ce qui est véritablement objet d'amour et aimable, et lui qui a mentionné le moment de la haine a enseigné ce dont il faut avoir la répulsion.

Ayant donc appris ce qui est aimable par nature, gardons-le avec amour, sans nous laisser aucunement détourner par une absence de discernement du beau, sans dépenser notre affection pour ce qu'interdit le grand David lui aussi en disant : « Fils des hommes, jusques à quand ces cœurs lourds ? Pourquoi aimez-vous la vanité et recherchez-vous le mensonge [h] ? » Car le seul et unique bien aimable par nature, c'est l'être véritable dont la législation du décalogue [2] elle aussi dit : « Tu aimeras le Seigneur ton Dieu de tout ton cœur, de toute ton âme et de toute ton intelligence [i] .» Et à l'inverse un seul être est haïssable en vérité, l'inventeur du mal [3], l'ennemi de notre

versets que Grégoire cite de mémoire, ce qui rend difficilement identifiable la référence précise.

3. Même expression en *In Cant.* IV (*GNO* VI, p. 114, 21) et *De perf.* (*GNO* VIII, 1, p. 209, 2) et nombreuses périphrases équivalentes dans l'œuvre de Grégoire. En *De or. dom.* V (*GNO* VII, 2, p. 72), Grégoire souligne la multiplicité et la diversité des noms donnés au « mauvais ».

πολέμιος, περὶ οὗ φησιν ὁ νόμος ὅτι « Μισήσεις τὸν
190 ἐχθρόν σου [j] ». Ἡ γὰρ τοῦ θεοῦ ἀγάπη ἰσχὺς τοῦ
ἀγαπῶντος γίνεται, ἡ δὲ πρὸς τὴν κακίαν διάθεσις
ὄλεθρον φέρει τῷ τὸ κακὸν ἀγαπῶντι. Οὕτω γάρ φησιν ἡ
προφητεία· « Ἀγαπήσω σε, κύριε ἡ ἰσχύς μου· κύριος
741 M. στερέωμά μου καὶ καταφυγή μου καὶ ῥύστης μου [k] »,
195 περὶ δὲ τοῦ ἐναντίου φησίν· « Ὁ δὲ ἀγαπῶν ἀδικίαν μισεῖ
τὴν ἑαυτοῦ ψυχήν, ἐπιβρέξει ἐπὶ ἁμαρτωλοὺς παγίδα [l]. »
Καιρὸς οὖν τοῦ πρὸς τὸν θεὸν φίλτρου ἡ ζωὴ πᾶσα καὶ
τῆς τοῦ ἀντικειμένου ἀλλοτριώσεως ὁ βίος ὅλος. Ὁ δὲ
μικρόν τι τῆς ἑαυτοῦ ζωῆς ἔξω τοῦ φιλεῖν τὸν θεὸν
426 A. 200 γενόμενος ἔξω γίνεται πάντως οὖ τῆς | ἀγάπης κεχώρισ-
ται. Τὸν δὲ ἔξω τοῦ θεοῦ γενόμενον ἔξω εἶναι τοῦ φωτὸς
ἀνάγκη, διότι « φῶς ὁ θεός [m] », ἔξω δὲ καὶ τῆς ζωῆς καὶ
τῆς ἀφθαρσίας καὶ παντὸς τοῦ πρὸς τὸ κρεῖττον θεωρου-
μένου νοήματός τε καὶ πράγματος· ἅπερ πάντα ὁ θεός
205 ἐστιν. Ὁ γὰρ ἐν τούτοις μὴ ὢν ἐν τοῖς ἐναντίοις πάντως
ἐστίν. Οὐκοῦν ἐκδέχεται τὸν τοιοῦτον σκότος καὶ διαφθο-
ρὰ καὶ πανωλεθρία καὶ θάνατος.

3. Ταῦτα ἐν βραχείᾳ φωνῇ ὁ τοῦ ἐκκλησιαστοῦ λόγος
διελὼν ἐπιδείκνυσι, τῇ εὐκαίρῳ φιλίᾳ καὶ τῷ κατὰ καιρὸν
ἐνεργουμένῳ μίσει τὴν ἑκατέρου τῶν κατὰ τὸ ἐναντίον
νοουμένων φύσιν ἀποκαλύψας. « Καιρός, φησίν, τοῦ
5 φιλῆσαι », σὺ τὸ ἀγαθὸν πρόσθες, πάλιν « καιρὸς τοῦ
μισῆσαι [a] » λέγει, σὺ πρὸς τὸ κακὸν οἴου βλέπειν τὸν
λόγον. Ἡ γὰρ ὑπηλλαγμένη τε καὶ πεπλανημένη πρὸς
ἑκάτερον τούτων τῆς ψυχῆς ἡμῶν διάθεσις ῥίζα καὶ ἀρχὴ
τῆς ἁμαρτίας ἐστίν. « Οὐδεὶς δύναται, φησίν, δυσὶ κυρίοις
10 δουλεύειν· ἢ γὰρ τὸν ἕνα μισήσει καὶ τὸν ἕτερον

j. Matth. 5, 43 k. Ps. 17, 2-3 l. Ps. 10, 5-6 m. cf. I Jn 1, 5
3. a. Eccl. 3, 8a

vie, dont la Loi dit : « Tu haïras ton ennemi [j] .» L'amour de Dieu est la force de celui qui aime, la disposition au mal apporte la mort à celui qui aime le mal. C'est ce que dit la prophétie : « Je t'aimerai, Seigneur, ma force ; le Seigneur est mon appui, mon refuge, mon libérateur [k] .» Et de l'adversaire elle dit : « Celui qui aime l'injustice hait sa propre âme, il pleuvra un filet sur les pécheurs [l] .» Donc le moment pour aimer Dieu, c'est toute la vie, et le moment de l'hostilité à l'adversaire, c'est l'existence tout entière [1]. Celui qui, pendant un petit moment de sa vie, est sorti de l'amour qu'il portait à Dieu, sort totalement de celui de l'amour duquel il s'est séparé ; et celui qui est sorti de Dieu est nécessairement sorti de la lumière, parce que « Dieu est lumière [m] » ; il est sorti aussi de la vie, de l'incorruptibilité, de toute pensée conceptuelle et de toute action orientée vers le bien. Car Dieu est tout cela. Qui ne vit pas dans ces réalités vit entièrement dans les réalités contraires. Donc ce qui attend un tel homme, c'est l'obscurité, la corruption, l'anéantissement et la mort.

3. Après avoir fait ces distinctions en une parole brève, le discours de l'ecclésiaste montre et dévoile la nature de chacune des deux réalités définies de manière opposée, à l'aide des notions d'amour au moment qui convient et de haine mise en œuvre au bon moment. « Moment pour aimer », dit-il ; toi, ajoute : le bien ; et à l'inverse, il dit « moment pour haïr [a]» ; toi, considère que cette parole vise le mal. Car lorsque la disposition de notre âme à l'égard de chacune de ces deux notions a été inversée et qu'elle est tombée dans l'erreur, elle est racine et principe du péché. « Personne ne peut, est-il dit, servir deux maîtres. Ou alors

1. Voir *hom.*VII, 5, 17-18. Au-delà de la diversité des expressions, l'enseignement de tous les versets d'*Eccl.* 3, 2-8 est le même.

ἀγαπήσει [b]. » Ἔδειξεν ἡ ἀντιδιαστολὴ τίς ὁ κακῶς κυριεύων οὗ χρὴ διὰ τοῦ μίσους ἀλλοτριοῦσθαι, καὶ τίς ὁ ἐπ' ἀγαθῷ τοῦ ἀρχομένου κρατῶν ᾧ προσήκει δι' ἀγάπης συνάπτεσθαι. Εἰ δέ τις τοῦ μισητοῦ μὲν ἀντέχοιτο, τοῦ δὲ 15 ἀγαπητοῦ καταφρονοίη, οὗτός ἐστιν ὁ ὑπαλλάσσων τῆς 427 A. φιλίας | καὶ τοῦ μίσους τὴν εὐκαιρίαν τῷ ἰδίῳ κακῷ. « Ὁ γὰρ καταφρονῶν πράγματος καταφρονηθήσεται ὑπ' αὐτοῦ [c] », ὁ δὲ ἀντεχόμενος τῆς ἀπωλείας περιποιήσεται τοῦτο ἑαυτῷ οὗ ἀντέσχετο. Διαστείλας τοίνυν τῷ λόγῳ 20 τὰ κατ' ἀρετήν τε καὶ κακίαν νοούμενα ἐπιγνώσῃ τὴν εὐκαιρίαν τοῦ πῶς χρὴ πρὸς ἑκάτερον τούτων ἔχειν. Ἐγκράτεια καὶ ἡδονή, σωφροσύνη καὶ ἀκολασία, μετριότης καὶ τῦφος, εὔνοια καὶ κακόνοια καὶ πάντα τὰ ἐξ ἐναντίου νοούμενα φανερῶς ὑπὸ τοῦ ἐκκλησιαστοῦ σοι 25 ὑποδείκνυται, ὅπως τῇ ψυχῇ περὶ ταῦτα διατεθειμένος λυσιτελῶς βουλεύσῃ. Καιρὸς οὖν τοῦ φιλῆσαι τὴν ἐγκράτειαν καὶ τοῦ μισῆσαι [d] τὴν ἡδονήν, ἵνα μὴ γένῃ φιλήδονος μᾶλλον ἢ φιλόθεος, καὶ τὰ ἄλλα πάντα ὡσαύτως, τὸ φιλόνεικον, τὸ φιλοκερδές, τὸ φιλόδοξον καὶ 30 πάντα ἃ τῇ ἐπὶ τὰ μὴ δέοντα τῆς φιλίας χρήσει τῆς πρὸς τὸ ἀγαθὸν σχέσεως ἀφορίζει.

Οἷον ἐκ παρόδου δόγμα ἐμάθομεν ὅτι πᾶσα τῆς ψυχῆς κίνησις ἐπ' ἀγαθῷ παρὰ τοῦ δημιουργήσαντος τὴν φύσιν ἡμῶν κατεσκευάσθη, ἀλλ' ἡ διημαρτημένη τῶν τοιούτων 428 A. 35 κινημάτων χρῆσις τὰς εἰς κακίαν ἐγέννησεν | ἀφορμάς· καλὸν γάρ τι οὖσα ἡ αὐτεξούσιος δύναμις ἡμῶν, ὅταν πρὸς τὸ κακὸν ἐνεργῇ, κακῶν ἔσχατον γίνεται. Καὶ τὸ

b. Matth. 6, 24 c. Prov. 13, 13 d. Eccl. 3, 8a

on haïra l'un et on aimera l'autre [b].» La distinction par opposition a montré qui est le mauvais maître dont il faut s'écarter avec haine, et qui est celui qui exerce le pouvoir pour le bien de son sujet, auquel il convient de s'attacher avec amour. Mais s'il arrive à quelqu'un de s'attacher à ce qui est haïssable et de mépriser ce qui est aimable, c'est lui qui inverse le bon moment pour aimer et le bon moment pour haïr, pour son propre malheur. En effet, « qui méprise une chose en sera méprisé [c] », et celui qui s'attache à sa perte obtiendra pour lui-même l'objet de son attachement. Lorsque tu auras ainsi distingué par le raisonnement ce qui relève de la vertu et ce qui relève du vice, tu apprendras le bon moment pour te comporter comme il convient à l'égard de l'un et de l'autre. Tempérance et plaisir, sagesse et désordre, modération et fatuité, bienveillance et malveillance, et tout ce que l'on conçoit à partir de son contraire, tout cela t'est clairement suggéré par l'ecclésiaste de façon que, l'âme ainsi disposée à leur égard, tu délibères utilement. Il y a donc un « moment pour aimer » la tempérance, et un « moment pour haïr [d] » le plaisir, afin qu'on ne devienne pas ami du plaisir au lieu d'être ami de Dieu et de même pour tout le reste, l'amour de la querelle, l'amour du gain, l'amour de la gloire, et tout ce qui, parce qu'on l'aime d'une façon qui ne convient pas, sépare de l'attachement au bien.

Telle est la doctrine que nous avons apprise au passage : tout mouvement de l'âme vers le bien a été préparé par l'artisan de notre nature, mais l'usage fautif de ces mouvements a engendré les élans vers le mal. Car la faculté de notre libre arbitre, qui est un bien, devient, lorsqu'elle agit en vue du mal, le pire des maux [1]. Et à l'inverse,

1. Voir ci-dessus, Introd., chap. VII, p. 85-88 (« La liberté de Salomon »).

744 M. ἔμπαλιν ὄργανον ἀρετῆς ἐστιν ἡ ἀπωστικὴ τῶν ἀηδῶν δύναμις ἢ ὄνομα τὸ μῖσός ἐστιν, ὅταν κατὰ τοῦ ἐναντίου
40 ὁπλίζηται, ἀλλὰ ἁμαρτίας γίνεται ὅπλον, ὅταν πρὸς τὸ ἀγαθὸν ἀντιστατικῶς ἔχῃ. Οὐκοῦν « πᾶν κτίσμα θεοῦ » τῶν ἐν ἡμῖν κατεσκευασμένων « καλὸν [e] » καὶ οὐδὲν ἀπόβλητον μετὰ εὐχαριστίας λαμβανόμενον, ἡ δὲ ἀχάριστος τούτων χρῆσις πάθος τὸ κτίσμα ἐποίησε, δι' οὗ
45 ἐκβαίνει μὲν ἡ πρὸς τὸν θεὸν οἰκειότης, ἀντεισελθόντα δὲ τὰ ἐναντία εἰς τὸν τοῦ θεοῦ τόπον ἀντικαθίσταται, ὥστε τοῖς τοιούτοις θεοποιεῖσθαι τὰ πάθη. Οὕτω τοῖς λαιμαργοῦσι γίνεται « θεὸς ἡ κοιλία [f] ». Οὕτως εἰδωλοποιοῦσιν ἑαυτοῖς οἱ πλεονέκται τὴν νόσον. Οὕτως οἱ δι' ἀπάτης
50 σκοτισθέντες ἐν τῷ αἰῶνι τούτῳ τοὺς ὀφθαλμοὺς τῆς ψυχῆς θεὸν ἑαυτοῖς τὴν κενοδοξίαν ἐποίησαν. Καὶ συνελόντι φράσαι ᾧπερ ἄν τις τὸν ἑαυτοῦ λογισμὸν ὑποζεύξας δοῦλον ποιήσῃ καὶ ὑποχείριον, τοῦτο ἐν τῷ ἰδίῳ πάθει ἐθεοποίησεν, οὐκ ἂν τοῦτο παθών, εἰ μὴ διὰ τῆς ἀγάπης
55 τὸ κακὸν ᾠκειώσατο. Εἰ οὖν ἐνοήσαμεν τῆς τε φιλίας καὶ τοῦ μίσους τὴν εὐκαιρίαν, τὸ μὲν ἀγαπήσωμεν τὸ δὲ πολεμήσωμεν.

429 A. | **4.** « Καιρὸς γάρ, φησί, πολέμου καὶ καιρὸς εἰρήνης [a]. » Ὁρᾷς τῶν ἀντικειμένων παθῶν τὴν παράταξιν, τὸν νόμον τῆς σαρκὸς τὸν « ἀντιστρατευόμενον τῷ νόμῳ τοῦ νοός σου καὶ αἰχμαλωτίζοντα τῷ νόμῳ τῆς
5 ἁμαρτίας [b] ». Πρόσχες τῇ ποικίλῃ τῆς μάχης διασκευῇ, πῶς μυριότροπός ἐστι κατὰ τῆς σῆς πόλεως τοῦ ἀντικει-

e. I Tim. 4, 4 f. Phil. 3, 19
4. a. Eccl. 3, 8b b. Rom. 7, 23

l'instrument de la vertu, c'est la faculté de repousser les choses désagréables – elle s'appelle la haine –, chaque fois qu'elle s'arme contre l'adversaire ; mais elle devient l'arme du péché chaque fois qu'elle s'oppose au bien. Donc, « tout ce que Dieu crée » et prépare en nous est « bon [e] », et rien n'est à rejeter lorsqu'on le reçoit avec action de grâce, mais c'est l'utilisation de ces biens sans en rendre grâce qui fait de ce qui est créé un objet de passion ; de la première attitude vient la familiarité avec Dieu, dans la seconde ce sont les sentiments contraires qui entrent et se mettent à la place de Dieu, de sorte que, chez de tels hommes, les passions sont divinisées [1]. Ainsi, pour les gloutons « Dieu, c'est le ventre [f] » ; ainsi les ambitieux se font une idole de leur maladie ; ainsi ceux dont les yeux de l'âme ont été obscurcis par l'erreur dans cette vie se font un dieu de leur vaine gloire. Et, pour le dire en un mot, tout ce qui permet à un homme de mettre sous le joug son propre raisonnement et de le rendre esclave et dépendant, il le divinise en sa propre passion, alors qu'il n'aurait pas connu cette passion s'il n'était pas devenu familier du mal en l'aimant. Si donc nous concevons le bon moment pour aimer et pour haïr, tantôt aimons, tantôt menons la guerre.

Guerre et paix

4. « Moment pour la guerre et moment pour la paix [a] », est-il dit en effet. Tu vois la bataille que se livrent les passions opposées, la loi de la chair qui « combat contre la loi de ton intelligence et la fait prisonnière de la loi du péché [b] ». Prête attention aux diverses façons de préparer le combat, aux mille manières dont peut s'y prendre l'état-major de l'ennemi contre ta

1. L'emploi de θεοποιεῖσθαι en concurrence avec εἰδωλοποιεῖσθαι marque négativement le premier terme (contrairement à ses emplois les plus fréquents) et la force de l'oxymore traduit la véritable divinisation des passions.

μένου ἡ στρατηγία. Κατασκόπους πέμπει, προδότας ὑποποιεῖται, ταῖς ὁδοῖς ἐφεδρεύει, λόχους καὶ ἐνέδρας συνίστησι, συμμάχους προσεταιρίζεται, μηχανήματα κα-
10 τασκευάζει, σφενδονήτας καὶ τοξότας καὶ τοὺς συστάδην συμπλεκομένους καὶ τὴν ἱππικὴν δύναμιν καὶ πάντα τὰ τοιαῦτα κατά σου ἐξαρτύεται. Πάντως δὲ οὐκ ἀγνοεῖς τὴν τῶν εἰρημένων διάνοιαν, τίς ὁ προδότης, τίς ὁ κατάσκοπος, τίνες οἱ ἐνεδρευταί, τίνες οἱ σφενδονῆται καὶ
15 ἀκοντισταὶ καὶ τοξόται καὶ τίνες οἱ ἀγχέμαχοι καὶ ἡ τῶν ἱππέων ἴλη καὶ ποῖα τὰ μηχανήματα δι' ὧν τὸ τῆς ψυχῆς κατασείεται τεῖχος. Πρὸς ἃ πάντα οὖν βλέποντας χρὴ καὶ αὐτοὺς καθοπλίζεσθαι καὶ τοὺς συμμάχους παρακαλεῖν
430 A. καὶ φυλοκρινεῖν ἐν τοῖς ὑποχειρίοις, | μή τις τὰ τῶν
20 πολεμίων φρονῇ, προβλέπειν τε τὰς παροδίους ἐνέδρας καὶ θυρεοῖς τὰς βολὰς ἀσφαλίζεσθαι πρός τε τοὺς συστάδην ἡμῖν συμπλεκομένους ἀντέχειν καὶ ἀποταφρεύειν τοῖς καθ' ἡμῶν ἱππόταις τὴν πάροδον, ἐρύμασι δέ τισι καὶ προβολαῖς τὰ τείχη κατασφαλίζεσθαι, ὡς
25 ἂν μὴ κατασεισθείη τοῖς μηχανήμασι.

Πάντως δὲ οὐδενὶ λόγῳ τὰ καθ' ἕκαστον ἑρμηνεύειν δεόμεθα, πῶς ὁ ἐχθρὸς τῆς ἑκάστου ἡμῶν πόλεως τῆς ἐν τῇ ψυχῇ παρὰ τοῦ θεοῦ συνῳκισμένης διὰ κατασκόπων ἀποπειρᾶται ἡμῶν τῆς δυνάμεως καὶ τίνας ἔχει τοὺς ἐξ
30 ἡμῶν αὐτῶν προδότας γινομένους τῆς ἡμετέρας δυνάμεως. Ὡς δ' ἂν φανερώτερον τὸ νόημα ἐκκαλυφθείη, τοιοῦτόν ἐστιν ἡ πρώτη τοῦ πειρασμοῦ προσβολή, ὅθεν τὰ πάθη τὴν ἀρχὴν λαμβάνει — τοῦτο τῆς ἡμετέρας δυνάμεως κατάσκοπος γίνεται —, οἷον ἐνέπεσε τῷ ὀφ-
35 θαλμῷ θέαμα τὴν ἐπιθυμίαν ἀνακινῆσαι δυνάμενον. Διὰ

1. Exemple d'*ekphrasis* : à ce combat militaire est opposé ensuite le combat spirituel évoqué par une paraphrase d'*Éphés*. 6. Sur l'allégorisa-

cité[1]. Il envoie des espions, s'assure le concours de traîtres, monte des guet-apens sur les chemins, met en place des troupes et des embuscades, il s'associe des alliés, prépare des machines de guerre, il dispose contre toi frondeurs, archers, ceux qui combattent dans la mêlée corps à corps, la puissance de la cavalerie et toutes les autres choses semblables. Et tu n'ignores nullement le sens de ce qui vient d'être dit, qui est le traître, qui est l'espion, qui sont les hommes en embuscade, qui les frondeurs, les hommes armés de javelots et les archers, qui les combattants rapprochés, qui est la troupe des cavaliers et quelles sont toutes ces machines de guerre par lesquelles le rempart de l'âme est renversé. En regardant tout cela, il faut s'armer soi-même aussi, convoquer ses alliés, répartir les troupes dont on dispose pour que personne ne se rallie aux ennemis, prévoir les embuscades sur les chemins, se protéger des traits avec des boucliers, tenir bon contre ceux qui nous combattent corps à corps, faire un retranchement pour barrer l'accès aux cavaliers qui nous attaquent, protéger les remparts par des remblais et des lignes de défense, afin qu'ils ne puissent pas être ébranlés par les machines de guerre.

Mais nous n'avons pas du tout besoin d'interpréter cela terme à terme en disant comment l'ennemi de la cité de chacun de nous, qui a été fondée par Dieu dans l'âme, éprouve nos forces avec des espions, et de quels hommes, issus de nos propres rangs, il dispose, qui sont devenus traîtres à nos forces. Mais pour faire comprendre plus clairement l'idée, il en est de la première attaque de la tentation, d'où les passions prennent leur commencement — et elle devient l'espion de nos forces —, comme lorsque tombe sous les yeux un spectacle capable d'exciter le désir.

tion systématique des combats de l'A.T., voir par ex. ORIGÈNE, *Hom. sur les Nombres* XXV ; *Hom. sur Josué* VIII, XIV, XV.

745 M. οὖν τούτου κατασκοπεῖ τὴν ἔν σοι δύναμιν ὁ πολέμιος, εἴτε ἰσχυρός τις καὶ ἐμπαράσκευος εἶ εἴτε ἄτονος καὶ εὐάλωτος. Εἰ γὰρ οὐκ ὤκλασας τῷ θεάματι οὐδέ σοι πρὸς τὸ φανὲν διελύθη τῆς διανοίας ὁ τόνος, ἀλλ' ἀπαθῶς
40 παρεπέμψω τὴν συντυχίαν, εὐθὺς ἐπτόησας τὸν κατάσκοπον οἷον ὁπλιτῶν τινα φάλαγγα τοῖς δόρασι φρίσσουσαν,
431 A. τὴν τῶν λογισμῶν λέγω παρασκευήν, | τῷ κατασκόπῳ δείξας. Εἰ δὲ μαλαχθείη δι' ἡδονῆς πρὸς τὴν θέαν ἡ αἴσθησις καὶ τὸ τοῦ χαρακτῆρος εἴδωλον ἐντὸς τῆς
45 διανοίας διὰ τῶν ὀφθαλμῶν εἰσδύῃ, τότε καταπολεμεῖται μὲν ὁ στρατηγὸς τῶν ἔνδον ὁ νοῦς, ὡς οὐδὲν ἀνδρῶδες ἢ νεανισκὸν ἔχων, ἀλλὰ βλακώδης τις καὶ ἔκλυτος ὤν, καὶ πλῆθος προδοτῶν ἐκ τοῦ δήμου τῶν λογισμῶν περὶ τὸν κατάσκοπον συγκροτεῖται. Οὗτοι δέ εἰσιν οἱ προδόται
50 περὶ ὧν φησιν ὁ κύριος ὅτι « Ἐχθροὶ τοῦ ἀνθρώπου οἱ οἰκιακοὶ αὐτοῦ[c] », οἱ ἐκ τῆς καρδίας ἐκπορευόμενοι καὶ κοινοῦντες τὸν ἄνθρωπον, ὧν τὰ ὀνόματα σαφῶς ἔστιν ἐκ τοῦ εὐαγγελίου μαθεῖν[d].

Τὸ δὲ ἀπὸ τούτου οὐκέτι ἂν σοι γένοιτο δυσχερὲς δι'
55 ἀκολούθου τὰ καθ' ἕκαστον τῆς πολεμικῆς ἐκείνης διασκευῆς κατανοῆσαι· τοὺς ἐκ τοῦ ἀφανοῦς προλοχίζοντας οἷς περιπίπτουσιν οἱ ἀπροόπτως κατὰ τὴν τοῦ βίου ὁδὸν πορευόμενοι· οἱ γὰρ ἐν σχήματι φιλίας καὶ εὐνοίας πρὸς τὸν τῆς ἁμαρτίας ὄλεθρον καθέλκοντες τὸν πειθόμε-
60 νον οὗτοί εἰσιν οἱ κατὰ τὰς ὁδοὺς ἐνεδρεύοντες, οἱ τῆς ἡδονῆς ἐπαινέται, οἱ πρὸς τὰ θέατρα χειραγωγοῦντες, οἱ τοῦ κακοῦ τὴν εὐκολίαν ὑποδεικνύοντες, καὶ δι' ὧν ποιοῦσι πρὸς τὴν τῶν ὁμοίων μίμησιν ἐκκαλούμενοι, |

c. Matth. 10, 36 d. cf. Matth. 15, 11.18-19

Par son intermédiaire l'ennemi contrôle les forces qui sont en toi, voit si tu es résistant et fin prêt ou sans énergie et facile à prendre. Car si tu n'as pas chancelé sous l'effet du spectacle, si l'activité de ta pensée ne s'est pas affaiblie devant l'apparition, mais si tu as laissé passer l'occasion sans passion, tu as aussitôt terrifié l'espion et c'est comme une phalange d'hoplites hérissée de lances, je veux dire l'arsenal des raisonnements, que tu as montrée à l'espion. Au contraire, si les sens s'amollissent de plaisir devant le spectacle et si une image caractéristique s'est introduite grâce aux yeux à l'intérieur de la pensée, alors le général de ceux qui sont à l'intérieur, l'intelligence [1], est vaincu, puisqu'il n'a rien du courage d'un homme ni de la hardiesse d'un jeune homme, mais qu'il est lâche et affaibli, et une foule de traîtres sortis du peuple des raisonnements fait chorus autour de l'espion. Ce sont eux, les traîtres dont le Seigneur dit : « Les ennemis de l'homme, ce sont ceux de sa maison [c] », ceux qui sortent de son cœur et souillent l'homme, dont on peut facilement apprendre les noms d'après l'Évangile [d].

Et d'après cela, il ne te serait pas plus difficile, par voie de conséquence, de concevoir un par un les actes de ce dispositif guerrier : ceux qui préparent des embuscades sortent de l'ombre, et ceux qui marchent imprudemment sur le chemin de la vie tombent sur eux. En effet, ceux qui, sous l'apparence de l'amour et de la bienveillance, font descendre jusqu'à la mort du péché celui qui leur fait confiance, ce sont eux qui sont en embuscade sur les routes, les chantres du plaisir, ceux qui le conduisent par la main aux représentations théâtrales, qui lui montrent la facilité du mal et par là l'invitent à reproduire les mêmes

1. Définition allégorique du νοῦς qui fait de cette faculté le synonyme du « principe directeur » de l'âme, τὸ ἡγεμονικόν.

432 A. ἀδελφοὺς ἑαυτοὺς καὶ φίλους ἐπ' ὀλέθρῳ τῶν ἀπολλυ-
65 μένων κατονομάζοντες. Περὶ ὧν γέγραπται ὅτι « Πᾶς ἀδελφὸς πτέρνῃ πτερνιεῖ, καὶ πᾶς φίλος δόλῳ πορεύσεται [e] ». Εἰ δὴ νενοήκαμεν τὰς ἐνέδρας, σαφὲς ἂν εἴη καὶ τὸ τῶν σφενδονητῶν τε καὶ τοξοτῶν καὶ ἀκοντιστῶν στῖφος. Οἵ γὰρ ὑβρισταί τε καὶ θυμώδεις καὶ λοίδοροι τῷ
70 προκατάρχειν τῶν ὕβρεων ἀντὶ βελῶν ἢ λίθων τοὺς παροξυντικοὺς λόγους ἀποτοξεύοντες καὶ σφενδονῶντες, καὶ ἀκοντίζοντες μέσην τιτρώσκουσι τὴν καρδίαν τῶν ἀθωρακίστως καὶ ἀφυλάκτως διοδευόντων. Τὸ δὲ τοῦ τύφου καὶ τῆς ὑπερηφανίας πάθος εἰς τὸ γαυρίαμα τῶν
75 ἵππων μετενεγκών τις οὐκ ἂν ἁμάρτοι. Ἵπποι γάρ εἰσί τινες ἀτεχνῶς ὑψαύχενές τε καὶ ὑψικάρηνοι τοῖς ὑπερόγκοις τοῦ τύφου ῥήμασιν οἷόν τισιν ὁπλαῖς κοίλαις τοὺς μετρίους κατακροαίνοντες· περὶ ὧν φησιν ἡ γραφὴ ὅτι
433 A. « Μὴ | ἐλθέτω μοι ποὺς ὑπερηφανίας [f] ».
80 Τὰ δὲ μηχανήματα δι' ὧν λύεται ἡ ἁρμονία τοῦ τείχους καλῶς ἄν τις τὴν φιλοχρηματίαν κατονομάσειεν. Οὐδὲν γὰρ οὕτως ἐστὶ βαρὺ καὶ δυσάντητον ἐν τῇ τῶν πολεμίων παρασκευῇ ὡς τὸ τῆς φιλαργυρίας μηχάνημα. Κἂν ὅτι μάλιστα τὰς ἄλλας ἀρετὰς διὰ τῆς ἐναρμονίου
85 συνθέσεως ταῖς ψυχαῖς περιοικοδομήσωσιν, οὐδὲν ἧττον

e. Jér. 9, 3 f. Ps. 35, 12

1. P. Alexander suppose pour ce passage une lacune (*GNO* V, p. 432, 12-14 : *post* ὑψηκάρηνοι *lacunam statui quia equi non loquuntur (cf 13* ῥήμασιν*) et hostes ungulis, non 'velut ungulis' (13) prosternunt*). Mais la phrase précédente annonce la comparaison et ἵπποι en tête de phrase peut ensuite faire fonction d'attribut, τινες désignant les hommes orgueilleux. Il semble donc inutile de supposer une lacune : la traduction adoptée

actions, en se nommant eux-mêmes frères et amis, et c'est pour la mort de leurs victimes. C'est d'eux qu'il est écrit : « Tout frère supplantera son frère, tout ami avancera par ruse [e].» Si nous avions une juste représentation de ces embuscades, on verrait clairement aussi la troupe des frondeurs, des archers et des lanceurs de javelots. Ce sont en effet les arrogants, les violents, les hommes injurieux qui, en prenant l'initiative d'actes excessifs et en lançant avec leurs arcs, leurs frondes ou leurs javelots, des discours acerbes en guise de traits ou de pierres, blessent en plein cœur ceux qui s'avancent sans cuirasse ni protection. Et l'on pourrait sans se tromper comparer la passion de la fatuité et de l'orgueil à l'arrogance des chevaux. Comme des chevaux, certains en effet ont naturellement le port haut et fier, et, avec leur paroles gonflées de fatuité, ils frappent comme avec des sabots creux les hommes pleins de mesure [1] ; d'eux l'Écriture dit : « Que le pied de l'orgueilleux ne vienne pas sur moi [f]. »

Quant aux machines de guerre qui détruisent l'assemblage du rempart, on aurait raison de les nommer amour des richesses. Car rien n'est aussi redoutable et funeste dans le dispositif ennemi que cette machine de guerre, l'amour de l'argent [2]. Même si on édifie le mieux possible les autres vertus autour des âmes par une disposition

« comme des chevaux » cherche à respecter la place du mot, au prix d'une atténuation du sens. — À l'arrière-plan de l'image, la représentation platonicienne de l'âme comme un attelage ; voir aussi PHILON, *Leg. all.* II, 99 s., qui, pour commenter *Gen.* 49, 16-18, souligne : « Les passions ont été assimilées à un cheval », le cavalier étant le νοῦς chargé de le dompter.

2. Voir *I Tim.* 6, 10, cité en *hom.* IV, 2. Sur la nécessité d'un ferme enchaînement des vertus, voir *De inst. christ.*, *GNO* VIII, 1, p. 77, 15-20. *In Cant.* IX (*GNO* VI, p. 271, 7 s.) utilise la métaphore du tissu dont les vertus sont les différents fils (de même *V. Moys.* II, 195-196).

καὶ διὰ τῶν τοιούτων πολλάκις εἰσδύεται τὸ μηχάνημα. Ἔστι γὰρ ἰδεῖν καὶ διὰ σωφροσύνης τὴν φιλοχρηματίαν εἰσπίπτουσαν καὶ πίστεως καὶ μυστηρίων ἀκριβείας ἐγκρατείας τε καὶ ταπεινοφροσύνης καὶ τῶν τοιούτων
748 M. 90 πάντων ἐντὸς γινομένην τὴν βαρεῖαν ταύτην καὶ ἄμαχον τοῦ κακοῦ προσβολήν, ὅθεν τινὲς ἐγκρατεῖς τε καὶ σώφρονες καὶ περὶ τὴν πίστιν διάπυροι καὶ κατεσταλμένοι τὸν τρόπον καὶ διὰ τῶν ἠθῶν μετριάζοντες πρὸς ταύτην μόνην ἀντισχεῖν τὴν νόσον ἀδυνατοῦσιν.

5. Εἰ οὖν νενόηται ἡμῖν τῶν πολεμίων τὸ στῖφος, « καιρὸς ἂν εἴη τοῦ πολεμεῖν [a] ». Οὐκ ἂν δέ τις θαρσήσειε τὴν τῶν ἐναντίων παράταξιν μὴ τῇ « πανοπλίᾳ [b] » τοῦ ἀποστόλου φραξάμενος. Πάντως δὲ οὐδεὶς ἀγνοεῖ τὸν
5 τρόπον τῆς θείας ἐκείνης ὁπλίσεως δι' ἧς ἄτρωτον ποιεῖ τοῖς ἐναντίοις βέλεσι τὸν πρὸς τὴν φάλαγγα τῶν πολεμίων ἱστάμενον. Διελὼν γὰρ εἰς εἴδη τὰς ἀρετὰς ὁ ἀπόστολος ἴδιον ὅπλον ἑκάστου τῶν ἐν ἡμῖν καιρίων ἕκαστον ἀρετῆς εἶδος πεποίηται. Τῇ πίστει γὰρ τὴν
10 δικαιοσύνην ἐμπλέξας καὶ συνυφήνας διὰ τούτων κατα-
434 A. σκευάζει τῷ ὁπλίτῃ τὸν θώρακα, καλῶς καὶ | ἀσφαλῶς δι' ἀμφοτέρων θωρακίζων τὸν στρατιώτην. Οὐ γὰρ ἔστιν ἕτερον τοῦ ἑτέρου διεζευγμένον ἀσφαλὲς ὅπλον ἐφ' ἑαυτοῦ τῷ μεταχειριζομένῳ γενέσθαι. Οὔτε γὰρ ἡ πίστις
15 χωρὶς τῶν ἔργων τῆς δικαιοσύνης ἱκανὴ περισώσασθαι, οὐδ' αὖ πάλιν ἡ τοῦ βίου δικαιοσύνη ἀσφαλὴς εἰς σωτηρίαν ἐστὶ καθ' ἑαυτὴν διεζευγμένη τῆς πίστεως. Διὰ τοῦτο καθάπερ ὕλας τινὰς τῷ ὅπλῳ τούτῳ τὴν πίστιν τε

5. a. cf. Eccl. 3, 8b b. cf. Éphés. 6, 11

1. Le passage se présente comme une paraphrase d'*Éphés.* 6, 10-18, référence attendue pour décrire le combat spirituel (voir *In Cant.* V, *GNO* VI, p. 197, 6 s., à propos des « soixante preux d'Israël » ; *De inst. christ.*, *GNO* VIII, 1, p. 62, 4-18 : les armes de la prière). Philon utilise

harmonieuse, la machine de guerre ne s'en introduit pas moins aussi par ces mêmes vertus. On peut voir en effet l'amour des richesses faire irruption même par l'intermédiaire de la sagesse et, à l'intérieur de la foi, de l'observance des mystères, de la tempérance, de l'humilité et de toutes les vertus de ce genre, se produire cette redoutable et invincible attaque du mal ; alors des hommes tempérants, sages, à la foi ardente, au comportement calme et aux mœurs modérées sont incapables de faire face à cette seule maladie.

5. Si donc nous avons connaissance de la troupe des ennemis, ce serait le « moment de faire la guerre [a] ». Mais personne n'affronterait les rangs des adversaires sans être protégé par l'« armure complète [b] » dont parle l'Apôtre [1]. Et personne au monde n'ignore l'aspect de cet armement divin grâce auquel Dieu rend invulnérable aux traits adverses celui qui se tient en face de la phalange des ennemis. En effet, l'Apôtre, après avoir distingué les vertus selon leurs genres, fait de chaque genre de vertu une arme appropriée pour chacune des parties vitales en nous. Ayant allié la justice à la foi et les ayant entrelacées, il prépare grâce à elles la cuirasse de l'hoplite, et il cuirasse, grâce à elles deux, le soldat de façon belle et sûre. Car il n'est pas possible que l'une disjointe de l'autre soit, à elle seule, une arme sûre pour celui qui la manie. Ni la foi séparée des œuvres de la justice ne suffit à sauver, ni inversement la justice d'une vie n'assure par elle-même le salut, lorsqu'elle est disjointe de la foi. C'est pourquoi il a allié la foi et la justice comme des matériaux pour faire cette arme et

déjà l'image de la vertu comme une armure (*De virtutibus* 22 s.). Dans la littérature monastique, leitmotiv de la guerre contre les passions : voir Évagre le Pontique, *Traité pratique* 34.

καὶ τὴν δικαιοσύνην συμπλέξας τὸ περικάρδιον μέρος τοῦ
20 ὁπλίτου κατασφαλίζεται· ἐν γὰρ τῷ θώρακι ἡ καρδία
νοεῖται. Τὴν δὲ κεφαλὴν τοῦ ἀριστέως τῇ ἐλπίδι κατα-
σφαλίζεται, σημαίνων ὅτι προσήκει τοῦ καλοῦ στρατιώ-
του τὴν ἐλπίδα τῶν ὑψηλῶν οἷόν τινα λοφιὰν εἰς τὸ ἄνω
νεύειν. Ὁ δὲ θυρεός, τὸ σκεπαστήριον ὅπλον, ἡ ἀρραγὴς
25 πίστις ἐστὶν ἧς ἡ τῶν ἀκίδων ἀκμὴ διαδυῆναι οὐ δύναται.
Ἀκίδας δὲ πάντως τὰς παρὰ τῶν πολεμίων ἐκτοξευομέ-
νας τὰς ποικίλας προσβολὰς τῶν παθημάτων νοήσωμεν.
Τὸ δὲ ἀμυντήριον ὅπλον ὃ τὴν δεξιὰν ὁπλίζει τοῦ κατὰ
τῶν ἐχθρῶν ἀριστεύοντος τὸ ἅγιον πνεῦμά ἐστι, φοβερὸν
30 μὲν τῷ ὑπεναντίῳ τῷ δὲ μεταχειριζομένῳ σωτήριον.
Πᾶσα δὲ ἡ εὐαγγελικὴ διδασκαλία τοῖς ποσὶ ποιεῖ τὴν
ἀσφάλειαν, ὡς μηδὲν τοῦ σώματος εὑρεθῆναι γυμνὸν καὶ
πρὸς πληγὴν ἐπιτήδειον.

435 A. | **6.** Εἰ οὖν μεμαθήκαμεν οἷς τε πολεμεῖν χρὴ καὶ ὅπως
τῆς μάχης ἀντιλαμβάνεσθαι, μαθεῖν προσήκει καὶ τὸ
ἕτερον μέρος οἷς ἔνσπονδον εἶναι καὶ εἰρηνικὸν ὁ λόγος
διαμαρτύρεται. Τίς οὖν ὁ ἀγαθὸς στρατὸς ᾧ διὰ τῆς
5 εἰρήνης ἐμαυτὸν οἰκειώσω; Τίς δὲ ὁ τοῦ τοιούτου
στρατοῦ βασιλεύς; Ἦ δῆλόν ἐστιν, ἀφ' ὧν παρὰ τῆς
θεοπνεύστου γραφῆς ἀκηκόαμεν, ὅτι στρατιᾶς οὐρανίου ἡ
παράταξις τῶν ἀγγέλων ἐστίν. « Ἐγένετο γάρ, φησί,
πλῆθος οὐρανίου στρατιᾶς αἰνούντων τὸν θεόν[a]. » Καὶ ὁ
10 Δανιὴλ « μυρίας μυριάδας » παρεστώτων ὁρᾷ καὶ « χι-
λιάδων χιλιάδας[b] » ἐν τοῖς λειτουργοῦσι βλέπει. Καὶ οἱ
προφῆται τὸ τοιοῦτον μαρτύρονται, κύριον στρατιῶν καὶ
κύριον δυνάμεων[c] τὸν τοῦ παντὸς ὀνομάζοντες κύριον.

6. a. Lc 2, 13 b. Dan. 7, 10 c. cf. Ps. 23, 10

---

1. Jeu de mot en grec sur les deux sens de θώραξ : poitrine et cuirasse.

il en protège la partie qui entoure le cœur de l'hoplite : car par cuirasse on comprend le cœur [1]. La tête du preux, il la protège avec l'espérance, signifiant par là qu'il convient que, chez le bon soldat, l'espérance des biens élevés flotte comme un panache vers le haut. Le bouclier, l'arme défensive, c'est la foi infrangible, à travers laquelle la pointe des javelots ne peut pas se glisser. Et, par les javelots que lancent les ennemis, entendons, bien sûr, les attaques variées des passions. L'arme protectrice qui arme la droite du preux contre les ennemis, c'est l'Esprit Saint, redoutable pour l'adversaire, mais salutaire pour qui se laisse guider par lui. Et tout l'enseignement évangélique donne aux pieds leur assurance, de sorte qu'aucune partie du corps ne se trouve nue et exposée aux coups.

6. Si donc nous avons appris contre qui il faut faire la guerre et comment il faut s'occuper du combat, il convient d'apprendre aussi l'autre point : avec qui, selon le témoignage du texte, il faut conclure alliance et paix. Quelle est donc la bonne armée dont je serai l'allié grâce à la paix ? Et qui est le roi d'une telle armée ? Bien évidemment, d'après ce que nous avons entendu de l'Écriture inspirée par Dieu, la troupe des anges fait partie d'une armée céleste : « Il y eut, est-il dit, la foule de l'armée céleste de ceux qui chantaient les louanges de Dieu [a] .» Et Daniel voit les « myriades de myriades » de ceux qui se tiennent là, il en observe « des milliers et des milliers [b] » parmi ceux qui servent Dieu [2]. Et les prophètes donnent un témoignage semblable lorsqu'ils nomment Seigneur des armées et Seigneur des puissances [c] le Seigneur de l'uni-

2. La référence à *Dan.* 7,10 assure la cohérence de la métaphore guerrière. Sur la présence d'anges défenseurs de l'homme, voir *V. Moys.* II, 42-47.

Καὶ πρὸς τὸν τοῦ Ναυῆ Ἰησοῦν ὁ δυνατὸς ἐν πολέμῳ·
749 M. 15 « Ἐγώ, φησίν, ὁ ἀρχιστράτηγός εἰμι τῆς δυνάμεως[d]. » Εἰ δὴ νενοήκαμεν τίς ἐστιν ἡ ἀγαθὴ συμμαχία καὶ τίς ὁ τῶν συμμάχων τούτων ἡγούμενος, σπονδὰς πρὸς αὐτὸν ποιησώμεθα, προσδράμωμεν αὐτοῦ τῇ δυναστείᾳ, φίλοι γενώμεθα τοῦ τοσαύτην δύναμιν κεκτημένου.

20 Τίς δὲ ὁ τρόπος τῆς πρὸς αὐτὸν οἰκειώσεως διδάσκει ὁ τῆς φιλίας ταύτης συναγωγεύς, ὁ μέγας ἀπόστολος, ἐν
436 A. οἷς φησι· | « Δικαιωθέντες οὖν ἐκ πίστεως εἰρήνην ἔχωμεν πρὸς τὸν θεόν[e] », καὶ πάλιν· « Ὑπὲρ Χριστοῦ πρεσβεύομεν ὡς τοῦ θεοῦ παρακαλοῦντος δι' ἡμῶν· δεό-
25 μεθα ὑπὲρ Χριστοῦ, καταλλάγητε τῷ θεῷ[f]. » Ἕως γὰρ ἦμεν « τέκνα φύσει ὀργῆς[g] » ἐν τῷ ποιεῖν τὰ μὴ καθήκοντα, τοῖς ἀνθεστηκόσι « τῇ δεξιᾷ τοῦ ὑψίστου[h] » συνετετάγμεθα· ἀποθέμενοι δὲ τὴν ἀσέβειαν καὶ τὰς κοσμικὰς ἐπιθυμίας ἐν τῷ ὁσίως καὶ δικαίως καὶ εὐσεβῶς
30 ζῆν διὰ τῆς εἰρήνης ταύτης τῇ ἀληθινῇ εἰρήνῃ συναφθησόμεθα. Οὕτως γὰρ περὶ αὐτοῦ φησι ὁ ἀπόστολος ὅτι « Αὐτός ἐστιν ἡ εἰρήνη ἡμῶν[i] ». Οὗτος ὁ λόγος πάντων τῶν κατὰ καιρὸν γινομένων τὸ πέρας ἐστὶ καὶ τὸ κεφάλαιον. Πάντα γὰρ ἐν καιρῷ ποιεῖν ἐδιδάχθημεν, ἵνα
35 τοῦτο ἑαυτοῖς κατορθώσωμεν τὸ εἰρήνην ἔχειν πρὸς τὸν θεὸν διὰ τοῦ πολεμίως διατεθῆναι πρὸς τὸν ἀντίπαλον. Πάντως δὲ κἂν τὰς ἀρετάς τις εἴπῃ τὸν εἰρηναῖον στρατὸν πρὸς ἃς χρὴ φιλικῶς ἔχειν ἡμᾶς, οὐκ ἔξω τῆς ἀποδοθείσης διανοίας ἄξει τὸν λόγον, διότι πᾶν ἀρετῆς
40 ὄνομά τε καὶ νόημα εἰς τὸν κύριον τῶν ἀρετῶν ἀναφέρεται.

d. Jos. 5, 14 e. Rom. 5, 1 f. II Cor. 5, 20 g. Éphés. 2, 3 h. cf. Ps. 76, 11 i. Éphés. 2, 14

vers. Et, à Jésus [1], le fils de Navé, le puissant au combat dit : « Moi, je suis le chef suprême de la puissance [d].» Si donc nous avons compris quelle est la bonne alliance et qui conduit ces alliés, faisons une trêve avec lui, rangeons-nous sous sa domination, devenons les amis de celui qui possède une telle puissance.

La manière de devenir son allié est enseignée par celui qui nous agrège à cet amour, le grand Apôtre, quand il dit : « Justifiés par la foi, soyons en paix avec Dieu [e] », et encore : « Nous sommes en ambassade au nom du Christ, et par nous, Dieu vous appelle ; au nom du Christ, nous vous le demandons, laissez-vous réconcilier avec Dieu [f].» Car tant que nous étions « par nature enfants de la colère [g] » en faisant ce qui ne convenait pas, nous étions dans les rangs de ceux qui résistent à la « droite du Très-haut [h] ». Mais après avoir délaissé l'impiété et les désirs du monde en vivant dans la sainteté, la justice et la piété, nous serons liés par cette paix à la Paix véritable. Car l'Apôtre dit à son sujet : « C'est lui notre paix [i].» Cette parole marque l'accomplissement et l'essentiel de tout ce qui se produit au moment opportun. En effet, nous avons appris à tout faire au moment opportun, afin de parvenir pour nous-mêmes à être en paix avec Dieu, en étant en guerre avec l'adversaire. Et de toute façon, même si l'on dit que l'armée de la paix, ce sont les vertus, à l'égard desquelles il faut nous comporter avec amour, on ne sortira pas du sens que nous avons proposé, parce que tout nom et tout concept de vertu sont rapportés au Seigneur des vertus [2].

1. Voir ORIGÈNE, *Hom. sur Josué* I, 1, sur la première mention du nom de « Jésus » dans l'A.T. (en *Ex.* 17, 8-9) ; VI, 2, sur Jésus, Seigneur des puissances (*SC* 71, p. 94-97 et 184-187).

2. Voir la définition du Christ comme παντελὴ ἀρετή : *hom.* V, 3, 38.

7. Καὶ τί ἄν τις ἐν τοῖς τοιούτοις τὸν λόγον μηκύνοι, ἱκανῶν ὄντων καὶ τῶν εἰρημένων ἐκκαλύψαι τὴν τοῖς ῥητοῖς ἐγκειμένην διάνοιαν; Ἀλλ' ἐπειδὴ διὰ τούτων ἐπῆρέ πως τὴν ψυχὴν τοῦ προπαιδευθέντος ἐν τοῖς 5 ὑψηλοῖς τούτοις μαθήμασι, πάλιν ἀνάγει πρὸς ὑψηλήν τινα κατάστασιν τὴν ψυχὴν τοῦ ἑπομένου τῷ λόγῳ καί φησι· « Τίς περισσεία τοῦ ποιοῦντος ἐν οἷς αὐτὸς μοχ- 437 *A.* θεῖ[a]; » ὅπερ ἴσον ἐστὶ τῷ εἰπεῖν· Τί ἐκ τῶν | πόνων τῷ ἀνθρώπῳ πλέον, ἐξ ὧν οὐδέν ἐστι πλέον; Γεωργεῖ, 10 ναυτίλλεται, στρατιωτικοῖς ἐγκακοπαθεῖ πόνοις, ἐμπορεύεται, κτᾶται, ζημιοῦται, κερδαίνει, δικάζεται, μάχεται· ἡττηθεὶς ἀπῆλθε, τὴν νικῶσαν φέρεται ψῆφον· ταλανίζεται, μακαρίζεται· μένει ἐφέστιος, ἐν ἀλλοτρίοις πλανᾶται· πάντα ὅσα κατὰ τὸν βίον ὁρῶμεν ἐν ποικί- 15 λοις ἐπιτηδεύμασιν ἄλλα ἐν ἄλλοις, τί φέρει πλέον τῷ διὰ τῶν τοιούτων τὸν ἴδιον δαπανῶντι βίον ἡ περὶ ταῦτα σπουδή; Οὐχ ὁμοῦ τε τοῦ ζῆν ἐπαύσατο καὶ λήθῃ συνεκαλύφθη τὰ πάντα· καὶ μονωθεὶς τῶν ἐσπουδασμένων γυμνὸς οἴχεται, ἐπαγόμενος μεθ' ἑαυτοῦ τῶν τῇδε πραγ- 20 μάτων οὐδὲν πλὴν τῆς ἐπὶ τοῖς πράγμασι συνειδήσεως μόνης; Παρ' ἧς τρόπον τινὰ αὕτη μετὰ τοῦτο γίνεται πρὸς τὸν ἄνθρωπον ἡ φωνὴ τὸν διὰ τῶν τοιούτων ἀσχολιῶν ἐμπλανηθέντα τῷ βίῳ ὅτι· « Τίς περισσεία γέγονέ σοι τῶν πολλῶν ἐκείνων πόνων ἐν οἷς ἐμόχθησας[b]; » 25 Ποῦ αἱ λαμπραὶ οἰκίαι; ποῦ τὰ κατορωρυγμένα βαλλάντια; ποῦ αἱ χαλκαῖ εἰκόνες καὶ αἱ τῶν εὐφημούντων 752 M. φωναί; Ἰδοὺ πῦρ καὶ μάστιγες καὶ ἡ ἀδέκαστος κρίσις καὶ ἡ ἀπαραλόγιστος τῶν βεβιωμένων ἐξέτασις.

7. a. Eccl. 3, 9 b. cf. Eccl. 3, 9

7. Et à quoi bon prolonger le discours sur de tels sujets, quand ce qui a été dit est suffisant pour dévoiler le sens contenu dans les mots ? Mais puisque, par ces mots, (l'ecclésiaste) a exalté en quelque sorte l'âme de celui qui avait auparavant été éduqué dans ces enseignements sublimes, il élève de nouveau à un état sublime l'âme de celui qui poursuit la lecture du texte et il dit : « Quel avantage, pour celui qui agit, aux peines qu'il prend [a] ? », ce qui revient à dire : Que gagne l'homme à ses efforts, s'il n'en retire rien de plus ? Il laboure, il navigue, il endure les peines de la vie militaire, il fait du commerce, il acquiert, il est puni, il fait des gains, il est en procès, il se bat ; vaincu, il se retire, il remporte la palme de la victoire [1] ; il est malheureux, il est heureux, il reste chez lui, il erre dans des pays étrangers. Pour toutes les choses que nous voyons nous absorber chacune diversement au cours de notre vie, que gagne par la préoccupation qu'il en a celui qui y dépense sa propre vie ? N'a-t-il pas à peine cessé de vivre que tout a déjà été enseveli par l'oubli ? Et, réduit à sa seule personne, dégagé de tout ce qui l'a préoccupé, ne s'avance-t-il pas nu, n'emmenant avec lui aucune de ses activités d'ici-bas, sinon seulement la conscience qu'il en avait ? C'est de cette conscience, d'une certaine manière, que vient ensuite cette parole adressée à l'homme qui s'est laissé égarer pendant sa vie en s'affairant ainsi : « Quel avantage as-tu eu à tous ces efforts pour lesquels tu as pris de la peine ? [b] » Où sont tes splendides maisons ? où les bourses que tu as enfouies ? où les statues de bronze, et les paroles de ceux qui t'acclamaient ? Voici le feu, les fouets, le jugement incorruptible et l'examen infaillible de ceux qui ont achevé leur vie.

1. Litt. : il obtient le vote qui fait triompher (image du procès que l'on gagne ou que l'on perd).

8. « Τίς περισσεία τοῦ ποιοῦντος ἐν οἷς αὐτὸς μοχθεῖ ; » Καὶ μετὰ ταῦτα· « Εἶδον, φησί, τὸν περισπασ-
438 *A.* μὸν ὃν ἔδωκεν | ὁ θεὸς τοῖς υἱοῖς τῶν ἀνθρώπων τοῦ περισπᾶσθαι ἐν αὐτῷ. Τὰ σύμπαντα ἃ ἐποίησε καλὰ ἐν
5 καιρῷ αὐτοῦ καί γε σὺν τὸν αἰῶνα ἔδωκεν ἐν καρδίᾳ αὐτῶν, ὅπως μὴ εὕρῃ ἄνθρωπος τὸ ποίημα ὃ ἐποίησεν ὁ θεὸς ἀπ' ἀρχῆς μέχρι τέλους[a]. » Τί ταῦτα λέγει ; Ἐπέγνων, φησίν, ὅθεν περιεσπάσθη τῆς ζωῆς ἡ ἀνθρωπίνη φύσις, ἐκ τῶν θείων εὐεργεσιῶν τὰς ἀφορμὰς
10 λαβοῦσα. Ὁ μὲν γὰρ ἐπ' ἀγαθῷ τὰ πάντα ἐποίησε καὶ λογισμὸν ἔδωκε τοῖς τῶν ὄντων μετέχουσι διακριτικὸν τοῦ βελτίονος, δι' οὗ ἡ εὐκαιρία τῆς ἑκάστου χρήσεως ἐπιγνωσθεῖσα τὴν τοῦ καλοῦ αἴσθησιν τοῖς κεχρημένοις χαρίζεται. Ἐπειδὴ δὲ ἀπεσφάλη τῆς ὀρθῆς περὶ τῶν
15 ὄντων κρίσεως διὰ πονηρᾶς συμβουλῆς παρατραπεὶς τοῦ καθεστῶτος ὁ λογισμός, ἡ ὑπαλλαγὴ τοῦ καιροῦ τὸ ἀφ' ἑκάστου χρήσιμον εἰς ἐναντίαν ἔτρεψε πεῖραν.

Ὥσπερ εἴ τις ἐπὶ τραπέζης πᾶσαν προθεὶς παρασκευὴν εὐωχίας καὶ σκεύη τινὰ πρὸς τὴν τῆς τροφῆς συνεργίαν
20 ἐπιτηδείως ἔχοντα συμπαραθείη, οἷα δὴ παρὰ τῶν τὰ τοιαῦτα φιλοτεχνούντων κατασκευάζεται, ἢ λεπτὰς μαχαίρας δι' ὧν οἱ δαιτυμόνες ἑαυτοῖς τι διαιροῦνται τῶν

8. a. Eccl. 3, 10-11

1. Un des mss de la *Chaîne de Procope*, le codex *Vindob. theol. gr. 147*, édité par S. Leanza (*CCSG* 4), donne une scholie de Denys d'Alexandrie qui interprète *Eccl.* 3, 10-11 en le rapprochant de *Gen.* 3, 19 : « Tu mangeras ton pain à la sueur de ton visage ».

2. Sur l'image du banquet plusieurs fois utilisée par Grégoire, voir P. J. Alexander, « Gregory of Nyssa and the simile of the banquet of life », *VC* 30 (1976), p. 50-62. L'auteur souligne l'uniformité du vocabulaire dans les trois passages où se trouve l'image (*In Eccl.* VIII ; *De*

Le banquet de la vie **8.** « Quel avantage pour celui qui agit, aux peines qu'il prend ? » Et le texte dit après cela : « J'ai vu l'agitation que Dieu donne aux fils des hommes pour qu'ils s'y agitent. Tout ce qu'il a fait est bon au moment voulu par lui, et vraiment il a donné du même coup dans leur cœur la durée, de façon que l'homme ne puisse pas connaître l'ouvrage que Dieu a fait du commencement jusqu'à la fin [a 1].» Qu'est-ce que cela veut dire ? J'ai appris, dit-il, d'où la nature humaine tire l'agitation de sa vie, elle qui a reçu son élan des bienfaits de Dieu. Car Dieu a fait toutes choses pour le bien et a donné à ceux qui ont part aux réalités existantes un raisonnement capable de discerner le bien, grâce auquel le moment opportun pour user de chaque chose est connu et fait à ses usagers la grâce de percevoir le beau. Mais lorsque le raisonnement s'est détourné de ce qui est fermement établi à cause d'un mauvais conseil et s'est égaré loin du jugement droit concernant les réalités existantes, le changement quant au moment opportun transforme en une expérience contraire ce que chaque moment avait de profitable.

Il en est comme d'un homme qui a présenté sur une table tout l'apprêt d'un bon festin [2] et a disposé en même temps des objets convenant au service de la nourriture — ce que, assurément, les hommes de l'art préparent ainsi —, des couteaux finement travaillés qui permettent aux convi-

hom. op. 2, 133 b ; *De inf.*, *GNO* III, 2, p. 88, 9 s.) ; ici et dans le *De inf.*, le développement de l'image, conclut-il, vise surtout à affirmer la responsabilité personnelle de l'homme dans le choix du mal. J. DANIÉLOU note l'origine stoïcienne de l'image (« Le traité 'Sur les enfants morts prématurément' de Grégoire de Nysse », *VC* 20 [1966], p. 159-182) et signale la forte analogie entre *De hom. op.* 2 et PHILON, *De op. mundi* 78 (« Ceux qui donnent un festin [οἱ ἑστιάτορες] n'invitent pas à table avant d'avoir tout arrangé pour qu'on fasse bonne chère »).

προτεθέντων, ἢ τὰς ἀργυρᾶς περόνας αἷς ἡ συμπεφυκυῖα
439 A. κατὰ τὸ ἕτερον μέρος κοιλότης πρὸς τὸ | ἔτνος ἐπιτη-
25 δείως ἔχειν πεποίηται· ἔπειτά τις τῶν ἐπ' εὐωχίᾳ
συγκεκλημένων ὑπαλλάξας τῶν προκειμένων τὴν χρῆσιν
ἑκάστῳ πρὸς τὰ μὴ δέοντα χρῷτο καὶ τῇ μαχαίρᾳ μὲν ἢ
ἑαυτὸν ἤ τινα τῶν παρανακειμένων τέμοι, τῇ δὲ περόνῃ
τὸν ὀφθαλμὸν ἢ τοῦ πέλας ἢ τὸν ἑαυτοῦ ἐκκεντήσειεν·
30 εἴποι τις ἂν ὅτι τῇ παρασκευῇ τοῦ ἑστιάτορος ὁ δεῖνα εἰς
κακὸν ἀπεχρήσατο, οὐ τοῦ παρασκευάσαντος τὴν αἰτίαν
τῶν ἐκβησομένων προετοιμάσαντος, ἀλλὰ τῆς κακῆς τῶν
προτεθέντων χρήσεως εἰς τοῦτο τὸ πάθος προαγαγούσης
τὸν ἀβούλως τοῖς προκειμένοις χρησάμενον· οὕτως,
35 φησίν, ἔγνων καὶ ἐγὼ ὅτι παρὰ τοῦ θεοῦ μὲν γέγονεν
ἕκαστον ἐπὶ παντὶ τῷ βελτίονι, εἴπερ « ἐν καιρῷ [b] » κατὰ
τὸ προσῆκον ἡ ἑκάστου γίνοιτο χρῆσις, ἡ δὲ παρατροπὴ
τῆς ὀρθῆς περὶ τῶν ὄντων κρίσεως εἰς ἀφορμὴν κακῶν τὰ
ἀγαθὰ περιήγαγεν. Οἷον τί λέγω ; Τί γλυκύτερον τῆς τῶν
40 ὀφθαλμῶν ἐνεργείας ; Ἀλλ' ὅταν ἡ ὄψις πάθους ὑπηρέτις
γίνηται τοῖς τοιούτοις, τὸ ἐπ' εὐεργεσίᾳ γενόμενον αἴτιον
κακοῦ γεγενῆσθαι λέγεται· ὅπερ οὐδὲν ἄλλο ἐστὶν ἢ ὅτι
κακῶς τῷ καλῷ τις χρησάμενος πάθος τὴν χρῆσιν
ἐποίησεν. Οὕτω καὶ τὰ ἄλλα πάντα ὅσα παρὰ τοῦ θεοῦ
440 A. 45 ἔχει ἡ φύσις ἐν τῇ προαιρέσει τῶν | κεχρημένων κεῖται ἢ
καλῶν ἢ κακῶν ὕλη γενέσθαι.

Διό φησι· « Τὰ σύμπαντα ἃ ἐποίησε καλὰ ἐν καιρῷ
αὐτοῦ καί γε σὺν τὸν αἰῶνα ἔδωκεν ἐν καρδίᾳ αὐτῶν [c]. »
Ὁ δὲ αἰὼν διαστηματικόν τι νόημα ὢν πᾶσαν δι' ἑαυτοῦ

b. cf. Eccl. 3, 11a c. Eccl. 3, 11a-b

1. *Eccl.* 3,11 utilise le terme αἰών, qui insiste sur la durée comme son équivalent hébreu *ʿôlām*. C'est bien aussi ce que met en valeur l'expression διαστηματικόν τι νόημα ; voir ci-dessus, Introd., chap. V. Sur

ves de couper eux-mêmes une portion de ce qui leur est présenté, ou les piques d'argent dont la cavité formée à la partie supérieure convient pour les purées ; mais si ensuite l'un des invités au festin utilisait à l'envers ce qui est devant lui et se servait de chaque objet pour faire ce qu'il ne faut pas, si, avec le couteau, il se coupait lui-même ou l'un de ses voisins, ou s'il se crevait l'œil ou blessait celui de son voisin avec la pique, on pourrait dire que cet individu a détourné, pour en faire un mauvais usage, ce qu'avait disposé le maître du banquet, et ce n'est pas celui qui a tout disposé qui a préparé d'avance la cause de ce qui allait arriver, mais c'est le mauvais usage des objets placés devant lui qui a conduit à cet accident celui qui s'est servi sans réflexion des objets disposés devant lui. De même, dit le texte, je sais, moi aussi, que chaque chose vient de Dieu toujours pour le mieux, pourvu que l'on use de chacune « au moment voulu [b] », comme il convient ; mais le détournement du jugement droit concernant les réalités existantes a conduit le bien à devenir une occasion de mal. Quel exemple prendre ? Quoi de plus doux que l'activité des yeux ? Mais lorsque la vue devient la servante d'une passion dans des situations comme celle-là, on dit que ce qui existait pour servir au bien est devenu cause d'un mal. Autrement dit, celui qui utilise mal le bien fait de son usage une passion mauvaise. Et il en est de même aussi pour toutes les réalités que la nature tient de Dieu : c'est par le libre choix des usagers qu'elles deviennent matière de biens ou de maux.

C'est pourquoi le texte dit : « Tout ce qu'il a fait est bon au moment voulu par lui, et vraiment il a donné du même coup dans leur cœur la durée [c]. » Or la durée [1], qui est un

l'emploi d'αἰών dans la définition chrétienne du temps, voir J. Bellayche, « Aiôn : vers une sublimation du temps », dans *Le temps chrétien*, p. 11-29.

50 σημαίνει τὴν κτίσιν τὴν ἐν αὐτῷ γενομένην. Οὐκοῦν ἐκ τοῦ περιέχοντος ἅπαν τὸ ἐμπεριεχόμενον δείκνυσιν ὁ λόγος. Πάντα οὖν ὅσα ἐν τῷ αἰῶνι γέγονεν ἔδωκε τῇ ἀνθρωπίνῃ καρδίᾳ ἐπ' ἀγαθῷ ὁ θεός, ὥστε « ἐκ μεγέθους καὶ καλλονῆς κτισμάτων[d] » ἀναθεωρεῖν δι' αὐτῶν τὸν 55 ποιήσαντα. Οἱ δὲ δι' ὧν εὐεργετήθησαν, διὰ τούτων 753 M. ἐβλάβησαν τῷ μὴ κατὰ τὸ δέον ἑκάστῳ καὶ πρὸς τὸ λυσιτελοῦν ἀποχρήσασθαι. Διὰ τοῦτό φησιν· « ὅπως μὴ εὕρῃ ἄνθρωπος τὸ ποίημα ὃ ἐποίησεν ὁ θεός[e] », ὅπερ σημαίνει ὅτι διὰ τοῦτο ἐπεκράτησεν ἡ ἀπάτη τῆς 60 ἀνθρωπίνης ψυχῆς ὅπως μὴ ἐπιγνῷ τὸ ἀγαθὸν « ποίημα ὃ ἐποίησεν ὁ θεὸν[f] » ἐπὶ τῷ τῆς ὠφελείας σκοπῷ, ἐν πᾶσι τοῖς γεγονόσιν ἀπ' ἀρχῆς τῆς κτίσεως καὶ μέχρι τῆς τοῦ παντὸς συμπληρώσεως οὐδενὸς ἐν τοῖς οὖσιν ὄντος κακοῦ· οὐδὲ γὰρ ἔχει φύσιν ἐξ ἀγαθοῦ κακόν τι φῦναι. Εἰ 65 δὲ ἀγαθὸς ὁ τῶν πάντων αἴτιος, ἀγαθὰ πάντως ὅσα ἐκ τοῦ ἀγαθοῦ τὴν ὑπόστασιν ἔχει.

441. A. | **9.** Εἶτα « ἔγνων, φησίν, ὅτι οὐκ ἔστιν ἀγαθὸν ἐν αὐτοῖς, εἰ μὴ τοῦ εὐφρανθῆναι καὶ τοῦ ποιεῖν ἀγαθὸν ἐν ζωῇ αὐτοῦ[a] ». Ἀνακεφαλαιοῦται τῷ λόγῳ τὰ εἰρημένα. Εἰ γὰρ ἡ ἐν καιρῷ τῶν θείων ποιημάτων χρῆσις τὸ καλὸν 5 ὁρίζει τῇ ἀνθρωπίνῃ ζωῇ, ἓν ἂν εἴη καλὸν ἡ διηνεκὴς ἐπὶ τοῖς καλοῖς εὐφροσύνη, ἥτις ἐκ τῶν ἀγαθῶν ἔργων γεννᾶται. Ἡ γὰρ τῶν ἐντολῶν ἐργασία νῦν μὲν διὰ τῆς ἐλπίδος εὐφραίνει τὸν τῶν καλῶν προϊστάμενον ἔργων, μετὰ ταῦτα δὲ ἡ ἀπόλαυσις τῶν ἀγαθῶν τὴν ἐλπίδα 10 ἐκδεξαμένη ἀΐδιον τοῖς ἀξίοις τὴν εὐφροσύνην προτίθησιν, ὅτε φησὶν ὁ κύριος τοῖς τὸ ἀγαθὸν πεποιηκόσιν ὅτι

d. cf. Sag. 13, 5 e. Eccl. 3, 11c-d f. Eccl. 3, 11d
9. a. Eccl. 3, 12

concept d'étendue, signifie par elle-même la création tout entière qui est en elle. Donc le discours montre, à partir du contenant, tout ce qui y est contenu. Tout ce qui est dans la durée, donc, Dieu l'a donné au cœur humain en vue d'un bien, de sorte qu'« à partir de la grandeur et de la beauté des créatures [d] », l'homme s'élève par elles à la contemplation de celui qui les a faites. Mais les hommes, avec les bienfaits reçus, arrivent à se faire du tort, du fait qu'ils ne tirent pas profit de chaque chose comme il convient et pour un avantage. C'est pourquoi le texte dit : « de façon que l'homme ne puisse pas connaître l'ouvrage que Dieu a fait [e] ». Cela signifie que la tromperie s'est rendue maîtresse de l'âme humaine de façon que l'homme « ne puisse pas connaître le bon ouvrage que Dieu a fait [f] » dans le but de lui être utile ; et dans tout ce qui a existé depuis le commencement de la création et jusqu'à l'achèvement du tout, il n'y a aucun mal dans les êtres, car il n'est pas naturel qu'un mal naisse d'un bien. Et si celui qui est cause de toute chose est bon, est bon absolument tout ce qui tient sa subsistence du bien.

Le véritable don de Dieu

9. Ensuite, « j'ai appris, est-il dit, qu'il n'y a pas de bien en eux, sinon de se réjouir et de faire le bien dans sa vie [a] ». Cette parole récapitule ce qui a été dit. En effet, si l'utilisation opportune des œuvres divines définit le bien pour la vie humaine, la joie continue à l'égard de ce qui est bon, elle qu'engendrent les bonnes œuvres, pourrait bien être l'unique bien. Car maintenant la pratique des commandements réjouit en espérance celui qui se propose de bien agir ; et après cela, la jouissance des biens, qui a accompagné l'espérance, propose la joie éternelle à ceux qui en sont dignes, lorsque le Seigneur dit à ceux qui ont fait le bien :

« Δεῦτε οἱ εὐλογημένοι, κληρονομήσατε τὴν ἡτοιμασμένην ὑμῖν βασιλείαν [b] ». Καὶ ὅπερ ἐστὶν ἡ βρῶσις καὶ ἡ πόσις τῷ σώματι δι' ὧν συντηρεῖται ἡ φύσις, τοῦτό ἐστι
15 τῇ ψυχῇ τὸ πρὸς τὸ ἀγαθὸν βλέπειν· καὶ τοῦτο ὡς ἀληθῶς δόμα ἐστὶ θεοῦ τὸ ἐνατενίζειν θεῷ. Τοῦτο γάρ ἐστι τὸ νόημα ὃ ἐν τοῖς ἐφεξῆς εἰρημένοις διερμηνεύεται. Ἔχει δὲ ἡ λέξις οὕτως· « Καί γε πᾶς ἄνθρωπος ὃς φάγεται καὶ πίεται καὶ ἴδῃ ἀγαθὸν ἐν παντὶ μόχθῳ αὐτοῦ,
20 τοῦτο δόμα θεοῦ ἐστιν [c]. » Ὡς γὰρ ὁ ἄνθρωπος, φησίν, ὁ σαρκώδης ἐν τῷ φαγεῖν καὶ πιεῖν τὴν ἰσχὺν ἔχει, οὕτως ὁ τὸ ἀγαθὸν βλέπων — ἀγαθὸν δὲ ἀληθινὸν ὁ μόνος ἀγαθὸς
442 A. ἂν εἴη — δόμα | θεοῦ ἔχει ἐν παντὶ μόχθῳ αὐτοῦ, αὐτὸ τοῦτο τὸ πρὸς τὸ ἀγαθὸν ἀεὶ βλέπειν ἐν Χριστῷ
25 Ἰησοῦ τῷ κυρίῳ ἡμῶν, ᾧ ἡ δόξα καὶ τὸ κράτος εἰς τοὺς αἰῶνας τῶν αἰώνων. Ἀμήν.

b. Matth. 25, 34 c. Eccl. 3, 13

« Venez, les bénis, soyez les héritiers du royaume qui a été préparé pour vous [b] .» Et ce que sont au corps la nourriture et la boisson, par qui la nature est conservée, le fait de regarder vers le bien l'est à l'âme ; et c'est véritablement le don de Dieu : fixer les yeux sur Dieu [1]. Telle est en effet la signification qui ressort de l'interprétation des paroles qui suivent, dont voici la lettre : « Et vraiment tout homme qui mangera, boira et verra du bien dans toute la peine qu'il prend, c'est un don de Dieu [c]. » Car de même que l'homme, est-il dit, l'homme charnel, prend sa force dans le manger et le boire, de même celui qui regarde le bien — et le bien véritable, c'est sans doute celui-là seul qui est bon — possède un don de Dieu dans toute la peine qu'il prend, et cela même consiste à regarder sans cesse vers le bien, dans le Christ Jésus notre Seigneur, à qui sont la gloire et la puissance pour les siècles des siècles. Amen.

1. Voir ci-dessus, p. 272, n. 1. Vocabulaire et thème plotiniens de la fixité du regard qui souligne l'ardeur de la contemplation (emplois de ἐνατενίζω dans *Enn.* IV, 7, 40 ; V, 12, 10 ; VI, 2, 8). L'exhortation à regarder Dieu est associée dans le *De inst. christ.* (*GNO* VIII, 1, p. 75, 3 et 13-15) à l'appel à « se souvenir » de Dieu. Expression proche en *De inf.* (*GNO* III, 2, p. 79) : « La vie de l'âme, c'est de regarder (βλέπειν) Dieu .»

INDEX

Les chiffres des index renvoient aux numéros des homélies (chiffres romains), à leurs paragraphes et, le cas échéant, à leurs lignes dans la présente édition.

I. — RÉFÉRENCES BIBLIQUES

Dans la colonne de gauche, pour les versets de l'*Ecclésiaste* dont Grégoire de Nysse ne cite qu'une partie, des lettres renvoient aux différents stiques, tels qu'ils se présentent dans l'édition de Rahlfs.

Dans la colonne de droite, les petites lettres renvoient aux références des citations données au bas des pages du texte grec. Marquées d'un exposant, elles signalent les simples allusions.

ANCIEN TESTAMENT

Genèse

Exode

Lévitique

Nombres

II. MOTS ET EXPRESSIONS DU VOCABULAIRE EXÉGÉTIQUE

On trouvera ici les mots et expressions utilisés par Grégoire de Nysse pour désigner, citer et commenter les versets ou groupes de versets bibliques auxquels il se réfère. Ne sont pas mentionnés, cependant, les termes les plus courants et employés concurremment (λόγος, φωνή, ῥῆμα, ῥῆσις).

ἐφεξῆς I, 14, 11; II, 5, 3; V, 5, 8; 6, 1; VI, 2, 40; 7, 1; VII, 4, 1.57; 7, 1; 8, 1; VIII, 9, 17
θεωρία I, 1, 2.13; II, 6, 4; VI, 1, 23; 4, 2; VII, 7, 62; 8, 35
ἱστορία I, 2, 4.9; VI, 10, 11; VII, 1, 18.23
καθεξῆς II, 5, 39; 6, 3; III, 6, 9; IV, 1, 2
κοινός III, 6, 8
κυρίως I, 12, 23; II, 7, 16
λέξις I, 3, 6; 14, 8; II, 6, 4; 8, 20; IV, 2, 4; V, 5, 22.37.53; 6, 4.63; VII, 4, 3.5; VIII, 9, 18
λόγιον VI, 1, 3.17; 4, 2
ὅμοιος VI, 6, 1
ὁμοίωσις II, 6, 38
ὄνομα IV, 4, 29; VII, 4, 27; 7, 12; VIII, 6, 40
ὀνομάζω II, 3, 53; 7, 14.16; III, 1, 7; IV, 5, 2.23.62; V, 2, 6.9; 3, 15; 6, 19; 7, 23; 8, 34; VI, 8, 12; 10, 6; VII, 3, 7; VIII, 6, 13
ὅπερ ἴσον ἐστίν II, 7, 14.28; III, 6, 12; V, 4, 48; VIII, 7, 8
ὅπερ ὅμοιόν ἐστιν V, 4, 52
ὅπερ οὐδὲν ἄλλο/ἕτερον II, 8, 62; VI, 10, 4
παραβολικῶς II, 6, 40
παράθεσις V, 2, 4; 8, 50
παράλληλος V, 8, 54
περιλαμβάνω I, 3, 28; V, 2, 44
περιληπτικός III, 9, 4
προειρημένον V, 7, 69; VI, 10, 1
προεξετάζω II, 6, 1; VI, 7, 1; VII, 6, 1; 7, 62
προερμηνεύω I, 7, 22; VI, 7, 4
προθεωρία V, 6, 2
προθεωρέομαι VI, 3, 1
προοίμιον I, 1, 6; IV, 5, 68; VI, 1, 16
προσαρμόζω V, 6, 4
προσθήκη V, 6, 39; 8, 16; VII, 1, 27; 5, 26
προστίθημι III, 6, 1; 8, 2; IV, 1, 102; 4, 9; V, 7, 69
πρόσωπον III, 1, 9; V, 5, 15.68; VI, 7, 4; 9, 3
προφητεία IV, 1, 16.36; V, 5, 5; VII, 3, 25; 5, 8.54; 6, 33; VIII, 2, 193
προφητικός VI, 7, 3
πρόχειρος I, 11, 2; II, 3, 7; 5, 19; VII, 1, 14; 2, 4
σαφήνεια I, 4, 29; 12, 8
σαφηνίζω VI, 9, 2
σαφῶς VI, 7, 3
σημαίνω I, 4, 21; 13, 35.37; II, 3, 29; 4, 32; 6, 38; III, 6, 9; IV, 5, 40.48.98; V, 4, 6; VI, 2, 18; 10, 7; VII, 4, 29.47; 7, 13; VIII, 2, 2; 5, 22; 8, 50.59
σημασία I, 2, 39; 3, 4.7; 4, 25; 12, 22; VII, 8, 45
σκοπός I, 2, 10.17.21; II, 6, 1; III, 3, 9; VI, 1, 5
σύμφωνος VI, 7, 1
συνεξετάζω I, 4, 5
συνερμηνεύω V, 2, 45
συνήθης II, 3, 33
τάξις VI, 4, 16
τόπος IV, 1, 1
τοῦτ'ἔστιν/τουτέστιν I, 7, 4; 14, 28; II, 4, 2; 5, 46; 6, 30; 8, 3; III, 5, 49; 6, 4; 9, 18; V, 6, 8; 7, 45; VI, 8, 15
τρόπος V, 8, 9
ὑπολαμβάνω III, 3, 21
ὑποσημαίνω V, 3, 12
ὑφήγησις V, 1, 12
ὕψηλος I, 6, 20; V, 5, 76; VII, 8, 44; VIII, 7, 5
ψιλός IV, 4, 29; VII, 2, 5.91
ψιλῶς VII, 2, 3
ὡς ἂν εἰ λέγει/ἔλεγεν I, 14, 3.23; II, 7, 24; V, 4, 31
ὠφέλεια I, 1, 2

TABLE DES MATIÈRES

Pages

INDEX

SOURCES CHRÉTIENNES

Dans la liste qui suit, dite « liste alphabétique », tous les ouvrages sont rangés par nom d'auteur ancien, les numéros précisant pour chacun l'ordre de parution depuis le début de la collection. Pour une information plus complète, on peut se procurer au secrétariat de « Sources Chrétiennes », 29, rue du Plat, 69002 Lyon (France), Tél. : 78.37.27.08, deux autres listes :

1. la « liste numérique », qui présente les volumes et leurs auteurs actuels d'après les dates de publication ; elle indique les réimpressions et les ouvrages momentanément épuisés ou dont la réédition est préparée.
2. la « liste thématique », qui présente les volumes d'après les centres d'intérêt et les genres littéraires : exégèse, dogme, histoire, correspondance, apologétique, etc.

LISTE ALPHABÉTIQUE (1-416)

Trois antiques rituels du Baptême : *59*

Romanos le Mélode
Hymnes : *99, 110, 114, 128, 283*

Rufin d'Aquilée
Les Bénédictions des Patriarches : *140*

Rupert de Deutz
Les œuvres du Saint-Esprit
I-II : *131*
— III-IV : *165*

Salvien de Marseille
Œuvres : *176* et *220*

Scolies ariennes sur le concile d'Aquilée : *267*

Sozomène
Histoire ecclésiastique I-II : *306*

Sulpice Sévère
Vie de saint Martin : *133-135*

Syméon le Nouveau Théologien
Catéchèses : *96, 104* et *113*
Chapitres théologiques, gnostiques et pratiques : *51 bis*
Hymnes : *156, 174* et *196*
Traités théologiques et éthiques : *122* et *129*

Targum du Pentateuque : *245, 256, 261, 271* et *282*

Tertullien
A son épouse : *273*
Contre les valentiniens : *280* et *281*
Contre Marcion, I-III : *365, 368, 399*
De la patience : *310*
De la prescription contre les hérétiques : *46*
Exhortation à la chasteté : *319*
La Chair du Christ : *216* et *217*
Le Mariage unique : *343*
La Pénitence : *316*
La Pudicité : *394* et *395*
Les Spectacles : *332*
La Toilette des femmes : *173*
Traité du baptême : *35*

Théodoret de Cyr
Commentaire sur Isaïe : *276, 295* et *315*
Correspondance : *40, 98, 111*
Histoire des moines de Syrie : *234* et *257*
Thérapeutique des maladies helléniques : *57* (2 vol.)

Théodote
Extraits (*Clément d'Alex.*) : *23*

Théophile d'Antioche
Trois livres à Autolycus : *20*

Vie d'Olympias : *13*

Vie de sainte Mélanie : *90*

Vie des Pères du Jura : *142*

SOUS PRESSE

Apponius, **Commentaire sur le Cantique.** Tome I. L. Neyrand, B. de Vregille.

Barsanuphe et Jean de Gaza, **Correspondance.** Tome I. P. De Angelis-Noah, F. Neyt.

Isidore de Péluse, **Lettres.** Tome I. P. Évieux.

Marc le Moine, **Traités.** Tome I. G.-M. de Durand.

Passion de Perpétue. J. Amat.

Sozomène, **Histoire ecclésiastique III-IV.** A.-J. Festugière, B. Grillet, G. Sabbah.

PROCHAINES PUBLICATIONS

Les Apophtegmes des Pères. Tome II. J.-C. Guy (†).

Bernard de Clairvaux, **Lettres.** Tome I. M. Duchet-Suchaux, H. Rochais.

EUDOCIE, **Centons homériques.** A.-L. Rey.

JEAN CHRYSOSTOME, **Sermons sur la Genèse.** L. Brottier.

Livre d'heures ancien du Sinaï. M. Ajjoub.

RICHARD DE SAINT-VICTOR, **Les douze patriarches.** J. Châtillon (†), M. Duchet-Suchaux, J. Longère.

TERTULLIEN, **Le Voile des vierges.** P. Mattei, E. Schulz-Flügel.

THÉODORET DE CYR, **Correspondance.** Tome IV. Y. Azéma.

VICTORIN DE POETOVIO, **Commentaire sur l'Apocalypse.** M. Dulaey.

ÉGALEMENT AUX ÉDITIONS DU CERF

LES ŒUVRES DE PHILON D'ALEXANDRIE

publiées sous la direction de

R. ARNALDEZ, C. MONDÉSERT, J. POUILLOUX.

Texte original et traduction française.

1. **Introduction générale. De opificio mundi.** R. Arnaldez.
2. **Legum allegoriae.** C. Mondésert.
3. **De Cherubim.** J. Gorez.
4. **De sacrificiis Abelis et Caini.** A. Méasson.
5. **Quod deterius potiori insidiari soleat.** I. Feuer.
6. **De posteritate Caini.** R. Arnaldez.

7-8. **De gigantibus. Quod Deus sit immutabilis.** A. Mosès.

9. **De agricultura.** J. Pouilloux.
10. **De plantatione.** J. Pouilloux.

11-12. **De ebrietate. De sobrietate.** J. Gorez.

13. **De confusione linguarum.** J.-G. Kahn.
14. **De migratione Abrahami.** J. Cazeaux.
15. **Quis rerum divinarum heres sit.** M. Harl.
16. **De congressu eruditionis gratia.** M. Alexandre.
17. **De fuga et inventione.** E. Starobinski-Safran.
18. **De mutatione nominum.** R. Arnaldez.
19. **De somniis.** P. Savinel.
20. **De Abrahamo.** J. Gorez.
21. **De Iosepho.** J. Laporte.
22. **De vita Mosis.** R. Arnaldez, C. Mondésert, J. Pouilloux, P. Savinel.
23. **De Decalogo.** V. Nikiprowetzky.
24. **De specialibus legibus.** Livres I-II. S. Daniel.
25. **De specialibus legibus.** Livres III-IV. A. Mosès.
26. **De virtutibus.** R. Arnaldez, A.-M. Vérilhac, M.-R. Servel et P. Delobre.
27. **De praemiis et poenis. De exsecrationibus.** A. Beckaert.
28. **Quod omnis probus liber sit.** M. Petit.
29. **De vita contemplativa.** F. Daumas et P. Miquel.
30. **De aeternitate mundi.** R. Arnaldez et J. Pouilloux.
31. **In Flaccum.** A. Pelletier.
32. **Legatio ad Caium.** A. Pelletier.
33. **Quaestiones in Genesim et in Exodum. Fragmenta graeca.** F. Petit.

34 A. **Quaestiones in Genesim,** I-II (e vers. armen.). Ch. Mercier.

34 B. **Quaestiones in Genesim,** III-VI (e vers. armen.). Ch. Mercier et F. Petit.

34 C. **Quaestiones in Exodum,** I-II (e vers. armen.). A. Terian.

35. **De Providentia,** I-II. M. Hadas-Lebel.
36. **Alexander (De animalibus)** (e vers. armen.). A. Terian.

ACHEVÉ D'IMPRIMER
EN JUIN 1996
SUR LES PRESSES
DE
L'IMPRIMERIE F. PAILLART
À ABBEVILLE

DÉPÔT LÉGAL : 2e TRIMESTRE 1996
N°. IMP. 9026, N° D. L. ÉDIT. 10195

DATE DUE